Sainte misère

IMPRIME au CANADA
COPYRIGHT © 2008 par
André Mathieu

Dépôt légal:
Bibliothèque nationale du Canada
Bibliothèque nationale du Québec

ISBN 978-2-922512-41-0

André Mathieu

Sainte misère

(*Le 5e rang*, tome 1 / 4)

roman

L'éditeur :
9-5257, Frontenac,
Lac-Mégantic
G6B 1H2

Un mot de l'auteur...

Les événements racontés dans ce livre sont inspirés de faits réels survenus au début des années 1930 dans une paroisse beauceronne qui n'est pas celle où je suis né. Certes, les détails ne furent jamais tous racontés devant moi, mais les grandes lignes allaient parfois de bouche à oreille et parais-saient scandaliser ceux qui en parlaient... tout en les délec-tant très certainement. Oreille collée à la grille de chaleur du deuxième étage, je captais ces propos adultes qui commen-çaient toujours par des chuchotements et finissaient par des éclats de rire. J'avais 5, 6, 7 ans... Les bouffées de chaleur venues de la fournaise, et qui m'atteignaient en même temps que les secrets sacrés, ne parvenaient jamais à 'brûler' ma curiosité enfantine... Comment ne pas raconter ces souvenirs dans un de mes livres ? Ou bien je n'aurais pas tout abordé des sujets pas toujours ordinaires qui ont façonné ma vie.
Je dédie ce roman, construit à même des faits authentiques, à celles et ceux qui jasaient dans la cuisine au temps de mon enfance : mes parents, surtout mon père, mes oncles et tantes, des amis de mes parents, des visiteurs de toute la paroisse.
Car la maison paternelle était un carrefour à confidences où il s'en disait de toutes les couleurs, surtout le dimanche. C'est que ma mère opérait un petit 'magasin de coupons' et qu'elle possédait et utilisait à souhait son double don de faire parler les gens et... de les écouter...
Moi aussi, j'écoutais, mais aux portes, et les oreilles chaudes en diable...
J'ai créé un lieu, Saint-Léon, un rang, le cinquième, où vont s'en donner à coeur joie, le temps d'un trop court été, tous ces couples de cultivateurs qui cherchent à s'amuser en ce temps de misère noire et de grande morosité.
Mais les prêtres et la religion sont en contrôle : n'y voient-ils tout d'abord que du feu avant d'y voir l'enfer ?...

A. M.

Qu'importe le flacon pourvu qu'on ait l'ivresse !
Alfred de Musset

Les ailes du temps fixées à nos épaules ne nous
laissent qu'un court instant pour frôler la vie !
A. Mathieu

Chapitre 1

Saint-Léon, été 1930

Le vieux selké cahotait dans les ornières du chemin gris. Devant, soigneusement attelé, un petit cheval chargé d'années et d'habitudes poussiéreuses espaçait des pas lourds, marchant sans besoin de signes, d'ordres de son maître somnolent. Plus qu'un petit cheval, il s'agissait d'un poney femelle paraissant jeune malgré son âge avancé. Un été aussi vaste que bref venait de s'installer dans la longue plaine verte, au pied de la montagne de la *Craque*.

Bossu Couët, le maquignon quêteux, allait dans le cinquième rang, mine de rien, l'oeil mi-clos, l'air de dire au soleil qu'il se moquait bien de ses rayons trop audacieux. L'homme ne craignait pas les insolations avec sa peau foncée, épaisse, coriace, barrée de plis, son nez pivelé, son front buriné par le temps qui creuse et gruge toutes choses aussi lentement que sûrement.

S'achevait pour lui une tournée de dix jours qui l'avait conduit dans la Beauce, une terre généreuse pour les mendiants, surtout ceux affligés d'un handicap aussi visible que le sien. Et le personnage regagnait sa modeste demeure au fond de ce rang qui se terminait là-bas en cul-de-sac, sous le nez même de l'abrupte montagne sombre, fendue par le milieu, et que le soleil n'atteignait jamais de plein fouet vu la position de sa face légèrement au nord-ouest.

C'était l'heure du midi. L'homme avait faim. Mais l'accoutumance d'un estomac qui crie famine avait tôt fait de le lui faire oublier. Et c'est à bien autre chose qu'il songeait en ce moment, tout en faisant mine de dormir à demi, engoncé profondément dans cette voiturette qu'il possédait depuis au moins trente-cinq ans.

Il pensait aux gens qui habitaient le cinquième rang. Tous des cultivateurs. Du beau jeune monde. Des Goulet, des Morin, des Poulin, des Fortier, des Roy, des Martin et d'autres... Il les connaissait tous. Il les aimait tous. Mais eux n'abaissaient pas toujours ni trop souvent leur garde devant lui, l'être anormal, le phénomène de la nature, celui qu'on aurait peut-être soupçonné le premier s'il s'était produit dans les parages un vilain événement inexplicable.

Voici que l'attelage approchait de la première maison du rang, après le village qu'il avait traversé de bout en bout à son retour de la paroisse voisine et des suivantes vers la Beauce. De la bien bonne terre que celle du couple Goulet, Pierre et sa femme Désirée. Une terre noire qui gavait les plantes et savait conserver son humidité par les plus longues sécheresses, rarissimes dans ce coin de la province, et pour le plus grand bonheur de ses habitants.

Une belle maison fière bien chaulée, solide sur ses deux étages sous un comble français, les ouvertures entourées de noir qui faisaient penser aux yeux de grandes vedettes du cinéma américain, les Joan Crawford, Greta Garbo, Loretta Young, que Bossu Couët fréquentait par l'imagination en les regardant évoluer sur grand écran dans une salle de cinéma de la Beauce et même parfois de Québec quand il lui arrivait de s'y rendre par les gros chars. Seul luxe coloré d'une vie toute de gris et trop souvent de noir.

Les Goulet n'avaient encore que trois enfants, tous de moins de dix ans. Mais un quatrième était en route depuis quelques mois et viendrait au monde aux alentours du 25 décembre, ce qui faisait espérer aux parents que survienne enfin un garçon après trois filles de suite.

De tout le rang, l'aînée de cette famille était la seule enfant de sexe féminin à lui adresser aisément la parole, à ce bossu un brin mystérieux. Et il connaissait son prénom, à cette fillette lumineuse : Juliette. Quelle idée sa mère avait donc eue de l'affubler d'un nom qui, accolé au patronyme de Goulet, sonnait si mal à l'oreille. Par bonheur, on s'était repris avec les deux suivantes : Fernande et Lucie. Mais la jeune fille de neuf ans compensait par des yeux agrandis par un sourire généreux qui captait les regards et retenait l'attention. Bossu Couët y songeait, à ce visage si pur et si beau, quand une voix, douce et portante, le sortit de sa rêverie :

–Monsieur Couët, monsieur Couët, maman, elle m'envoie vous porter de l'eau.

L'homme ouvrit les yeux et tourna lentement sa tête énorme vers la montée de la maison. C'était Juliette : il le savait déjà par cette voix à la fois cristalline et veloutée, tout aussi charmante que la jeune personne la possédant. Malgré sa réserve naturelle, l'enfant saluait Couët de la main et du sourire chaque fois qu'elle le croisait sur le chemin de l'école ou autrement. Et le bossu la regardait d'un bon oeil pour cette raison plaisante.

La fillette tenait dans une main une pinte de lait à moitié remplie d'eau, et dans l'autre, un verre à boire.

–Huhau ! Huhau ! la *Brune* !

Le poney, qui ne demandait pas mieux, s'arrêta aussitôt; et tourna la tête comme pour réclamer sa part, son dû pour avoir si bien marché, et parfois trotté depuis l'aube. Mais il n'insista point. Comment avec une gueule comme la sienne boire à même un contenant aussi petit ?

–Quen, c'est maman qui m'envoie vous voir...

L'enfant tendit les deux contenants d'un verre étincelant sans baisser les yeux devant ceux si grands, si profonds et si noirs de cet infirme dont d'aucuns parfois faisaient les gorges chaudes à l'aide d'allusions aux voiles épais et aux sens cachés qui échappaient à Juliette. Et qu'elle ne cherchait pas à creuser, y soupçonnant, sans même se le dire, une odeur de péché, voire de gros péché.

–Ben... tu y diras 'marci' à plein, à ta 'mére', ma fille ! C'est ben bon de sa part.

–Pis elle dit que... ben on a un ch'fal malade... que si vous voulez venir le voir à soir...

–Ben sûr que j'peux r'venir à soir, ben sûr ! Tu y diras ça de ma part.

Mais la mère de la petite avait déjà compris, qui surveillait les choses par la fenêtre de la maison, et fut donc à même d'apercevoir le signe de tête affirmatif du bossu.

Couët possédait la réputation d'un guérisseur d'animaux, surtout les chevaux qu'il lui arrivait de commercer sans passer pour plus qu'un maquignon d'occasion. On disait qu'il était capable de soigner la bronchite, la gourme, la morve et autres maladies qui frappaient les bêtes de somme et trop souvent les faisaient mourir. Or, en ce temps de crise économique, de rareté et de misère noire, pas un cultivateur n'avait les moyens de perdre un animal à cause de la maladie. Une bête qui disparaissait voulait dire moins à manger dans les assiettes.

La fillette à l'aimable figure recula de deux pas après que l'homme eut pris ce qu'elle lui offrait, puis, dans un geste de soumission et pour garder une distance certaine, elle se mit les mains derrière le dos en attendant de récupérer les contenants une fois vides. C'est sans la regarder que l'homme assoiffé versa de l'eau dans le verre; mais quand il but, il la détailla sans en avoir l'air et vit du grand nouveau chez elle, du neuf aussi récent que le printemps : la naissance du signe le plus évident de la féminité humaine. Si jeune et déjà arrondie de la poitrine : elle aurait de qui retenir, songea-t-il. Alors il but moins goulûment afin de regarder avec plus d'insistance sans que Juliette et sa mère ne fussent à même de surprendre cet acte de sommaire indécence.

Juliette ressemblait donc à sa mère par les traits du visage et par l'aura qui se dégageait de sa jeune personne. Ses yeux noirs encapuchonnés ajoutaient à son fin sourire une teinte de nostalgie ou bien de vulnérabilité. Là, Bossu arrivait à se reconnaître. Il se sentait un coeur charmant sous cette carapace monstrueuse. Il se savait une âme d'enfant derrière ses malformations. Mais il y avait cette chair indomptable qui venait brouiller l'image de lui-même, une chair prompte, vive, brûlante.

–Mon père dit que notre puits a pas de fond, pis qu'on manquera jamais d'eau pour boire, nous autres.

Couët soupira sans baisser le verre. Avant de prendre une nouvelle gorgée, il glissa entre l'air et l'eau :

–J'te 'cré'... est bonne pis fraîche en masse en tous les cas. D'la 'vré' bonne eau, ça !

Cette fois, il en déborda à la commissure de ses lèvres. Et plusieurs gouttes tombèrent sur la chemise rouge, barrée de lignes noires en carré. La fillette conserva son sourire malgré l'envie de sourire encore plus ouvertement à voir l'affront que le bossu faisait aux règles de la bienséance. Guère s'en manquait pour que se creusent sur ses joues des fossettes que des enfants taquins appelaient des craques, un mot qui aussitôt faisait penser à la montagne, là, au bout du cinquième rang.

Un tout léger coup de vent vint jouer dans quelques cheveux perdus hors les barrettes qui aggloméraient en la retenant le gros de sa chevelure, si brillante et si brune, formant sur le dessus de la tête une sorte de panier renversé pour s'égarer ensuite dans une ronde de boudins dansants.

Juliette portait une robe de couleur beige, fleurie en rouge, qui lui couvrait les genoux mais à peine, et laissait ses mollets à découvert; et le soleil s'y retrouvait dans un tan que le visage juvénile rendait encore mieux. Et les rayons

intenses de ce haut soleil de plein midi allumaient des étin-
celles tant dans le regard que sur la peau de la fillette. Elle
donnait à penser à un être de lumière de passage en ce
monde plutôt sombre, à un être de vérité en cet univers plutôt faux.

Tandis qu'il se désaltérait, l'homme dont la tête semblait à
elle seule faire la moitié de sa personne alors que sa voix
grave et profonde occupait le reste, continuait d'examiner de
pied en cap cette enfant que la vie appelait déjà et presque
trop vite à devenir femme. Et il lui fallut réprimer quelque
chose en lui d'inavouable ou bien il aurait dû l'avouer au
prêtre lors de sa prochaine confession qui ne saurait tarder
vu que le temps de Pâques était déjà à bonne distance derrière. Il lui fallait décapiter pareille impulsion sauvage pour
ne pas qu'elle devienne criminelle. Et il lui coupa la tête
dans un geste qui parut être celui qui ne boit pas tout de son
verre et jette le contenu hors de portée.

–Quen, ma fille, faut pas oublier le foin... ça va le faire
pousser un peu mieux.

Il ne restait plus rien maintenant, ni dans la pinte ni dans
le verre. La fillette fit trois pas en sa direction pour reprendre les contenants. Il les lui tendit sans la regarder mais en la
remerciant :

–T'es ben bonne d'être venue me donner à boire. Tu diras
'marci' à plein à ta mére... J'vas r'venir à soir pour soigner
vot" ch'fal.

–C'est correct, monsieur Couët.

–Ben bonne journée, là ! Pis 'marci' ben gros encore une
fois ! C'est ben généreux de vot' part.

Le quêteux fit un signe de la main en direction de la
maison, puis, reprenant les guides tout en se redressant dans
son selké, il clappa. La *Brune* se mit en marche.

La jument aurait bien bu, elle aussi, un petit quelque
chose, mais elle saurait patienter jusqu'à la maison.

L'homme entendit Juliette courir; il ne voulut pas la sui-vre du regard pour bien montrer à sa mère qu'il savait garder ses distances, et surtout démontrer qu'on n'avait absolument rien à craindre de lui...

*

La prochaine maison se trouvait sur la droite du rang. C'était une imposante bâtisse enfoncée dans le sol, drôle-ment longue et aux larmiers arrondis. Le seul peintre qui ait jamais recouvert ses bardeaux de leur teinte gris foncé était le soleil et ses puissants rayons d'été qui dardaient à tour de bras tout ce qui s'offrait à leur ardeur, parfois même à leur fureur. Et cette demeure portait en elle un demi-siècle de patience, de chaude sagesse, des gens qu'elle abritait en son ventre et en son coeur.

La jeune famille Fortier y vivait depuis trois ans. Jean-Pierre et son épouse Dora étaient remarquables par le con-traste physique les opposant, lui, un personnage de près de six pieds, musclé comme un boeuf, fort comme un ours, trapu comme un bison, et elle plus maigre qu'un vélocipède mais plus solide que le cap situé derrière la maison.

Bossu Couët les connaissait bien tous les deux. En fait, il les avait vus grandir chacun de leur côté, lui à Saint-Léon même, à l'autre bout de la paroisse, et elle dans un rang de la paroisse voisine, Saint-Samuel. Ils lui étaient familiers et il ne se retenait jamais de leur parler.

En ce moment, Dora travaillait dans le potager. Son énorme chapeau de paille semblait engloutir toute sa per-sonne étique. Couët fit comprendre à la *Brune* de s'arrêter par un mouvement de recul imprimé aux guides. Et il lança une salutation à cette voisine de rang qu'il aimait bien aussi, bien autant que les autres en tout cas :

–Comment qu'elle va, la bonne madame Dora ?

Personnage qui traversait aisément le miroir du réel pour voyager coeur et âme dans un univers connu d'elle seule, la jeune femme sursauta. Elle n'avait pas même entendu les pas lourds mais lents de la *Brune* sur la terre battue que les fers ne marquaient guère tant elle était durcie par ce mois de juin sec et frais jusqu'à ce jour de soleil intense et de chaleur profonde.

Elle se redressa. Son visage apparut sous le bord impressionnant du grand chapeau blond. Parut aussi sa chevelure noire comme jais. Le nez, pointu et allongé, livrait toute son éloquence quand la bouche se taisait. Mais la bouche ne se taisait pas beaucoup quand il se trouvait des oreilles pour entendre dans les parages.

–Si c'est pas monsieur Couët ! Vous r'venez d'une tournée en quelque part ?

Il approuva d'un signe de tête :

–J'ai fait la Beauce.

–Une bonne tournée ?

–Dans la Beauce, c'est toujours bon. On s'trompe pas par là : le monde donne.

–Ah, j'ai d'la grosse parenté par là, moé.

–Je l'savais pas. C'est dans quel boutte ?

–Saint-Éphrem. Mon oncle Cyrille pis ma tante Luciana. Des Guay.

–C'est d'valeur : j'me rends pas à Saint-Éphrem. J'me tiens plus proche de la 'riviére Chaudiére'...

–Ah bon !?

–Non. J'fais Saint-Évariste, Shenley, Saint-Martin, Saint-Georges... des fois Beauceville... mais pas à grandeur de la Beauce, c'est ben trop grand. Tout faire, j'me mettrais ben riche, là, moé.

–C'est sûr : ça s'étend jusqu'à Sainte-Marie à l'autre boutte de la rivière Chaudière.

–Un ben beau pays !

–Pis là, vous r'tournez chez vous pour le restant de l'été ça doit ben ?

–Ah, non, non, non ! Dans quelques jours, j'repars pour une autre tournée. C'est pas l'hiver, quand on voit ni ciel ni terre, que c'est le temps de quêter... Pis toé, Dora, t'as l'air de faire un beau jardin encor c't'année...

–C'est mieux de pousser parce qu'il va avoir affaire à moé, j'vous l'dis.

–Qui ça ?

–Le jardin... On l'engraisse ben comme il faut. Du crottin de cheval. Du fumier de mouton. Du fumier de vache. Je l'arrose. Le sarcle. J'arrache toutes les mauvaises herbes. J'en prends soin quasiment comme d'un enfant. Il fait mieux de me donner quelque chose en retour.

Bossu eut un éclat de rire à trois notes. Voici qu'il reconnaissait la volonté de mener toutes choses des Guay de Saint-Samuel. Tout en échangeant, il détaillait sa maigreur squelettique. Des os pointus aux pommettes, aux poignets, au menton, des os qui étiraient la peau, des os qui semblaient sur le point de percer leur enveloppe de chair. Et pourtant, Dora ne souffrait d'aucun mal qui vous émacie, vous décharne, comme la tuberculose ou le cancer. Et puis, sa personne anguleuse ne l'empêchait pas d'élever une famille, elle aussi, comme plusieurs autres jeunes femmes de cultivateurs de tout le cinquième rang. Terre généreuse aux ventres féconds. Le sien avait enfanté à six reprises depuis ses épousailles douze ans auparavant. Ventre prolifique...

Et voici qu'on entendit la cloche de l'église au loin, C'était l'heure de l'angélus. Dora se redressa encore davantage, ôta son chapeau qu'elle tint le long d'elle de sa main gauche; et de la droite, elle se signa dans une attitude de respect. L'heure d'un moment de recueillement sonnait, et pas question de faire la sourde oreille.

Couët, lui, ne bougea pas. La *Brune* encore moins. Mais il attendit en silence que la jeune femme en ait fini avec sa piété. Et il en profita pour la déshabiller du regard. Il se dégageait de cet être bien moins laid que lui-même des relents de péché de la chair. Comme elle devait compenser avec son homme pour cette absence d'attraits physiques ! Faisait-elle donc des atouts féminins de tous ces ossements croisés ? Comme elle devait prendre soin de lui dans l'intimité autant que de son jardin potager afin d'en tirer la substance qui donne la vie ou la fait renaître quand elle sommeille !

—Ton mari travaille dans le haut de la terre, ça doit ? fit le bossu quand le dernier son de cloche mourut au loin dans la distance.

—Ben non ! Est allé au village chercher des effets. Il a emmené les deux plus vieux avec lui. Ça fait que j'sus quasiment tuseule à maison comme une pomme suspendue au plafond.

Couët sourit à cette image. Il se demanda s'il se trouvait un message dans ces mots-là, puis, songeant à toutes ses infirmités de répulsion, il chassa cette idée et dit plutôt :

—Ben tu y diras que je l'salue !

Et il reprit les guides. Dora l'arrêta de partir dans l'espoir de jaser un peu plus :

—Vous voulez pas un p'tit quel'q chose ? J'ai quelq' cennes su' moi...

Tout en s'approchant de la clôture de perches, elle fouillait dans une poche de son tablier fleuri où dominait le jaune pâle.

—Non ! Pas aujourd'hui ! Suis pus en tournée. Une autre fois si vous voulez.

—Coudon, ben c'est comme vous voulez, monsieur Couët. C'est vous le 'boss'.

—À la r'voyure là !

—C'est ça, pis pensez à nous autres dans vos prières là, si vous voulez.

—Ah, j'y manquerai pas, j'y manquerai pas !

–C'est ben bon d'vot' part.

La *Brune* repartit. Dora remit son chapeau, l'attacha sous son menton en galoche, soupira de pitié à songer à ce pauvre infirme qui jamais ne connaîtrait la femme comme la plupart sinon tous les hommes qu'elle connaissait et qui semblaient unanimement y trouver grand plaisir par-delà même ce que la sainte Église désignait comme leur devoir conjugal. Devoir en tout cas qui suscitait beaucoup d'empressement et d'enthousiasme –camouflé sous les draps– chez les mâles de l'espèce au dire des femmes du rang et autres.

Et le bossu, quant à lui, se délecta de nouveau à dévêtir la Dora par le pouvoir de l'imagination et du souvenir. La fadeur même de cette femme constituait certes son meilleur atout. Disgracieuse oui, comme tout être exagérément étique, mais pas monstrueuse comme un Quasimodo dans son genre. Seule avec lui sur une île déserte, et pour le restant de sa vie, elle n'en aurait quand même pas voulu comme partenaire de nuit, de lit, voire même de couvert... Elle, comme toutes les autres femmes, lui resterait toujours interdite, au pauvre homme, sa hideur de bossu constituant le plus sûr cadenas de leur ceinture de chasteté...

Prochaine maison : les Rousseau. Sur la gauche. Une habitation de rafistolage. Cela avait été une masure de colon. Ils en avaient fait une résidence barbare, toute de recoins, de murs inégaux, d'annexes de style erratique. Mais voilà qu'un tel château de mauvais goût, exhalant la misère et l'inconfort, abritait pourtant un couple joyeux au début de la quarantaine. Et de tous les habitants du cinquième rang, ils étaient sans doute les gens qui intimidaient le moins Bossu Couët. C'est qu'il se reconnaissait plus et mieux en eux qu'en d'autres, qu'en la plupart des autres.

Il eut envie de s'arrêter un moment. Certes, il ne se trouverait aucun enfant pour le craindre ou lui adresser des sourires de pitié, ou pour se moquer carrément par le biais de mots soufflés de bouche à oreille, car les Rousseau n'avaient qu'un enfant, une fille mariée, partie de la maison, établie ailleurs, au loin, dans la ville de Sherbrooke.

Romuald Rousseau, un cracheur invétéré que bien des gens appelaient Romu, s'amena à une fenêtre. On avait vu venir le selké familier. La *Brune* prenant tout son temps, on avait le temps de saluer son maître et même de l'inviter à boire un verre d'eau. Les regards se rencontrèrent. Rousseau fit des signes d'invitation que le bossu prit pour des salutations. Et il y répondit sans demander à sa jument de s'arrêter ou bien de tourner dans la montée plutôt courte qui allait tourner devant l'escalier égrianché.

–Si vous avez le goût de venir boire un peu d'eau...

C'était la femme Rousseau, un être lunetté au visage de lune. Elle venait de sortir à la demande de son mari et transmettait son message. Couët fut sur le bord de dire qu'il venait de boire et n'avait plus soif quand il rattrapa les mots avec sa grosse langue épaisse et lourde :

–Ben bons de m'inviter de même, vous autres. C'est pas de refus.

Il y avait un bel espace pour faire tourner son attelage, et la *Brune* entra bientôt dans la montée. Voilà qui permit à l'homme d'examiner à souhait la femme, car la seule façon qui lui soit accessible de toucher un corps féminin se limitait à son sens de la vue. Encore fallait-il user de discrétion ou bien on l'aurait accusé de tous les péchés d'Israël.

Tout semblait arrondi chez Georgette, et pourtant, elle n'était ni obèse ni même grassette. Sans doute était-ce sa façon de lisser ses cheveux sur sa tête qui donnait ainsi le ton à toute sa personne. Encore que sa poitrine fût plutôt généreuse pour une femme n'ayant enfanté qu'une seule fois plus de vingt ans auparavant.

Les hanches formaient courbe; les joues également; aussi les épaules façonnées par les travaux lourds d'une fille et épouse de cultivateur. Il était temps pour Bossu de baisser les yeux; il les baissa pudiquement quand la *Brune* fut arrêtée au pied de l'escalier. Rousseau rejoignait alors sa compagne en s'exclamant :

–Salut, mon cher Couët !

–Salut ben, la compagnie !

–Viens t'assire une minute sur la galerie !

–On va vous apporter de l'eau, ajouta l'épouse à l'invitation de son mari.

–D'abord que c'est de même...

Les mots, le ton, tout disait la bonne entente et le contentement des deux parties. Bossu descendit dans des gestes qui paraissaient maladroits mais qui étaient siens depuis l'enfance. Aux infirmes, la gaucherie est naturelle et pourtant, elle fait sourire les bien portants. Les époux Rousseau ne la remarquaient plus, eux.

Visiblement, Romuald portait des gènes autochtones. La peau de son visage était anormalement parcheminée pour un homme de cet âge, et puis, son nez, large et aplati, signait lui aussi une ascendance amérindienne. Par contre, pour mieux cacher ce sang qu'on devinait dans ses veines, il s'était laissé pousser la barbe que parsemaient des fils d'argent. Un côté de sa personne savait, assumait son héritage racial, mais un autre côté, tout aussi nébuleux, en ressentait de la crainte voire un certain mépris. Il était l'archétype du métis déchiré entre les deux faces opposées de lui-même.

Quant à Georgette, elle avait tout d'une blanche, profondément française de toutes ses ascendances. Sans doute la patrie de ses gènes ancestraux devait-elle s'appeler Normandie ou Bretagne.

Rien pour s'asseoir : ni berçante, ni banc, ni chaise droite, à part la galerie elle-même, et les deux hommes y prirent place. En fait Bossu Couët accrocha ses fesses fuyantes à une marche de l'escalier. On échangea un court moment sur le beau temps enfin chaud, puis Georgette revint avec des tasses de fer-blanc et un pichet d'eau froide.

—Quen, ça va vous requinquer comme il faut, ça, monsieur Couët.

Il prit une tasse, la garda haute. Elle y versa du liquide, puis fit de même en faveur de son époux qui le prit comme un dû sans remercier. Bossu fit un signe de tête en guise de reconnaissance et il but.

—Ben, ça fait du bien en 'joual vert'.

—Avez-vous mangé depuis le matin, toujours ? demanda la femme qui s'était adossée à la maison et tenait sur elle le contenant d'eau potable.

—Ben oué, ben oué, j'ai mangé au village... mangé comme un loup.

—On a des oeufs à coque... si vous voulez.

—C'est trop de bonté. 'Marci' à plein ! Mais j'ai pas faim pantoute.

Il fut question des deux chevaux appartenant aux Rousseau, des bêtes aussi efficaces dans les travaux lourds que sur la route, et qui leur avaient été vendues par l'intermédiaire du quêteux quelques années auparavant, en temps de prospérité, avant le terrible krach de 1929 qui avait déclenché la plus grande crise économique de mémoire d'homme, partie pour sévir, semblait-il, au moins une décennie.

—Ah, j'ai pas eu mieux comme 'jouaux' dans ma vie !

—Deux bons 'jouaux'... j'te l'avais garanti, mon Romu.

—Tu connais ça, des bons 'jouaux', toé, Bossu Couët.

Le quêteux fixa ses yeux de poulpe dans le regard de son interlocuteur. Rares étaient ceux qui pouvaient le désigner sous le nom de bossu sans encourir ses foudres et la proclamation d'un mauvais sort à leur endroit. Toutefois, il apparaissait certain à l'infirme que l'autre n'employait pas ce terme par mépris ni dans le but de le blesser. Voilà pourquoi il le tolérait, mais non sans broncher, non sans sourciller. Rousseau y pensa et voulut se rattraper en appelant Couët par son prénom :

–En tout cas, Dilon, j'te dois une fière chandelle pour ces 'jouaux'-là. J'en achèterai jamais un autre sans passer par toé. Tu devrais faire ça tout le temps, toé, du maquignonnage.

–Les picouilles, ça m'intéresse pas, ni pour moé, ni pour les autres, ni pour 'parsonne'.

Comme s'ils avaient perçu le discours des hommes, les deux bêtes apparurent soudainement au coin de la grange grise. C'étaient des chevaux roux, assez pesants : des bêtes de somme et quand même pas trop lentes sur le chemin. Un compromis rentable pour un cultivateur qui devait ménager chaque sou gagné. On prenait un peu plus de temps pour aller au village qu'avec une routeuse, mais du temps, on finissait toujours par en trouver, même si le plus souvent, il fallait trimer d'une étoile à l'autre pour survivre.

–C'est quoi, leu' nom déjà ? demanda le bossu.

–Tu dois te rappeler que c'est deux juments. C'est moins pesant pis plus fringant su' l'chemin. Ça traîne leur charge, pis ça part jamais à fine épouvante.

–'Cartain' que j'm'en rappelle !

Le maquignon en Couët mentait. Il n'avait gardé pour souvenir de ces animaux qu'une seule image, celle de ce jour où il les avait attachés derrière son selké pour les conduire depuis chez le vendeur de Saint-Samuel jusqu'à la terre de Rousseau afin de les faire voir et essayer. La transaction avait été aisée et Couët, peu exigeant en retour de ses services, avait encaissé un maigre profit de dix dollars. Qui aurait pu comprendre qu'un démuni condamné à l'indigence puisse gagner autant qu'un homme du commun ? À quêteux profit de quêteux !

Georgette répondit pour son mari :

–Celle-là, la plus proche de la bâtisse, c'est Toinette. Pis l'autre, ben c'est Roussette. C'est plus des noms de vaches que de ch'faux, mais on a décidé de même...

Leur nom intéressait davantage la femme que le poids des bêtes et leur utilité. Elles étaient bonnes et belles, et cela lui suffisait.

–Il te reste de l'eau dans ton pichet ? demanda Couët qui tendait sa tasse vidée.

–Certain qu'il en reste ! Quen...

Elle s'étira pour en verser jusqu'à ce que l'homme l'arrête par le geste et par le mot :

–'Marci', Georgette ! C'est beau de même...

Puis, à la surprise du couple, plutôt de s'en désaltérer, le bossu vida le contenu complet d'une demi-tasse sur sa tête.

–Ça, ça fait du bien en 'joual vert' !

La scène lui valut le sourire entendu de la femme à son homme. Il n'était pas rare qu'un travailleur fasse la même chose aux champs sous un soleil de plomb, mais là, à l'ombre, et sans les sueurs de l'effort prolongé, et parce que posé par un bossu, le geste prêtait à sourire pour le moins.

–J'vas vous en chercher encore si vous voulez.

–Non, non, tu m'as assez gâté de même.

–Toi, Romu, t'en veux encore ?

–C'est bon comme ça.

Puis elle rentra sans rien dire. Le bossu s'enquit :

–Pis toé, ça va ben dans tes travaux c't'année ? Ton horloge est à l'heure ?

–On fait le train, pis on attend que le foin finisse de pousser pour le couper pis le serrer.

–J'sus pas emmanché pour cultiver, parce que c'est ça que j'aurais voulu faire de ma vie.

–Ah, ça se comprend comme il faut !

Il y eut une pause. Romuald cracha de travers, puis reprit la parole :

–Ça va ben du côté des Fortier ? J'te voyais parler avec

Dora tout à l'heure en t'en venant par icitte...

–Une p'tite femme pas piquée des vers ! fit le bossu avec un sourire et un clin d'oeil dans la complicité.

Romuald lorgna vers la porte et, pensant que son épouse s'était éloignée à l'intérieur de la maison, il dit à mi-voix pour éviter que son propos ne l'atteigne par la moustiquaire :

–Une chance que c'est pas permis, hein ?

Couët comprit l'allusion très voilée. Entre hommes, le plus faible rai de lumière en direction des pulsions charnelles fait le plus souvent office de plein soleil. Même que chacun en oubliait non seulement ses propres gènes mais aussi celles qui faisaient de l'un le bossu qu'il était et de l'autre l'Amérindien qu'il n'aimait guère être. Encore que le bossu, de son ordinaire, fût plutôt scrupuleux...

–J'y ferais pas mal, moé, à la Dora du grand Jean-Pierre.

–Moé non plus, mais faut pas le dire, autrement, on passerait pour des... vieux pervertis.

Ils ignoraient que Georgette entendait, embusquée tout près de la porte. Son mari rêvait à d'autres femmes, elle s'en rendait compte depuis pas trop longtemps après leur mariage. Il y avait ses regards allumés, ses élans souvent qu'il cherchait à camoufler derrière des contraires, des propos négatifs envers la femme qui le troublait. Et son intuition féminine n'avait aucun mal à débusquer et déterrer la vérité profonde derrière les propos aux allures de plaisanterie.

Et pourtant, aucun ressentiment, aucune crainte, aucun reproche ne voyait le jour malgré ces attitudes de son homme. D'une part, confortée par les préceptes de la religion catholique, elle se sentait à l'abri de tout écart de conduite de son compagnon de vie. Et puis, aucune femme du cinquième rang ou d'ailleurs dans la paroisse n'aurait osé même lever les yeux sur l'homme d'une voisine. Mais la vraie fidélité conjugale ne transcendait-elle pas le concret ? Condamné à être fidèle par les bonnes moeurs et ne pas l'être dans le coeur par sa propre nature, cela ne ressemblait-il pas à une façade de maison derrière laquelle ne se trouvent que le vide et aucune pièce qui permette de s'abriter, de s'asseoir, de dormir ?

Mais peut-être que Romuald avait besoin d'une petite secousse pour réfléchir en lui-même ? Et si elle agissait comme lui ? Et si elle dépassait les limites de la politesse avec les hommes du voisinage ? Il y a des jeux qui se jouent à deux. Pourquoi pas celui, peut-être périlleux, de la petite séduction ? Puisque ça ne portait pas à conséquence... selon ces messieurs.

Il lui vint de la salive en bouche. Elle fut même sur le point d'aller cracher dans le 'spittoon'. Mais il y avait bien assez d'un cracheur dans la maison...

***

Voir schéma du cinquième rang en page 113

Chapitre 2

Et le quêteux de reprendre sa route tranquille, mais par bouts légèrement côteuse, qui le mènerait chez lui au pied de la montagne sombre, au fin fond de ce rang important de la paroisse de Saint-Léon.

La maison suivante était celle de la famille Hilaire Morin. Huit enfants et la fabrique à progéniture n'avait pas encore fermé ses portes. Blanche, la mère, femme de quarante ans, ne se plaignait pas de son sort. Comme le disent toujours les parents d'une famille nombreuse : quand y'en a pour tant, y'en a pour tant plus un. Et vogue la galère !

Mais le travail intense prélevait son tribut réel dans les énergies de cet être plutôt frêle quoique moins décharné que la personne de leur voisine Dora.

Le couple avait pris son repas du midi et se berçait sur la galerie avant la reprise du labeur quotidien. L'on vit venir le bossu à l'attelage familier et on convint de lui proposer quelque chose à manger. Grand fumeur de pipe, Hilaire était un personnage sociable, généreux dans sa conversation. Il ne voulait pas laisser passer l'occasion de jaspiner un peu avec quelqu'un qui avait sûrement des nouvelles plein sa besace. Qui plus est, des nouvelles beauceronnes, parfois égrillardes.

–Mais on va pas le laisser rentrer dans la maison, dit Blanche. On sait pas, ces quêteux-là, ça s'entend un peu trop ben avec les poux. Une vraie poison, ces insectes-là ! On a eu ben assez de misère avec ces bibittes-là durant l'année scolaire des enfants. On a dû vider une pleine canistre d'huile à charbon pour s'en débarrasser.

–On va juste y mettre une assiette sur la galerie, à terre. Il est accoutumé de manger de même, le bossu. Il a l'humilité d'un chien... mais c'est un homme quand même. Faut pas le rapetisser plus qu'il l'est.

Hilaire avait bon visage. L'oeil généreux, au contraire de celui de son épouse qui ne dégageait pas une très grande lumière intérieure. Et l'esquisse d'un fin sourire en permanence sur son visage. Cheveux vagués, bruns, à deux épis qui lui faisaient des cornes sur le pignon de la tête ce jour-là.

Blanche était blonde et femme de devoir. De propreté. D'ordre et de discipline. Tatillonne. Il lui arrivait rarement de s'asseoir ainsi. Car le travail occupait toute sa vie. Car le travail était sa vie. Même les enfants passaient en deuxième lieu dans ses préoccupations. Et puis, des enfants de rang, ça s'élevait les uns les autres...

Il en restait six à la maison. Les deux grandes filles aînées, Corinne et Bernadette, avaient fondé leur propre famille et vivaient dans la Beauce, à Saint-Georges.

Voilà à peu près ce que savait en gros le bossu à propos de ces gens. Le reste, il le percevait de manière empirique, par les regards, les échanges verbaux, les attitudes. Couët avait développé un grand sens de l'observation, lui qui savait rester en retrait, cacher ses propres émotions, museler ses pulsions, retenir dans son âme les mouvements et parfois les tourments qui s'y disputaient de grands territoires, et pas toujours beaux et fertiles, souvent fangeux, marécageux et infestés d'entités indésirables.

Hilaire se mit debout pour adresser des signes au voyageur à l'aide de sa pipe :

–Dilon, Dilon, prends donc la montée, pis viens nous voir un peu, là !

Le quêteux accepta et tira sur le rêne droit. La *Brune* obéit et entra dans l'étroit chemin à deux traces orné au centre d'un foin rare mais déjà long et odorant.

–On dirait quasiment un couple de vieux retraités ! taquina joyeusement le bossu après avoir fait stopper son attelage au pied de la galerie.

Coiffée d'un comble à quatre écarts, chaulée sur tous ses murs, la demeure à deux étages ressemblait à une grosse femme assise pour la vie. Elle permettait d'élever une famille nombreuse. Et malgré l'indigence de l'époque, les Morin ne se préoccupaient aucunement d'espacer les naissances. On se fiait à la volonté divine pour déterminer l'importance de la maisonnée et de la tablée. Et puis, c'était ainsi là comme partout ailleurs dans la belle province de Québec.

–On a tout notre temps avant ça. Veux-tu manger un morceau, mon Dilon ? Il nous en reste du midi. C'est des restes, mais c'est pas des restants.

–Ben... j'ai mangé au village, ça fait pas ben longtemps... pas plus tard que 'betôt', là...

–Tu prendrais ben un peu de sauce aux oeufs avec des bonnes "pétaques à l'éplure" ?

–Ben... si ça dérange pas, pis si vous êtes pour en jeter aux cochons... autant que j'en mange, moé itou.

Blanche resta sérieuse malgré le rire entendu des deux hommes. Elle se leva de chaise pour se rendre à l'intérieur préparer et apporter une assiettée de charité.

Bossu fit l'extraction de sa personne du siège de toile au fond duquel il s'engonçait pour voyager et, gauchement, mit les pieds à terre puis, se dandinant, alla s'asseoir dans l'escalier tandis que son hôte, en se rasseyant lui-même, s'exclamait à propos du temps :

–Première vraie belle journée de l'été ! Ça nous en prendrait d'autres entr' icitte pis les foins. Pis pas trop d'humidité, rien qu'un peu : ce qui faut pour que ça pousse à pleines clôtures, là.

–Ah, mange-toé pas le derrière de la tête, ça fait rien que commencer, le beau temps. On est bon pour jusqu'au quinze de septembre dans le p'tit moins.

–T'as vu ça dans tes urines, là, toé, mon Dilon ? Ou ben celle des ganaches que tu maquignonnes ?

–Faut dire qu'aujourd'hui, j'sus pas trop 'cartain' pour demain... Ben j'me trompe pas trop pour prédire le temps qu'il va faire, tu sais ça, Hilaire Morin.

–Moé non plus... pourvu qu'on parle du lendemain, mais pas plus loin. Mais toé, tu vois ça des mois pis des mois d'avance. T'es meilleur que les Sauvages. Meilleur que Rousseau qui se dit bon dans ça lui itou... comme dans ben d'autres affaires, faut dire.

–C'est comme... un instinct. J'ai pas de mérite à prédire le temps qu'il va faire...

–T'as ben raison : on a pas de mérite pantoute pour les dons qu'on a reçus, pas plus qu'on est punis parce que les malheurs nous tombent dessus dans notre vie ou ben à notre naissance.

Bossu pensa aussitôt à sa bosse, à sa petite taille, à sa tête énorme, à toutes ces déformations de sa personne qui avaient eu pour effet de gauchir aussi son mental et de le rendre cahoteux et bourbeux comme un chemin de printemps au grand dégel.

Esprit pondéré, homme de tact, Morin montrait beaucoup de respect envers Couët, tout en lui exprimant le fond de sa pensée quand il en valait le coup, et pour être plus crédible en toute parole. Bref, il était un honnête homme de son temps. Et voyait le bossu comme un être hautement défavorisé dont la souffrance morale devait perdurer depuis qu'il avait connaissance de la vie.

Bossu voulut passer à autre chose :

–J'ai arrêté à toutes les portes du cinquième rang. Pas pour quêter. Un adon de même à matin. C'est le soleil faut 'crère' qui rend le monde jasant.

–As-tu entendu parler qu'on veut régrandir de grange ? fit une voix grêle dans le dos du bossu.

Couët eut un léger sursaut. Il n'avait entendu venir personne par l'arrière. Ni n'avait été en mesure de le lire dans le regard d'Hilaire.

L'arrivant était Théodore, le père du jeune cultivateur, un vieil homme qui habitait là avec son fils et sa bru pour le peu de temps, disait-il, qu'il lui restait à passer dans cette 'vallée de larmes' avant de traverser du côté de la 'vallée de Josaphat' à laquelle il aspirait, sans craindre l'étrange tunnel à emprunter pour y parvenir.

Boutefeu de nature, caractère qu'il faisait passer pour le plaisir de taquiner, Thodore comme tous l'appelaient, était devenu sec plus qu'une perche de cèdre pétrie par le soleil depuis des années sur une clôture de plein champ.

–Ah ben, si c'est pas le pére Thodore à midi !

Le vieillard marcha encore sur quelque distance dans l'herbe déjà longue, les mains réunies derrière un dos étroit plus que voûté. L'oeil bleu, malicieux, la langue incisive, le cheveu rare réfugié dans une couronne blanche entourant la tête, il se demandait quoi dire pour colorer la conversation, lui injecter de l'émotion sans pour autant écorcher ce pauvre homme qui lui faisait pitié.

–Comment c'est que va, ta picasse, Bossu Couët ? Elle a d'lair d'avoir la falle pas mal basse.

–Sa jument est pas une picasse, voyons ! protesta Hilaire qui contredisait son père en souriant.

–Ah, ça me fait pas de peine qu'il dise ça, fit Bossu. Une 'parsonne' humaine ou ben un ch'fal, quand c'est que ça vieillit trop, ça devient une picasse. Vous devez savoir ça, vous, Pére Thodore ?

Le vieil homme aimait les gens capables de se défendre, contrairement à ceux qui se taisaient devant les attaques verbales et ravalaient leur dépit.

"Faut que la gourme sorte de temps en temps !" pensait-il et disait-il souvent.

–Bon, vous avez parlé de régrandir de grange. Ben non, ça, je le savais pas pantoute.

Hilaire prit la parole :

–En plein milieu de la crise, c'est pas trop le temps... mais l'aide coûtera pas cher; pis si on garde un peu plus d'animaux, on va vivre un peu mieux. Avec une famille d'autant d'enfants plus...

–Plus une vieille bouche comme la mienne à nourrir, enchérit le vieux, pince-sans-rire.

–Vous m'avez donné votre bien de votre vivant, moé, j'vous donne à manger pis un toit jusqu'à votre dernier jour. C'est un donné pour un rendu... Un devoir !

–Pis c'est la tradition, enchérit Couët. Ça se fait tout partout de même.

Théodore portait une chemise grise trouée, ouverte sur le devant et montrant une camisole de laine jaune imbibée de sueur fraîche du jour et cernée des vieilles sueurs d'un labeur passé. Âgé de quatre-vingt-huit ans et toujours d'attaque, il continuait de se faire valoir aux champs, à faucher à la petite faux, dans les tasseries, à brasser et fouler du foin ou de la paille l'automne, et même à l'étable, à traire les vaches matin et soir avec sa bru Blanche, et à préparer la bouette à cochons et la leur servir.

"Un cultivateur qui s'arrête de travailler est un cultivateur mort," répétait-il à ceux qui le blâmaient de ne point accrocher sa fourche une bonne fois pour toutes.

Tandis que les trois hommes continuaient de se parler de rien, la femme de la maison revint avec une assiette creuse entre les mains. Elle y avait versé de sa sauce du midi plus une grosse pomme de terre en robe de chambre. De son autre main, elle tendit une fourchette.

–Quen, monsieur Couët, c'est pour votre dîner.

–Ben 'marci' à plein, Blanche ! C'était pas nécessaire. Pis ça me gêne ben un p'tit brin.

–Faire la charité, c'est tout le temps nécessaire, commenta le vieil homme.

–Le père, c'est pas faire la charité, ça, c'est montrer de l'amitié à un passant qui a pas mangé : un des nôtres qui reste dans le même rang. Qui sait si notre bon ami Dilon nous rendra pas un grand service un jour ou l'autre ?

–D'abord que tu penses de même, mon gars, tu penses de même. Pis moé, ben j'pense comme que j'veux.

–C'est pas moé qui vas vous faire changer d'idée non plus, ça, c'est sûr.

Et Hilaire adressa un clin d'oeil au quêteux à l'insu de son père qui soupirait en regardant du côté de la montagne en quête d'un sujet de conversation plus captivant.

–C'est quoi que tu disais, Bossu Couët, betôt, en parlant du temps qui s'en vient ? Qu'on va avoir une saison d'été chaude comme rarement ?

–En plein c'que j'pense, Pére Thodore !

–Ben moé, j'te gagerais le contraire. D'la 'plie' durant tout' l'été. C'est ça qui nous attend. Même qu'on va en avoir avant une journée ou deux.

Théodore jubilait intérieurement quand il avait l'occasion de contredire. Voilà qui alimentait bien les échanges verbaux. Et puis, ses genoux lui parlaient de pluie prochaine.

Les cris des enfants rappelèrent la femme à l'intérieur et les hommes changèrent carrément de discours à l'instigation du vieil homme que la météo n'intéressait déjà plus :

–Pis, Bossu Couët, un vieux garçon comme toé, à quoi

c'est que ça rêve donc la nuitte ?

–Pis, un vieux veuf comme vous, à quoi c'est que ça rêve la nuitte ? rétorqua aussitôt le quêteux, la bouche à moitié pleine de sauce et de pomme de terre.

–Là, tu triches : c'est moé qui a d'mandé la question en premier.

Hilaire comprit que pareil sujet ne pouvait qu'embarrasser le pauvre bossu dont aucune personne du beau sexe n'aurait jamais voulu, c'était connu de tous. Et surtout de toutes. Il intervint vigoureusement :

–Le père, monsieur Couët est pas un homme marié, pis il l'a jamais été.

–C'est ben en quoi : vivre tuseu', ça pousse à rêver plus souvent, ça, là...

–Ben moé, j'rêve jamais à rien ni 'parsonne', fit le bossu en portant à sa bouche aux coins souillés une autre fourchetée de ce brouet pas si mauvais.

Théodore se mit à rire :

–Ça... qui c'est qui rêve pas ? Tout chacun rêve chaque nuitte que le bon Dieu amène.

Bossu reprit l'initiative en se pourléchant les babines :

–J'connais une couple de veuves au village qui pourraient vous faire de la façon, Pére Thodore.

–Une vieille bonne femme, ça m'intéresse pas pantoute. Moé, c'est une jeune 'parsonne' ben bâtie qui... Une belle grosse créature, potelée comme il faut, y a rien de plus beau au monde ! Comme la Marie-Jeanne Nadeau quen...

Bossu éclata de rire :

–C'est pas ça qui manque dans le cinquième rang, des belles créatures ben potelées.

Théodore jeta sur le tapis bigarré de leur échange :

–Hilaire, lui, c'est pas pareil, il aime ça, une femme, quand c'est efflanqué.

–C'est vous qui le dites, le père. Les petites, les moyennes, les grosses : moé, je les aime toutes. Mais... ben j'en ai une, pis je r'garde pas les autres. La femme d'un autre, c'est à l'autre, pas à moé. Point final.

–Ça, c'est une ben ben mauvaise idée ! lança Théodore à voix pointue et en hochant la tête. Pourquoi c'est faire que de temps en temps, un homme irait pas faire une p'tite virée dans le clos du voisin, histoire de goûter l'herbe qui pousse par là ? Pis en r'tour, il dirait au voisin d'aller faire une p'tite virée dans le sien, hein ? Ça serait, comme ils disaient au temps de Laurier, de la réciprocité. Ah, la religion catholique, elle défend ça, mais la religion catholique, elle défend tout'. Tout' c'est qui s'rait plaisant à faire : défendu... C'est une religion qui prêche la misère, pis qui la favorise.

Une idée pareillement audacieuse, même exprimée pour le plaisir d'en rire, ne manqua pas d'estomaquer autant le quêteux que le fils de ce vieillard à l'esprit gaulois.

–Voyons, le père, vous y pensez pas ! On est toujours pas au temps des sauvages. Chaque homme a sa femme; chaque femme a son homme. Pis les chèvres sont ben gardées dans un monde civilisé...

Théodore regarda au loin, bien au-delà de la montagne immuable, vers un territoire connu de lui seul. En même temps, il sortit de sa poche de pantalon une blague à tabac faite d'une vessie de cochon parcheminée et un brûle-gueule qu'il se mit à charger en ayant l'air de songer à un monde impossible. Il déclara sans ambages, en réponse à son fils :

–On est rien que des siffleux pour toujours patauger dans le même trou.

Scandalisé, abasourdi, Hilaire répliqua, désolation sous les mots :

–Le père, j'vous ai jamais entendu parler de même. Ça me jette su' l'derrière en vieux baptême, là...

Théodore mit sa pipe en bouche, rempocha sa blague,

sortit une allumette, la frotta à sa culotte d'overall et enflamma le tabac malodorant.

Couët riait aux éclats devant son assiette vide qu'il avait même essuyée avec son doigt majeur afin de tout finir, de tout lécher ce qui était mangeable, de ne rien gaspiller. Nonobstant les diktats de la religion catholique, il ne condamnait pas les propos du vieil homme. Peut-être s'y trouvait-il une sagesse échappant à la pensée de l'époque voire même des sages du temps ? Qui mieux qu'un être aussi différent que lui, prisonnier à l'écart des autres, serait plus apte à s'ouvrir à des propos qui dérangent ? Qui jamais le verrait d'un autre oeil, lui, le mal-aimé, l'infirme hué silencieusement, le misérable laissé sur le bas côté de la route, si les mentalités étroites ne changeaient pas, ne devaient jamais changer ? Et pour cela, il en faudrait, de ces idées choquantes qui forceraient tout un chacun à réfléchir sur le sens de sa vie, sur ses moeurs, ses préjugés, ses pensées toutes faites voire même sur la morale catholique ainsi que ceux qui l'édictaient, puis l'imposaient sous peine du feu et du dam ?

–Pis j'ris pas quand j'dis ça. Le monde, ça se comprendrait mieux en se mélangeant plus.

–Y'a se mélanger pis se mélanger. Voudriez-vous que 'les hommes changent de poil' comme dans la chanson, là... attendez... la p'tite mam'zelle Marie-Anne...

–Justement, c'était de même du temps des premiers colons avec les Sauvages du temps. Ça dansait, ça chantait, ça se mélangeait... du fun, y en avait ! Aujourd'hui, tout est gris, sombre comme un monument du 'cimetiére'...

–On est du monde civilisé, le père, asteur. Hein, Dilon ?

Malgré son dire, son opposition, Hilaire souhaitait que la porte restât grande ouverte sur ce sujet excitant. Et puis, il lui passait par la tête des images de scènes pas très catholiques, et que seule la folle du logis pouvait se permettre en pareille époque prude, étroitement encadrée par une religion qui asservissait et faisait foi de tout.

Interpellé, le bossu ne savait quoi dire. Théodore vint à la rescousse :

—Couët peut pas dire c'est quoi qu'il pense au fond de lui-même. Pis y est pas tout seul dans son genre. Personne pense par soi-même. Personne fait par soi-même. C'est ça 1930 dans notre pays du Canada. C'est pas mieux que c'était en 1880, cinquante ans passés... Va ben falloir qu'un jour, le monde apprenne à penser par soi au lieu que de tout le temps se faire tracer un chemin par des 'contrôleux' de conscience comme les curés pis les évêques.

Hilaire se voyait danser serré avec la Désirée Goulet. De quoi provoquer une crise de coeur. Comme s'il avait perçu ce que son propos allait chercher dans les profondeurs de son fils, Théodore en rajouta :

—Organise une veillée, mon gars, avec tous les couples du rang. Dansez. Chantez. Pis comme le dit l'Évangile : faites des enfants à plein.

—Le père, pour moé, vous sentez venir votre mort. Vous voulez rattraper le temps perdu, on dirait ben, là...

Théodore s'enflamma plus encore que son tabac :

—C'est pas pour moé que j'parle, voyons donc ! Trop tard pour du monde de mon âge. C'est pour vous autres. C'est la crise. La misère noire. Pourquoi c'est faire se morfondre en attendant que ça finisse ? Grouillez-vous le cul un peu ! Faites de quoi ! Vivez ! Faites-vous plaisir. Prenez soin de vous autres un peu mieux...

Sourire un brin figé, Hilaire redemanda :

—Finalement Dilon, c'est que tu penses, toé, des dires d'un homme de quasiment quatre-vingt-dix ans ? Des plans pour se ramasser au fin fond de l'enfer.

Théodore souffla un nuage bleu en ricanant :

—L'enfer ? Peuh ! C'est des amanchures de la religion, des histoires de croque-mitaines de curés qui veulent contrôler le monde. Des amanchures que j'te dis !

–Une chance que ma mère vous entend pas, vous, là. Elle vous brasserait la cage ben comme il faut.

–Elle m'entend où c'est qu'elle est. Pis si est pas contente, qu'elle m'fasse tomber le ciel su' la tête !

–Asteur, laissez donc Dilon répondre ! Chaque fois, c'est vous qui répondez pour lui.

–Envoye, Bossu Couët, réponds donc ! fit le vieux en croquant le bouquin de sa pipe.

–Une chance que le curé Lachance entend pas ça, lui. Ou ben le vicaire Morin... En passant, c'est-il parent avec vous autres, ça, notre vicaire d'asteur ? J'me suis laissé dire que ça vient de la Beauce. Pis vous autres itou, j'pense.

–Oui monsieur ! affirma Hilaire. Pis comme ils disent par là-bas, dans les paroisses du long de la Chaudière : "*tu peux sortir un Beauceron de la Beauce mais jamais la Beauce d'un Beauceron*". On a de l'Indien dans le sang... de l'Abéna-kis au sang chaud...

–Ah, ça, c'est ben sûr ! approuva Théodore qui tira fort sur sa bouffarde au fourneau crotté noir.

–Comme ça, le vicaire est parent un p'tit brin avec vous autres ?...

–Pas à notre connaissance. Plus haut dans notre lignée, c'est certain.

–Parenté de la fesse gauche.

–En plein ça ! conclut Hilaire.

Il fut impossible de revenir sur le sujet brûlant de la minute d'avant, et Couët n'eut donc pas à donner son opinion sur la question d'échange de femmes dont on avait parlé à mots couverts et colorés comme il valait mieux le faire pour se comprendre pour longtemps.

Blanche vint ramasser l'assiette du quêteux. En s'approchant de lui, elle retint son souffle pour ne pas en sentir l'odeur de remugle et autres parfums douteux d'une crasse adulte. Par chance que son mari, lui, se lavait au complet au moins une fois par semaine dans leur cuve du samedi soir...

Les deux Morin furent à même de remarquer que le bossu léchait du regard les jambes de Blanche, à la manière qu'il s'était délecté à essuyer ses doigts à la fin de son repas, déclarant ensuite avoir mangé comme un loup.

Théodore adressa un clin d'oeil à Hilaire : on se comprit. Le loup en Bossu Couët ne se cachait peut-être pas que dans son estomac...

Le quêteux sortit alors une montre de sa poche, geste inutile étant donné qu'il connaissait l'heure à la position du soleil, et s'exclama en ironisant :

–J'm'ennuie pas icitte, mais si j'veux me rendre à mon campe avant le coucher du soleil, j'sus mieux de partir. C'est certain qu'avec une picasse comme la mienne, j'pourrais quand même me rendre assez vite, mais comme j'arrête quasiment à toutes les portes...

–On te laisse aller, Dilon. Tu t'arrêtes nous voir quand tu veux, fit Hilaire en redressant ses bretelles sur sa chemise carreautée.

–Pis fais ben attention aux belles femmes du cinquième rang ! ajouta Théodore pour assaisonner cette fin d'échange qui l'était déjà passablement.

–À la r'voyure, mes bons amis !

Et Bossu retourna dans son selké. Il ordonna à son poney de se mettre en marche.

Tout ce temps, entre père et fils, on s'échangea des riens sur la grisaille des jours apportée par un mauvais vent de crise économique interminable, mais qui, pourtant, n'avait même pas un an d'âge puisque le krach de la bourse s'était produit en octobre de l'année d'avant, en 1929, un certain jeudi noir, très noir...

***

Voir schéma du cinquième rang en page 113

Chapitre 3

Bossu allait de nouveau son bonhomme de chemin sans lever les yeux et les gardant sur les sabots vaillants et fidèles de la petite *Brune*.

Sur le dessus d'une colline trônait la prochaine bâtisse du rang. Une humble construction, si exiguë qu'on avait du mal à imaginer qu'elle puisse, de jour, abriter pas loin d'une trentaine d'enfants. C'était l'école du cinquième rang. Semblable à toutes les écoles de la campagne. Endormie pour la belle saison dans ses vêtements gris. Les yeux qui la perçaient sur toutes ses faces semblaient dire aux passants de continuer leur chemin et pourtant, ils n'étaient pas fermés, seulement entourés de larges cernes sombres. Pas même la maîtresse ne s'y trouvait encore pour animer les lieux, elle qui était retournée chez ses parents au village après la dernière journée de classe voilà quelques jours à peine.

Mais avant d'arriver à sa hauteur, on devait passer devant la croix du chemin érigée sur le promontoire le plus élevé des grands environs d'où l'on pouvait voir s'étirer au loin un lac brillant de deux milles de longueur. Bossu tira légèrement sur les guides et la *Brune* s'arrêta comme il se devait.

Et l'homme pria. Du moins voulut prier...

Ce ne fut qu'un seul Avé. Et la salutation angélique demeura une invocation superficielle, apprise par coeur : un automatisme vieux comme sa vie de quadragénaire. C'est que les propos échangés avec les Morin avaient profondément troublé le personnage. Et toutes sortes d'images licencieuses se bousculaient à la porte de son esprit depuis qu'il avait repris son chemin. Ses appétits libidineux l'avaient attrapé par le chignon du cou, et leur emprise dangereuse l'empêchait de se recueillir et de parler vraiment aux gens du ciel, en toute authenticité. Mais les gens du ciel l'écoutaient-ils depuis le temps qu'il les invoquait, leur quémandait des faveurs, des soulagements, des répits dans la souffrance morale et physique qui avait été son lot quotidien depuis tant d'années ? S'ils dormaient, comment pouvaient-ils donc voler au secours de son âme ?

Car l'homme avait souvent mal aux jambes à vouloir en mourir. La structure de son corps, ses jambes cagneuses, ses os arqués, du genou à la cheville, tout contribuait au mal-être de ses membres inférieurs. Le temps impétueux à venir, l'humidité ambiante semblaient faire vriller de longues aiguilles dans ses tibias et péronés. C'est la raison pour laquelle la prédiction du père Morin l'avait tant fait grimacer lors de ces minutes de halte chez Hilaire un peu plus tôt. Que le soleil soit tout l'été, pas la pluie mortifiante qui, de surcroît, semblait lui donner en prime un insupportable torticolis. Il ressentait bien quelques douleurs ce jour-là mais rien qui l'inclinât à croire à un changement de temps imminent.

En franchissant le cap de la quarantaine, Couët avait senti se ruer sur lui tous les maux parmi les rares que sa naissance lui avait épargnés. Creuset de toutes les tares physiques s'y combinant l'une l'autre pour en faire surgir de nouvelles, des pires, isolé par la société, parfois même rejeté et hué, il avait traversé une partie du vaste océan de l'ennui mortel et de la douleur débilitante sans émettre aucune plainte, et à ne pleurer qu'à l'écart, loin des humains, et pas même au su et au vu des bêtes qui partageaient ses jours depuis longtemps.

Tant qu'à prier aussi mal, autant partir ! Et il clappa.

L'école et les souvenirs qu'elle allait brasser sous la cendre du temps dans les tréfonds de son coeur eurent pour effet de l'éloigner pour un temps de l'état de lasciveté en lequel l'échange avec les Morin et le généreux traitement que Blanche lui avait réservé ce jour-là l'avaient plongé pour un ou deux arpents.

Ce n'était pas en ce lieu qu'il avait fait ses trois et seules années d'études dans les années '90 puisqu'il était né en 1885 à Saint-Samuel et non point à Saint-Léon. Mais quoi de plus semblable à une cruelle école de rang qu'une autre petite école de rang ?

La *Brune* s'arrêta sur son ordre. Et le petit homme pensa à ses jeunes années. Souffre-douleur des uns, objet de plaisanteries de la part des pitres, le petit Couët faisait fuir ceux qui avaient du coeur et le prenaient en pitié. Et les adultes ne se portaient pas solidement à sa défense. La maîtresse du rang, là-bas, à Saint-Samuel, n'hésitait pas à lui faire porter le bonnet d'âne parce qu'il ne savait pas ses leçons aussi bien qu'il aurait dû... selon elle. D'autres aussi portaient le bonnet de la honte, mais on riait moins d'eux que de lui. La punition prenait un sens péjoratif parce qu'il était enfant bossu.

C'est à cette époque qu'il avait appris à pleurer sans verser de larmes. À souffrir en silence et dans la plus grande impassibilité. Il savait d'instinct et saurait d'expérience que se conduire pitoyablement excite la compassion de quelques-uns seulement et le mépris de la plupart des autres.

L'école du rang Ludgine de Saint-Samuel était juchée sur une côte abrupte quoique pas très longue, et les écoliers s'y amusaient à glisser aux récréations ou bien après la classe et le samedi, l'hiver. Un triste souvenir d'un de ces jours blancs, qui resterait pour lui parmi les plus noirs de sa vie, sauta sur lui soudain pour lui serrer la gorge et raser l'étouffer. Bossu ferma les yeux pour mieux se rappeler...

–*Bizier, t'as-tu vu qui c'est qui s'en vient avec son pite (luge à une seule lisse) en-dessour' du bras ?*

–Mais c'est notre bossu Couët ! Hey, on va avoir du fun en maudit à matin.

–Le vois-tu descendre la côte en 'jumpeur', il va planter la pirouette pis se casser le cou.

–On va voir ça dans pas grand temps.

Louis Bizier et Zéphyrin Gagnon s'apprêtaient à se lancer de nouveau dans la côte de neige battue quand ils avaient aperçu le petit Couët, envoyé par sa mère s'amuser avec les autres enfants, ce beau et clair samedi de décembre tout près de la fête de Noël. Ce devait être autour de 1892, quelque part par là...

Et Bossu venait en se dandinant, joyeux et craintif mais poussé par les soins maternels. Au besoin, il ferait des bouffonneries pour faire rire les autres. Et ainsi éloignerait les sarcasmes. Se ferait aimer... Peut-être...

"Si d'aucuns t'agacent, t'as rien qu'à rire avec eux autres pis aussi fort !"

Voilà ce que sa mère lui avait conseillé pour l'encourager à se rendre là-bas mêler sa joie à celle des autres enfants de son âge.

À regarder les environs, il vint une idée méchante au jeune Bizier, garçon de neuf ans, à peine plus âgé que le bossu, une couette de cheveux noirs lui barrant le front par le travers et le nez écrasé par la malveillance et la malice. Quand Bossu serait là, il se lancerait avec sa traîne sauvage non pas en droite ligne dans la côte, mais en direction du bosquet d'épinettes voisin où il disparaîtrait, s'arrêterait pour reparaître plus loin à la sortie du boqueteau toujours assis dans la tabagane, comme s'il était passé au travers du boisé sans coup férir. Ensuite, il inciterait le petit Couët à faire de même avec son 'jumpeur'. Un sale tour aux conséquences que le plaisantin n'aurait surtout pas voulu évaluer.

Et ce qui devait arriver arriva lorsque le petit Couët eut rejoint les deux amis qui l'avaient hélé et invité à les accompagner.

Bizier dit à Gagnon de rester avec le bossu en haut de la pente et il se lança devant. Son plan réussit. Plus large et moins rapide qu'un 'pite', le toboggan s'immobilisa contre un arbre tombé après que le garçon eut disparu derrière le rideau vert et blanc d'arbres enneigés. Puis le projet fut complété et bientôt les trois enfants se retrouvèrent au sommet de la côte.

–C'est à ton tour, Couët. Si t'es pas pissou, tu vas faire pareil comme moé.

Le petit infirme ne pouvait pas se dérober. Il y allait de sa fierté, de son désir jamais assouvi de faire comme les autres, autant que les autres voire plus qu'eux.

–Si Bizier est capable, t'es capable ! déclara Gagnon, un petit blondin à la tuque rouge posée sur le dessus de la tête et qui laissait voir sa chevelure pâle.

Toutefois, le garçon n'imaginait pas que l'autre puisse même se rendre aux premières épinettes sur son 'pite' jaune à la lisse copieusement cirée par la main du petit homme avant son départ de la maison. Sûrement qu'il ferait la culbute avant le boisé et on aurait droit au spectacle infiniment comique d'un bossu qui roule sa bosse en bas de la côte.

D'autres enfants, une bonne dizaine, s'amusaient sur le même coteau et, après un rapide coup d'oeil de curiosité vers le trio incluant Couët, ils étaient retournés à leur occupation de glisse.

Transformé par le plaisir anticipé de faire du mal, Bizier glapit :

–Si tu passes au travers du bois sans tomber à terre, j'te donne un beau penny.

Comment savoir si la ride au front du bossu était celle de la doutance, lui qui en portait déjà tant malgré son tout jeune âge, de ces plis qui parlent aux gens d'expérience ? Et puis, ni Zéphyrin, ni Louis, ni personne en ces lieux de joie saine n'aurait pris le soin de questionner un visage aussi difficile à comprendre.

–Tu y vas ? insista Gagnon.

–'Cartain' ! fit le bossu qui s'installa tant bien que mal sur le siège étroit de son 'jumpeur'.

On le fit aligner en direction du boisé et non du bas de la pente, sachant bien que le bossu n'était pas en mesure de contrôler sa voie à l'aide d'un pied traînant comme le pouvaient les autres qui, eux, disposaient de la pleine capacité de tous leurs membres.

–Ça te prendrait une poussée pour t'aider à aller plus vite, dit Bizier qui posa ses deux mains sur la bosse du dos.

–T'es prêt, Couët ? demanda Gagnon.

–Oué.

Le gamin derrière lui sentait dans toutes ses cellules les joies malsaines de la malignité. Il poussa de toutes ses forces. Et le 'jumpeur' et son passager prirent la descente pour y accélérer à chaque seconde. Gagnon commença à réfléchir et s'inquiéter quand il fut évident que le petit bossu pénétrerait dans le boqueteau.

Et cela arriva pour la plus grande joie du malcommode Bizier. On vit le 'pite' et Couët disparaître entre les branches, et, à part les cris lointains des autres glisseurs et ceux de joie du vilain marmot, plus rien ne parvint aux oreilles des observateurs. Comme si le jeune bossu avait disparu à jamais dans le petit boisé. Rien qui reparut de l'autre côté. Aucun bruit de choc. Aucun cri. Aucun gémissement. Aucun appel à l'aide. Qu'un silence parmi les éclats de voix et de joie des autres...

–On va-t-y voir ? suggéra Gagnon.

–Ben non... un bossu, Ça a sept vies... comme un chat. Ou ben une bête puante...

Mais l'autre craignait sérieusement qu'on ait envoyé le

jeune handicapé à sa perte et il dévala la pente pour aller voir de quoi il retournait dans l'inconnu qui venait d'aspirer l'infortuné petit gnome. Bizier suivit.

On trouva Couët affalé au pied d'un arbre. Désarçonné par une branche, il gisait dans la neige sans dire, sans maugréer, sans appeler, sans rien.

–T'as-tu mal quelque part ? lui dit Gagnon.

–Ben non voyons !

–Pourquoi c'est faire que tu restes là d'abord ? lui demanda Bizier.

–Ben...

–T'as eu peur pis tu te r'poses ?

–Oué...

En réalité, le petit Couët était fort mal-en-point. Sa jambe droite s'était brisée contre le tronc du sapin qui avait bloqué son corps après sa chute. Mais il ne voulait pas qu'on sache. Comme un animal blessé qui cherche à tout prix qu'on ignore son état, de peur de se faire attaquer et dévorer par les prédateurs, il voulait rester fin seul pour lécher ses plaies et espérer qu'ainsi, elles guérissent. Le pourrait-il ?

Bizier se pencha. Et pour renouer avec le rire et la malfaisance, il chercha à enterrer le bossu de neige qu'il projetait avec ses deux mains en chantant :

–Bossu Couët a planté la pirouette, Bossu Couët a planté la pirouette...

–Pourquoi c'est faire que tu te relèves pas ? s'enquit Gagnon qui se sentait un peu responsable et donc un brin inquiet devant les événements.

–J'sus ben comme c'est là.

–J'te l'ai dit : il se r'pose avant de remonter en haut, dit Bizier, qui cessa d'enfouir l'enfant tombé, et fit quelques pas dans la neige profonde pour récupérer le 'pite' accidenté.

–C'est qu'on fait ? demanda Gagnon qui, plus jeune que

Bizier, lui obéissait en croyant que son jugement était le meilleur des deux.

–Ben... on s'en retourne en haut.

–Pis lui ?

–Ah, il va finir par remonter tuseul, fais-toé pas de bile avec ça, là ! Viens-t'en, on s'en va. Quand tu voudras r'monter, Bossu Couët, ben tu r'monteras.

Et l'enfant éclata d'un rire malin dont les notes grésillèrent en s'égrenant sur la neige.

Bizier jeta un ultime coup d'oeil vers le blessé avant de s'effacer derrière le voile épais de ces arbres verts qui poussaient dru dans ce sombre bocage.

Et les plaisirs de l'hiver revinrent s'emparer du corps et de l'esprit des deux amis mal assortis, l'un étant une malebête et l'autre plutôt enclin à la bienveillance quoique sous influence néfaste.

Mais le bien qui n'agit pas devient complice du mal. On oublia le petit Odilon qui risquait la mort, incapable de bouger à cause de sa jambe, étouffé par la douleur, prêt à quitter son corps pour s'éloigner de la cruauté humaine mais terrifié à l'idée de s'en aller dans un monde qui avait été pour lui si punisseur. Tout était noir aux deux bouts du tunnel de sa vie, noir avant, noir après, noir plus que dans ce bois sombre et silencieux : après et avant le néant, il n'y avait que la douleur de vivre sans joie, sans amitié, sans beauté, prisonnier de la tristesse et du désespoir.

Le garçonnet au coeur et à la jambe meurtris ferma les yeux. Il espérait ne plus jamais les rouvrir... Mais il fallut bien qu'il les rouvre. Et puis, des pas discrets s'approchaient dans le lit de neige. Ceux d'un animal sauvage peut-être venu pour dévorer son corps après que ses deux soi-disant amis eurent dévoré son coeur.

–Odilon, Odilon, Odilon.

Par trois fois, cette voix céleste prononça son nom. Et si

près de son visage qu'il sentit un souffle chaud le ranimer.

Le garçon entrouvrit ses paupières. Lui apparut un ange aux cheveux d'or et de soie. Enfin il était au ciel, du moins le croyait-il. Enfin autre part !... Enfin ailleurs !... La douleur s'était endormie dans sa jambe à force de froid et d'inertie. Et maintenant, il ressentait un grand bonheur.

–Odilon, c'est Delphine. Réveille-toi !

L'être aux doux yeux verts remplis de compassion lui parlait avec une infinie tendresse. Mais ce n'était pas un ange, il le sut rapidement. Il reconnaissait là, tout à côté, une des grandes de la classe de son école. Lui était en deuxième année, elle en sixième.

Il lui sourit faiblement. Elle souriait déjà pour lui.

Revêtue d'un lourd manteau de drap, crémone au cou et tuque multicolore sur la tête, la jeune fille portait une longue chevelure blonde qui se répandait sur ses épaules. À l'école, quand il la regardait à la dérobée dans la cour de récréation l'hiver, elle lui faisait penser à la fée des étoiles dont parlait parfois sa mère quand elle racontait des histoires aux enfants à propos du bonhomme Noël.

La famille Robert dont Delphine était l'aînée habitait elle aussi le rang de la Ludgine, mais pas du même côté de l'école que les Couët, de sorte qu'il ne pouvait la voir que dans la cour ou dans la classe même. Jamais il n'aurait osé lui parler ni même s'approcher d'elle. Delphine était une belle grande et lui un nain difforme. Un mur les séparait; plus qu'un mur, un monde.

–Tu t'es fait mal, Odilon ?

–Ben...

–Es-tu capable de te lever ?

–Sais pas... ça doit.

Elle commença d'enlever la neige qui le recouvrait à moitié tout en lui parlant encore. Sa mitaine glissait sur lui et le garçon trouvait cela divin. Qu'une jeune fille de cet âge, de cette beauté, de cette bonté, prenne pareil soin de sa personne si laide le transportait de bonheur...

–Si t'es pas capable de te lever, tu sais ce qu'on va faire : tu vas te glisser sur ma tabagane –regarde, elle est là– pis je vas te ramener à ta maison.

–Mais... c'est loin de chez vous, ça.

–J'ai toute ma journée... As-tu mal quelque part ?

–Oué...

–Où c'est que t'as mal, Odilon ?

–Ma jambe... de c'te bord-là...

Elle enleva la neige en prenant soin de ne pas toucher le membre qu'elle devinait brisé.

–Veux-tu ben me dire pourquoi c'est faire que t'as foncé dans le bois comme ça, la tête la première ? Je t'ai vu faire tantôt... Ensuite, j'ai vu que tu ressortais pas pis que tu r'venais pas avec Louis Bizier pis Zéphyrin Gagnon... J'me suis dit qu'il t'était arrivé quelque chose. Bizier a remonté avec ton 'jumpeur', mais il t'a laissé icitte avec peut-être une jambe cassée ou quelque chose de déchiré... C'est pas ben ben des amis, ça. Sont partis chez eux. T'aurais pu mourir... Des anges de malheur, ces deux-là !...

Le petit infirme avait beau se retenir comme un homme, des larmes jaillirent de ses yeux et roulèrent sur ses joues. La jeune fille en avait le coeur tout chaviré.

–Attends, je vas chercher ma traîne sauvage.

Ce qu'elle fit, les pieds qui calaient profondément dans la neige épaisse, et le bas de son long manteau brun qui faisait sa trace derrière sa personne. Et elle revint vite. Et mit la petite sleigh à côté du blessé.

–Tu vas embarquer, pis je vas t'emmener à maison chez vous.

Cette fois, il ne protesta pas, mais eut peur d'être vu par ses diables d'amis :

–Zeph pis Tit-Oui, sont où, eux autres ?

–Partis, j'te l'ai dit. Même qu'ils sont partis avec ton 'jumpeur'. Tit-Louis Bizier, c'est pas du monde. Y a rien à son épreuve, lui...

En tant qu'aînée chez elle, Delphine avait un sens des responsabilités plus aiguisé que les autres de son âge qui n'occupaient pas le même rang dans leur famille. Tous les jours, elle devait prendre soin des plus jeunes, quand les parents allaient au train, au champ, au village parfois. Venue seule glisser, elle restait pourtant à l'affût, soucieuse de ce qui pourrait survenir aux autres autour d'elle. Peut-être bien qu'elle était un ange gardien incarné ? Elle en possédait en tout cas bien des caractères.

Et avec l'aide de la jeune fille, il roula tant bien que mal jusque sur la traîne. Elle se mit en avant, entra sous la corde qui se tendit sous son poids poussé en avant par ses jambes vaillantes. Par chance, on était dans le descendant et bientôt, le drôle d'attelage émergea du bocage.

Alors Bossu se coucha sur le côté pour soulager la souffrance que sa jambe lui causait à chaque mouvement, à chaque contrecoup nécessaire, ou bien la traîne n'aurait pas avancé d'un pouce.

Delphine tira, tira, tira encore. À perte d'haleine. On atteignit enfin le chemin du rang où la neige durcie et tapée par un rouleau et le passage des voitures à chevaux lui facilita la tâche.

Et le vent se leva, qui contrecarrait la progression de la jeune fille, courbée sur sa tâche. Elle s'entêta. Elle pesta contre le vent. Elle pria fort. Rien au monde ne l'aurait empêchée de reconduire son protégé gémissant jusque chez lui.

–Il s'est fait mal dans le p'tit bocage à côté de l'école, révéla-t-elle à la mère quand elle fut au pied de l'escalier.

–Où c'est qu'il a donc mal ? Où c'est que t'as mal, le p'tit Dilon ?

–Ben... à ma jambe là...

En les voyant venir, la mère avait enfilé des bottes et un mackinaw pour sortir au froid. Il fallait de l'aide pour transporter l'enfant à l'intérieur. Elle ordonna à Delphine :

–Rentre prendre une couverte, pis mets-lui sur le dos. Moé, j'vas chercher mon mari à la grange.

On suivit ce plan sommaire.

Quand le garçonnet fut dans un lit, la mère demanda à son mari de préparer une voiture pour aller voir le ramancheur à Mégantic ou à Saint-Victor. En même temps, on reconduirait Delphine chez elle.

Pour enlever la douleur, on immobilisa d'abord la jambe brisée avec des éclisses de cèdre, puis Odilon fut mis dans le borlot, et l'on se rendit chez un ramancheur de bonne réputation.

Lorsqu'en chemin, Delphine descendit et reprit son toboggan pour se rendre chez elle, après les remerciements des parents Couët, le garçonnet blessé ne la lâcha pas de vue tant qu'elle ne fut pas entrée dans la maison; et là, il riva ses yeux sur cette petite résidence grise tant qu'il lui fut possible de l'apercevoir.

Alors, et alors seulement, il ferma les yeux.

Bossu rouvrit les yeux. Près de quarante ans avaient coulé sous les ponts depuis cet événement de son enfance malheureuse. Et la malice du sort n'avait pris aucun répit depuis lors.

–Envoye, la *Brune*, on repart...

Le petit cheval se mit en marche. Mais guère plus loin, il s'arrêta sans qu'on le lui ordonne, comme si le bossu n'avait pas assez réfléchi devant cette école de rang.

"*Prie le bon Dieu, pis aime la vie !*"

Combien de fois n'avait-il pas entendu cette recommandation de tout un chacun, à commencer par sa mère qui voulait lui transmettre une formule simple et inoubliable, apte à lui permettre de vivre sans trop de honte, de peine, de mal. Quel autre héritage moral aurait-elle pu lui léguer ? Elle n'était qu'une femme, elle-même honteuse d'avoir à dispenser de la misère à une trâlée d'enfants...

Au bossu, il ne restait pas grand-chose de ses parents que le ciel avait rappelés dans les années '10, l'un emporté par la tuberculose et l'autre par un cancer. De ses cinq frères et soeurs, pas un ne s'était établi dans la région proche, et Odilon ne les avait plus revus qu'une fois tout au plus par année depuis une décennie au moins.

Scul au monde, il avait quitté lui aussi sa paroisse natale pour s'installer au fond de ce cinquième rang de la paroisse voisine, au pied de cette montagne immuable où personne ne risquait d'aller bien souvent, à l'exception des chasseurs passant par là. Et pas trop loin d'un lac aux eaux fertiles qui l'aidaient à se nourrir pour survivre dans l'indigence.

Avec un peu d'aide récompensée, il s'était bâti un camp de bois rond qu'il habitait avec son chien, lequel, en ce moment, l'y attendait peut-être, à s'ennuyer de son maître, à espérer son retour prochain en rongeant des os laissés sous l'appentis, ou bien assis, immobile, le nez dans l'attente et l'espérance.

Après les tristesses de la nostalgie, l'homme avait besoin de sourire, de rêver : son seul bonheur ici-bas. Si vague et si éphémère !

Non, la maîtresse Bilodeau n'était pas là pour animer la maison d'école, mais la présence invisible d'icelle se voyait par de petits ornements aux fenêtres : dessins en couleur sur les vitres, pendrioches aux châssis, franges frisées aux toiles à demi abaissées. Le soleil du mitan du jour se réverbérait dans le verre et faisait étinceler les décorations intérieures. Et la bâtisse, chaulée du printemps, émettait la même lumière qu'au temps des enfants bruyants et rieurs.

Non, la maîtresse Bilodeau, la belle Rose-Alma si bien potelée, n'était pas là, mais son image allait d'une fenêtre à l'autre pour le mieux-être du moral du bossu. Jamais Bossu n'avait vu la nudité féminine de près ou de loin, pas même celle des personnes de la maison naguère; le plus qu'il avait aperçu furtivement, c'était une tante qui n'avait pas eu le temps d'enfiler sa robe. Il en avait donc vu les dessous et voilà qui avait alimenté la plupart de ses fantasmes depuis le temps de sa puberté.

Non, la maîtresse Bilodeau n'était pas là, mais il n'avait aucun mal à se la représenter sans trop de vêtements, ce qu'il avait été à même d'entrevoir par la fenêtre de sa chambre un soir qu'il s'était embusqué pour la surprendre et ensuite combler sa pulsion.

Si la jeune femme l'avait seulement vu, si quelqu'un l'avait su, on l'aurait chassé impitoyablement de cette paroisse, lui, l'ilote de cette société si prude et catholique. Mais il n'était pas insolite qu'on le voie un peu partout, lui, un quêteux de grand chemin qui devait, métier oblige, frapper à toutes les portes pour demander la *'charité pour l'amour du bon Dieu'.*

Couët ferma les yeux et revit la Rose-Alma de ce soir-là par le souvenir imprimé dans son esprit et dans sa chair, cette chair misérable en train de se réchauffer une fois encore au rappel de scènes pourtant assez anodines.

La chambre de la maîtresse était située à l'arrière de l'école. Suffisait de contourner discrètement la bâtisse un soir de grande noirceur et d'attendre, l'oeil en embuscade, au coin du châssis.

Par un temps nuageux qui camouflait le clair de lune le quêteux s'était risqué à reluquer là où il ne fallait pas. Ça s'était passé avant son départ pour sa tournée. D'ailleurs ce geste velimeux de vilain voyeur l'avait envoyé visiter villes et villages de la Beauce voisine, pour ainsi prendre une certaine distance de son délit.

Couët avait le don du silence. D'aucuns l'avaient même baptisé la souris en raison de sa discrétion absolue quand il marchait. En fait, ses chaussures en avaient tout le mérite : mocassins en belle saison et mitasses en saison froide. Combien de fois en des lieux publics n'avait-il pas fait sursauter quelqu'un en s'approchant par derrière ? Certains, les plus forts en explications tenant du prodige, prétendaient sans trop le dire que le bossu apparaissait et disparaissait à sa guise, qu'il était doué du don de l'ubiquité.

Ce soir-là, il avait pu voir la Rose-Alma en train de se déshabiller pour se coucher. Il n'était même pas neuf heures encore. En fait, il n'avait pu apercevoir que son jupon blanc après qu'elle eut enlevé sa robe. Et la craque de sa poitrine quand elle s'était assise sur le bord de son lit et penchée en avant pour se débarrasser de ses chaussures. Mais alors, mue par une intuition, sorte de flair typiquement féminin, la jeune femme remuante marcha vivement vers la fenêtre, ce qui obligea Bossu à se plaquer contre le mur extérieur. Elle souleva le châssis et sortit son corps au grand air, craignant que des élèves espiègles ne soient venus l'observer, histoire de s'en murmurer l'aveu ensuite à l'oreille pour se valoriser.

Rien. Rien que la nuit profonde. Elle regarda vers le ciel. Un trou dans les nuages commençait de laisser voir une lune qu'on pouvait deviner pleine. Ses rayons au loin allumaient un long scintillement sur la surface du lac. Bossu avait chaud. Si elle ne retournait pas à l'intérieur, si elle regardait le long de la bâtisse côté droit, il serait débusqué. Il ressentit un grand remords alors et pria le ciel de le garder dans l'ombre de l'invisible.

La maîtresse referma la fenêtre non sans fracas. Elle qui n'avait pas froid aux yeux faisait toutes choses en conformité avec son tempérament de vif-argent. Eût-elle aperçu le bossu que le pauvre aurait vécu un très mauvais quart d'heure. Car elle était à cheval aussi sur les principes de la grande morale chrétienne...

Son coeur ayant pris le mors aux dents, –toutes les veines de son corps, de ses tempes surtout, bougeaient, palpitaient– le bossu, malgré la douleur maintenant ressentie dans sa bosse qu'il écrasait contre les bardeaux du mur, resta un long moment sans bouger le petit doigt d'une seule ligne, histoire de reprendre son souffle afin de pouvoir s'en aller dans le plus grand des secrets.

Ce qu'il avait réussi à faire.

Il ne devait pas le regretter. Le rappel de l'image aperçue dans la chambre de la maîtresse d'école alimenterait son désir et l'aiderait grandement par la suite à soulager parfois, quand il parviendrait à faire entrer sa conscience catholique dans un moment de somnolence, ses pulsions quotidiennes.

L'image revint caresser sa libido une fois encore, ce soir bien réel. Il l'accueillit avec d'autant plus de plaisir que ses sangs restaient grandement réchauffés depuis cette halte particulière chez les Morin et l'impensable mais si excitant, si troublant propos du vieillard là-bas.

La réalité reprit tous ses droits. Le fils du voisin, pas loin de son camp, s'était-il bien acquitté de sa tâche qui consistait à se rendre une fois par jour à la masure de bois rond donner à manger et à boire au chien Teddy ? En fait, l'entente avait été prise avec son père qui avait dû y voir de près. D'autant que Couët payait bien pour ça...

Il clappa...

***

Voir schéma du cinquième rang en page 113

Chapitre 4

Joseph et Marie Roy habitaient une maison sise sur la petite côte suivante. C'était une humble demeure construite au début du siècle et entourée d'arbres feuillus. À peine si on pouvait l'entrevoir à travers le vert feuillage agité par une brise aussi légère que soudaine. Quelques éclats aux fenêtres, quelques délinéaments de la toiture et du carré seuls témoignaient de sa présence. Et bien sûr aussi la grange, un hangar gris et les traditionnelles bécosses, toutes constructions dégagées de la végétation qui entourait la maison.

À trente ans tous les deux, les époux avaient quatre enfants : tous des garçonnets curieux mais trop jeunes encore pour aider les parents aux diverses tâches d'un lourd métier.

Personne chez les Roy sûrement ne voyait l'attelage depuis les fenêtres de la demeure, mais Couët préférait ainsi car il lui tardait maintenant d'arriver chez lui. Tout y serait-il dans le même ordre qu'à son départ ? On s'était déjà introduit dans sa cabane en son absence, sans doute par curiosité puisque rien n'avait été emporté ni non plus abîmé. Que peut-on dérober à un mendiant à part sa dignité ? Que peut-on voler à un bossu à part son amour-propre ?

Il passa son chemin tout droit. Personne ne le héla. Personne ne l'avait vu passer ni entendu. On était à table chez les Roy, un temps sacré où rien d'autre n'importait vraiment que la nourriture et son usage.

Bossu imaginait la famille et son bonheur tout en poursuivant sa route vers la montagne qui s'agrandissait imperceptiblement à chaque pas de la *Brune* vers sa masse éléphantesque.

Les deux garçonnets les plus vieux, se souvenait-il, avaient pour prénoms Jean et Julien. Ils étaient rieurs et blondinets. Leur mère les habituait à le saluer au passage par leurs rires et leurs '*bonjour monsieur Couët*' lancés dès qu'il paraissait dans le paysage et qu'il leur était donné de le voir venir. Souventes fois, ils se mettaient en ligne près du chemin pour recevoir les bons mots du bossu qui les traitait comme de grandes personnes, ce qui les étonnait chaque fois et les ravissait. Et puis, leur attente et leur respect leur valaient souvent un air de violon. Couët traînait avec lui cet instrument hérité de son père; et parfois, mais très rarement, il en sortait des notes pas toujours harmonieuses mais qui faisaient les délices des petits. Car il jouait pour eux, comme pour des adultes, et cela les amusait tout en les valorisant.

Le silence des lieux, même celui du chien de la maison, fit comprendre au quêteux que les occupants étaient à prendre leur repas du midi. Et la bête devait sûrement préférer rester assise à mendier des restes de table par ses mouvements d'oreilles, de queue et ses silements, que de se rendre près d'une porte ou d'une fenêtre pour alerter ses maîtres de la présence dans les parages d'un intrus quelconque... surtout un être de si maigre importance...

Que mangeait-on chez les Roy en ce moment ? À peu près la même chose que partout ailleurs. Chez les cultivateurs, on se contentait à peu près de ce que l'on produisait : pommes de terre, oeufs, carottes hivernées dans le sable, viande mise en conserve durant la saison froide, confitures de l'année précédente, beurre, lait, fromage. Et les femmes, ingénieusement, devaient composer des menus à partir de ces rares ingrédients de base. Une tâche surhumaine.

Un peu partout, la glace taillée l'hiver et mise en attente dans le bran de scie, commençait à faire défaut. Il existait bien depuis les années '10 un appareil pour conserver les aliments appelé *Frigidaire*, un mot désignant la marque de commerce la plus populaire de ces machines complexes, mais personne encore n'en avait fait l'acquisition dans la région : pour l'heure, on laissait cet appareil grand luxe à la vantardise chromée des Américains. Et puis, qui possédait assez d'argent, à part peut-être le marchand général du village et le docteur Arsenault, pour en défrayer le coût ?

Joseph Roy dit Pit était un beau grand jeune homme, fort comme un ours, bâti comme un taureau, aux bras d'acier et au coffre de bison. Moins imposant par sa stature que Jean-Pierre Fortier, mais peut-être aussi fort de sa musculature, il possédait plusieurs talents, plusieurs compétences dont celles de charpentier-menuisier, de forgeron, de cordonnier-sellier et jusque de musicien d'occasion. Car il jouait aisément de la ruine-babines dans les veillées que l'on tenait plus souvent depuis le début de la crise afin de la mieux oublier.

Marie se caractérisait par sa taille exceptionnelle. Une vraie bringue déguingandée. Sûrement qu'elle était, de toutes les femmes du rang, la plus grande ! Et parce que les grossesses encore (relativement) peu nombreuses n'avaient pas encore affecté son tour de taille, elle restait svelte et marchait d'un pas long et assuré que pas tous les hommes n'auraient pu suivre. Il fallait la voir arriver à l'église le dimanche et emprunter l'allée centrale jusqu'à leur banc. Tout en elle respirait l'esprit de décision, la détermination, l'élan vers l'avenir. Et en saison froide, elle portait des bottes cloutées pour avancer sur les surfaces durcies ou gelées, ce qui lui faisait montrer une grande assurance, même en la morte saison. Qui aurait pu croire, à la voir encore si mince, qu'elle était enceinte de plusieurs mois et accoucherait autour du premier octobre ?

Telle était l'image qui accompagnait la souvenance du bossu alors que la *Brune* le ramenait chez lui. Il voyait les Roy et leurs enfants attablés dans l'harmonie et une certaine modestie.

À quelques reprises, même si par principe, il ne mendiait pas dans le cinquième rang, il avait mangé à leur table sur invitation de leur part. Si lui était bonne fourchette, elle était bonbec et ne se laissait jamais intimider, pas même par un attroupement d'hommes mal dégrossis.

Bossu ne garda qu'une ligne étroite entre ses paupières en même temps qu'une question frappait à la porte de sa pensée restée sous influence du père Théodore Morin :

"Une femme comme la Marie Roy, indépendante, un peu rebelle, accepterait-elle de se lancer avec son homme dans une aventure aussi invraisemblable que celle de changer de partenaire un de ces quatre soirs d'été ?"

Et la réponse lui vint, cinglante :

"Jamais dans cent ans !"

On vivait en terre si catholique, si ordonnée, si juste, que la femme sortirait ses crocs si d'aventure quelqu'un évoquait cette possibilité scabreuse et, comme une fourche-fière, les enfoncerait dans la personnalité de l'imprudent et impudent personnage qui aurait osé proférer pareille proposition infaisable et infamante.

"Une femme, un homme; un homme, une femme !"

Telle était la loi des bonnes moeurs, la loi de la vie même et, bien entendu, la loi divine.

Mais surtout, c'était la loi de la sainte Église. Qu'une telle pratique apparaisse et les coupables encourraient les foudres du clergé paroissial. Saint-Léon avait un curé sec et froid et un vicaire au visage bienveillant, mais, disaient les enfants 'marchant au catéchisme', qui se faisait exigeant et autoritaire. Il fallait les avoir côtoyés, ces deux soutanes, pour savoir comme elles étaient toutes deux tatillonnes à propos des saints commandements de Dieu et de l'Église, quoique le vicaire apparût comme un bon vivant à côté d'un ascète constipé comme semblait l'être son supérieur, l'abbé Lachance.

Si un curé devait déclarer la guerre à un paroissien, celui-ci ne serait jamais enterré dans la terre bénie et il risquait de passer l'éternité à s'en mordre les pouces, et, quant à faire, les mains jusqu'aux coudes.

Les prêtres étaient les gardiens de la foi et les filtres de tout fluide, de toute idée, de toute pratique cherchant à s'insinuer dans leur paroisse. Telle était leur vocation. Et pour les guider, ils comptaient sur l'éclairage de Rome qui répandait profusément ses prestigieuses lumières sur l'univers entier. Ils se montraient particulièrement vigilants quand des étrangers apparaissaient ou que des habitudes de vie à l'américaine ou à l'anglaise cherchaient des adeptes au pays de la province de Québec, le plus catholique du monde à part peut-être le Vatican lui-même.

Bossu Couët se soumettait moralement très vite quand il songeait à la sainte Église. Si elle était la seule voie de tous a fortiori l'était-elle d'un pauvre bougre comme lui. Sans doute, se dit-il aussi, qu'il serait le premier à dénoncer une pratique honteuse ou qui offense la bonne honte, et qui ouvre les portes de Saint-Léon aux pires démons qui puissent hanter les hommes, ceux de l'impudeur, de la lubricité, vils démons de l'entrejambes.

Non à la corruption ! Non à Lucifer ! Non à sa horde de diables impurs !

Mais la chair est faible. Si faible parfois. Et les propos du père Morin continuaient de couler en son esprit de personnage condamné à l'abstinence comme de l'eau de mer en ingression sur une terre trop basse.

Il fallait que cesse ce déchirant combat intérieur. Impossible de chasser les mots du vieux Théodore ! Impensable de se mettre en marge des commandements de Dieu et de l'Église, seule voie menant au ciel ! Il n'avait pas prévu s'arrêter chez les prochains cultivateurs, mais, chaleur du jour et de toute sa substance l'y forçant, Bossu fit tourner la *Brune* dans la montée des Pépin, un couple dans la vingtaine et sans enfants.

Il descendit de son selké, attacha la laisse de son poney au poteau de l'escalier. Devant lui se dressait une petite maison grise à deux étages enfoncée dans le sol et légèrement égrianchée de la façade, et donc du carré sûrement. Les gens seraient sans doute à la maison à cette heure qui n'était ni celle du train ni celle de travaux des champs puisque les foins, c'était pour dans un bon quinze jours, les labours pour l'automne, les récoltes aussi pour l'automne ainsi que la seconde coupe du bois de chauffage, tandis que les sucres se faisaient au printemps sur commande des érables.

On aurait pu travailler aux clôtures ou bien dans le jardin, mais il ne se trouvait âme qui vive aux alentours des bâtisses.

Dans sa coutumière discrétion, Bossu gravit les trois marches de l'escalier et se rendit frapper à la porte d'entrée. Nulle réponse. Il frappa encore de son majeur replié. Porte immobile, close comme un refus bien net de répondre.

Il se gratta la tête, marmonna tout haut :

–Doivent être rendus au village.

Puis il tendit l'oreille. Certes, il était affligé d'une certaine surdité, mais pas complète, et du côté droit, il entendait mieux que de l'autre. Des sons lui parvinrent. Comme ceux d'un étranglement. Puis des aboiements lointains. Comme si le chien de la maison était enfermé dans la 'shed' arrière et qu'il voulait quand même alerter son monde de la présence du visiteur.

Mais qui alerter quand il n'y a personne aux alentours ?

Au bossu restait à utiliser l'indiscrétion. Il hésita un moment, puis marcha jusqu'à la fenêtre de la cuisine où il se pencha... Ses yeux déjà grands et profonds s'écarquillèrent encore davantage. Un peu et ils auraient pris la dimension de la craque de la montagne. Il voyait une scène mille fois imaginée mais jamais aperçue de toute son existence, ni de loin ni d'aussi près : celle d'un couple en train de copuler. Qui plus est sur la table de la cuisine, ce qui conférait à l'acte une petite odeur de défendu. De presque péché de la chair de la même famille que ceux dont les prêtres parlaient tant et si souvent pour les fustiger...

Francis, l'homme de la maison, nu depuis la taille, honorait sa jeune épouse d'une manière brutale mais qui semblait plaire à la dame. Coups de géant. Coups de mort. En fait coups de vit. Elle gisait sur la table, dénudée jusqu'au pubis, toison noire et abondante que le mâle attaquait, perçait, frappait sans relâche en grondant tandis que la belle Angélina retenait sa robe en tordant le tissu pour garder le champ libre sur le territoire envahi et conquis par son partenaire.

Le sang bouillant du bossu fit plusieurs tours, virevoltant dans sa bosse du dos puis toutes les autres. Jusque là aucun péché de la chair encore. Les époux ne faisaient qu'accomplir leur devoir conjugal. Et lui n'avait pas fait exprès de les surprendre en pleine action. Mais s'il devait les épier plus longtemps, là, il devrait s'en accuser en confession à sa prochaine fréquentation du sacrement de pénitence.

Problème : empêtré dans un grand trouble intérieur, enlisé dans tout ce boucan qui agitait sa substance profonde, le petit homme n'arrivait pas à bouger ses pieds d'une ligne, et son regard médusé restait rivé sur ces deux sexes emboîtés dont le va-et-vient incessant faisait grimacer de bonheur les deux visages du couple en action.

Soudain, Francis s'arrêta. Il tourna lentement la tête vers la fenêtre où était embusqué le voyeur. Couët voulut retirer la sienne, mais elle était figée sur son gros cou comme un lampadaire dans le ciment. Avec de la chance, on ne le verrait pas. On ne le vit pas. L'homme essuya son visage ruisselant de sueur avec sa main ouverte qui lui voila la vue, puis regarda de nouveau le plaisant visage de son Angélina.

Elle sourit. Ses yeux semblaient égarés. Et quand lui reprit son mouvement, elle tourna la tête vers l'arrière de la pièce. Bossu put assister à la suite du fabuleux spectacle jusqu'au ahan de l'apothéose. En même temps que les gémissements de la femme, les grognements de l'homme et les aboiements du chien se faisaient entendre, la *Brune* hennit. Un concert ne saurait avoir une fin plus classique. Mais le cheval du bossu rappelait son maître à la réalité de son quotidien.

Couët s'arracha de cette scène finale qui burina toutes ses mémoires avant de le lâcher; et, en prudence, il retourna à son selké, le pas court et méticuleux.

–On en a eu pour notre argent, dit l'homme à la femme quand il se coucha à demi sur elle pour reprendre son souffle et lui faire partager ses abondantes sueurs.

–On remet ça quand tu veux.

–T'es mon ange.

–T'es mon roi.

Il se releva, se dégagea, remit son pantalon tandis qu'elle laissait tomber sa robe sur sa nudité pour la recouvrir jusque sous les genoux :

–J'ai cru entendre un ch'fal.

–Ben moé itou.

–C'était proche de la maison.

–J'pense.

Et les époux allèrent à la fenêtre de côté, celle donnant sur le rang vers la montagne. Comme s'il avait deviné leur présence, Bossu se retourna. Son regard croisa ceux des Pépin et il leur adressa un fin sourire énigmatique qui, sur son visage parcheminé, prenait un air sarcastique.

–Tu penses qu'il est venu à maison ? demanda Angélina.

–Sais pas !

–Ça se pourrait ben.

–Oué, ça se pourrait ben. Un quêteux, ça quête par les portes.

–Mais Bossu Couët, lui, il le fait pas souvent, le cinquième rang.

–Peut-être qu'aujourd'hui, il le fait. C'est peut-être son ch'fal qu'on a entendu.

Elle se colla à son homme :

–Peut-être ben.

Il fut troublé à l'idée d'avoir été vu en train d'accomplir son devoir d'époux. Et ça lui donnait déjà l'envie de recommencer alors que l'acte serait assaisonné d'un zeste de piquant, d'une saveur toute nouvelle.

–Viens, on va le refaire.

–Pourquoi pas ?

Être délicatement bâti, cheveux couleur de charbon, visage aux traits juvéniles, Angélina précéda son homme; mais cette fois, elle voulut que la chose se fasse dans leur lit d'habitude. On ne les y pourrait pas surprendre. La chambre était sombre. Suffirait de songer qu'on avait été vu pour en tirer une exaltation nouvelle. Vus par un homme de cet âge, vus par un bossu, vus par un quêteux : que de forts stimulants pour accomplir la volonté divine et peut-être donner la vie en coproduction !

Et le quêteux fouilla dans la besace qu'il portait en bandoulière afin d'y trouver une galette d'avoine qu'il savait être là depuis une main généreuse de la Beauce. Il s'en empara et la mangea avec avidité en se demandant ce qui l'attendait encore avant la fin du cinquième rang...

***

Voir schéma du cinquième rang en page 113

Chapitre 5

La femme du rang que Bossu préférait voir entre toutes était l'épouse de Jean Paré, Sophia, une personne de la mi-trentaine au faciès arrondi dont chacune des joues arborait deux fossettes charmantes.

Quand elle saluait, son corps s'inclinait vers l'avant et son buste généreux avait l'air de participer activement au rituel d'accueil. Voilà qui allait chercher profondément dans la substance du bossu, aussi loin dans son inconscient qu'aux premiers jours de sa vie alors que la tétée, pour lui comme pour tout être humain, était perçue comme le centre de toutes choses, l'alpha et l'oméga de l'univers entier, de l'existence elle-même.

Que se trouvait-il donc derrière ces robes fleuries qu'elle aimait porter ? Et ces dessous qu'il ne saurait qu'imaginer à partir de ce qu'il pouvait apercevoir sur la corde à linge familiale quand l'indiscrétion le poussait à y jeter de longs regards ? Pourquoi, se demandait-il, cette seule image fabriquée de toutes pièces par son cerveau, remuait-elle tant de fibres en toute sa personne, pourquoi faisait-elle de ses jambes de la guenille, de son ventre un tourbillon, de sa bouche un puits généreux, de ses mains des feuilles tremblantes, de sa bosse une danse de Saint-Guy ?

Il y avait plusieurs enfants en cette maison, sûrement une demi-douzaine. Bossu ne parvenait pas à tenir le compte de toutes les progénitures du rang. Cela changeait en la plupart des familles au fil des ans.

Le petit vent qui s'était levé plus tôt apporta au voyageur une odeur de gigot en daube. L'été, à la campagne, on mangeait rarement de la viande les jours de semaine. À l'exception de chez ces gens rougeauds. Était-ce la raison de la belle santé des époux Paré et de leurs enfants ? Santé réelle ou apparente ?

Quelqu'un sortirait-il de la maison pour l'inviter à entrer et à partager un repas qui allumait l'appétit d'aussi loin ? Ce serait bien inutile puisque Bossu avait mangé de la sauce aux oeufs et une grosse pomme de terre chez les Morin, ce qui lui faisait une panse bourrée comme une outre. Plus la voiture s'approchait, plus il semblait que non, on ne l'arrêterait pas cette fois. De toute façon, il refuserait pour avoir déjà mangé et surtout bu jusqu'à plus soif.

On était peut-être à table et personne ne s'intéressait à la route. Mais il y avait un chien là comme à toutes les portes : dormait-il à griffes rentrées ou bien ces ondes que lançaient dans l'invisible le bossu, la *Brune* et la voiture elle-même par ses bruits avaient-elles fait savoir à la jeune bête à taches noires que le passant s'avérait être quelqu'un de familier, de tranquille, de pas dangereux ? Combien de fois Couët n'avait-il pas flatté le museau de ce dalmatien et même ne lui avait-il pas lancé un bel os à gruger quand il arrivait que la bête s'éloignât de son foyer pour faire une virée au pied de la montagne ?

Non, il ne s'arrêterait pas comme chez les Pépin. Et risquer de tomber au mauvais moment. Et puis, voici qu'il commençait d'entrevoir là-bas, au fin fond du rang, le pointu de sa masure : ça le pressait de poursuivre sans s'arrêter nulle part désormais. Mais c'était compter sans le propos dolent du plaignard Jean Paré.

La porte de la maison s'ouvrit et le cultivateur s'adressa au passant avant que l'attelage ne soit encore à la hauteur de l'entrée :

–Salut, mister Couët ! Ça fait un boutte de temps qu'on t'a pas vu par icitte ? Veux-tu un verre d'eau, queuq'chose ? Ou à manger ?

–Pas soif, pas faim.

Couët fit tourner la *Brune* dans la montée et vint l'arrêter près du petit escalier enterré de jeune foin odorant. Il descendit tout en parlant :

–Ça sent bon pareil par icitte. Ta femme m'a l'air de te faire du bon manger.

Paré secoua la tête :

–J'me plains pas pantoute.

–À part ce ça, tout' va à ton goût, mon gars ?

–Bah ! ça pourrait aller mieux.

–Comment ça donc ?

Couët s'attendait à quelque jérémiade et il lui en fut servi une :

–Mon dos... ça lâche pas pantoute.

–Ben de valeur pour toé.

Personnage rondouillard à visage arrondi et à la chevelure mince d'un blond roux rare, Jean Paré semblait d'une excellente santé, droit dans ses trente-cinq ans, et pourtant son dos le faisait souffrir. Du moins aimait-il s'en plaindre à tout venant. Mais cette fois, il espérait un soulagement que le bossu à qui on prêtait des vertus mystérieuses pourrait peut-être lui apporter.

–Vu que tu soignes les animaux pis que t'as pas mal de réussi là-dedans, tu pourrais pas faire queuq'chose pour moé pis mon problème de colonne ?

–C'est-il dans la colonne, ton malaise ?

–On dirait ben.

—As-tu vu le docteur avec ça ?

—Le docteur Arsenault m'a dit que ça va s'en aller par soi. Il m'a donné du liniment pour me frotter, mais ça donne rien en tout'. Non... rien...

—Si tu veux essayer d'autr' chose... Mais j'te garantis rien par exemple.

—Le pire, c'est pas de manquer notr' coup, le pire c'est de pas essayer tous les remèdes qu'on peut... Dans la vie, faut mettre toutes les chances de not' bord, même les plus p'tites chances.

—Moé, j'te fournirai pas de remède.

—Ça serait quoi, ton idée ?

—C'est ta femme qui pourrait t'aider le plus.

—Ma femme ? s'étonna Paré. De quelle manière ?

—Ça m'embête un peu de te l'dire.

—Écoute, c'est moé qui 'ronne' dans la maison. Dis-moé ce qu'il faut pis elle va le faire, c'est cartain. J'ai rien qu'à lever le p'tit doigt...

Bossu jeta un oeil du côté de la porte à moustiquaire. L'autre comprit qu'il ne parlerait pas autrement que dans le secret et s'approcha du bord de la galerie afin de faire écran avec sa personne entre le visiteur et la porte.

—Dis-moé ça dans le tuyau de l'oreille. J'écoute, Couët.

Bossu improvisa suite à ce qui s'était passé depuis son entrée dans le cinquième rang. Tout avait concouru à aiguillonner sa recherche instinctive de plaisir sensuel, et la concoction de mots et idées qu'il créa spontanément ressembla à un fantasme audacieux.

—Quand c'est que vous vous couchez le soir, ta femme pis toé, tu y d'mandes de se coller après toé, dans ton dos. C'est sa chaleur qui va te rentrer dans le corps, dans l'épine dorsale partout où c'est que t'as de besoin... Pis là, qu'elle te dise vingt fois, pas une de moins, que ton mal de dos, c'est passé, c'est fini pis que ça r'viendra pas.

–Vingt fois ?

–Tu les compteras. Pas une de moins.

En fait, Bossu suggérait là une forme d'hypnose très particulière, et qui pourrait fort bien signifier des résultats étonnants voire même plus significatifs que les remèdes en liquide ou en comprimés.

Paré fronça un seul sourcil pour exprimer son doute :

–Tu penses que c'est un bon remède, ça ?

–Avant de douter de ce que j'te dis là, essaye ça, pis donne-moé des nouvelles de ce qui va arriver. Si ça marche pas, on essaiera d'autre chose.

–Non, mais me prends-tu pour un fou dans une poche ? Tu veux-tu rire de moé, Dilon Couët ?

L'autre fronça les sourcils, protesta sur le ton d'un reproche plutôt acide :

–Tu sauras, mon Jean Paré, que j'ai jamais ri de 'parsonne', moé. 'Parsonne', tu sauras. Comprends-moé ben quand c'est que j'dis ça, là.

Paré changea de visage et de ton :

–T'as d'l'air ben sûr de ton affaire.

–'Cartain' comme la montagne est là.

On entendit le craquement d'un ressort de porte. Sophia parut dans l'embrasure. Son mari bougea de côté pour laisser les deux autres se voir et se parler peut-être, et donc pour l'inclure, elle, dans l'échange à trois.

Une fois encore, Bossu fut sidéré par cette rondelette féminité. La jeune femme se pencha suivant son habitude en adressant au visiteur un salut tout sourire.

–Si c'est pas notre bon monsieur Couët !

La plupart des hommes tutoyaient le bossu tandis que les femmes le vouvoyaient afin de bien montrer la hauteur et l'épaisseur du mur qui les séparait de lui. On le craignait sous des airs respectueux. On lisait trop de virilité dans sa voix et dans son regard. Certes, il ne représentait aucun danger pour un homme, mais pour les femmes, ce n'était pas la même chanson. Une saine prudence était de mise dans leurs rapports avec lui, prudence proportionnelle aux attraits que les personnes du beau sexe savaient posséder.

–En personne !

–Vous venez pas nous voir souvent.

–Le monde du rang icitte, je les achale le moins que j'peux. J'ai un grand territoire pour aller demander la charité pis de même, le monde du rang a pas besoin de...

Elle coupa :

–Vous nous achalez pas pantoute.

Les quêteux de grand chemin avaient des réputations de moins en moins bonnes. On disait que plusieurs jetaient des sorts s'il advenait qu'on leur refusât la charité. Un meunier vit son moulin hanté toutes les nuits après avoir chassé un quêteux de chez lui. Un maréchal-ferrant de la Beauce avait perdu tous ses cheveux pour la même raison, du moins le prétendait-il et le répétait-il à tous les vents. Certains mendiants passaient pour des charlatans qui soignaient bêtes et gens au moyen de paroles cabalistiques. D'autres se livraient à de l'extorsion en se faisant passer pour soigneur d'animaux et en ponctionnant des sommes d'argent pour des remèdes qu'ils devaient faire parvenir par la poste mais n'envoyaient jamais ensuite.

Malgré tout, plus par peur d'eux que par considération favorable, on les recevait avec bienveillance et rares étaient les maisons qui ne possédaient pas un banc de quêteux sur lequel on pouvait s'asseoir le jour et qui s'ouvrait pour servir de lit-tombeau la nuit lors de la visite tardive d'un mendiant itinérant.

–Un bon soir, va falloir faire une veillée de rang, pis tu viendras jouer du violon, mon bon Dilon.

–Le violon à Dilon, des fois, il sonne faux, rétorqua le quêteux en souriant de modestie.

–Pas grave : on va prendre un coup pis on va danser faux nous autres itou. Comme ça, tout le monde sera content.

Ce fut un éclat de rire.

Un enfant vint mettre son nez dans la moustiquaire :

–Maman, maman, tit-Pit, il a jeté son assiette à terre, su' l'plancher.

–Ben ramasse-la pis laisse donc maman tranquille une minute ou deux.

Le garçonnet protesta faiblement :

–Correct d'abord !

Bossu prit la parole après s'être gratté le front :

–Ben... si vous pensez que j'pourrais faire l'affaire, je vas l'accorder, mon violon.

–Je vas en parler à quelques voisins du rang. D'abord que c'est la crise, on devrait prendre ça à rire, hein, ma femme ? C'est que tu dis de ça ?

Elle approuva du geste et des mots :

–Ah, ben oui !... Une veillée de même, tous les hommes dansent avec toutes les femmes. Ça fait du bien de se changer les idées un peu.

Voilà qui parut étonnant à son homme mais encore plus au bossu qui venait d'entendre un propos cousin tenu par le vieux Théodore Morin un peu plus tôt. Couët ne se retint pas de dire :

–Le pére Thodore, il ose dire que les hommes pis les femmes, ça devrait se mélanger plus...

Et il éclata d'un rire si sonore que la montagne de la *Craque* en frémit sur ses bases profondes. De la sorte, il voulait montrer que l'idée n'avait aucun sens et pourtant, le seul fait de l'énoncer constituait un test de moeurs et de fantasmes à faire subir aux Paré.

–D'abord que l'argent est rare comme de la 'marde' de pape, fit le maître de maison, tout est échangeable, tout excepté la femme ou le mari... Le vieux Morin dit des affaires de même pour faire étriver le monde. C'est un vieux ben ratoureux, le père Thodore !

Et c'est ainsi qu'à travers la personne de Bossu Couët, la stimulante, bouleversante et fort excitante idée de changer de partenaire à l'occasion fut mise en terre ce jour chaud de la fin juin 1930, dans le cinquième rang de Saint-Léon, pas si loin que ça de la Beauce, région reconnue, elle, pour sa légendaire gaillardise.

Germerait-elle ? Ou bien sécherait-elle dans un sol infertile et privé d'eau ? Peut-être que ces allusions étonnantes passeraient vite pour des paroles en l'air, même trop osées pour seulement être répétées ? À moins que le bossu ne continue de provoquer la catalyse comme il venait de le faire sans trop l'avoir cherché et de manière plutôt spontanée... histoire de rire et d'en rire...

On n'avança pas plus loin sur le sujet plutôt marécageux. Une automobile parut dans le décor sur l'horizon, soulevant derrière elle un petit nuage de poussière. On reconnut tout de suite la voiture noire du vicaire de Saint-Léon, une Ford 1928 brillante comme du jais. Où allait-il donc à cette heure et de ce train assez soutenu ? On ne connaissait aucune personne en danger de mort dans le cinquième rang, à moins qu'un accident ne soit survenu quelque part plus loin chez les Poulin ou les Martin; mais alors, on l'aurait appris par le voisinage ou par le téléphone.

Le prêtre s'arrêta chez les Paré. Surprise ! Et questionnement. Et il descendit de voiture. C'était un quadragénaire de bonne stature, mais alourdi par un embonpoint que son charme apparent, accusé par un oeil d'un bleu pur et profond, faisait vite oublier.

–Bonjour, mes amis du cinquième rang, dit-il aussitôt avec un signe de tête.

Parler en premier permet de prendre les rênes d'un échange, et le prêtre n'ignorait pas le processus. On le salua. Il fit le surpris de voir Bossu en cet endroit. Et pour bien montrer son ouverture à tous, il tendit la main que Couët serra en y ajoutant un salut du chef.

–Comment allez-vous ? On ne vous a pas vu à la messe dimanche ?

–J'faisais ma tournée d'été dans la Beauce.

–Fructueuse ?

–Comme de coutume.

–À la bonne heure ! Et vous, madame, tout va bien avec la petite famille ?

–Petite ? fit Sophia, l'oeil étincelant. On commence à être pas mal de monde à table.

–Les grosses familles, je devrais plutôt dire les familles nombreuses sont bénies par le Seigneur.

–Si ça continue, dit Jean, l'oeil drôle, on va se faire noyer dans les bénédictions. En attendant, faut travailler dur pour nourrir toutes les bouches.

Le prêtre hocha la tête, ne sachant s'il devait sourire ou froncer les sourcils. Les Paré ne faisaient que leur devoir et un tel propos, si anodin fut-il, laissait croire qu'ils ne l'accomplissaient pas de tout coeur et donc, peut-être, à contre-coeur. Cela ne devait pas être. Mais ce n'était guère le jour de se livrer à des remontrances. Il attendrait dimanche pour sermonner sur ce sujet si le curé le lui demandait.

Blond, cheveux vagués, visage bon enfant, surtout très empathique, le prêtre exerçait une forte séduction chez les femmes qui se gardaient bien de le dire ou de le laisser voir. Mais elles avaient le rire aisé en sa présence et le regard pétillant. On se demandait même, à l'écart des maris, pour-quoi un si bel homme ne s'était pas tourné vers la vie de mariage plutôt que le célibat des prêtres. Et chaque fois, on finissait par se dire, comme à regret et dans la résignation, que les voies du Seigneur sont vraiment impénétrables.

–C'est quoi qui nous vaut l'honneur de votre belle visite aujourd'hui, monsieur le vicaire ? demanda Sophia dont la robe en coutil gris moulait sa généreuse poitrine, ce qui portait les regards à balayer toute sa personne sous des battements de paupières tout à fait pudiques.

–Il m'arrive de... comment dire... vouloir rentrer en moi-même. Et rien de mieux pour y parvenir que la proximité d'une belle montagne comme la nôtre. Et puis... c'est la seule aux alentours, alors me voici dans le cinquième rang, celui qui va le plus près.

Bossu prit la parole :

–Me semble que je vous ai pas vu trop souvent autour de mon campe...

–Ah, mais je ne me rends pas jusque là... je prends la fourche avant votre maison, le chemin de bois sur la droite, et ma machine m'amène ensuite...

–Au pied de la craque.

Le prêtre grimaça :

–Quel affreux nom pour une montagne !

Paré confia :

–C'est l'ancêtre des Bussières qui l'a baptisée de même. On sait pas trop pourquoi... ben, ça doit être à cause de la fente. Montagne de la fente, ça serait pas beaucoup mieux...

–Ancêtre des Bussières ou pas, c'est un nom bien laid. Mont Saint-Joseph, mont Saint-Hilaire, mont Saint-Pierre : ça, c'est des beaux noms... Je dirais même le mont Orford ou le mont Dostie... mais la montagne de la *Craque*... ah, Seigneur Dieu !...

Sophia avait baissé les yeux par pudeur, ressentant un certain malaise qui n'atteignait pas son mari toutefois et encore moins le bossu, tous deux qui le prenaient à rire sans trop le laisser voir.

–On va demander au gouvernement de changer le nom, pis vous allez en choisir un, vous, monsieur l'abbé. Ça serait quoi, votre idée ?

Le prêtre pensa qu'il s'agissait d'une chausse-trappe. Il l'évita :

–Sais pas... La montagne *Verte*... La montagne *Bleue*... La montagne *Blanche*...

Couët intervint en souriant :

–La montagne du *Bossu*.

Et s'esclaffa, entraînant dans le sillage de son rire ceux de tous les autres. Le prêtre se frotta la bedaine que retenait mal une soutane débordée et débordante. Tout cela permit à la femme de relever la tête. Car pour rire, vaut mieux tenir sa tête haute, même si on est femme et soumise. Et soumise parce que femme...

Paré fit prendre un nouvel embranchement au train de l'échange :

–Rentrer en vous-même, monsieur le vicaire, c'est quoi que vous faites là ? Moé, j'pensais qu'un prêtre, c'est tout le temps tourné vers le ciel, les anges, les saints, le bon Dieu ou ben la Sainte Vierge...

L'abbé sortit un blanc mouchoir de l'intérieur de son noir vêtement et s'épongea le front qui suait en abondance. Puis il se moucha bruyamment sans rien évacuer et simplement par une vieille habitude chaque fois qu'il prenait un mouchoir entre ses mains. Et il le remit quelque part à l'intérieur de sa soutane dans un geste qu'on suivit sans en avoir l'air. Une petite bosse apparut sur son flanc.

–C'est en passant par soi-même qu'on atteint le mieux le ciel, vous savez. Il faut développer son plein potentiel. Il faut savoir s'aimer sainement. Et comme disait si bien le grand philosophe Socrate : "Connais-toi toi-même !" On appelle ça le 'gnôthi seauton'.

Paré rit :

—Parlez-nous pas en latin, monsieur le vicaire, nous autres, on a de la misère à comprendre le français.

—De toute manière, je vais devoir m'en aller si je veux prendre le temps qu'il faut pour méditer et ne pas retourner au presbytère trop tard, ou bien c'est monsieur le curé qui va s'inquiéter.

Bossu dit :

—Il a de la chance, le curé Lachance, d'avoir un vicaire comme vous.

—Ben... non... j'vois pas pourquoi.

—Vous êtes en pleine organisation des fêtes du cinquantenaire : c'est par rien, ça. Tous le monde sait que ça prend de la jarnigoine pis de la sueur...

—Suis loin d'être le seul à voir à ces préparatifs, vous savez. Y en a d'autres.

—Ça va se passer quand au juste ?

—Troisième semaine du prochain mois. C'est pas final.

—Ça m'est parti de l'idée.

—Ce qui prouve que notre propagande manque de caractère. Va falloir y voir.

—Propagande ?

—Publicité... pour mettre tout le monde au courant des festivités à venir.

Bossu se gratta la tête :

—Mais... c'est pas un peu exagéré de faire un banquet comme ça, en pleine crise économique ?

—Au contraire, ça va faire oublier la crise, rétorqua l'abbé.

Sophia l'approuva :

—Oui, c'est une bonne idée. Des fêtes de paroisse, il en faudrait plus souvent. Même des fêtes de rang comme tu disais tantôt, Jean.

–Pourvu que les bonnes moeurs soient respectées, c'est pas la sainte Église qui empêchera les gens de s'amuser, surtout par les temps qui courent.

Ces mots rafraîchissants ne tombaient pas dans l'oreille de sourds. Pas plus qu'un petit quart d'heure plus tôt, avant l'arrivée du prêtre, il était question d'une fête de rang. Chanter, danser, rire, conter des histoires : c'était ça, s'amuser !

Les Paré s'échangèrent un regard entendu.

Le bossu remonta dans son selké.

Et le vicaire dans sa voiture.

On se dit quelques mots de salutations et les deux visiteurs prirent la route, l'un après l'autre, le prêtre en avant comme il se devait.

–T'en parleras, aux voisines, d'une fête de rang.

–Pis toé, ben t'en parleras aux voisins.

–C'est surprenant, un prêtre qui dit au monde de s'amuser, eux autres tout le temps sérieux, moroses. Pas nécessaire de 'brailler' tout le temps pour aller au ciel, on peut prendre le train de la bonne humeur pour y arriver pareil, hein ?

Sophia regarda au loin, vers la montagne. Bien malin eût été celui qui aurait pu lire dans ces yeux si noirs et luisants.

***

Voir schéma du cinquième rang en page 113

Chapitre 6

–Ah ben, c'est le boutte de la marde : le bossu Couët qu'a d'l'air de s'en venir icitte !

Ces paroles n'avaient pas été prononcées par un homme mais bel et bien par une femme que le passage d'une 'machine' avait appelée à une fenêtre curieuse. Personnage aux allures masculines et que d'aucuns appelaient Mae West en le disant tout bas pour ne pas passer pour commères, Marie-Jeanne Nadeau, sans avoir la stature véritable d'un homme, en avait quelques traits et manières virils. C'est elle qui portait les culottes dans le ménage et elle avait choisi un partenaire en mesure de l'accepter sans maugréer. Maurice Nadeau, petit monsieur délicat, fils de mère sévère et autoritaire, aimait bien se faire mener par le bout du nez. Ce qu'elle disait était ce qu'il fallait dire. Et faire. Et il s'y soumettait de bonne grâce sans jamais chiquer la guenille ni même rechigner tout bas.

–Viens voir ça, Maurice ! ordonna-t-elle.

Il dit 'quoi ?', mais en même temps se leva de table pour accourir lui aussi à la fenêtre.

–Veux-tu qu'on le fasse rentrer icitte-dans pour y donner quelq' chose à manger ?

–Ben non... Bossu Couët, il reste tout proche, tu sais ça.

Pis il pue en plus.

–Vu que c'est un quêteux, j'me disais...

–Qu'il cogne à notre porte, on va lui ouvrir; autrement, qu'il passe son chemin tout drette !

–C'est toé qui décide, ma femme, c'est toé, la gardienne de la maison.

–Pis toi, ben t'es le maître de céans.

–Quoi c'est que tu dis là, toé ?

Marie-Jeanne Nadeau, Turcotte de son nom de fille, avait fait sa dixième année de classe et obtenu un diplôme de maîtresse d'école. Même si elle n'avait jamais enseigné, ça la mettait dans une classe à part, celle des dames instruites. De plus, elle lisait des livres et des revues comme le Bulletin des Agriculteurs et l'annale Saint-Joseph. Voilà qui lui permettait d'utiliser un vocabulaire plus élaboré que la moyenne des gens de son temps et de son rang. Elle ne s'en privait pas. Bien parler, en tout cas, se servir de mots sophistiqués et rares lui donnait un certain ascendant sur ses semblables. À l'autre extrême, il lui arrivait de glisser dans son langage des expressions de charretier comme au début de leur échange. Ainsi, sa vulgarité exceptionnelle aussi bien que son petit côté cultivé lui conféraient une autorité qui commandait le respect de tous. Et pas une femme, pas un homme du rang n'auraient osé lui piler sur les orteils.

–Maître de la maison... on peut dire itou maître de céans.

Certes, les journaux apportaient à la femme des nouvelles nationales voire internationales, mais le petit nouveau qui se passe dans les paroisses ou le voisinage, elle ne pouvait l'apprendre que par le téléphone, et la source manquait de vitalité. Sa curiosité insatiable lui suggéra de sortir et de questionner le bossu. Comme tous les quêteux, il devait savoir des choses intéressantes à s'être passées récemment dans les coins qu'il avait visités.

–On va sortir lui parler un p'tit peu.

–Faudrait ben lui donner une cenne.

–En as-tu une dans le fond de tes poches ?

Maurice fouilla, trouva, acquiesça :

–Oué...

–Allons-y d'abord !

Et Bossu dut bien malgré lui s'arrêter à cette porte encore. Comme la maison se trouvait sise à faible distance du chemin, il stoppa la *Brune* mais put rester assis dans son selké pour échanger avec les Nadeau, tous deux debout sur la galerie.

–Comment que ça va, vous autres ? demanda-t-il de sa voix la plus basse.

Ce fut la femme qui, une des rares personnes du beau sexe à tutoyer Couët dans le rang, répondit :

–Numéro un. Pis toé, Dilon ?

–Pareillement !

–T'as fait une tournée ? questionna Maurice.

–Pis une bonne. Là, je vas laisser mon ch'fal se r'poser durant quelq' jours. La *Brune*, elle commence à vieillir pis elle est un peu moins de chemin qu'avant.

–Achète-toé donc une belle 'machine', dit Maurice, l'oeil à la Marie-Jeanne.

–Pis tu penses que j'pourrais 'ronner' ça, toé ? Regarde-moé donc à deux fois avant de dire ça.

Marie-Jeanne reprit la parole :

–Parlant de 'machine', en as-tu vu une passer tantôt ?

–Ben 'cartain' ! Le vicaire Morin. S'en allait, comme qu'il dit, méditer au pied de la montagne.

–Non, mais c'est-il drôle, un homme de même ! fit Maurice, la voix douce, tout en ricanant.

Le sourcil de Marie-Jeanne devint menaçant :

–Ça se fait ! Notre Seigneur l'a fait. Ben des saints ont

fait ça. Des écrivains. Des penseurs. C'est pas tout' des cultivateurs comme nous autres, qui ont tout le temps la pensée penchée vers la terre pis les animaux. En dehors, pis je dirais au-dessus de l'agriculture, y'a itou la culture, tu sauras, mon mari. Pis j'pourrais ben y aller moi itou des fois, méditer au pied de la montagne de la *Craque*...

Mère de sept enfants, Marie-Jeanne trouvait quand même le temps de se cultiver, de rêvasser, de réfléchir, de philosopher. Même qu'elle réussissait à donner de son temps aux mères de familles nombreuses du voisinage. Elle aidait au métier à tisser, à l'empotage, à la mise en conserve. On l'appréciait pour cette générosité.

–Ah, c'est sûr, c'est sûr ! fit Maurice afin de se rallier au plus vite à l'idée de sa femme.

Bossu intervint :

–En plus qu'un prêtre, ben ça prie partout. C'est branché directement avec le ciel. Y a un câble entr' lui pis le bon Dieu, un câble qui conduit en même temps le téléphone pis le courant électrique.

Elle fit la moue :

–Faut pas rire de ça !

–J'ris pas; je l'pense. Le bon Dieu leu' parle, à eux autres, les prêtres, ben plus souvent qu'à nous autres.

Marie-Jeanne fit quelques pas, son corps se dandinant et sa poitrine suspendue dans ses dessous, brimbalant, secouée par son poids et l'élasticité de son enveloppe charnelle. Couët ne put s'empêcher de regarder là. La femme s'en rendit compte et crut lire de la perversion dans son grand oeil de pieuvre. Au lieu de lui chercher noise, elle voulut le provoquer davantage et se pencha afin que, dans son décolleté, apparaisse la raie de sa poitrine. Et qu'il se contente de regarder, d'admirer, le pauvre bossu, faute de pouvoir se rassasier auprès d'une compagne de lit bien charnue ! Même condamné au jeûne, il désirait contempler une table bien garnie, alors qu'il se gave bien comme il faut !

–Dis donc, Dilon, y a-t-il du nouveau dans le rang, dans la paroisse, dans le comté ? Toi qui cours partout, tu dois avoir des nouvelles à nous apprendre.

Il parut à Couët que la femme Nadeau cherchait à le faire réagir, même sachant qu'au fond, il pourrait en souffrir plus tard. Elle se comportait comme ce qu'on appelait entre hommes malengueulés une 'agace', alors il jouerait le jeu à sa manière. Et il jeta brutalement au pied de la galerie des mots propres à faire tomber le couple en bas et peut-être même sur leur derrière :

–Savez-vous c'est que j'ai entendu de la bouche du pére Thodore Morin tantôt ?

–Dis-nous le !

–Que les hommes pis les femmes du cinquième rang, icitte, ça devrait se mélanger de temps en temps. Pis pas rien que pour danser, là, mais pour ben des 'afféres' que j'oserais pas vous nommer. C'est rien qu'un vieux cochon, vous pensez pas, vous deux ?

Marie-Jeanne Nadeau tenait de Mae West, la vedette de cinéma américaine, en plus de la rondeur et de la blondeur, la propension à se vêtir avec extravagance, portant souvent des camails pour aller à la messe et des boas autour du cou. Mais de toute sa personne, la partie qu'elle se plaisait à mettre en évidence était l'arrière-train. Il y avait là de la chair à revendre et cela accrochait le regard des hommes; elle le savait et, même de semaine, elle s'arrangeait pour enfiler une robe serrée aux fesses. Comme celle à motifs tourbillonnants qu'elle portait ce jour-là.

Elle se tourna à demi vers son mari, mit sa main sur son front, se pencha légèrement en avant et s'écria :

–Quelle idée scandaleuse ! Le vieux Thodore serait ben mieux mort que dire des affaires de même. C'est que t'en penses, toi, mon cher Maurice ?

–Ben moé... j'dirais que... ben j'pense comme toé.

Couët reprit :

–J'vous dis ça d'même, c'est pas pour vous scandaliser, là. Mais le vieux Thodore, il doit commencer à revirer en enfance, lui, là.

Marie-Jeanne se redressa :

–Ça, j'pense pas ! C'est un vieux velimeux. Me suis toujours méfié de lui... Mais... comment ça se fait qu'il t'a dit ça, à toé, Odilon Couët ?

–Probablement un adon... parce que moé, j'ai même pas de femme à maison, comme vous l'savez. Vieux garçon pour de bon comme de raison... Anyway, faut que j'parte... c'est ma femme... j'veux dire mon chien qui m'attend à maison. Y'a le p'tit Martin qui y a vu le temps que j'ai fait ma tournée, mais j'sais pas si c'est assez fiable, c'te p'tit gars-là, pour s'en occuper ben comme il faut.

La femme opina du bonnet :

–Le p'tit Martin à Albert ? Certain que c'est fiable !

–Ça a dix, onze ans pas plus.

–J'te cré, Dilon. Si tu parles ben du p'tit Pat Martin ?

–En plein lui.

–Le p'tit Pat, c'est travaillant, c'est drette comme un hêtre, ça. Gros comme une puce mais fort comme un homme.

–Je l'sais, mais c'est jeune encore.

–Tu devrais pas prendre d'inquiétude pantoute. Ton chien est sous bonne garde avec tit-Pat.

–Tant mieux pour moé ! Bon, ben, à la r'voyure là.

–Salut ben ! fit Marie-Jeanne.

–Salut ben ! fit son mari aussitôt.

Dès après son départ, elle s'en prit à Maurice :

–T'avais donc l'air à trouver ça de ton goût, les folies du vieux vicieux à Thodore Morin.

–Moé ça ? Ben voyons, Marie-Jeanne ! Où c'est que t'as

pêché une idée de même, ma femme ?

–Dans ta face. J'ai pêché ça dans ta face quand c'est que le bossu parlait.

–Écoute, ma femme...

Sans acrimonie mais résolument, elle affirma :

–MA femme, MA femme... quand je t'entends. Hypocrite que t'es ! Tu dois ben y penser, des fois, aux autres femmes du rang, hein !

–Pantoute de pantoute ! J'ai rien qu'une femme, moé, pis c'est toé, Marie-Jeanne Turcotte. On se marie une fois pis c'est pour la vie. Ça s'éteint là...

–En tout cas, t'es mieux, parce que c'est un p'tit jeu qui se joue à deux !...

Maurice n'était pas estomaqué de se faire ainsi apostropher et accuser d'un crime qu'il n'avait pas commis. Il avait l'habitude de servir de paillasson à son épouse compliquée et souvent capricieuse. Il ne se passait pas une journée sans qu'elle n'essuie ses pieds sur lui. Des fois à l'étable en faisant le train. D'autres au lit. D'autres encore en voiture en allant au village. Mais cette fois, elle l'accusait d'un péché d'intention loin du péché véniel et pas bien loin du péché mortel. Comment lui prouver le contraire de ce qu'elle disait ? Et puis, pourquoi se livrait-elle à ce jeu suite à un propos grivois du père Théodore ? Pour une fois, l'homme alluma ses phares et les braqua au bon endroit. Et si c'était elle plutôt qui, dans son for intérieur, vivait des choses pas catholiques avec des voisins ? Il se trouvait des hommes de bien meilleure apparence que lui et de virilité bien plus évidente dans ce cinquième rang... En fait, sur les dix cultivateurs des alentours, dans un concours de popularité, probable que lui, Maurice Nadeau gagnerait ce que les écoliers appelaient la 'médaille de la queue'. Les noms des hommes du rang défilèrent dans sa tête et leur image : Pierre Goulet, Jean-Pierre Fortier, Romuald Rousseau, Hilaire Morin, Joseph Roy, Francis Pépin, Jean Paré, Josaphat Poulin, Albert

Martin... Quelque chose dans leur visage disait de chacun son intérêt pour la belle Marie-Jeanne : la face qui leur rougissait anormalement en sa présence, leur nervosité évidente, leurs regards lubriques sur ses formes arrondies et dandinantes, leurs allusions parfois alors qu'ils tournaient autour du pot et faisaient des remarques sur la beauté des femmes, et qu'alors, ça les rendait noirs de rire...

L'homme prit une longue inspiration, ramassa tout son courage qu'il prit soin de camoufler derrière une expression rieuse insincère et lança pour se défendre :

–Ça serait pas toé toujours, Marie-Jeanne, qui a des idées en arrière de la tête ?

Elle le fusilla, le mitrailla du regard puis des mots :

–Ah ben, c'est qu'il faut pas entendre ! Tu sauras que j'sus une femme à sa place. Ben catholique pis ben respectueuse du sacrement de mariage ! Viens pas me dire des affaires de même parce que je m'en vas te donner trois, quatre coups de palette à cochon, tu vas voir là...

–Je l'sais ben que t'es à ta place, mais... ça empêche pas d'avoir des idées, des fois, durant la longueur d'une vie.

–Ah ! Ha ! C'est donc ton cas ! C'est ben ce que j'disais.

Pauvre Maurice, il venait encore de tomber dans la chausse-trappe ouverte sous ses pieds par son épouse. Mieux valait se taire. Et puis, tant qu'à faire, tant qu'à souffrir une fausse accusation, autant pécher par la pensée. Et en se taisant pour rentrer dans la maison, il repassa en sa tête toutes les femmes du rang et s'imagina les embrasser de la manière la plus chaude qui soit. Elles y passèrent toutes : Désirée Goulet, Dora Fortier, Georgette Rousseau, Blanche Morin, Marie Roy, Angélina Pépin, Sophia Paré, Joséphine Poulin et Marie-Louise Martin. Toutes, une après l'autre. Et que la Marie-Jeanne songe aux maris, qu'elle y songe donc ! Et tant qu'à y être, qu'elle songe donc aussi au vicaire Morin ! Au curé Lachance itou : envoye donc là !...

–T'as ben l'air songeur ! dit l'épouse quand le couple fut à l'intérieur.

Il mentit avec plaisir :

–J'songe que la journée d'ouvrage est pas finie.

–C'est pas pire aujourd'hui que demain.

–Ah, t'as ben raison !

Elle revint sur le propos brûlant :

–Moi, j'pense que le quêteux, il a tout inventé ça, pis qu'il dit que c'est le père Thodore qui pense de même.

–Tantôt, tu traitais le père Thodore de vieux vicieux.

–C'est à cause du propos. Moi, sur le coup, j'ai pensé que Bossu Couët disait la vérité. Mais quand on pense à ça... ça se peut quasiment pas, un vieux de quasiment 90 ans, dire des affaires de même. C'est que t'en penses, toi, Maurice ?

–C'est plein de bon sens, c'est que tu dis là...

–Ah, le bossu Couët, ça me surprendrait pas que le vicieux, ça serait lui-même en personne...

Maurice regarda au loin.

Marie-Jeanne regarda encore plus loin...

Et le bossu, lui, s'en allait au loin...

***

Voir schéma du cinquième rang en page 113

Chapitre 7

Il ne restait plus que deux cultivateurs dans le cinquième rang avant que le quêteux n'atteigne enfin sa tanière. Cette fois, il faisait trotter la *Brune* afin que personne ne sorte de sa demeure pour l'interpeller et le retarder encore. Mais moins on voit de passants, plus on les entend venir. Et Josaphat Poulin, la belette au nez fin, alerté par l'auto du vicaire, déjà dehors lui, attendait Bossu au bord du chemin pour lui parler de tout et de n'importe quoi.

Personnage dont la peau du visage empruntait à l'ananas ses monticules et ravines, et à la fraise sa couleur, l'avant-dernier habitant du rang ne se rasait qu'une fois tous les trois jours afin de paraître mieux et, paradoxalement, il y parvenait. Blondin, pas plus gros qu'un échalas, Josaphat parlait tout le temps et jusqu'à lui-même quand il ne trouvait pas d'interlocuteur. Un moulin à paroles ! disait-on de lui. Et d'une gaieté bruyante, joviale, et souvent triviale et importune. Bourré de jacasse, disaient d'autres. Tout en effet servait de nourriture à sa faconde : le temps qu'il faisait, celui qu'il ferait, les voisins, la montagne, les prêtres, la maladie, la politique... souvent la politique.

En fait, il agissait comme organisateur libéral aux élections et avait pour tâche et objectif de faire voter tout le monde du cinquième rang du bon bord. Et, de ce temps-là, il nageait dans le grand bonheur politique puisque son parti dirigé par William Lyon Mackenzie King détenait le pouvoir à Ottawa tandis que les libéraux provinciaux et leur chef Alexandre Taschereau menaient la province de Québec depuis dix ans. La tâche d'organisateur paroissial serait plus lourde, maintenant que le pays, suite à la déconfiture du jeudi noir de 1929, était entré de plain-pied dans une crise économique dont on n'entrevoyait pas la fin de sitôt et qui touchait tout le monde, du plus pauvre au plus riche, du citadin au campagnard le plus éloigné, du cultivateur à l'homme de petit métier...

–Salut, Dilon, j'gage que t'arrives de la Beauce, toé, là. T'as l'air d'un r'venant. Dans la Beauce, ils aiment ça, parler des r'venants.

–Huhau ! Huhau !... Oué, en plein ça ! Justement, j'arrive de par là.

–Ah, ah la belle Beauce : rouge comme le bonhomme Noël! Les deux Édouard. Ben oué, Édouard Lacroix à Ottawa pis Édouard Fortin à Québec. Deux bons libéraux. Parlez-moé des Beaucerons, ils savent pour qui voter, eux autres.

–Ça parle pas trop de politique de ce temps-là par là. C'est plus chaud durant les élections.

–Ben... pour moé, on s'en va vers des élections fédérales. C'est que t'en penses, toé, Dilon ?

–Moé, j'm'en mêle pas, tu l'sais, Josaphat. Sus quêteux : j'fais affaire avec du bon monde des deux bords, des bleus, des rouges...

Couple dans la jeune trentaine, sans enfants, les Poulin possédaient l'une des meilleures terres du rang, en tout cas la plus étenduc, avcc unc érablière généreuse et de bonnes lisières de bois de coupe. Travaillant comme des fourmis, ils parvenaient à deux à accomplir toutes les tâches de leur métier, y compris les plus dures comme le ramassage de roches, les labours et les récoltes de foin et d'avoine. Mais ils ne dédaignaient pas non plus l'aide de voisins, et il arrivait souvent qu'on effectue des tâches à plusieurs suivant une formule d'échange de temps et parfois d'instruments aratoires en laquelle chacun trouvait son compte. Même qu'une ou deux fois l'an, on faisait appel au bossu Couët pour participer à une corvée suivant ses petits moyens physiques, moyennant quoi on lui donnait des produits comme des pommes de terre, du sucre d'érable ou des légumes du jardin. De tous les cultivateurs du cinquième rang, les Poulin étaient ceux que Couët voyait le plus souvent. Surtout qu'il ne percevait aucun sentiment de supériorité, de condescendance de la part de l'homme.

–As-tu soif, mon Couët ? À la chaleur qu'il fait là... tit-Jos, tit-Jos ?...

C'était ainsi que Josaphat désignait son épouse Joséphine. Elle lui répondit de loin à l'intérieur à voix pointue :

–C'est que tu veux, gros-Jos ?

–Viendrais-tu porter de la belle eau frette à notre ami, le bossu Couët ?

L'épouse cria son accord, puis, tandis que les deux hommes s'échangeaient des banalités, elle survint, un grand verre d'eau à la main.

–Pis moé, tu m'en as pas amené ?

–Ben... j'ai rien que deux mains, moi : une pour le verre, l'autre pour la porte.

–Ben correct de même ! J'ai rien qu'à aller m'en chercher si j'en veux. T'es pas ma servante, ça, on le sait ben. C'est correct de même, là.

Et s'adressant au bossu :

–Tu sais, nos femmes, faut pas les prendre pour des esclaves. Mais on y pense pas tout le temps... Des fois, on aime ça, se faire servir...

Josaphat pensait ce qu'il disait. Il était de ces rares maris qui ne craignait pas de mettre la main à la pâte afin de seconder son épouse dans ses tâches, tout autant qu'elle-même ne refusait jamais de prendre part aux travaux qui relevaient d'abord de lui, comme le train, les foins, les récoltes etc...

Joséphine Poulin, –Boulet de son nom de fille– était une belle personne à cheveux brun pâle qui descendaient en cascade sur ses épaules. Elle portait des lunettes rondes à verres épais de forte intensité. Légèrement bigleuse, cela ne lui attirait pas les quolibets pour autant, et même ajoutait plutôt à son charme. Et puis, son corps attirait l'oeil discret des hommes par ses formes gracieuses que l'on devinait fermes.

Selon son habitude, Bossu détourna pudiquement les yeux en acceptant le verre d'eau :

–Merci, madame Poulin.

–Dis donc Joséphine comme tout le monde, suggéra le mari. Autrement, ça la fait ben vieillir.

Elle enchérit :

–Ben sûr ! Ben sûr !

–Ben... merci, Joséphine dans ce cas-là.

Et le petit homme but en ayant l'air de se rassasier, mais il n'avait pas soif. Comment ne pas remercier par les gestes autant que par les mots ?

–C'est de la belle eau de cap qu'on a, nous autres, icitte. Frette ! Propre ! Pure ! Comme du cristal !

–Est quasiment meilleure que mon eau de r'source : de l'eau qui vient d'en-dessous d'la montagne.

Josaphat acquiesça et en remit par le geste et par le ton :

–Ça doit se valoir.

–Tu rapporteras le verre, dit la femme à son époux.

–'Marci' encore ! lui dit Bossu.

–De rien.

Et elle rentra. Et le bossu ne manqua pas de la balayer des yeux quand elle lui eut tourné le dos. Il lui vint alors en tête de colporter les idées bizarres du père Morin, histoire de connaître la réaction de ce blagueur de Josaphat Poulin.

–L'argent est rare, mais d'aucuns se font du plaisir pareil. Sais-tu c'est quoi que j'ai entendu dans la bouche du pére Thodore tantôt, mon Josaphat ?

–Ah, il est ben drôle, le pére Thodore. Conte-moé-z-en une bonne de sa part.

–Il dit que les hommes du rang, ça devrait changer de femme de temps en temps.

Josaphat éclata d'un rire à faire fendre la montagne encore plus qu'elle ne l'était. Se frappa les mains, se les frotta, se plia sur ses genoux pour mieux exprimer sa folie intérieure :

–Non, mais une chance que le curé entend pas ça !... Si Ça a du bon sens !...

–Le pére Thodore, il se ferait excommunier.

–Ça prend rien qu'un vieux ratoureux comme lui pour avoir des idées de même.

–Vois-tu ça, Josaphat, passer la nuitte, toé ça, avec... sais pas... la Marie-Jeanne Nadeau ou ben la Sophia Paré ?

–Sus déjà maigre comme un bicycle, j'me réveillerais maigre comme un chicot le lendemain matin. Non, mais ça prend-il un vieux fou pour dire ça !

Bossu en remit :

–J'te dirai que l'idée du bonhomme, ça en fait réfléchir d'aucuns.

–Qui ça ?

–Ben là... j'veux pas dire du mal de 'parsonne', moé.

–Y en a-t-il qui prennent ça au sérieux, une idée de fou comme ça ? Ah ben maudit calâb ! C'est pas toé qui inventes ça, toujours ?

On entendit la sonnerie du téléphone par la porte d'été : un petit (coup), un grand, un petit. C'était celle des Poulin.

–J'me demande ben qui c'est qui appelle icitte à midi. En tout cas, ma femme va répondre. À part de ça, penses-tu qu'on va récolter ben du foin c't'année ?

–Josaphat, tu sais ça ben mieux que moé. T'es un bon cultivateur, moé, j'sus rien qu'un quêteux de grand chemin.

–Pas sûr ! Toé, tu parles avec le monde.

–C'est que t'en penses, toé ?

–Moé, j'dirais qu'on va emplir les tasseries ben combles. Une année rare.

–C'est ça que ça me dit, moé itou.

Bossu tendit le verre vide. L'autre le prit et le posa sur la marche la plus haute de l'escalier.

–Là-dessus, moé, j'vas me rendre à mon campe. C'est mon chien qui doit commencer à me sentir de loin.

–Le p'tit Pat Martin s'est promené une fois ou deux avec ton chien ces jours-citte.

–J'y donne un peu d'argent pour qu'il s'en occupe le temps que j'sus parti au loin.

–T'aurais pu me le laisser : j'en ai pas, de ce temps-citte, de chien. Le mien a sapré son camp ça fait ben un mois, pis y est pas revenu. Pour moé, il r'viendra jamais.

–C'est rare, ça, pour un chien. Ça peut faire la moitié du comté pour retrouver sa maison.

–Faut crère que lui, il voulait pas la retrouver. Pourtant, on l'a pas maltraité pantoute. On bat pas les animaux, nous autres. Jamais, jamais... On y donnait à manger ben comme il faut. J'y ai jamais sacré de coups de pied au derrière. Sais pas trop c'est quoi qui y a pris.

Josaphat sourit de côté et poursuivit, l'oeil joyeux :

–Peut-être que le pére Thodore y a parlé, à mon chien, pis qu'il aura voulu se trouver des blondes quelque part. Dans le troisième rang, y en a pas mal, des chiennes à l'herbe, par là... Des blondes, des brunes, des noires, des picotées, des à poil long, des à poil court... Un chien a le choix, j'te dis...

—En tout cas, salut ben, tit-Jos. On va se revoir.

—T'avais pas envie de tirer une touche avant de partir. Une bonne pipée, là, ça te r'tarderait pas pantoute...

—J'fume pas su' l'chemin : c'est un principe de vie.

—T'as quasiment pas de défauts, toé, mon Dilon.

—Mes défauts que j'peux cacher, ben j'les cache comme il faut.

—Tu fais ben, calâb', tu fais ben.

Et le quêteux fit reprendre son pas à la *Brune* qui s'éloigna.

Joséphine reparut sur la galerie et parla à son mari :

—C'était Marie-Jeanne. Ils ont eu la visite du bossu. Il leur a dit que le père Thodore Morin...

—Je le sais, Bossu Couët m'a dit la même chose.

—La Marie-Jeanne, elle pense que c'est le bossu qui a tout inventé ça. Comme de raison, un homme tuseul comme lui, qui aura jamais une créature dans sa maison, ça rêvasse.

—Probable ! Mais ça me surprendrait pas que le pére Thodore aurait ben dit c'est que le bossu dit qu'il a dit. Il a pas la langue dans sa poche, le vieux Morin.

—En tout cas, c'est des moyennes méchantes idées...

—J'te pense... les hommes pis les femmes du rang qui changeraient de compagnie... maudit calâb, j'ai jamais entendu une 'afféré' de même, moé.

—J'me demande si le bossu va arrêter dire la même chose aux Martin là-bas.

—On leu' téléphonera quand il sera pus là...

—Oué, c'est ça, on va leur téléphoner...

***

Voir schéma du cinquième rang en page 113

Chapitre 8

–Ça se pourrait-il que le bossu Couët soit un petit peu notre conscience, à nous autres ?

–C'est que tu veux dire là ? demanda la femme blonde de sa voix la plus douce.

–Sais pas... Il dit souvent tout haut des affaires que nous autres, on pense tout bas.

–Comme quoi donc ?

–Ben... que tout le monde travaille trop, et pis qu'on devrait planter notre broc plus souvent pis s'payer du bon temps.

–Quel bon temps ? Pis avec quel argent ? C'est beau, le quêteux, dire ça, mais lui, il vit aux dépens des autres. Nous autres, y faut gagner notre pain quotidien. C'est la crise, Albert, c'est la grosse crise économique. Y a de l'argent nulle part. Aller en voyage ? Pas d'argent. Moins cultiver ? On va manger quoi ?

–Pas d'argent, pas de Suisse !

Les époux Martin sirotaient un thé à table. Les enfants, eux, ne flânaient jamais à l'intérieur entre les repas par un si chaud temps d'été, et ils s'étaient dispersés dans les bâtiments, à la pêche ou bien dans le voisinage. Ils étaient six en tout. Trois filles, Cécile, Éliane, Clarisse. Et trois fils. Patrice (dit tit-Pat), l'aîné; Raymond (dit tit-Ray), le suivant; Albéric (dit tit-Al), le cadet. Et voici que la cigogne avait passé son chemin tout droit devant la maison durant quelque cinq années. Mais elle s'y arrêterait de nouveau dans quelques mois comme le ventre déjà rebondi de la jeune femme en témoignait sans ambages.

–C'est que tu veux dire ?

–La même chose que toé. Moé, j'ai lu ça dans une fable de La Fontaine. Mais demande-moé pas laquelle : j'serais ben en peine de te l'dire.

Le seul livre qui se trouvait dans cette maison à part un dictionnaire Larousse était celui des fables que, dans sa jeunesse des années d'abondance, Albert avait gagné en prix d'excellence à l'école primaire. Il y puisait toute sa science, toute sa philosophie, toute sa morale. Souventes fois, il s'y référait. Et ses lectures lui faisaient regretter de n'avoir pas dépassé la sixième année à l'école du rang.

Quant à Marie-Louise, elle était femme de service voire de servitude. Toute sa joie, c'était celle d'obéir. Et de prouver ses capacités en le faisant. Et les questions qu'elle posait cherchaient toutes cette voie et non pas celle de l'opposition à la volonté de son mari.

Il reprit la parole :

–Dans la fable, le Suisse est un serviteur. On peut pas se payer un serviteur ou quoi que ce soit de pas ordinaire si on n'a pas d'argent. C'est comme tu le dis. C'est ben clair.

De sa position à la table, Albert pouvait voir le chemin et il arriva que ses yeux s'agrandissent :

–En parlant du loup, on y voit la tête. Bossu Couët qu'a l'air de r'venir de sa tournée. Il a l'air pressé : il fait trotter sa *Brune*. Ben je vas l'arrêter pour lui dire que le Pat, il a ben soigné son chien, qu'on l'a même gardé icitte-dans plusieurs 'nuittes' depuis dix jours.

Et l'homme se leva et pressa le pas pour sortir. Marie-Louise resta sans bouger, tasse entre les mains, doigts graciles qui tapotaient la porcelaine opaline. Femme de la mi-trentaine, aussi sensuelle dans l'intimité que réservée devant le monde, elle se mit à songer à son enfance au sein d'une famille de dix. C'est elle, la troisième des filles, qui avait pour tâche matinale de vider la catherine. Puis celle de traire deux vaches à l'étable. Puis voir à bien d'autres travaux de ferme nécessaires tant à l'intérieur de la maison que sur la terre. C'est tout cela qui avait fait d'elle la dure à l'ouvrage qu'elle était devenue, la fourmi qui, à part sa tasse de thé d'après repas, refusait de s'asseoir et bougeait sans arrêt, d'une étoile à l'autre, sans se préoccuper de la fatigue, sans même y songer. Et pour en accomplir encore plus, il lui arrivait souvent de chercher à en faire moins. Soit réduire le poids d'une tâche afin de pouvoir envisager d'entreprendre une nouvelle tâche. Ainsi, elle portait ses cheveux à la garçonne style années '20 pour devoir moins en prendre soin et ça lui ménageait le temps de coudre plus et mieux. Et celui de faire de la bonne cuisine pour ses filles et ceux qu'elle appelait ses quatre gars de la maison, soit les fils et l'époux.

Elle entendit son mari héler le bossu puis les deux hommes se parler. La curiosité l'attira à l'extérieur. Elle délaissa son thé et sortit.

Couët prit l'initiative :

–Bonjour, madame Martin. Comme de coutume, vous avez l'air en ben bonne santé.

–On fait ce qu'il faut pour...

–Elle a pas rien que l'air en bonne santé, elle a la chanson, affirma Albert.

–Pis comme ça, mon chien a couché chez vous une fois ou deux ?

–Le p'tit gars en a ben pris soin.

Le propos léger se poursuivit. Albert s'en détacha pour

songer à cette pauvreté qui s'était ruée sur le pays durant l'automne précédent, venue de Wall Street où avait été sonné le glas de tout un système économique. Et il chercha en les fables qu'il connaissait par coeur l'une qui pût correspondre à un ou l'autre des aspects de ce jeudi noir d'octobre et de ses conséquences mondiales affligeantes.

D'aucuns disaient qu'en Allemagne, Adolf Hitler, le chef du parti nazi, s'apprêtait à prendre le pouvoir et que ce pourrait bien être lui qui sonnerait la cloche signalant au monde la fin de la grande dépression face à une Amérique honteuse et incapable de sortir ses populations de cette dèche cancéreuse créée artificiellement en son propre sein.

–Avez-vous vu passer monsieur le vicaire dans sa belle machine noire ben reluisante ? demanda Couët à la femme Martin.

–Ah, c'était lui ? On a entendu une machine, mais on savait pas qui c'était. Des machines, y en a une bonne dizaine dans la paroisse, si j'me trompe pas. Le curé, le vicaire, le docteur, le notaire, le marchand Boulanger...

–Pis monsieur Royer, l'industriel... Malgré que les temps sont durs pour lui. A été obligé de fermer ses portes pour un boutte de temps. Jusque les carrières de pierre qui ont dû arrêter de virer. Tu passes devant : pas un chat. La désolation. La ruine.

–Comme dirait madame Bolduc : *ça va venir, ça va venir, mais décourageons-nous pas.*

Il y eut une pause. Bossu parut réfléchir. En fait, il vit en sa tête une première image claire et nette d'une scène où une femme du rang couchait avec un autre homme que le sien. Et c'était cette Marie-Louise qu'il imaginait avec Jean Paré. Il lui semblait que ces deux-là étaient faits pour aller ensemble. Mais comme il n'avait jamais vu en chair et en os un couple faire son devoir conjugal à l'exception des Pépin une heure plus tôt, les gestes demeuraient imprécis, incertains. D'autant qu'une table de cuisine et un lit, ça modifiait non seulemôt le décor mais aussi la manière de faire assurément.

–À quoi c'est que tu penses, Dilon ? T'as l'air rendu pas mal loin de nous autres.

–J'me demandais si j'devais vous dire ça, là.

–Quoi, ça ?

–C'que le vieux Thodore Morin a dit devant moé pas plus tard que tantôt.

La curiosité de Marie-Louise était dès lors hameçonnée :

–Asteur que vous avez commencé à le dire, là, vous, va falloir finir.

–Ben... il dit que les hommes pis les femmes du rang icitte, ça devrait organiser des veillées pis... ben...

–Envoye, Dilon, parle ! fit Albert.

–Ben... changer de compagnie.

–Ben quoi, c'est pas nouveau. Les calleurs le disent tout le temps quand on danse : *un demi-tour à gauche, un demi-tour à droite, on change de compagnie.* Quen, c'est notre voisin Josaphat qui calle aux veillées, il va te le dire, lui.

–Thodore veut dire... changer de compagnie... plus que pour la danse.

Les époux s'échangèrent un regard entendu.

–C'est quoi ça ? Il est malade, le père Thodore. Mais pourquoi c'est faire que tu nous dis ça, Dilon ?

–J'parle pour parler. J'me dis que... ben y a pas de sujets qu'on peut pas aborder en jasant.

–Vous avez raison, approuva Marie-Louise. Mon mari disait tantôt que des fois, vous êtes un peu... notre conscience. Hein, c'est vrai que t'as dit ça, Albert ?

–Ben oué... je l'ai dit. Mais...

L'homme mit sa tête en biais avant de poursuivre :

–Non, il devrait pas y avoir de sujets tabous. Si l'idée

existe, qu'elle vienne du dire à Thodore Morin ou ben de celui du pape Pie XI, c'est valable d'en discuter. Même si c'est pour en faire un procès suivi d'une condamnation.

–C'est pas mal ben dit, ça, mon Albert Martin. Parce que des fois, on se demande si on peut penser par nous autres mêmes ou ben s'il faut pas laisser les autres penser à notre place... En tout cas... Bon, ben j'vas me rendre voir mon chien asteur.

–Il est pas à ton campe. Tit-Pat est parti à pêche avec. Il savait pas, nous autres non plus, que tu r'viendrais de même en plein coeur du jour.

–C'est le temps pareil pour moé de m'en aller. Salut ben pis parlez-en, du pére Thodore pis de ses idées de misère humaine.

–C'est pas de la misère pantoute, c'est du vrai "escandale", fit Albert en souriant. Mais... faut ben dire qu'en parler, c'est pas scandaleux pantoute. C'est à parler des choses qu'on finit par les comprendre pis par les accepter ou ben par les réfuter, les condamner.

–Faites ça ben comme il faut, là !

Et le poney reprit son pas lent et mesuré.

Une lueur intense passa dans le regard de Marie-Louise. Au profond de sa substance, elle avait envie de parler des propos du vieux dévergondé malgré une répulsion de prime abord. N'y aurait-il pas quelque chose d'excitant à évoquer l'idée monstrueuse du père Morin ?

Pas loin passé la demeure des Martin, le chemin rétrécissait considérablement pour n'être plus qu'un sentier de forêt. Une première fourche menait du côté ouest. Puis un seconde rasant la masure du bossu située au bout du sentier conduisait à une petite clairière au pied de la montagne, en fait sous la craque sombre, étroite et haute, bordée d'arbres courageux qui plantaient leurs racines quelque part dans le cap, ses mousses et ses humidités.

Là-bas, le postérieur appuyé à sa voiture, le vicaire méditait, bras croisés, le regard voyageant du ciel bleu à la montagne sombre.

Il songeait à la toute-puissance divine, laquelle avait permis que de telles montagnes soient, que le ciel soit, que la vie soit partout. Toutefois, les maringouins rôdaient autour du prêtre, attirés par sa sueur et par son sang. Par chance que la noire soutane leur faisait écran ou bien le pauvre eût été dévoré tout rond. Mais comment leur en vouloir, à ces insectes piqueurs ? N'étaient-ils pas eux aussi des créatures du bon Dieu ?

Pour bien faire, peut-être pouvaient-ils se nourrir autre part qu'à même sa chair et ses fluides corporels, aussi remonta-t-il en voiture où il trouva un petit livre de prières qui lui permettrait de se reposer de méditer. Car un texte déjà fait économise les efforts créateurs. Et personne ne trouve à redire de ceux qui s'habillent de la pensée des autres tandis que ceux qui inventent et créent trouvent toujours des critiqueux sur leur chemin, ces fossoyeurs frustrés d'oeuvres et de chefs-d'oeuvre.

Et l'abbé Morin plongea corps et coeur dans la lecture de ces prières rédigées par de grands amis de la sainte Église... Une aura de sérénité ceintura aussitôt son front.

Marie-Louise et Albert s'étaient rendus dans leur chambre à coucher, une pièce étroite, chaude et sombre, pour avoir une discussion concernant les propos scabreux du père Morin rapportés par le bossu.

–C'est quoi que t'en penses, toé, ma femme ?

Celui des deux qui parle le premier sur un sujet brûlant prend de hauts risques. Il lui est fort difficile de se dévoiler vraiment, de dire sa vérité profonde par crainte d'encourir la réprobation voire les reproches amers de l'autre; et le mensonge de parade est à deux pas de ses lèvres. Elle le savait et lui retourna la question :

–Toi ?

–Te vois-tu, changer de mari pour une nuitte ?

–Ben non, voyons !

–Ça serait un péché mortel, c'est ben certain.

–Ben... c'est pas l'histoire du péché mortel, c'est... ben... j'sais pas, moi.

–Ben... faut l'dire, moé, j'serais jaloux comme un pigeon. Pas toé ?

–Jalouse d'une autre femme ? Non, c'est pas ça, c'est...

La technique de la jeune femme consistait à laisser ses phrases en plan afin que l'échange se poursuive sur les sentiers de la découverte. Qu'il cherche à en savoir plus, à explorer les points de suspension qu'elle ajoutait à ses mots vagues !

–Non, mais te vois-tu, toé, Marie-Louise, avec... sais pas... disons Jean Paré ?

Elle eut un vif éclat de rire :

–Es-tu fou, dire des affaires de même ?

–On a dit qu'on en parlerait, ben on en parle. C'est pas péché mortel d'en discuter.

–Dans ton livre de monsieur La Fontaine, y aurait pas une fable qui parle de ça ?

–Non, j'en connais pas une... Finalement, tu m'as pas encore répondu.

–Répondu ?...

–Ben... serais-tu capable de passer la nuitte avec Jean Paré... en admettant que ça serait pas péché mortel, un échange de même ?

–Et toi, la passerais-tu avec Sophia, sa femme à Jean Paré ? J'ai entendu des hommes dire que c'est la plus belle créature de tout Saint-Léon.

–Jamais de la vie ! C'est plutôt Désirée Goulet, la plus belle créature du canton, tout le monde sait ça.

–En tout cas, coucherais-tu avec Sophia Paré ?

–Ben...

–Ben quoi ?

–Ben mettons que j'sais que tu passes la nuitte avec son mari, là, ça serait une autre histoire. Mais j'sais ben que tu ferais jamais ça. Pis les Paré non plus. Le monde, on nous appellerait ben... sais pas moé... les FRAPPEURS...

–Pourquoi... les 'frappeurs' ?

–Je l'sais pas trop : j'dis ça de même. Ben...

–Ben quoi ?

–Au baseball, les batteurs... ceux qui sont au bâton, on les appelle les frappeurs... Maudit qu'on est fous, nous autres, à midi. Couchons-nous donc un peu; ça va parler mieux.

–As-tu envie que j'ôte mon linge, ça doit ?

–Ben... pourquoi pas ?

L'échange excitait les deux époux au plus haut point. Seulement évoquer l'idée pour chacun de coucher avec un des partenaires du couple Paré allait chercher des tourments divins en des territoires inconnus de sa substance profonde.

Le téléphone sonna. Un grand (coup), un petit...

–C'est nous autres, je vas répondre, dit Albert qui se pressa vers la cuisine et l'appareil mural. Attends-moé, ça sera pas long; je vas leur couper le sifflet...

–Allô ?

–*C'est ton voisin Josaphat.*

–Ouais, c'est qu'il y a donc à midi pour te faire plaisir, mon Josaphat ?

–*J'ai vu le quêteux Couët qu'était arrêté devant ta porte. J'te dis qu'il nous en a conté une maudite bonne au sujet du pére Thodore Morin. Il vous en aurait-il parlé, à vous autres itou ?*

–Ben oué... disons un p'tit brin...

–*Ma femme, icitte, elle dit que c'est un invention du bossu pour pas dire du yable lui-même. Elle prétend qu'il est vicieux sans bon sens. Moé, j'dirais qu'il a pas menti, pis que c'est le vieux Thodore qui a dit c'qui nous a dit.*

–Il vous a dit quoi au juste ? On va voir si y dit la même affaire partout ?

–*Ben... que les hommes pis les femmes du rang, ça devrait se mélanger. Tu parles d'une idée de fou, toé ?*

–Oué... pis c'est pas péché d'en parler. C'est que t'en penses, Josaphat ? En as-tu parlé avec Joséphine quand le quêteux s'est en allé ?

–*Un peu, mais c'était surtout de savoir si c'est le bossu qui a inventé tout ça ou ben s'il a rapporté les vrais dires du vieux Thodore.*

–Nous autres, ma femme pis moé, on a décidé d'en parler. Pour de vrai. Ben...

–*Y a des discours qui sont pas tenables d'après nous autres icitte.*

–Non ! Pas d'après moé. D'après moé, on peut parler de n'importe quoi. On peut parler de quelqu'un qui tue quelqu'un d'autre, ça nous rend pas complices du meurtrier pour autant. Qui c'est qui a jamais parlé de la Cloutier qu'a empoisonné son mari ? Ou ben de Cordélia Viau ? Ou ben du bonhomme Lavallée de Saint-Étienne qui a tué sa fille à coups de hache ? On peut parler d'un crime sans avoir envie d'en commettre un pareil, tu penses pas, toé ?

En fait, Albert Martin ne parlait pas qu'à son interlocuteur en ce moment. On était sur une ligne téléphonique de rang à plusieurs abonnés et le bruit d'un récepteur qu'on décroche et manipule s'était fait entendre à quelques reprises. Peut-être qu'il se trouvait maintenant trois, quatre ou même une dizaine d'oreilles à l'écoute de la conversation des deux voisins, y compris celle flétrie et morte de rire du vieux Théodore. Et puis, des mains féminines habiles et expertes savaient manoeuvrer l'appareil pour demeurer dans la discrétion et un total anonymat.

—Ben j'pense pareil comme toé, mon Albert. Pourquoi c'est faire qu'on se parlerait pas entre nous autres des idées du vieux qu'on nommera pas étant donné que j'sens pas mal de monde su' la ligne comme c'est là ?

Albert prit le ton du rire :

—À part de ça qu'il faut pas attendre à demain pour le faire, faut le faire tusuite aujourd'hui. Remettre à demain, ça voudrait dire qu'on a peur de s'en parler.

—D'abord que c'est de même, on va s'en parler, Joséphine pis moé, pis on s'en parlera tous les quatre ensemble ensuite si ça vous le dit.

—Pourquoi pas ? Venez veiller samedi soir si ça vous chante. On aura eu le temps d'en parler entre nous autres...

—Bonne idée, ça !

L'échange prit bientôt fin sur les banalités d'usage.

Albert regagna vite la chambre à coucher. Tout son corps était de feu. Sa femme l'attendait sous un drap blanc. Survoltée elle aussi. Il la devina sans vêtements. Et se défit des siens dans la fébrilité, son corps agité de spasmes, de l'épigastre à l'hypogastre...

Et alors même que sous le drap des Martin, après une activité intense et suante, les époux connaissaient une apothéose nouvelle et prodigieuse, le vicaire, lui, repu de prières, passait devant la porte, le coeur en paix, l'âme en douceur et ce, malgré quelques maringouins qui l'avaient accompagné dans sa voiture et cherchaient à ponctionner sur sa nuque offerte un repas bien mérité...

***

Le 5e rang de Saint-Léon

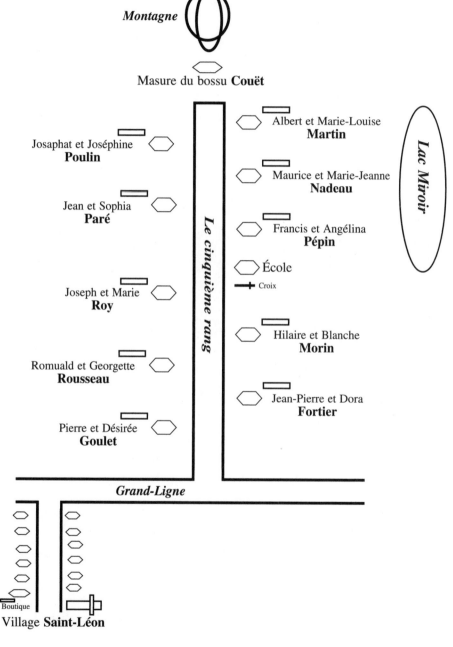

Montagne

Masure du bossu **Couët**

Josaphat et Joséphine
Poulin

Jean et Sophia
Paré

Joseph et Marie
Roy

Romuald et Georgette
Rousseau

Pierre et Désirée
Goulet

Le cinquième rang

Albert et Marie-Louise
Martin

Maurice et Marie-Jeanne
Nadeau

Francis et Angélina
Pépin

École

Croix

Hilaire et Blanche
Morin

Jean-Pierre et Dora
Fortier

Lac Miroir

Grand-Ligne

Boutique

Village **Saint-Léon**

Chapitre 9

Il y avait un oeil noir rivé dans l'interstice entre la porte et son chambranle de cette pièce sombre et luxueuse. Une femme à l'intérieur balayait le plancher de prélart vert. Dans le couloir du presbytère, tout près, un curé troublé épiait. C'était son devoir d'observer la servante aux fins de lui donner une note sur dix à propos de la qualité de son travail. "On peut toujours s'améliorer," lui dirait-il au moment de lui attribuer un six ou un sept sur dix.

Femme de trente-cinq ans à peine, mère de six enfants dont cinq filles, Cécile était née sur le coup de minuit le premier jour de ce siècle nouveau, et on disait que, pour cette raison liée au moment de sa naissance, il lui avait été légué en héritage particulier par le Créateur de toutes choses le don de consoler et par là, de guérir les petits maux de l'âme voire même du corps par voie de conséquence.

Son corps était celui d'une jeune adolescente : fragile, alerte, svelte et bourré d'énergie. Le sourcil épais et noir accompagnait une pilosité sur les bras et les jambes, qui fascinait le bon prêtre, et il avait tout le mal du monde à mettre la hache catholique dans ces fantasmes indésirables qui s'affichaient trop souvent à la une de son imagination par trop féconde et vagabonde.

Le curé Lachance donnait l'air d'une charpente osseuse abracadabrante confinée dans un sac noir que fermait au cou un col blanc raide et pur. Il s'était adossé au mur, venu de la cuisine, puis penché à peine pour mener son enquête. Une fois de plus, quelque chose qu'il ne recherchait pas sciemment se produisit malgré les diktats de sa volonté et sa grande capacité d'auto-flagellation : il ne regardait plus les gestes de la servante ni ne cherchait à évaluer son mérite, mais il caressait du regard les formes de son corps dans cette robe de coton carreauté. Et voilà qui, une fois de plus, le troublait profondément. Comme ce n'était pas la première, il savait que le moment de partir était venu pour lui ou bien il risquerait de sombrer dans le péché de la chair, de ceux qui se commettent dans l'esprit seulement mais n'en sont pas moins graves aux yeux du bon Dieu.

Le plancher était déjà propre, mais le balai de paille n'en soulevait pas moins de fines particules qui volaient dans l'air et dont quelques-unes parvinrent au pif long et pointu du bon abbé qui en conçut une forte envie d'éternuer. Cécile, elle, par son instinct de femme, avait le sentiment d'être vue. Son regard explorait son champ de vision à sa grandeur et son oreille exercée restait à l'affût. Le prêtre se redressa, mit son index sous son nez pour se retenir, mais il n'y parvint pas entièrement et un quart d'éternuement lui échappa. Quelques secondes et la porte s'ouvrait toute grande, tellement que la poignée frappa le prêtre à la poitrine. Il sursauta. Cécile sursauta. Le curé aussitôt prit les devants :

—Vous avez du bras pour ouvrir une porte, vous. J'ai entendu quelque chose et cru que c'était monsieur le vicaire qui avait en quelque sorte envahi mon bureau. Est-ce que vous l'avez aperçu dans l'heure qui finit, notre cher abbé Morin ? J'avais des choses importantes et urgentes à régler avec lui aujourd'hui.

—Pas vu le bout de son nez, non, pas vu pantoute depuis le matin. Invisible ou... pas là...

–Eh bien ! Il aura pris le chemin comme ça lui arrive parfois... je dirais même souvent.

–Ça, par exemple, j'ai entendu une machine passer devant la porte. J'ai pensé que c'était vous.

–Comme vous voyez, ce n'était pas moi.

Personnage du milieu de la cinquantaine, solide dans ses fonctions et ses dehors, le curé avait du mal à garder ses yeux dans ceux de la servante qui, elle, se croyait en devoir de l'envisager, le redoutant, le soupçonnant d'espionnage à l'intérieur des murs. Il lui faisait souvent des remarques sur son travail. Rien de blessant, mais des phrases propres à lui faire voir qu'elle devrait s'améliorer...

–Je balayais votre bureau, monsieur le curé. L'été, les portes ouvertes, la poussière entre vite.

–C'est bien, c'est bien. Si j'avais su que c'était vous, je n'aurais pas mis mon nez dans la craque...

–La craque ?

–La craque de la porte... l'interstice...

–Ah ! Ah bon ! Ah oui !

–Ceci étant dit, je vais à ma chambre. Dites à monsieur le vicaire de me prévenir de son retour si vous l'apercevez dans la maison avant moi.

–Très bien, monsieur le curé.

Le prêtre gravit l'escalier qui occupait le centre du couloir et s'engouffra dans sa chambre en verrouillant la porte. Il courut à une malle brune et pansue qu'il ouvrit et dont il sortit un chat à sept queues. Et sans enlever sa soutane, il entreprit de dompter sa chair qu'il jugeait avoir été trop faible ce jour-là. Les coups drus s'abattirent sur son dos mortifié. Rien pour meurtrir sa chair ni même attaquer le tissu de la soutane mais assez pour faire entendre un drôle de bruit régulier de coups frappés par intervalles égaux, un bruit accompagné de souffles sonores exprimant une certaine douleur... Et autre chose aussi peut-être...

Dans le couloir, Cécile tendait l'oreille...

*

Le vicaire ne tarda point à reparaître au village puis aux abords du presbytère. Il gara sa voiture au pied du long et large escalier, descendit, regarda cette imposante bâtisse toute blanche qui l'abritait depuis près de trois années maintenant. Et songea à sa Beauce natale qu'il avait quittée tout jeune pour faire son cours classique à Québec, et se souvint de la résidence des prêtres de son village. Elle ressemblait à celle-ci par sa grosseur, sa blancheur, ses ouvertures et jalousies sans compter ses balcons et galeries. Les deux bâtisses devaient donc avoir sensiblement le même âge, soit vingt ou vingt-cinq ans.

Puis la pensée de l'abbé devint plus intérieure. Que de chemin parcouru depuis le début de ce siècle ! On avait délaissé la pensée victorienne pour vivre les années folles et voici que la vie austère s'imposait de nouveau partout, cette fois pour des raisons économiques.

Des jambes de femme apparurent devant son regard. Cécile avait entendu l'auto et elle était sortie par la cuisine pour marcher en discrétion sur la galerie qui entourait la maison sur trois faces. Elle parla avant même qu'il ne lève les yeux plus haut que ses genoux :

—J'ai un message de monsieur le curé. Il veut vous voir aussitôt que vous arriverez.

—Il semble bien que je sois là...

—Comme c'est là, il est dans sa chambre.

—Je ne dois surtout pas le déranger quand il est dans sa chambre : il me l'a souvent répété.

—Il voulait vous voir tusuite.

—Tout de suite, Cécile, on dit 'tout de suite', pas tusuite.

—Ah, je sais, je parle en 'habitante'.

—Ce n'est pas un crime, voyons ! Mais c'est juste un peu moins beau, un peu moins... gracieux.

La jeune femme pencha la tête.

Mariée à un homme de petit métier, un journalier capable d'effectuer divers travaux de menuiserie, de construction, de tuyauterie, mais que personne ne pouvait plus embaucher vu la rareté de l'argent, Cécile avait obtenu son poste de servante de curé, et son maigre revenu empêchait le couple et leurs enfants de sombrer dans la plus abjecte misère noire de ces temps difficiles. Elle avait gardé son balai entre ses mains, histoire de montrer qu'elle travaillait comme une fourmi sans jamais prendre de pause, pas même pour transmettre un message du curé Lachance au vicaire Morin.

–Je ne veux pas vous faire subir une humiliation, allez, Cécile. Faites-moi un sourire pour ensoleiller le reste de ma journée.

Elle obéit. Il approuva d'un geste de la tête et gravit les marches de l'escalier tout en parlant :

–Vous saluerez monsieur Arthur de ma part.

–Il travaille aujourd'hui, mon mari. Monsieur Gilbert du rang 8 l'a demandé pour couper du bois avec lui.

–Il va le payer au moins ?

–Oui... vingt-cinq cents pour la journée.

Le prêtre hocha la tête en soupirant, l'air désolé :

–Une pitance ! Mais... qui peut payer mieux un employé de nos jours ?

Et le prêtre soupira en entrant dans le presbytère. Cécile le suivit à l'intérieur et retourna dans le bureau du curé où elle s'embusqua à son tour afin de voir par la fente de la porte le jeune prêtre monter les marches de l'escalier central. Son poids ne semblait pas le gêner. Mais elle avait remarqué dehors qu'il suait abondamment comme tous les jours de grande chaleur. Sentant qu'on l'épiait, l'abbé Morin, une fois en haut, tourna la tête et son regard vers la porte qui cachait la jeune femme, et il sourit. Puis il se rendit frapper à la chambre de son supérieur hiérarchique.

Le curé voulait un rapport sur l'état des préparatifs des fêtes du cinquantenaire. De plus, trois personnes avaient donné leur nom pour travailler bénévolement à ces tâches préliminaires. Il fallait que le vicaire les contacte. Rien de bien urgent. En fait, le curé désirait savoir la vraie raison de l'absence prolongée de son vicaire en plein coeur de jour. L'abbé Lachance ne tolérait pas les initiatives d'un adjoint, celui-là ou les précédents qu'il avait fait remplacer plus vite qu'ils n'auraient voulu l'être dès qu'ils se montraient un peu trop autonomes.

Les deux hommes se parlaient debout dans le couloir du second étage.

—Moïse, il serait important que je sache où vous allez chaque fois que vous partez pour quelques heures... en cas d'urgence, vous comprenez.

—Il m'arrive d'aller méditer en pleine nature.

—La tranquillité de l'église ne serait-elle pas plus propice à la méditation ?

—Ce sont les hommes qui bâtissent les églises, c'est Dieu qui a fait les montagnes.

—Vous êtes donc allé à la montagne ?

—En effet. Au fond du cinquième rang.

—Un bel endroit, je vous le concède, pour rentrer en soi-même. Sauf que si un paroissien subissait un accident grave et avait besoin d'un prêtre...

—À deux, il s'en trouve toujours un qui soit disponible.

—J'ai beaucoup à faire, vous le savez très bien. En ce moment, j'ai un sermon à préparer pour dimanche. Je dois brasser la cage des gens pour qu'ils s'habillent de l'esprit de la fête et chassent de leurs fronts trop ridés les ombres de la grande morosité.

—Je comprends. J'accepte. Désormais, je ferai en sorte de vous faire savoir où je vais et combien de temps je pense demeurer absent du presbytère.

–Je n'en demande pas davantage. Est-ce que c'est trop demander, mon cher Moïse ?

–C'est vous le curé. Et un curé doit veiller sur tout ce qui se passe dans sa paroisse. Non seulement sur ses ouailles, mais aussi sur...

Le curé coupa :

–Ce n'est pas du tout l'idée de veiller ou de vous surveiller, c'est une question de disponibilité. Il nous faut remplir au mieux les devoirs de notre tâche et pour ça, chacun de nous deux doit savoir où l'autre se trouve. C'est une question de ministère paroissial efficace.

–C'est bien.

–Donc vous êtes allé au pied de la montagne ? Et... vous avez vu quelqu'un ? Peut-être monsieur Couët ? Cécile m'a dit l'avoir vu passer sur la fin de l'avant-midi.

–En effet, je l'ai rencontré chez monsieur Paré.

–Jean Paré ?

–Oui, c'est le seul Paré du cinquième rang.

–Un bon homme. Un homme de qualité. Et sa femme est une personne d'aussi bonne qualité.

–Un couple, oui, d'excellente qualité comme vous dites. Et je leur ai parlé des fêtes du cinquantenaire.

–Avec raison. Et monsieur Couët, a-t-il fait bonne tournée dans la Beauce ?

–Il dit qu'autrefois, c'est l'or qui coulait dans les rivières de la Beauce, mais que maintenant, c'est l'argent. Il est content de sa tournée de printemps et se promet de repartir pour là-bas en automne.

–Nous ne pouvons, vous et moi, que nous réjouir de son propos puisque nous sommes tous deux natifs de la Beauce.

–C'est ce que je me suis dit.

–En ce cas, puisque tout est maintenant sous contrôle, retournons, vous et moi, à nos occupations respectives.

–Qu'il en soit fait selon votre désir, monsieur le curé.

Et les deux hommes descendirent l'escalier côte à côte en se parlant du temps chaud. Au pied de l'escalier, ils se séparèrent : le curé tourna vers la gauche où était son bureau et le vicaire vers la droite où se trouvait le sien...

***

Chapitre 10

Bossu atteignit une barrière qui fermait le chemin menant chez lui. Il descendit et l'ouvrit, fit avancer la *Brune* à la parole, puis il referma et ne reprit pas sa place dans le selké, une manoeuvre ardue pour un homme comme lui, aussi mal-formé, préférant marcher à côté de sa petite jument tout en lui parlant :

–Quen, la *Brune*, on est de retour à maison. Tu vas pou-voir te reposer. J'vas te laisser pacager comme tu vas vouloir, le temps que tu voudras. Pis la porte de l'écurie va rester ouverte pour quand c'est que tu voudras venir te coucher en dedans. Ou ben que tu voudras avoir un peu "d'awoine". Il m'en reste trois ou quatre poches dans le fenil de l'écurie : c'est tout' pour toé... au grand complet...

La jument balança sa tête comme si elle avait compris ce que son maître était en train de lui dire. Certes, il la laisse-rait paître dans les environs où il se trouvait plusieurs petites clairières herbeuses. De plus, le modeste domaine du quê-teux avait été clôturé, de sorte que les animaux domestiques s'y trouvant, en l'occurrence le seul poney, ne puissent s'éloi-gner et aller brouter dans les champs du voisinage. Il arrivait toutefois qu'un des cultivateurs de ce fond de cinquième rang invitât Bossu à laisser 'pacager' la *Brune* avec ses propres bêtes. Un acte de charité parmi d'autres, de ceux que favorisait la pauvreté générée par la grande dépression.

Odilon Couët n'était pas vraiment chez lui en ces lieux publics. Tandis que les habitants du cinquième rang et de Saint-Léon étaient tous des francs-tenanciers, et la plupart depuis longtemps, lui vivait en squatter. Cette partie de territoire au pied de la montagne n'avait été rattachée à aucun lot de colonisation dans les débuts du défrichement et ne constituait pas un lot en elle-même; c'était une terre de la Couronne et s'il prenait l'envie à l'agent des terres du gouvernement de l'évincer un jour ou l'autre, il le ferait. Qui aurait osé déposséder un misérable si durement affligé dans sa chair par la nature ? Personne du gouvernement Taschereau en tout cas, ni haut ni petit fonctionnaire. D'aucuns parlaient de tolérance, d'autres désignaient cela par une expression nouvelle tout à fait dénuée de bon sens : *accommodement raisonnable*. Qu'aurait-on pu faire de valable avec cette terre ingrate où il risquait même de tomber un éboulis venu de la montagne ou de sa craque profonde, rocheuse et sombre ? Sa vocation de servir un démuni sans moyens n'était-elle donc pas toute trouvée, et la meilleure ? Quel cultivateur voudrait ajouter à sa récolte de foin les quelques surplus que pourraient lui valoir ces rares clairières du coin ?

–Huhau ! Huhau !

La petite jument s'arrêta après avoir contourné la 'maison' devant l'écurie où elle hivernait en morte saison. Satisfaite du devoir accompli, elle balança la tête de nouveau, émit de courts hennissements. L'homme comprit qu'elle se reconnaissait et se sentait aussi bien que lui de revenir en ces lieux si familiers et sereins.

–Tu vas ben te sentir de te faire dételer, hein, la *Brune* ? Ça fait dix jours que t'as ton harnois su' l'dos. Ben pour te r'mercier, je vas te donner une bonne portion "d'awoine" pas plus tard que tusuite.

Et Couët détacha les traits, puis il défit les sangles après quoi il fit avancer le cheval qui ainsi se trouva libéré des menoires de la voiture. Ensuite, il fit entrer la *Brune* dans l'écurie et lui ôta son harnais qu'il accrocha au mur. Autre soulagement pour la bête de somme un peu fatiguée de son long périple en Beauce.

–Bouge pas, j'monte te 'q'ri' de la belle 'awoine'...

Et la *Brune* resta sur place, en espérance : une attente qui ne serait sûrement pas déçue. La bête savait que quand l'homme grimpait dans l'échelle murale pour se rendre au-dessus, il en résultait toujours quelque chose de bon pour elle : soit du foin sec, soit de l'avoine savoureuse, soit les deux. Et souvent, par la suite, il l'étrillait, mais pas cette fois.

Et ce jour de retour, ce furent les deux, foin et avoine. Bossu fit tomber deux grosses brassées de foin, puis il redescendit avec un petit minot d'avoine mis dans un seau de bois fermé. La *Brune* attendait patiemment que l'homme soit de nouveau sur le plancher des vaches.

–Y a pas un ch'fal mieux soigné que toé dans tous les cantons, pis tu manqueras jamais à manger avec moé, s'exclama le petit homme quand il s'amena devant sa bête et ouvrit devant ses yeux et son nez excité le coffre au trésor.

Aussitôt, le cheval y plongea ses joyeuses babines presque frénétiques, qui se saisirent par milliers à la fois des grains de son aliment préféré entre tous, supplantant en saveur jusque l'herbe verte et juteuse du printemps.

–Bourre-toé la face, ma grand' safre ! Mais pas trop, parce que trop 'd'awoine', c'est dangereux, ça gonfle dans l'estomac avec de l'eau. Des chevaux en meurent, c'est arrivé déjà, hein !

L'animal s'empiffra et finit par gratter tout le fond du seau avec sa langue rugueuse et avide. Il ne lui fallait que de l'eau maintenant comme digestif.

Bossu posa le seau et prit le poney par le licou pour le conduire à l'extérieur en lui disant :

–Asteur, va boire une bonne tassée d'eau ben frette à la r'source du bois.

Il y avait à proximité une fort belle source d'eau fraîche et pure aux veines multiples, et qui répandait ses bienfaits aux alentours, dans une cédrière sombre et odorante. C'est là aussi que l'homme allait quérir l'eau nécessaire à la vie à l'intérieur de son 'campe', une cabane bricolée par un chasseur de jadis.

La bête avait l'habitude. Elle prit aussitôt la direction de la source. Bossu lui lança :

–Pis tu r'viendras manger ton foin si ça te l'dit. Mais si t'aimes mieux de la bonne "harbe" au soleil ou ben dans le sous-bois, fais ben comme tu veux.

Pour sûr, l'herbe neuve séduisait mieux les bêtes que ce foin de l'année d'avant, sec, lui, plus que le sable du désert et poussiéreux plus que les dunes venteuses. Bossu se doutait bien que la *Brune* prendrait tout son temps pour se repaître après s'être désaltérée. Et il se dirigea vers la porte arrière de la masure, en déverrouilla le gros cadenas noir et entra, accueilli à l'intérieur par une odeur de remugle et une clarté peu évidente.

Des toiles abaissées aux fenêtres réduisaient l'éclairage à pas grand-chose. Mais il ne prit pas le temps d'habituer ses pupilles et retourna à son selké afin d'y prendre dans des poches suspendues sous le siège des objets qu'il ne voulait pas laisser dehors, comme son violon, son harmonica, sa besace et de la nourriture qu'il s'était procurée au magasin général de Saint-Honoré la veille.

À sa seconde entrée, il dut prendre un moment pour y voir plus clair, et le décor familier lui apparut, tel qu'il l'avait laissé dix jours plus tôt. Au milieu de la place se dressait une table bancale à deux chaises paillées. Contre le mur du côté droit se trouvait son lit foncé d'une paillasse épaisse qu'il n'avait pas recouverte de son patchwork resté replié. Mais il ne se trouvait pas de désordre là, ni ailleurs dans la pièce principale de la petite bâtisse. Et sur la gauche trônait une truie dont la mort n'était que temporaire et apparente, et qui reprendrait vie quand l'homme y mettrait quelques rondins de bouleau sec sur un lit d'éclisses de cèdre et de paille, et qu'il y ferait du feu.

La truie, c'était l'eau chaude, c'était la chaleur nécessaire par temps froid, c'était la cuisson des aliments : en deux mots, c'était presque la femme de la maison.

Et, au-dessus de la porte avant, un crucifix noir suspendu rappelait à l'occupant principal et ses visiteurs que toute chair, même celle du fils de Dieu, est mortelle. L'objet religieux constituait un pense-bête pour les esprits trop distraits qui risquaient, submergés par leurs frivoles pensées, d'oublier de prier le ciel ainsi que chaque personne humaine devait le faire pour sauver son âme et ramener la prospérité perdue au monde si cruellement éprouvé par la crise.

Le petit homme boitillant se rendit poser ses affaires sur la table, puis il souleva deux toiles de fenêtre. La lumière fit son entrée en éclaboussant les êtres et les choses et confirma son impression première : tout était là comme avant son départ dix jours plus tôt. De toute manière, seul tit-Pat Martin était venu; or, comme garçon fiable, il ne se faisait pas mieux dans tout le cinquième rang.

–Seigneur Jésus-Christ, bénissez ma 'hovel' pis tous ceux qui viendront dedans, excepté les vandales... pis les couleuvres que j'veux pas voir icitte...

Après avoir prononcé cette invocation tout haut, Bossu rit de lui-même. Comment osait-il demander quoi que ce soit aux gens du ciel après avoir répandu dans la seconde portion du cinquième rang une idée obscène et saugrenue jetée, probablement rien que pour rire et faire étriver son garçon Hilaire, par le père Morin dans une conversation à bâtons rompus aussi éphémère que fugitive.

Sauf que ces propos, exceptionnellement osés bien que voilés partiellement, et la vue de plusieurs femmes du rang, toutes belles, toutes jeunes, toutes désirables, avaient jeté le trouble dans beaucoup de cellules de son corps malgracieux. Un démon, peut-être plusieurs, se ruèrent par la porte encore ouverte, par les interstices des fenêtres, par le tuyau de la truie, à travers le toit, les murs, sans besoin d'une fente ou d'un courant d'air pour pénétrer. Et ce fut un véritable boucan dans sa substance charnelle.

Mais il se devait de résister à l'irrésistible...

Mais il devait faire barrage de son âme à la tentation qui dévorait son corps en l'embrasant.

Il courut tant bien que mal à son lit et s'y jeta gauchement, attrapant au passage la couverture en patchwork que sa mère avait fabriquée dans le vieux temps et qui résistait aux années, à la crasse, aux mites et aux lavages. Et l'infirme se couvrit jusque par-dessus la tête. Mais plein d'images se présentaient à son esprit. Ce fut Joséphine Poulin tout d'abord, étendue sur la table de cuisine comme Angélina une heure auparavant, et que couvrait un homme qui n'était pas Josaphat, son mari, mais bien Francis Pépin, l'époux de la belle Angélina.

–Ah, mon doux Seigneur, chassez donc c'tes maudites images-là !...

Mais le diable était là, dans la masure avec son chat à neuf queues qui, comme un enragé, fouettait et fouettait la chair du bossu. Le pauvre homme vit un autre couple après le premier. Cette fois, l'action se passait dans un fenil... Deux corps enterrés de foin, l'un chevauchant l'autre... Qui donc étaient-ils ? Non, pas ceux-là...

Pierre Goulet et Marie-Louise Martin, lui habitant au bord du rang et elle au fond, se rencontraient dans les plaisirs défendus; et le bruit du foin sec assaillait les oreilles et le cerveau du vieux garçon malbâti que la nature avait condamné à l'abstinence cruelle et à la solitude éternelle et profonde.

Il boucha ses deux oreilles avec les paumes épaisses de

ses mains; et le bruit de végétaux secs agités par la frénésie des corps nus se tut. Une image plus vivante encore que les précédentes apparut dans sa tête enflammée : celle d'un autre couple dépareillé. À l'orée d'un bois, dans des fougères vertes, Marie-Jeanne Nadeau s'emparait de leur voisin Josaphat Poulin. Elle l'agrippait par l'arrière-train, l'attirait vers sa nudité ouverte, le poussait à l'intérieur de son corps sans cesser de parler :

"Viens me voir, mon p'tit Poulin ! Embarque, on n'ira pas vite aller retour, aller retour !"

Bossu aurait dû pouvoir s'en amuser, pour ainsi se libérer tant soit peu de sa tension, mais rien n'y faisait; et de voir le petit Josaphat sucr et souffler en honorant cette voisine de quelques maisons soulevait en sa poitrine un immense tourbillon que seule l'évacuation de son trop-plein permettrait de calmer, ou bien ce vent divin soufflé sur sa personne par un démon de la chair risquait de l'emporter dans l'autre monde.

"Plus vite, mon p'tit Poulin ! Encore, mon p'tit Poulin !"

Couët cessa de respirer. Il retint son souffle au point de souffrir, de savoir son visage tout rouge, sa peau prête à éclater sous la pression. Le manège lui réussit. Le petit Josaphat se fondit tout entier dans le sosie de Mae West qui, lui-même, disparut dans les fougères.

Bossu respira un peu. Mais pour bien peu de temps.

Ce Belzébuth tentateur présent dans la pièce lança une nouvelle offensive par une autre image. Mais cette fois, le tableau qui apparut au pauvre homme contenait une scène terriblement scandaleuse. Pire qu'un échange de partenaires, il put voir une femme du cinquième rang couchée avec le vicaire Morin, rien de moins. Mais qui donc était-elle puisqu'il n'en pouvait apercevoir que la cuisse, et partiellement de surcroît. Et comment pouvait-il donc savoir qu'il s'agissait d'une habitante du rang ? Dans bien des rêves, on sait que telle personne est là sans la voir : le même phénomène ou à peu près se produisait en ce moment. Ce ne pouvait être qu'une femme du rang. Bossu ne put s'empêcher de les re-passer toutes en sa mémoire. Désirée Goulet peut-être ? Non. Ou bien Marie-Louise Martin ou Sophia Paré ou même la Marie-Jeanne Nadeau ? Non plus. La grande Marie Roy ou la pâle et blonde Blanche Morin ? Le brouillard demeurait épais dans son esprit torturé. Puis la lumière se fit. C'était Dora Fortier, la si frêle Dora que ce corps d'homme trop lourd devait écraser de tout son poids. Mais il semblait que non car Dora gémissait de plaisir, de bonheur et, puisqu'elle copulait avec un prêtre, de félicité.

Le peintre infernal avait ajouté un élément à l'incommen-surable perversité dans son ouvrage; Jean-Pierre, l'époux de Dora, regardait le couple s'adonner à la fornication et il en tirait grande satisfaction.

–Sainte Vierge, v'nez donc à mon secours. J'me nèye, j'me nèye...

La prière du bossu ne fut entendue qu'un court moment, le temps que le prince des ténèbres change d'image dans son projecteur. Et alors Couët fut assailli par un spectacle inima-ginable : celui de plusieurs couples du rang se mélangeant à qui mieux mieux sur le plancher d'une batterie de grange, tous nus, tous fortement excités, grognant, gémissant, suant, soufflant, copulant. Horreur ! Abomination ! Jean-Pierre For-tier en train de prendre sa voisine Georgette Rousseau. Ro-muald Rousseau couché sur Angélina Pépin. Francis Pépin chevauché par Désirée Goulet... Et puis, Hilaire Morin for-mant couple avec Sophia Paré tandis que s'enlaçaient Joseph Roy et Joséphine Poulin. Une orgie avec les armes du plaisir toutes dégainées et qui pourfendaient la partenaire. Parfois un cri de guerre anonyme donnait le signal du 'changement de compagnie'. C'était peut-être la voix pointue du vieux Thodore Morin ?...

Et 'swingue la baquèse dans le fond de la boîte à bois'. Jean Pierre qui délaisse Georgette pour étreindre Sophia. Hi-laire qui accueille Marie-Louise qu'on n'avait pas vue encore. Francis qui rampe vers le corps nu et frétillant de Marie-Jeanne. Et Josaphat qui va couvrir Georgette qui ne demande pas mieux. Quant aux autres, ils formaient un noeud de corps entortillés, noyés par un appétit de jouissance... Impossible de savoir à quelle tête appartient tel sexe. C'est le mélangisme absolu.

Il eût fallu une prière extrême pour sauver Bossu des pulsions qui grandissaient aux quatre coins de sa personne. Or, Couët ne connaissait aucune prière extrême comme par exemple un Avé à la puissance mille ou un Pater d'au moins une tonne de tolite. Les prêtres sans doute en avaient-ils appris durant leurs études, de ces prières explosives, mais quand on n'a fait qu'une troisième année et qu'on sait à peine lire, écrire et compter, on ne s'attend pas à ce que le ciel se mette à son écoute. C'est une question de valeur, c'est une question de mérite...

Le hasard, lui, fait parfois les choses au bon moment.

On frappa à la porte de la cabane. La température du corps du petit homme baissa de plusieurs degrés. Puis il put entendre le silement d'un chien : sûrement le sien. Et le visiteur ne pouvait être que tit-Pat Martin qui ramenait Teddy à la maison.

–Monsieur Couët, monsieur Couët, êtes-vous dans la maison ?

–Oué, oué, tu peux rentrer, tit-Pat.

La porte s'ouvrit. Le bossu s'était redressé sur son séant. Le chien courut à l'intérieur et vint exécuter une danse de joie devant son maître retrouvé.

–Quen, mon Teddy ! Comment que ça va, mon chien ? T'es-tu ennuyé un peu toujours ?

Et après sa ronde de branle-queue, la bête se laissa flatter le museau et la tête, ce qui la faisait éternuer.

–J'vous ramène votr' chien.

–Je vois ben ça, mon gars.

Tit-Pat était un enfant robuste, noiraud, au sourire facile et persuasif. Travailleur, dévoué, réservé, il gardait son mystère en parlant peu et ça le rendait populaire à l'école. Il passait pour le meilleur garçon du rang, mais d'autres le surpassaient à plusieurs points de vue, qui possédaient une image moins séduisante, ce qui leur faisait perdre des points aux yeux du préjugé.

–Pis j'sais itou que t'en a pris ben soin.

–C'est un bon chien.

–Bon, ben j'vas te payer pour ton ouvrage. J'te donne une piastre comme entendu. C'est-il ben ça, mon tit-Pat ?

–Ben... oué... me semble.

–J'sus 'cartain' que tu t'en rappelles.

Bossu quitta son lit et se rendit fouiller dans sa besace posée sur la table parmi d'autres choses. Il y trouva un billet vert tout froissé, le déplia et le tendit à ce petit voisin qui en avait les yeux tout agrandis :

–C'est ben trop !

–C'est le salaire pour ben des hommes pour quatre jours d'ouvrage. Sont pas rares ceux qui travaillent pour vingt-cinq cennes par jour quand ils peuvent trouver de l'ouvrage.

Patrice hésitait à prendre le billet.

–Prends, prends ! Comme ça, t'auras encore envie de travailler pour moé.

–O.K!

Et le garçon fit disparaître son billet dans une poche arrière de son pantalon.

–Veux-tu t'assire une minute ? Parle-moé de ta pêche. Ta mère m'a dit que t'étais parti à pêche avec Teddy. As-tu poigné du poisson toujours ?

–Ouais... neuf truites.

–Des belles ?

–Pas mal. Sont à maison.

–Si t'en as à vendre, j'ten achèterais à dix cennes chaque.

–Ben... sais pas trop...

–Tu demanderas à madame Marie-Louise si elle veut m'en vendre une couple. Ça te ferait vingt cennes de plus avec ta piastre.

Bossu tourna légèrement une chaise et invita l'enfant à prendre place. Puis il se rendit s'asseoir de l'autre côté de la table.

–Conte-moé ça, ta pêche ! Où c'est que t'es allé au juste, dans le bassin des eaux noires su' la rivière *Noire* ? Ou ben au lac *Miroir* ? C'est là –une place ou l'autre– qu'on fait les meilleures pêches. Moé, j'y vas une couple de fois par été comme tu sais... Pis des fois plus souvent...

***

Chapitre 11

Bossu ne retint pas son jeune hôte indûment et quand il jugea que la conversation avait assez duré, il lui demanda poliment de partir :

–Ta mére va p'têt' ben se faire de l'alarme si tu restes trop longtemps icitte. En plus que j'aimerais ben savoir si elle veut que tu me vendes une couple de poissons pour mon souper. Tu r'viendras me l'dire d'abord que c'est pas ben loin.

Patrice se leva et se dirigea vers la porte restée entrouverte. Couët lui demanda :

–Coudon, t'as pas peur des bêtes sauvages quand c'est que tu vas dans le bois tuseul ? Les ours, les loups, les chiens errants...

–Les quoi ?

–Les chiens errants. Des chiens perdus qui sont revenus sauvages. Paraît que c'est pire que des chiens enragés ou ben des loups en meute.

D'une voix à la fois douce et assurée, Patrice demanda :

–Avez-vous déjà entendu dire que des hommes s'étaient fait attaquer ?

–Pour dire le vrai : non. Ni par les ours, ni par les loups, ni par les chiens errants. C'est probablement des histoires à dormir deboutte, celles qui disent que des hommes ont été dévorés par des loups. Ah, ça arrive que les loups vont attaquer des moutons ou ben que les renards mangent des poules, mais ça touche pas au monde. Les bêtes ont peur de l'odeur humaine. J'parlais pour parler. Là-dessus, cours chez vous pis reviens avec une couple de belles truites si ta mére veut... autrement, t'auras pas besoin de r'venir aujourd'hui. Ça marche ?

–O.K, monsieur Couët !

Bossu regarda par la fenêtre d'en avant le garçon courir sur le sentier qui amenait le cinquième rang jusque chez lui. Et il remarqua que le temps avait changé depuis son arrivée. Le soleil s'était caché derrière des nuages. Voilà qui ne le surprit guère. Il sentait le mauvais temps venir. La douleur arthritique lui parlait depuis son arrivée. Sur le coup, il l'avait attribuée à la fatigue du voyage, mais les endroits de son corps qui faisaient mal lui disaient que c'était plutôt une masse d'air humide qui s'annonçait.

Le meilleur remède qu'il connaisse était la chaleur, mais une chaleur sèche, et pour en produire, de celle-là, par temps mouillasseux, il fallait chauffer la truie. Il s'en approcha, prit la mornouche et souleva le rond pour voir à l'intérieur s'il fallait vider d'un trop-plein de cendres le ventre du bidon d'acier. Ce n'était pas nécessaire. Alors il trouva des allumettes de cèdre qu'il brisa en deux et jeta en premier sur le lit des gris résidus, après quoi il inséra des rondins de bouleau qu'il posa debout sur les éclisses. Et il referma le rond pour ouvrir la porte avant. Une vraie allumette, qu'il prit de sa poche et frotta à son pantalon, lui fournit la flamme requise pour allumer le poêle.

Voilà comment il ferait parade à l'humidité et ses morsures dans trop d'articulations de son corps. Et il retourna s'asseoir à la table. Et se rappela de nouveau ses visites du jour aux gens du rang. Cette fois, le démon de la chair, chassé par l'arrivée de tit-Pat un peu plus tôt, ne revint pas le harceler. Il put donc, à tête froide, évaluer la situation, mesurer les réactions aux propos du vieux Morin... Puis il songea que le passage du vicaire dans le rang n'avait pas été une simple coïncidence. Peut-être que le ciel l'avait envoyé pour rappeler aux habitants et à lui-même qu'il était défendu de se baigner en des eaux si fangeuses que celles du grand désordre évoqué par le père Morin, ce qui voulait dire non point et même pas le passage aux actes mais bien, et avant tout, le seul et unique fait d'en parler.

Quand la truie commença de répandre sa chaleur, Couët se retourna pour regarder le crucifix. Il se signa et promit d'enterrer à jamais les propos scabreux entendus ce jour-là de la bouche de Théodore Morin et essaimés par la sienne dans la seconde partie du cinquième rang.

Bossu se disait qu'il avait péché. Et la seule façon d'éviter de mourir de malemort et de perdre son salut, c'était d'avoir le ferme propos de ne plus pécher... plus jamais...

*

Pat Martin ne revint pas. Fallait croire que Marie-Louise avait décidé de garder les truites pour nourrir les siens. Et elle avait bien raison. Bossu mangea autre chose ce soir-là. Puis il attela. C'est qu'il avait fait promesse aux Goulet d'aller soigner un animal après le souper, et Couët n'avait qu'une parole. On pouvait s'y fier.

Mais le temps s'était vraiment gâté au cours de l'après-midi et voici qu'on pouvait entendre au loin le tonnerre gronder. Il était certain qu'un orage surviendrait au cours de la soirée ou nuitamment, peut-être même un chapelet d'orages tant l'air s'était alourdi de vapeur d'eau. Qu'importe, Couët demanderait refuge dans une grange quelque part, peut-être chez les Goulet s'il advenait que le temps soit trop inclément. Toutefois, il y avait chez la plupart des cultivateurs un banc de quêteux et on lui ferait sûrement la charité d'une nuitée à l'abri des intempéries.

Et l'attelage reprenait la route sur le coup de six heures.

Direction : nord. Cette fois, Bossu ferait trotter la *Brune* sur une bonne partie du parcours, du moins aux abords des résidences afin qu'on ne l'intercepte pas ou bien il ne reviendrait chez lui que de pleine nuit et vraisemblablement par gros orage agressif.

En bien des maisons, on le vit repasser. Et d'aucuns se dirent qu'il devait aller soigner une bête quelque part plus loin ou dans un rang voisin. Quel autre motif aurait pu le faire aller à pareille allure par ce temps douteux, lui toujours si peu pressé ?

Jean-Pierre Fortier, de la table familiale, le vit venir.

—As-tu vu le bossu Couët qui s'amène ? demanda-t-il à sa femme.

—Je l'ai vu passer après-midi de bonne heure, dit Dora.

—Il a fini sa 'ronne de quêtage' dans la Beauce.

—C'est en plein ce qu'il m'a dit.

—Comment ça ? Il s'est arrêté icitte ?

—En avant. Su' l'chemin. J'étais dans le jardin. Il a jasé une minute ou deux. Il m'a dit qu'il repartirait pour une autre tournée que ça prendrait pas goût de tinette, mais j'pensais pas que ça serait aussi vite.

—Il doit avoir affaire au village. Attends, je vas le savoir. Je sors pour y parler...

Et l'homme quitta la table et sortit de la maison à temps pour interpeller le voyageur :

—Dilon, Dilon...

—Huhau ! Huhau !

—Comment c'est que ça va, mon Dilon ?

Le bossu avait ordonné à sa jument de s'arrêter, mais sans plus. Sans la diriger vers la montée. Fortier descendit de la galerie et se rendit au chemin afin de mieux jaser.

—Veux-tu ben m'dire où c'est que tu t'en vas à soir ? Il va nous tomber un orage su' la tête.

–J'en vas voir Pierre Goulet... Pour soigner un ch'fal malade.

–Ah oui ? J'savais pas que Pierre avait un ch'fal malade. Ça doit être son rouge : celui-là, il est pas mal plus vieux que son gris.

–C'est ce que j'vas savoir dans pas grand temps.

Jean-Pierre Fortier était bâti comme un bison. Tout en coffre. Épaules démesurément larges. Une musculature exceptionnelle. Il semblait que tous les rudes travaux de la ferme qui, des autres habitants, tiraient sueur et énergie, parfois jusqu'à épuisement, s'inscrivaient chez lui en muscles des membres, du fessier, du dos, du reinquier. Une force de la nature fabriquée par la terre elle-même. On disait qu'il aurait gagné n'importe quel concours de lever de poids dans la paroisse.

"Ah, j'sais pas ! J'connais pas ma force, pis j'veux rien en savoir," disait le bouscaud à ceux qui le taquinaient sur le sujet ou bien le défiaient amicalement.

Tout à l'opposé physiquement de sa frêle épouse Dora, si malingre et cassante, Jean-Pierre Fortier jouissait d'une santé de fer, et toutes ces caractéristiques de sa personne sautaient aux yeux et à l'entendement du bossu Couët; et malgré son remords du jour, il ne put s'empêcher de voir cet hercule aux airs de Louis Cyr en train, non de soulever des haltères, mais de s'accoupler avec la Marie-Jeanne Nadeau : deux partenaires bien appareillés, assortis de gabarit, de même élan, de semblable endurance.

Et presque malgré lui, Bossu fit état, une fois de plus, des propos du père Morin. Il le glissa à travers des rires étouffés aptes à couvrir son intention profonde :

–Tu 'divineras' jamais c'est que le pére Thodore Morin a dit devant moé aujourd'hui...

Et Couët raconta sa visite au deuxième voisin des Fortier, ce qui lui valut un énorme éclat de rire de son interlocuteur.

Puis il regretta d'avoir aussi vite manqué à sa promesse d'enterrer à jamais cette histoire obscène et il prit congé :

–Faut que j'parte, mon Jean-Pierre. On se reparlera.

–Certain qu'on va s'en reparler. Ça a pas de maudit bon sens, une histoire de même... Ha, ha, ha, ha, ha, ha !...

Puis Fortier secoua la tête tandis que l'attelage s'éloignait. Il dit entre deux éclats de rire :

–Sapré Bossu Couët ! On sait jamais avec quelle affaire qu'il va arriver. Ha, ha, ha, ha, ha !...

Et l'homme retourna à la maison, mort de rire.

–Le bossu vient de m'en dire une bonne, Dora, tu sauras ça. Écoute ben... Paraît que le vieux Thodore Morin y aurait dit que les cultivateurs du rang devraient changer de femme de temps en temps... que ça leur ferait du bien. Non, mais as-tu déjà entendu une idée de fou de même ?

–Le père Thodore, il dit tout c'est qui y passe par la tête. C'est un vieux snoreau, c'te bonhomme-là...

–Non, mais... Ha, ha, ha, ha !... Te vois-tu, ma femme, passer une nuitte avec... avec... le poilu à Romuald Rousseau... pis moé dans c'temps-là avec la Georgette... Comment ils appellent ça ? De la polygamie...

–C'est plus que de la polygamie on dirait... De la polygamie, c'est un homme qu'a plusieurs femmes.

–Non, mais verrais-tu ça, toé, tous les hommes du rang avec toutes les femmes du rang ?

–Arrête de parler de ça, c'est des niaiseries qu'il faut même pas répéter !

–C'est pas moé, le niaiseux, c'est le père Thodore... ou ben le bossu... ou les deux.

Dora avait un peu honte sans le montrer ni même le laisser poindre; c'est qu'il lui arrivait dans l'intimité de songer à un autre partenaire que son mari, et ces pensées peu catholiques venues à son esprit sans son consentement lui donnaient pour compagnon de lit non pas un homme du rang, mais le beau et imposant vicaire Morin en personne. Double sacrilège si elle s'était complue dans ce fantasme indésiré, mais elle le chassait à tout coup résolument, impérativement. Jamais, toutefois, elle n'avait imaginé un homme du rang à la place de son mari, jamais avant cette heure où Jean-Pierre lui mettait les images en tête bien malgré elle, mais sans y faire naître le dégoût ou la répulsion.

Elle le fixa dans les yeux :

–Des fois, j'me demande si les hommes ont pas tous ça dans la tête, de coucher avec les femmes du voisinage. Tu y as jamais pensé, toi, Jean-Pierre Fortier ? Dis-moi la vérité sans rire.

–Tu sais ben que d'une manière ou d'une autre, j'pourrais pas m'empêcher de rire à parler d'affaires de même.

–Ris, ris pas, dis-moi la vérité.

–Avec qui voudrais-tu que j'pense de... de...

–De coucher, aie pas peur des vrais mots ! Disons avec la grande Marie Roy...

–Jamais pensé à elle, fit-il en haussant les épaules.

–Certain ça ?

–J'm'en rappellerais.

–J'doute de c'que tu me dis là. Pis Marie-Jeanne Nadeau, elle serait pas à ton goût ?

–Ben non... parle pas de même. Sus un bon catholique, tu le sais.

–Tout le monde est catholique par icitte. Catholique ou pas, ça empêche pas la nature de parler, surtout la nature des hommes. On les connaît, eux autres...

–En tout cas, le bossu Couët...

–Fais pas fourcher la conversation, là, toi. On va les repasser, les femmes du rang, pis tu vas me dire si ça t'arrive d'en vouloir une à ma place dans la chambre le soir pour coucher pis tout'...

–Pas besoin, tu sais ben que non !

–C'est toi qui a ouvert le jeu, joue-le donc honnêtement. Ou ben on arrête là...

–Si tu veux le jouer honnêtement, faut que tu joues autant de cartes que moé, toé itou. Je joue une carte, tu joues la tienne. On fait les voisins un par un. J'te réponds pour la femme; tu me réponds pour l'homme. Pour que ça soit plus aisé, on va se servir d'une échelle de un à dix. C'est que t'en penses ?

–Explique.

–Mettons... j'te nomme Francis Pépin... tu y donnes un point entre 1 et 10 comme quoi tu l'accepterais pour... tu sais quoi... Ensuite, j'te répondrai pour sa femme Angélina... Mieux que ça, on pourrait écrire les points pis les additionner à la fin du cinquième rang...

–Ça me va, mais t'es mieux de me dire la vérité ou ben je t'étripe...

–Faut pas de jalousie là-dedans... d'abord que c'est rien que du parlage.

–Pas de jalousie ni d'un bord ni de l'autre !

–O.K. va chercher un crayon pis du papier.

Ce qui fut fait.

–Je commence, dit la femme quand elle se remit à table. Marie-Louise Martin. Combien tu donnes ?

–Disons... 5 ?

Il y avait une certaine prudence dans son regard interrogateur et aussi dans sa voix qui sonna un peu plus clair.

–Je note.

–Pis toi, Albert Martin ? Il paraît ben... ça vaudrait ben un 7 ou 8...

–C'est pas à toi de décider ça.

–Ben sûr, ben sûr !

–J'y donne un 5 itou.

–T'es pas obligée de dire comme moé. T'as dit qu'on dirait la vérité.

–La vérité, c'est 5 sur 10 pour Albert Martin.

Chacun se disait qu'au bout du test, il pourrait toujours revenir en arrière, affirmer qu'il ou elle n'avait pas pris ça au sérieux, que l'idée de fond était ridicule, absurde, vilaine, bestiale et indigne de personnes humaines civilisées.

Et le jeu se poursuivit. Tous les voisins du rang y passèrent.

–Josaphat Poulin ?

–3. Et Joséphine ?

–Honnêtement 5. Pis le p'tit Maurice Nadeau ?

–Ben... il est pas si vilain... 4.

–Ben la Marie-Jeanne, j'y donnerais 7 ou 8. Disons 7.

–Elle le fait exprès pour énerver les hommes, la Marie-Jeanne Nadeau. Regarde-la se rouler les hanches. En tout cas... Pis la Sophia Paré ? Ça va ben être un 10 sur 10.

–9

Au bout du compte, Dora calcula les totaux.

–C'est drôle, ça nous donne le même chiffre. Cinquante tous les deux.

–Ça veut dire qu'on a la même idée.

–Mais pour chacun, c'est pas pareil.

–C'est ben normal. Mais lis-moé la liste au complet avec les noms pis les chiffres.

Dora fit onduler la feuille de papier en disant :

–Une chance qu'on parle pour parler. Si fallait que le monde entende ça, on se ferait chasser du cinquième rang.

–Encore curieux, tu sauras ! Lis-moé ça, là...

–Bon... je commence par le fond du rang en revenant au bord, pis par la liste des femmes. Ensuite, ça sera la liste de ces messieurs. C'est-il correct de même ?

–Ben correct ! Envoye, lis ça.

–................ Marie-Louise Martin : 5

                Joséphine Poulin : 5

                Marie-Jeanne Nadeau : 7

                Sophia Paré : 9

                Angélina Pépin : 6

                Marie Roy : 5

                Blanche Morin : 4

                Georgette Rousseau : 3

                Désirée Goulet : 6

–Ça fait ben un total de 50 sur 90 d'abord qu'on a 9 voisins de rang. Asteur, l'autre liste...

–................ Albert Martin : 5

                Josaphat Poulin : 3

                Maurice Nadeau : 4

                Jean Paré : 8

                Francis Pépin : 7

                Joseph Roy : 7

                Hilaire Morin : 6

                Romuald Rousseau : 5

                Pierre Goulet : 5

–Ce qui nous donne un grand total de 50 sur 90. C'est quoi que tu penses de ça ?

–Qu'on perd notre temps à des maudites niaiseries. Rien n'empêche que ça serait drôle de faire passer ce test-là par tous les hommes pis toutes les femmes du rang pour ensuite comparer les réponses. Si jamais on fait une veillée de rang comme v'là deux ans, on pourrait proposer aux personnes présentes de le faire... sans dire les noms.

–Anonymement, tu veux dire.

–C'est ça : anomine... anonym...ment comme tu dis. Faudrait dire que c'est quelqu'un qui nous a demandé de faire ça...

–Ben moi, j'fondrais sur ma chaise de t'entendre proposer une affaire pareille. Tu te ferais garrocher des roches par les maris. Pis peut-être par moi en premier...

Le couple éclata de rire. Dora froissa le papier jusqu'à en faire une petite boulette qu'elle mit sur le comptoir de l'évier. L'homme lui fit un clin d'oeil :

–Viens-tu dans la chambre, on va se r'poser un peu.

–On barre la porte ?

–Ça serait mieux. Les enfants sont pas mal senteux...

***

Chapitre 12

Bossu fit virer le poney dans l'entrée des Goulet. Le temps avait beau être gris, il restait pas moins de deux heures avant la grande brunante. L'homme avait tout le temps pour soigner l'animal malade puis retourner chez lui avant la noirceur. À moins que l'orage ne lui impose d'attendre voire de passer la nuit quelque part ailleurs qu'à son camp du fond du rang.

Ce furent les petites soeurs de Juliette qui l'accueillirent. Elles se trouvaient déjà sur la galerie à jouer à la poupée quand Couët et son attelage arrivèrent devant la maison. La plus âgée des deux, Fernande, sept ans, courut se mettre le nez dans la moustiquaire et cria à ses parents :

–Monsieur Couët arrive, monsieur Couët arrive.

–Crie pas si fort, Fernande ! lui dit sa mère occupée à laver de la vaisselle tandis que son mari fumait sa pipée d'après repas dans un coin profond de la cuisine.

–Je m'en occupe, déclara Pierre qui se leva aussitôt et se rendit à l'extérieur alors que le bossu était à descendre de son selké.

–Salut, mon Dilon ! Tu viens pour soigner mon ch'fal. Ben content de te voir ! Ma femme m'a dit ça aujourd'hui, que tu viendrais à soir.

–Un animal malade, faut s'en occuper comme on s'occupe du monde malade.

–T'as ben raison.

–Le ch'fal est-il encore au clos de pacage ?

–Non, je l'ai mis dans l'étable.

–Allons-y voir.

Et Bossu prit avec lui sa besace dans laquelle il avait mis un remède de sa concoction : une recette secrète dont des ingrédients devinables étaient de l'avoine et de la mélasse.

–C'est quoi qui te fait dire qu'il est malade ?

–Tout le temps couché. Mange pas. Un ch'fal en santé, c'est tout le contraire comme tu sais.

Bossu grimaça sans rien dire. Et les deux hommes allèrent d'un même pas accordé vers la grange tandis que Désirée confiait à Juliette le soin de finir la vaisselle. Car elle aussi voulait voir de quoi il retournerait à l'étable. Et parce qu'elle ne s'y rendait pas pour effectuer des travaux, elle ne se changea pas de vêtements ni n'enfila un survêtement pour sortir. Avant de refermer la porte, elle dit à sa fille :

–Prie pour que le *Rouge* revienne à la santé. On n'a pas les moyens de s'acheter un nouveau cheval. Durant la crise, l'argent est ben trop rare.

–Oui, maman.

Dès que sa mère eut disparu, la jeune fille accéléra le tempo. Et c'est dévotieusement aussi bien que rapidement qu'elle terminerait sa tâche.

Le *Rouge* était allongé, presque immobile, dans une portion de l'étable qui comprenait deux stalles ordinaires, l'espace alloué au foin qu'on jetait en bas depuis le fenil de la grange et un espace d'allée donnant sur une porte ouverte, elle-même donnant sur l'extérieur.

–Comme tu vois, il a toute la place qu'il faut. En plus

qu'il pourrait sortir dehors au besoin. Mais il bouge quasiment pas. Mange pas. Boit pas. Se lève pas. On dirait qu'il s'est couché là pour mourir.

Bossu s'approcha de la bête qu'il contourna :

–J'm'en vas l'examiner pour voir...

Désirée survint. Elle entra par l'autre porte de l'étable, celle que les hommes avaient empruntée pour entrer, eux aussi. Il y eut un moment de silence où l'on ne pouvait entendre que la stridulation des grillons. La jeune femme aimait les parfums, et son odeur fut le premier signe qui alerta Bossu et lui fit savoir qu'elle les avait rejoints, son mari et lui. Il se retourna avant de s'agenouiller près des naseaux de la bête malade :

–Bonsoir, madame Goulet. Comme vous voyez, j'ai compris votre message aujourd'hui.

–Ma fille me l'avait dit.

–Asteur, je vas examiner le *Rouge*...

Fort malaisément, Couët se mit à genoux et déposa son sac par terre. Le cheval gardait ouverts ses grands yeux indifférents. Il eut toutefois un léger mouvement de tête comme pour signifier à son soigneur qu'il était disposé à recevoir son aide. Le bossu lui ouvrit la gueule et regarda au fond. Cela ne dura pas trois secondes. Il tourna la tête, la secoua doucement comme pour faire deviner l'inéluctable :

–Il a des bosses dans la gorge. Un cancer, c'est 'cartain'. Y a rien à faire pour soigner ça. J'voudrais ben vous dire autr' chose, mais ça s'rait croche de ma part.

–Ça veut dire quoi, ça ? demanda Pierre Goulet qui néanmoins savait la réponse.

–Que pour pas le laisser mourir de même à p'tit feu, il faut y mettre une balle dans la tête.

–Tuer un ch'fal : j'ai jamais fait ça.

–Quoi, t'as jamais dans ta vie tué un chevreux, un orignal, un cochon ?

–Un ch'fal, c'est pas pareil.

Désirée intervint :

–Ben oui, c'est pareil. Y a pas des bêtes de première classe pis des bêtes de deuxième classe. Va chercher la carabine, Pierre ! Faut abattre le *Rouge*, c'est tout.

L'homme soupira :

–On dirait ben que j'ai pas le choix.

–Ah, vous avez le choix de le laisser mourir de faim itou. Vous êtes pas obligés de raccourcir ses souffrances.

–Calvâce !

–Ça donne rien d'attendre : faut le faire !

–J'y vas, j'y vas.

Et l'homme tourna les talons. Désirée, maintenant muette, resta sur place tandis que Couët se relevait gauchement et péniblement. Elle songeait que ce pauvre homme aurait peut-être dû mourir en bas âge, afin que son mal de vivre soit abrégé, lui qui avait l'air d'obtenir si peu d'une vie frugale.

Et le bossu se répéta comme pour s'excuser et préparer la femme à la mise à mort d'une bête que les Goulet avaient dû apprécier voire aimer.

On entendit le grondement lointain du tonnerre. Cela vint alléger l'air ambiant. Le petit homme dit :

–L'orage s'en vient. Je le sens dans mes genoux.

–Comme dirait Dora Fortier : c'est ben bon de vot' part d'être venu.

–Comme tu vois, j'ai pas pu faire grand-chose.

–Que voulez-vous, y a des maladies qui pardonnent pas.

–Le cancer en est une... autant su' du monde que su' les animaux. Quand t'es poigné avec ça, t'es mieux de faire vite tes bagages pour prendre les chars qui mènent l'aut' bord.

Désirée Goulet, Lapointe de son nom de fille, n'avait pas encore ses trente ans ni non plus son mari. Ils avaient été établis là par le père de Pierre dix ans plus tôt, et leur fille aînée Juliette avait vu le jour tout juste dix mois après leur mariage. Et maintenant, après trois filles, on espérait la venue d'un fils dans la maison. Quand il se trouve plus d'une paire de bras masculins sur une terre, la vie est un peu moins dure pour tout le monde. Mais on acceptait avec le sourire les décisions du ciel, autant par ces temps de misère noire que par temps d'abondance comme celui des années '20. Le couple n'avait rien engrangé depuis son établissement et avait même quelques dettes difficiles à assumer. L'achat d'un nouveau cheval empirerait la situation financière. Et cultiver avec une seule bête de somme alourdirait considérablement leurs tâches, empêchant même de garder le nombre de vaches requis pour survivre convenablement.

Pierre revint bientôt, arme à la main, canon tenu à terre, signe qu'elle était chargée. Le suivait timidement Juliette qui avait deviné le sort réservé au *Rouge*.

–Il faut ce qu'il faut, dit-il en s'approchant de la bête, si malade qu'elle avait même de la difficulté à respirer.

–J'vous dis que ça finit mal une journée, ça ! déclara le bossu qui recula de deux pas pour laisser tout l'espace nécessaire à l'exécuteur.

Homme de courte taille, cheveux bruns, visage sanguin qui exprimait de la bienveillance, Pierre Goulet était un personnage capable de se durcir quand il n'y avait pas moyen de faire autrement. Il ne laissa paraître aucune émotion quand il approcha le canon de la carabine de la tempe du cheval. Le *Rouge* leva la tête et eut l'air de dire qu'il était temps pour lui de partir et que l'action mettant fin à ses jours était indiquée et bienvenue.

Le coup fut tiré. L'animal eut un soubresaut qui agita toute sa musculature, surtout celle des pattes avant, mais rien de bien violent. Et ce fut tout. Un peu de sang coula sur le ciment et les fétus de paille qui le jonchaient sous le chanfrein. Il coula quelques gouttes d'un liquide séreux jaune d'une narine et là, la carcasse se figea dans l'immobilité.

–Demain matin, je vas aller chercher le *Gris* au pacage pis venir le chaîner au cou de la carcasse. On va aller l'enterrer de roches au bord du bois. On peut rien faire d'autre que ça asteur.

Bouche bée, Juliette était pétrifiée. Son regard restait rivé sur la bête morte dont les yeux demeuraient grands ouverts et sans étincelle : vitreux. Certes, elle avait assisté à des boucheries déjà, mais cette fin, somme toute gratuite, du cheval rouge ne remuait pas les mêmes sentiments au fond d'elle-même. Sa mère comprit son désarroi en lisant sur son visage et lui fournit des explications rassurantes :

–Le *Rouge*, il est ben mieux comme ça. Tu sais, il avait un cancer dans le fond de la gorge. C'était de plus en plus dur pour lui de respirer et il pouvait même plus manger. Il serait mort de faim dans quelques jours pareil. Là, il est libre pis certainement rendu au paradis des chevaux.

–Le paradis des chevaux ?

–Ben... le paradis des animaux.

–Pourquoi qu'ils sont pas dans le même paradis que nous autres, les animaux ?

–Parce que... les animaux, ben c'est pas du monde. Ils ont pas d'âme. Nous autres, c'est notre âme qui s'en va au paradis des êtres humains.

–Mais... peut-être qu'une âme de ch'fal, une fois sortie de son corps, c'est comme une âme qui ressemble à la nôtre quand elle va sortir de nous ?

Les trois adultes se consultèrent du regard et furent étonnés de cette supputation pleine de sens dans la bouche d'une si jeune fille. Comme quoi la sagesse n'attend pas le nombre des années. Mais Bossu, plus que le couple Goulet, fut à même de comprendre et faire sienne la supposition de Juliette. Quoi, son âme à lui serait-elle différente de celle des autres parce qu'il était infirme de naissance, malformé et mal-aimé par la grande nature ? Alors si l'âme des bêtes était simplement une âme comme toutes les autres et simplement prisonnière dans un corps d'animal ? Il n'était pas le premier à se poser la question depuis loin dans la préhistoire quand un être hominidé avait pris conscience, du moins vaguement, de sa propre existence.

Alors il lui vint à l'idée qu'il fallait oublier la mort du cheval et pour ça, opposer aux images de sa fin encore chaude des images de vie comme celles qu'il croyait avoir fait naître en plusieurs têtes du rang ce jour-là. Sauf qu'il ne devait pas s'adonner à pareil discours devant une aussi jeune personne que la Juliette Goulet. Mais comment faire en sorte qu'elle retourne à la maison tandis que ses parents resteraient sur place ? Il s'adressa à elle :

–Tu s'rais ben fine, ma p'tite Juliette, si tu voudrais aller me chercher un grand verre de bonne eau frette à maison. Veux-tu ?

La jeune fille consulta sa mère du regard et reçut aussitôt son approbation qui se pouvait interpréter aussi comme un souhait qu'elle ne pouvait décevoir. Elle tourna les talons et partit. Sans perdre de temps, Bossu parla du père Morin :

–J'vous dis que le pére Thodore, y en passe, des idées par la tête, lui. Après-midi, savez-vous c'est quoi qu'il m'a dit ? C'est pour ça que j'ai demandé à Juliette d'aller m'chercher de l'eau : elle a des oreilles ben trop jeunes pour entendre ça. Ah, si j'vous l'dis, c'est rapport que je l'ai dit à pas mal de monde après-midi en retournant à mon campe. D'aucuns ont ri; d'autres ont été scandalisés ben raide; d'autres ont dit que c'est à parler d'une chose qu'on la comprend, même si c'est un meurtre ou une folie du pére Thodore...

Pierre coupa :

–Ben dis-nous c'est quoi...

–C'est quasiment gênant de répéter une 'affére' de même.

–Ben coudon, si tu veux pas l'dire...

–Non, c'est pas ça...

–Dépêchez-vous, Juliette va revenir, dit la mère.

–Ben il a dit que le monde du rang... ça devrait se mélanger de temps en temps...

–On le fait souvent... les corvées pis tout, dit Pierre sans sourciller tout en se doutant du fond de l'idée qui transparaissait vu que présentée avec si grande précaution.

–C'est sûr... pis les fêtes de rang quand on danse des sets carrés ou ben aux réunions de prière à la croix du chemin... mais le vieux v'limeux pensait à ben plus que ça... En tout cas, j'vous en dirai pas plus, vous devez comprendre c'est quoi qu'il a voulu dire.

Pierre regarda Désirée, ses yeux puis son ventre et il revint aux yeux :

–On comprend, hein, ma femme ?

–J'pense...

Déjà Juliette revenait dans l'étable avec un verre d'eau qu'elle vint présenter au bossu. Il en but à peine une gorgée, puis se rapprocha de la bête morte et aspergea le sang qui avait coulé afin de le diluer, et pour que le mélange s'écoule dans le canal derrière les parcs des vaches, tous inoccupés en belle saison.

Rien ne fut ajouté sur le sujet brûlant. Bossu comprit qu'il n'aurait pas dû tenir pareil propos en un moment pas facile pour un fermier, celui d'enterrer une bête et pas n'importe laquelle, et de songer à la remplacer par une autre s'il en avait les moyens.

–Tu maquignonnes les ch'faux, toé, Dilon, penses-tu que tu pourrais m'trouver un ch'fal aussi bon que celui-là à pas trop cher ?

–Si tu payes comptant, j'pense que j'pourrais t'en gréer d'un pour vingt-cinq ou trente piastres, pas trop plus que ça.

Désirée intervint :

–Le problème, c'est que l'argent, on l'a pas.

–J'peux toujours aller voir le pére. J'y en dois déjà une couple de cents... Vingt-cinq de plus...

–Moé, j'vous ferais ben crédit, mais c'est pas moé, le vendeur. Moé, j'peux vous trouver un bon ch'fal pour le prix, mais le maquignon, que ça soit lui de Saint-Samuel ou ben lui de Saint-Honoré-de-Shenley, ils ont besoin de leur argent. À tous les quinze jours, ils vont acheter d'autres ch'faux à Pintendre, mais su' Labrie là-bas, faut qu'ils payent *cash* itou. Ils font pas de crédit eux autres. Parce qu'eux autres itou payent *cash* les ch'faux qui viennent par les gros chars de l'Ouest du Canada. C'est la crise, pis y a pus 'parsonne' qui fait de crédit à 'parsonne' pour pas perdre son argent. C'est comme ça que c'est rendu, asteur !

–Ah, j'comprends ! J'comprends en sacrifice, ben comme il faut.

Couët remit le verre à Juliette. Sa mère lui dit :

–Retourne à maison, ma fille. Nous autres, on s'occupe de tout icitte.

L'enfant obéissante ne se fit pas prier et quitta les lieux. Mais le bossu ne profita pas de l'occasion pour revenir sur les propos scabreux du père Morin. D'autant qu'on pouvait maintenant entendre le tonnerre se rapprocher.

–Va falloir que j'retourne à mon campe ou ben j'vas me faire arroser par la 'plie', moé.

C'est le coeur triste et l'esprit taraudé que Juliette rentra à la maison. Peinée par la mort du *Rouge* mais cherchant à comprendre le propos qu'elle avait surpris en retournant à l'étable avec le verre d'eau un peu plus tôt. Car elle avait fait vite et le temps que Bossu mette la table pour relater les paroles du père Morin, elle avait eu le temps de revenir et d'écouter à la porte. Et avait entendu ces mots dont elle n'arrivait pas à saisir le sens réel et profond :

"Ben il a dit que le monde du rang... ça devrait se mélanger..."

"On le fait souvent... les corvées pis tout..."

"C'est sûr... pis les fêtes de rang quand on danse des sets carrés ou ben aux réunions de prière à la croix du chemin... mais le vieux v'limeux pensait à ben plus que ça... En tout cas, j'vous en dirai pas plus, vous devez comprendre c'est quoi qu'il a voulu dire."

"On comprend, hein, ma femme ?"

"J'pense..."

Non, elle n'y parviendrait pas et s'endormirait ce soir-là en se disant, comme sa mère le lui répétait chaque fois qu'elle lui posait des questions embarrassantes, qu'elle apprendrait bien assez tôt et que l'âge aidant, elle comprendrait tout ce qui lui était nécessaire de savoir. En attendant, elle devait faire confiance au bon Dieu et surtout prier au fond de son coeur pudique...

***

Chapitre 13

Les orages sont souvent imprévisibles. On les attend, on les voit venir et ils passent leur chemin après avoir éparpillé des menaces en roulements de tambour et en éclairs fulgurants qui allument le ciel de noirceur. Ou bien ils vous tombent sur le dos sans trop prévenir, comme s'ils faisaient semblant de vous donner du répit voire de passer en douce de l'autre côté d'un territoire sombre et calme.

Bossu fut surpris par la pluie et son escorte électrique alors qu'il arrivait à la hauteur de la maison de Joseph Roy. Le tonnerre, qui semblait encore dans le lointain le moment d'avant, claqua, sec et bête, l'instant d'après, et il parut qu'il avait entre les mains des trombes, des masses d'eau cordées en grains serrés qui se mirent à clouer au sol quiconque se trouvait à portée de la colère du ciel.

Mieux valait se réfugier près d'une bâtisse, mais surtout pas sous les arbres qui entouraient la demeure de la famille Roy ou bien le voyageur et son attelage auraient risqué d'être frappés par la foudre aveugle cherchant le chemin le plus court pour se disperser dans le sol et y mourir en ondes perdues.

L'attelage fut dirigé le long de la maison sur laquelle un paratonnerre aurait permis d'acheminer l'électricité de la foudre vers le sol advenant que son caprice l'inclinât à frapper la demeure de la jeune famille. Et puis, la ligne d'arbres de l'autre côté du chemin d'entrée permettait d'amoindrir l'impact des trombes d'eau. Bossu et son poney jouiraient donc d'un demi-abri temporaire en attendant que le fort de l'orage soit chose du passé.

Mais il n'en serait pas comme il avait prévu. Aussitôt la *Brune* arrêtée, Joseph Roy sortit par la porte arrière. Entre deux coups de tonnerre, il pressa le bossu de descendre et d'entrer à l'intérieur de la maison pour éviter de se faire tremper jusqu'aux os.

–Reste pas là, Dilon, tu vas attraper la mort.

–C'est pas rare que j'me sus fait mouiller de même su' l'chemin en queuq' part.

–Ben c'est pas une raison pour le faire à soir.

–C'est ben vré. J'débarque.

–C'que tu peux faire, tu fais avancer ton poney tuseul... il va trouver à se réfugier à l'abri du côté de la grange. Il va probablement s'en aller de lui-même plus loin en dessous du gangway, tu penses pas ?

–On peut toujours essayer.

Bossu descendit et clappa pour que la *Brune* marche sans lui, ce qu'elle fit. Elle sentit qu'on ne la contrôlait pas, et tandis que son maître gravissait les marches de l'escalier pour se mettre à l'abri sous l'étroit balcon aux côtés de son hôte, le petit cheval, battu par les pans de pluie gris et lourds, se rendit sous le pont de la grange où il s'arrêta et se figea dans une immobilité qui lui permettait de se protéger et de s'égoutter un peu.

–Rentre, mon Dilon, rentre !

–Coudon.

–T'arrives du village ou quoi ?

–Ben non ! Je r'viens d'aller soigner un ch'fal à Pierre Goulet.

–Pis ?

–Ben j'pouvais pas le sauver. Il avait des bosses grosses comme le poing dans le fond de la gorge. Aurait fallu l'opérer comme du monde à l'hôpital. Le ch'fal était décompté, perdu, fini. Rien à faire pour lui. Goulet l'a abattu devant moé tantôt. Ben mieux de même ! Va falloir qu'il s'en achète un autre plus jeune pis en santé.

–Acheter un ch'fal, c'est pas trop le temps pour ça ! L'argent s'fait rare en vieux maudit.

Le tonnerre claqua en même temps que l'éclair parut. Un coup puissant.

–Doit être tombé pas loin ! déclara aussitôt Joseph. De la manière que Ça a fessé.

–D'après moé itou.

Marie se tenait debout au milieu de la cuisine. Elle accueillit les deux hommes :

–Pas trop un temps pour faire du chemin !

–Ah, j'aurais ben pu attendre dehors. J'veux pas vous déranger.

–Vous nous dérangez pas pantoute. V'nez vous assire en attendant que le pire passe.

Joseph osa suggérer :

–Ben... il pourrait coucher icitte. Hein Dilon ?

–Non, j'veux pas déranger, comme j'vous l'dis.

–Ça dérange pas pantoute, hein, Marie ?

Elle se fit plus hésitante. Faire asseoir le quêteux dans une berçante en attendant l'accalmie, c'était une chose, mais le garder à coucher, c'était bien autre chose :

–C'est monsieur Couët qui le sait. Ça... ben ça dépend comment qu'il se sent, lui.

–Ben oui, ben oui ! fit Joseph. Il va veiller avec nous autres, il va coucher sur le banc, là, pis il partira quand il voudra au p'tit matin demain. L'orage, ça peut durer jusqu'à la grosse noirceur pis même une partie de la nuitte. Ça fait que mon Dilon, tu vas rester avec nous autres. En tout cas, on t'invite à veiller pis coucher.

À ce moment, les deux garçons que Bossu connaissait de vue et de nom apparurent en haut de l'escalier. Il s'adressa aussitôt à eux en désignant chacun par son prénom :

–Si c'est pas Jean pis Julien ! C'est ben de valeur que j'aie pas mon violon avec moé. Je l'ai laissé à maison. Mais j'ai ma ruine-babines par exemple. Plus tard, j'vous en jouerai un morceau.

Ces mots allumèrent le regard des garçonnets. Mais leur bonheur fut amoindri par une intervention plutôt autoritaire de leur mère :

–Les p'tits gars, allez-vous-en avec vos p'tits frères en haut, là, vous autres !

Ils ne se firent pas prier. Comme en la plupart des maisons, l'autorité parentale se faisait stricte chez les Roy. Plus raide même qu'ailleurs bien souvent. Tout enfant rebelle ou même simplement limoneux se faisait remettre à sa place vite fait. Même que les enfants un peu trop curieux se faisaient admonester de la belle manière et ils ne tardaient pas à garder pour eux-mêmes leurs questions prématurées sur des sujets trop délicats. On ne tolérait aucune intervention de leur part en présence de la visite et alors, le plus souvent, on leur ordonnait de dégager et de s'effacer le temps qu'on jaserait entre adultes.

–Prends la berçante, mon Dilon, dit le maître de maison en désignant une des trois chaises semblables qui occupaient le coeur de la cuisine.

–Non, j'vas m'assire à terre, au bord de la porte. Ça va être mieux de même.

–C'est comme tu veux.

On parla du temps orageux auquel on ne s'attendait pas. Des foins qui s'annonçaient généreux cette année-là. Du salon de l'auto de Montréal dont on avait pas mal entendu parler dans les journaux. De l'ouverture du pont du Havre à Montréal (qui serait mis sous le vocable Jacques-Cartier) dont on disait au moins autant de bien que du pont de Québec, d'autant que sa construction n'avait été témoin d'aucune catastrophe comme celles ayant coûté tant de vies humaines à Québec en 1907 et 1916.

Marie s'occupa des travaux du soir pendant que les deux hommes placotaient en fumant leur pipe. Elle avait l'habitude de l'odeur du tabac, mais la fumée âcre produite par le brûle-gueule du bossu s'ajoutant à la senteur qu'elle connaissait du tabac de son mari la prenait à la gorge, et elle se mit à tousser et à tousser encore.

–T'es-tu étouffée, la mère, coudon ?

–Ça doit être la boucane.

–J'aurais pas dû allumer en dedans, dit aussitôt le bossu qui se leva du tapis et se rendit vider le fourneau de sa pipe dans le crachoir entre deux berçantes, un récipient noirci que Joseph utilisait parfois pour se débarrasser d'une salive trop abondante.

D'autres sujets furent touchés, mais pas une seule fois le visiteur ne lança, comme il l'avait fait tout ce jour-là, les propos du père Morin, craignant la réaction très négative du couple, surtout de la femme. Mais l'idée de mettre la langue sur le sujet brûlant ne cessait de venir harceler l'esprit du bossu, comme s'il s'était trouvé quelque part aux environs de sa tête un souffleur dépravé. Peut-être un démon, se dit-il comme en quelques reprises depuis le midi.

D'un autre côté, il se rappela de sa propre réflexion alors que cet après-midi-là, il avait passé devant la maison des Roy. Une question avait frappé à la porte de sa pensée restée sous influence du père Théodore Morin :

"Une femme comme la Marie Roy, indépendante, un peu rebelle, accepterait-elle de se lancer avec son homme dans une aventure aussi invraisemblable que celle de changer de

partenaire un de ces quatre soirs d'été ?"

Et la réponse lui était venue, cinglante :

"Jamais dans cent ans !"

On vivait en terre si catholique, si ordonnée, si juste que la femme sortirait ses crocs si d'aventure quelqu'un évoquait cette possibilité scabreuse et, comme une fourche-fière, les enfoncerait dans la personnalité de l'imprudent et impudent personnage qui aurait osé proférer pareille proposition infaisable et infamante.

"Une femme, un homme; un homme, une femme !"

Telle était la loi des bonnes moeurs, la loi de la vie même et, bien entendu, la loi divine.

Mais surtout, c'était la loi de la sainte Église...

Il arriva, au cours de l'heure suivante, tandis que l'orage tassait bien serré les accalmies et les rages renouvelées, que les propos du père Théodore soient mis sur le tapis sans pourtant qu'il n'ait été de l'intervention du bossu. Ce fut Marie qui en parla avec un large sourire moqueur aux lèvres :

—On a su par d'aucuns que le père Thodore Morin vous a conté des histoires à dormir debout après-midi.

Mal à l'aise, Couët demanda :

—Des histoires ? Non, j'dirais pas ça. Vous voulez dire quoi au juste, là, vous ?

—Il vous aurait dit que les gens du rang devraient changer de compagnie plus souvent.

Couët rougit comme une betterave depuis le front jusqu'au bout des orteils. Il craignait des reproches mordants de la part de cette jeune femme qui avait du toupet à revendre.

—Ah, ça ? C'est rien que des maudites folies qui se répètent même pas.

—Pourtant, vous l'avez répété à plusieurs du rang, d'un bout à l'autre.

—Ben... pour rire un peu... à une ou deux places. Écoutez, j'sus pas un vicieux, j'ai été surpris par le bonhomme Morin, pis j'en ai surpris d'autres. Vous savez, j'avais 'afféré' à 'parsonne' aujourd'hui, pis j'ai arrêté en nulle part. Mais y en a plusieurs qui sont venus me parler au chemin. J'avais pas grand-chose à dire, ça fait que j'ai un peu colporté les niaiseries du pére Thodore. J'pense pas que 'parsonne' va m'en vouloir pour ça non plus.

La voix lourde du bossu contrebalançait pour l'autorité que sa bosse lui faisait perdre au regard et à l'oreille des interlocuteurs. Marie pondéra :

—Ah, nous autres non plus, dit-elle avec un cillement de paupières. C'est pas un scandale public, c'est rien que des paroles en l'air. La différence, c'est qu'avant, on aurait été gênés de parler d'un sujet comme ça tandis qu'asteur, ben on se dit que c'est pas pire de parler de ça que de parler d'autre chose.

Son mari enchérit :

—Ah, on est pas du monde constipé : on est capable de parler de n'importe quoi, nous autres. On n'est pus au temps de la reine Victoria; c'est les années '30 là. 1930 : ça fait vingt-neuf ans que la ben scrupuleuse Victoria est morte.

Cette ouverture d'esprit inattendue soulagea grandement le bossu. Toujours assis sur le petit tapis rond près de la porte, il pouvait voir les jambes de cette femme plutôt jolie du visage et des formes élancées (malgré sa grossesse en cours), sans faire d'effort puisqu'elle se trouvait en plein dans sa ligne de mire, elle qui avait pris place sur une berçante aux côtés de son mari.

—Quant à ça, le p'tit catéchisme défend de faire, il défend pas de parler.

—C'est le bon Albert Martin qui nous en a parlé. Lui, il dit pas mal pareil : tu peux parler d'un meurtre sans avoir l'idée d'en faire un, sans que ça te pousse à ça non plus pantoute.

—Dit de c'te 'manière-là'... fit Bossu en se redressant, lui qui commençait de s'affaler sur l'espace de tapis qu'il préférait au confort d'une berçante.

En fait, il se sentait mal sur une chaise ordinaire en raison de sa bosse, tandis que sur le sol, contre un mur, à même le plancher, cette anomalie de la nature pouvait occuper l'encoignure sans trop de heurts pour sa chair et pour sa dignité d'homme.

–Ah, fit Marie, c'est sûr que les prêtres piafferaient de nous entendre, mais on sait autant qu'eux autres ce qu'il y a dans le catéchisme. Comme le pensent Albert pis Joseph, c'est pas à parler d'un assassinat comme celui-là de la pauvre fille de Saint-Étienne, tuée par son père, qu'on doit s'en accuser à confession. Autrement, on parlerait pas de grand-chose à tous les jours.

–Ben là, vous me surprenez à plein.

Bossu se délectait d'un doux parfum sucré exhalé par la grande Marie Roy, bien plus agréable que celui, trop intense à son goût, porté par Désirée Goulet. Il ne se privait pas de le humer sauf que l'acte s'accompagnait d'images interdites. Et durant le procès qu'on fit à mi-voix à l'idée du vieux Morin, Bossu ne put s'empêcher de voir par l'imagination la Marie Roy au lit avec un partenaire nouveau, celui dont l'esprit semblait le plus ouvert à des expériences originales : Albert Martin, son plus proche voisin à lui du fond du cinquième rang.

"Les secouements de la noire chevelure féminine balayaient la poitrine velue de son amant d'une seule nuit. Elle le chevauchait avec ardeur. Il la recevait avec bonheur."

Bossu s'insurgea contre lui-même. Et comme l'image était tenace, solidement agrippée à son cerveau et l'entourant comme un serpent constricteur, il se frappa la tête contre le mur d'une façon qui laissa les Roy perplexes pendant un court moment.

–Veux-tu ben m'dire, fit l'homme de la maison, t'es-tu en train de t'assommer pour le fun de le faire ?

–Ben non ! Ben non ! J'ai une tête dure, moé. Une tête de bossu. Ça me fait pas mal pantoute. C'est une manière d'enfant que j'ai gardée.

Marie intervint :

–Mon plus vieux, il se cognait tout le temps la tête dans son ber comme ça quand il était bébé. Vu que son crâne était pas refermé encore, j'ai été obligée de mettre du feutre à la tête de son lit. Comme ça, il pouvait se fesser comme il voulait sans dommage pour lui.

Bossu dit, souriant à belles dents :

–Ah, j'ai le crâne ben r'fermé, moé !

Les époux rirent.

Et la conversation se poursuivit en s'éloignant des dires du vieux Morin et s'en rapprochant parfois. Il était clair que les Roy condamnaient une pratique digne des Iroquois, mais indigne de gens civilisés, et répugnante par-dessus tout pour eux et leur morale chrétienne. Quand même, Bossu put percevoir dans les voix, les ravalements de salive, les rires, que ce sujet de conversation faisait du ravaud dans la substance secrète de ces jeunes personnes. Jusque leurs regards parfois qui semblaient se questionner l'un l'autre.

Et la soirée passa. Les garçonnets revinrent en bas. Bossu leur joua quelques airs sur sa musique à bouche. Jean et Julien de même que les tout-petits, Lucien et Adrien, en furent ravis. Et en redemandèrent.

À un moment donné, Joseph prit la voix du commandement en s'adressant au bossu :

–On va pas te laisser t'en aller à noirceur même si ça mouille moins dehors. Viens, on va dételer ton poney pis le faire coucher dans l'étable. Me reste du bon foin de l'année passée. On va y donner de l'eau itou. Ensuite, on revient se coucher...

Couët acquiesça.

*

Pas bien longtemps après, tout le monde était couché dans la maison. Les enfants en haut, le couple dans sa chambre du premier étage et Bossu sur le banc de quêteux comme il se devait. Dès le retour à la maison des deux hommes, le temps était redevenu agressif une fois encore, et les éclairs avaient repris leur ballet stroboscopique interrompu par quelques accalmies nourricières entre les rages de l'orage.

Le tonnerre couvrit le bruit que firent les époux dans l'accomplissement de leur devoir conjugal, un devoir qui n'eut rien d'un pensum ce soir-là. Entre les éclats de la foudre, le bruit de sommier qu'on pilonne régulièrement et de plus en plus fort parvint à Couët qui s'en réjouit sans se faire, cette fois, de reproches. Qui sait, peut-être que son propos du soir avait poussé les époux à se rapprocher, et que le dit rapprochement serait à l'origine de la conception d'un enfant d'exception, peut-être un prêtre voire même, qui pouvait savoir et prévoir ? un évêque.

Bossu ignorait comme la plupart des gens que Marie Roy portait déjà un enfant à naître dans les débuts du mois d'octobre. L'aurait-il su que son excitation à entendre les sons de l'amour se serait décuplée, sachant que le couple s'adonnait aux jeux des sens pour le seul et unique plaisir de la chose, exempts de leur mission procréatrice déjà accomplie.

Il fut long avant sa décision de se laisser aller dans les bras de Morphée. Pour ne pas dormir trop vite, il s'accrochait à l'orage et à ses furies qui semblaient à bout de souffle pour reprendre l'instant d'après toutes ses énergies éclatantes, sauvages et grandioses.

Sûrement que le couple dormait quand Bossu se tourna sur son séant pour prendre la position de l'endormissement. Mais, quelques instants plus tard, alors que les éclairs continuaient de fuser, d'allumer la maison, les fenêtres de la cuisine, le plancher, il lui sembla entendre un bruit ou bien était-ce le fruit de son imagination ? Il tourna la tête, ouvrit un oeil et aperçut quelqu'un, sûrement Marie Roy, marcher en jaquette blanche vers lui. Ou bien était-ce un fantôme qui recherchait de la compagnie pour se rassurer par ce temps si malin ?

Quoi faire sinon attendre ?

Une succession d'éclairs allumant le spectre révéla au bossu qu'il s'agissait bel et bien de Marie qui venait en sa direction, précédée d'ailleurs par son parfum exquis. Que lui voulait-elle donc ? Le croyait-elle endormi et venait-elle fouiller dans sa besace afin d'y trouver de l'argent ?

Elle dit, la voix murmurante :

–Monsieur Couët, j'ai un mot à vous dire. Monsieur Couët, dormez-vous ?

–Ben... non... pas tout à fait.

Un nouveau train d'éclairs enlumina la personne de la femme. Bossu se sentait survolté par cette présence féminine si proche, presque éthérée, presque céleste, quasi fantomatique, peut-être digne de ses rêves les plus désordonnés, les plus bizarres, les plus fous.

Elle parla à voix basse :

–Mon mari pis moé, savez-vous c'est quoi qu'on vient de se dire ?

Bossu se souvint les avoir entendus qui faisaient l'acte conjugal, du moins leurs bruits en témoignaient-ils tous, mais de là à percevoir leurs paroles à travers la distance et leur porte de chambre, il y avait une marge et il lui eût fallu l'ouïe d'un chien pour y parvenir.

Voilà une pensée qui en trois secondes, le temps que le tonnerre se taise après un roulement interminable d'autant de temps, ramena à la souvenance du bossu le chien de la maison qui était venu le sentir à quelques reprises au cours de sa visite puis qui était retourné se réfugier derrière le poêle, un lieu qui lui appartenait en toutes saisons. Un chien tranquille qui préférait se faire oublier.

–J'voulais vous dire à soir, madame Roy, que de la farde à joues, ça vous rajeunit.

–Ben merci ! Autrement, j'ai la face trop blême.

–J'voulais vous l'dire.

Un autre coup de tonnerre les obligea à une pause, puis elle reprit :

–Ben on se disait, Joseph pis moé, qu'on devrait organiser une rencontre de tout le monde du rang un bon soir.

Le quêteux faillit tomber en bas de son banc. Se pouvait-il que les Roy soient, de tous les couples du rang, ceux qui avaient le mieux assimilé les drôles d'idées du père Morin ? Mais Bossu risqua de tomber de l'autre côté du banc quand il entendit la suite :

–On n'a jamais fait ça pis on devrait le faire... Une réunion de prières devant la croix du chemin. On ferait venir un prêtre pour dire les prières. Monsieur le vicaire accepterait, c'est certain. Faudrait faire un appel général au téléphone dans le rang. D'abord, il faut que quelqu'un en parle à monsieur le vicaire. C'est quoi que vous en dites, vous ?

–Heu... Ben... Oué... Vous avez pensé ça tantôt, vous autres ?

–C'est ça...

L'idée en effet était venue à Joseph l'instant d'après le point final (pour lui) de l'acte du mariage. Repu, revenu à son état normal, il retrouvait le bercail de ses vieilles habitudes. Et là, le contrôle par la religion reprenait tous ses droits. Il lui était venu à l'idée que, pour nettoyer le cinquième rang des idées du vieux Morin, le mieux serait de leur opposer la prière collective dont on disait qu'elle était si recevable par les gens du ciel.

Pour se laver encore mieux du remords qui s'était rué sur lui en même temps que son liquide séminal jaillissait vers le ventre de sa compagne enceinte, le jeune homme avait demandé à son épouse d'aller en parler au premier responsable de ce déversement dans les environs des idées oiseuses et scabreuses du père Théodore. C'est la raison pour laquelle, malgré le décor fantasmagorique, Marie se trouvait maintenant près de cet homme dans la nuit formidable.

Il y avait en ce moment un combat d'odeurs entre les deux personnages. Ce parfum de lavande porté par la femme recevait les coups de merlin de cette senteur de remugle accompagnant toujours le bossu qui n'avait pas la chance de se laver souvent, ou bien ne la saisissait pas, cette occasion, quand un ruisseau clair la lui offrait ou bien qu'il avait dans sa masure quantité de belle eau fraîche à faire chauffer. Difficile pour un habitué de la route de se décrotter; difficile pour un mal lavé d'habitude de se libérer de sa crasse.

Toutefois, le mot hygiène n'était guère mieux répandu chez les habitants que chez les quêteux de grand chemin, en tout cas côté masculin, et il fallait pas mal de pression de la part des femmes pour rendre supportables les relents barbares exhalés par ces messieurs. Heureusement, il y avait les dimanches et ces jours de messe qui demandaient à tous de porter leurs plus beaux habits. Or qui s'endimanche se doit de se débarbouiller d'abord, et voilà qui rendait les cuves à lavage très populaires les samedis soirs.

"Que vous puez donc !" songea la grande Marie en jaquette blanche. Mais elle dit plutôt :

–On a pensé qu'en plus d'un appel général, vous pourriez le faire savoir au monde comme vous l'avez fait pour les paroles du père Morin.

–C'est-il un reproche, ça ?

–Mais pas pantoute ! Si j'vous l'dis, c'est pour avoir votre idée ? On a fait le tour de la question, Joseph pis moé, pis on trouve que c'est pas ben beau, des discours de même qui circulent dans le cinquième rang... Aussi...

La femme en ajouta, parlant comme un dévidoir. Ça lui arrivait quand elle était survoltée ou bien qu'elle désirait obtenir un assentiment. Enfin, elle redemanda :

–C'est-il une bonne idée d'après vous, un chapelet devant la croix du chemin avec toutes les familles du rang qui se rendraient là pour prier ?

–Mon idée, c'est que c'est une ben ben bonne idée. C'est 'cartain' que le vicaire Morin pourra pas refuser. Pis ça va chasser les idées du père Morin. La prière d'un Morin contre les idées d'un autre Morin. Ça va faire du feu dans la tête du monde, ça.

–Ben contente de vous entendre dire ça. Je vas le faire savoir à mon mari avant qu'il s'endorme. Peut-être qu'il dort déjà, ça fait que je retourne dans la chambre.

Bossu la regarda aller.

Son image apparaissait et disparaissait sous l'éclairage en saccade des grandes fenêtres. Mais, à l'évidence, l'orage diminuait d'intensité. Même qu'on n'entendait plus les grains de pluie frapper les vitres. Et le tonnerre paraissait tourner le dos à cette maison aux environs plantés d'arbres qu'il n'avait osé attaquer par crainte de se faire emporter tout droit dans la terre par cette tige métallique posée sur le toit et qui le narguait chaque fois qu'il passait par là...

Bossu s'endormit. Sa chair et son coeur étaient parvenus, grâce à la femme Roy, à trouver un terrain d'entente pour se reposer... Du moins pendant quelques heures...

***

Chapitre 14

–Ils souffrent d'enchifrènement. Ce sont des personnes enrhumées. Beaucoup de gens durant la saison hivernale souffrent du rhume. Mais c'est leur corps qui est malade, déprimé, misérable. Qui parmi vous n'a pas connu ces heures où on se sent mal en point physiquement ? Mais ça passe avec le temps, le temps qui guérit tout. Tandis que ceux dont je vous parle sont enrhumés moralement. Pourquoi ? Êtes-vous capables de me le dire ? C'est simplement parce qu'ils ne prient pas. Ou pas assez. Aussi simple que ça ! Ils vont à la messe le dimanche, oui. Ils font leurs Pâques, bien entendu. Ils vont à confesse, communient une fois ou deux chaque année, mais entre ces dévotions de base, entre ces gestes obligatoires qui font d'eux des chrétiens de nom seulement : rien. Rien du tout ! Aucune prière. Aucun Pater. Aucun Avé. Jamais rien. Ils sont... enchifrenés. Bloqués. Rien ne sort de leur intérieur profond. Rien ne croît d'eux. Leur âme est malade à cause de sa tiédeur. Un chapelet, mes bons amis réunis ce soir ici pour faire la prière collective, c'est comme une belle bûche de bois sain que l'on met à brûler dans son coeur. Quelle belle flamme ! Quelle douce chaleur ! Et fini l'enchifrènement !... Et un rosaire, eh bien, c'est comme un poêle chargé ou bien une fournaise bien remplie. Le feu prodigue sa clarté, sa chaleur et il purifie.

Le vicaire Morin s'adressait à la petite foule réunie au pied de la croix du chemin. Sous instigation du couple Roy et avec un coup d'épaule du bossu Couët, tout le cinquième rang s'était réuni là pour prier en ce jour de la fête des Canadiens français : la Saint-Jean-Baptiste.

Plusieurs étaient venus en robetail. D'autres à pied. Toutes les familles y étaient représentées. Des fillettes emportaient avec elles des cadres de la Vierge pour les faire bénir. Certains égrenaient tout bas leur chapelet avant même que le vicaire n'entame sa récitation. Pour le moment, en tant qu'entrée à ce repas de prière demandé, réclamé par un cinquième rang de toutes les piétés, l'abbé Morin, rouge de bonheur, semblait s'adresser à chacun en particulier tant il promenait son regard appuyé sur sur tous et chacun. Et toutes les personnes présentes espéraient son regard. Puis plusieurs, quand elles l'avaient obtenu, baissaient peureusement ou pudiquement la tête.

–En ce jour de grande fête nationale, celle de notre peuple canadien-français, fête de son passé dont il est fier, de son présent dont il est l'artisan bâtisseur et de son avenir dont il met chaque jour en terre les meilleures graines, nul doute que le bon Dieu accueille avec encore plus d'attention les invocations de tout ceux qui lui parlent humblement au pied de la croix, regroupés pour lui rendre hommage et lui demander de les bénir. Nous traversons des temps bien difficiles hélas ! il est vrai, mais il n'y a pas la moindre pauvreté à craindre lorsque l'on prie avec tout son coeur. Car la prière, le chapelet surtout, est une richesse incommensurable... –incommensurable : un mot immense qui veut dire immense comme le grand univers là, au-dessus de nous–. La personne, homme, femme, enfant, qui emporte son chapelet avec elle et prie tous les jours est une personne riche, car chaque Avé est un montant de bonheur futur mis en réserve, en banque pour le ciel. Et chaque Avé, le moindre, au ciel vaudra son pesant d'or.

Une petite main émergea d'entre les fidèles. Le prêtre,

qui se tenait sur une pierre de taille formant avec d'autres une ceinture autour du terrain réservé à la croix du chemin, se rendit compte qu'il avait affaire à un petit Roy. Il le reconnaissait par ses airs de famille, ceux de sa mère surtout. Et sans être sûr à cent pour cent, il dit en s'adressant à lui :

–Oui, mon petit Roy ?

Ce fut une curiosité amusée générale. On n'interrompait jamais un prêtre dans son laïus, encore moins lors d'un sermon, même si les enfants marchant au petit catéchisme –ce qui n'avait pas encore été le cas pour Jean Roy vu son trop jeune âge- avaient la permission, tout comme à l'école, de lever la main pour poser une question. Qu'est-ce que ce petit garçon avait donc en tête pour attirer ainsi l'attention à ce moment-ci ? Certes, sa mère montrait aux enfants à dire le fond de leur pensée, mais aller jusqu'à freiner le vicaire dans un de ses élans... L'enfant dit, plaignard :

–Je le traînais tout le temps, mon chapelet, mais y cassait tout le temps. Maman dit de le laisser à la maison. Pis de dire mon chapelet avec un chapelet que j'aurais dans ma tête.

Ce fut un éclat de rire général.

Le vicaire ajouta le sien, encore plus puissant, à tous les autres. Et de surcroît, il applaudit avant de dire, la voix bourrée de bienveillance improvisée :

–D'abord une toute petite remarque... on ne dit pas traîner son chapelet, on dit emporter... C'est bien plus respectueux, tu vois. Et tu as bien raison, dans la poche de pantalon d'un enfant qui bouge beaucoup comme toi, certainement que le chapelet se casse. Ou bien il faudrait le fabriquer avec de la vraie chaîne... Et ce serait bien lourd à traîner... pardon, à emporter avec soi...

Tous rirent de nouveau. L'abbé reprit :

–Et alors, tu as mille fois raison de dire ton chapelet à toute heure du jour avec, dans la tête, un chapelet imaginaire. Quelle belle dévotion ! Que cette idée est admirable !

Et le prêtre regarda Marie Roy droit dans les yeux. Elle en fut troublée. Que de poésie dans cette façon voilée, indirecte, de lui adresser un compliment de haute valeur !

–Eh oui, les enfants, pourvu que vous ayez votre saint scapulaire sur vous, dans votre cou, pour vous protéger du Malin et du mal, il n'est pas nécessaire d'emporter votre chapelet pour prier. Même qu'il est bien mieux encore de l'avoir tout le temps en tête comme notre petit ami de la famille Roy ici présent. Quel est ton prénom, mon garçon ?

L'enfant, qui ne savait pas la signification du mot prénom, interrogea le regard de sa mère. Elle lui souffla :

–Ton premier nom... c'est Jean...

–Ah !... Jean, fit aussitôt l'enfant.

Le prêtre ouvrit grand les bras :

–Et nous sommes aujourd'hui jour de la Saint-Jean-Baptiste. N'est-ce pas là un signe du ciel ? Dieu nous bénit à travers l'interrogation de cet enfant, et ce qui nous rend encore plus certains de l'existence de cette bénédiction, c'est ce prénom –Jean– d'un enfant qui questionne en cette fête de la Saint-Jean alors que tout le Canada s'incline devant son saint protecteur et devant son Dieu d'amour qui ne nous abandonne pas malgré la crise qui nous frappe.

Puis l'abbé leva les yeux au ciel :

–Seigneur, nous vous remercions. Et pour vous le démontrer par nos gestes, nous allons maintenant tous nous agenouiller afin de réciter une dizaine de chapelet. Ensuite, nous allons nous lever debout pour la suivante. Puis nous remettre à genoux pour la troisième. Ainsi de suite jusqu'à la fin de ce chapelet magnifique d'un soir si merveilleux.

Il n'y avait personne d'endimanché puisque c'était là un soir de semaine et qu'on avait prévu devoir s'agenouiller dans l'herbe; aucune mère donc ne fronça les sourcils à l'idée de devoir frotter et frotter des genoux de pantalons tout tachés par une substance verte indélogeable.

Stimulé par cette interruption naïve et par quelques regards de femmes dont ceux de Marie Roy, de Sophia Paré et de Marie-Jeanne Nadeau, le vicaire, plutôt de se lancer immédiatement dans la monotonie d'une récitation d'Avé successifs, eut l'idée de parler encore et de mettre l'accent sur la beauté du soir ainsi que sur le coude à coude plus nécessaire que jamais par ces durs temps de vaches maigres.

Il advint qu'il dise une phrase dont le poids devait lui échapper, phrase qui fut rapprochée d'une autre lancée quelques jours plus tôt par le vieux Théodore Morin.

–Le Seigneur a dit : réunissez-vous pour prier et je serai au milieu de vous. Eh bien, il faudrait dire aussi et tout autant : réunissez-vous pour vous amuser et faites de ce plaisir une prière. Aimez-vous les uns les autres et vous aimerez Dieu d'autant.

Une fillette couettée, noire comme un corbeau et qui ne comprenait pas grand-chose des propos compliqués de ce prêtre demeurait aux côtés de sa mère Dora et la regardait souvent pour tâcher de savoir comment réagir et donc le faire à son tour par imitation. C'était Louiselle Fortier, cinq ans, qui entamerait sa première année scolaire au mois de septembre. Elle n'intéressait pas beaucoup sa mère qui lui préférait ses fils Roland, sept ans et Luc, quatre ans. Coincée entre ces deux morceaux de sucre à la crème, la fillette cherchait à grandir plus vite que le temps, se disant que plus on est adulte plus on est aimé, et que ce serait pour elle la seule façon d'obtenir de l'attention de la part de ses parents.

Son jeune frère Luc et sa petite soeur Henriette, deux ans, étaient sous la garde d'une 'ma tante' du village, Lorraine Guay, venue faire un tour d'une heure ou deux chez sa soeur du cinquième rang et qui avait hérité de cette noble tâche le temps d'un chapelet.

Il ne manquait pas d'enfants à cette cérémonie devant la croix du chemin érigée devant l'école ou presque. Au premier rang, Juliette Goulet tenait par la main ses petites soeurs Fernande et Lucie. Parfois, elle regardait par-dessus la tête de sa cadette pour sourire à son amie Alfreda Nadeau dont elle avait partagé le banc d'école toute l'année scolaire qui venait de se terminer. Et plus loin, Agathe Paré, autre fillette de troisième année, bientôt quatrième, reluquait du côté de ses amies sans oser bouger puisque le moment de prière ne s'y prêtait guère.

Et il y avait un trio de garçons qui, à l'automne, à la rentrée des classes, ferait partie des grands et que, pour cette raison, il fallait prendre au sérieux. Parmi eux, Raoul Morin, blondinet à cheveux bouclés, très énergique et souriant, ce qui faisait oublier sa maigreur extrême. Il était flanqué de deux amis du voisinage, Dominique Paré et Euchariste Nadeau, tous deux âgés d'environ douze ans comme lui. Parmi les enfants, ils étaient presque les plus vieux venus à cette rencontre de prière; mais ce n'est pas le chapelet qui les y attirait et bien plutôt les jeunes filles...

Sur place, rares étaient les familles complètes. En fait, les hommes avaient eu tendance à se regrouper dès leur arrivée sur les lieux tandis que leurs compagnes faisaient de même. Désirée Goulet se retrouvait avec Marie Roy alors que plus en retrait par rapport à la croix, Marie-Louise Martin fraternisait avec Marie-Jeanne Nadeau, deux personnes aux affinités naturelles mais sans ressemblance physique.

En ce moment, personne ne se parlait puisque le vicaire poursuivait son propos d'avant chapelet.

–Ceux qui ont eu l'idée d'organiser cette heure de prière l'ont-ils fait dans un esprit évangélique, cet esprit dont je vous parlais il y a quelques instants? Je n'en doute pas. Mais sans se l'être dit aussi peut-être ont-ils songé à réunir toutes les familles du rang parce que l'union fait la force, parce que la fraternité est source de solidarité, cette fraternité sans laquelle un futur de guerre se préparera dans le monde, fraternité qui, seule, permettra à l'humanité de sortir de cette crise économique qui nous affecte tous autant... Bon, finie la causette, passons donc à la vraie prière ! Et que les voix de tous s'élèvent en choeur comme les fleurs d'un même bouquet que nous allons offrir à la très Sainte Vierge Marie !... Oui, nous traversons un temps de misère, mais que ce soit une *sainte misère* ! Et si elle est sanctifiée, elle passera au-dessus de nous comme l'ombre d'un nuage qui ne tardera pas à céder sa place aux doux rayons du soleil.

L'abbé fit une courte pause. Plusieurs s'échangèrent des regards de satisfaction. Il reprit la parole pour réciter :

"Je crois en Dieu, le Père tout-puissant, créateur du ciel et de la terre..."

***

Chapitre 15

Ainsi que dans tout groupe de prières, messe, office religieux ou récitation du chapelet à la croix du chemin comme celle en cours ce soir-là, les têtes sont assaillies de fantasmes dont la naissance est favorisée par l'instinct grégaire, la promiscuité, peut-être aussi le magnétisme animal réveillé et soutenu par les Avé mantras. Toujours est-il que l'impensable suggestion du père Théodore Morin, comme les eaux d'un affluent à rivière, se mélangeaient intimement à celles du cours d'eau principal coulant dans les esprits sous forme d'oraisons jaculatoires adressées directement à la Sainte Vierge par la voix puissante et chaude du vicaire Morin.

Devant la croix, le prêtre avait joint les mains, baissé la tête, fermé les yeux, tandis que dans son dos, des yeux pas tout à fait clos détaillaient sa personne jusqu'à la dévêtir en certaines têtes baignées par des élans que l'un aurait qualifiés de désirs et l'autre de perversité.

La Marie-Jeanne (Turcotte) accompagnée de son timide mari chétif, Maurice Nadeau, zyeutait ainsi, sans en avoir l'air, ce vicaire charmant qui rendait nerveuses toutes les femmes dans ses parages, comme s'il s'était dégagé de sa personne des fluides intenses propres à les troubler jusque dans leur chair profonde...

Marie-Jeanne était de ces femmes –plutôt rares en ce temps-là– à aimer 'ça'. C'est-à-dire aimer se faire couvrir par son mari. Loin d'elle encore l'idée que son Maurice pût couvrir une autre, mais pas bien loin celle qu'un autre que lui en vînt à la 'serrailler', elle, dans un coin secret d'une bâtisse discrète. Et cet autre, qui portait ses fantasmes sur ses épaules en ce moment, et souvent en d'autres aussi, c'était le vicaire Morin. Lui, le beau prêtre, fort et propre, grand et souriant, demi-dieu de village à qui on pouvait tout raconter dans le creux de l'oreille une fois par mois au confessionnal. Lui, le confident qui n'hésitait pas à s'inviter mentalement dans les lits conjugaux par ses inquisitions pieuses faites au nom du sacrement de pénitence...

Il arrivait à Maurice de tourner légèrement la tête vers elle, pour ne voir alors sur son visage que l'impassibilité d'une femme en prière ainsi que des yeux presque recouverts de leurs paupières mais qui cillaient continuellement comme ceux d'une fervente chrétienne à qui la Vierge apparaît, et qui voudrait bien la voir, mais que la lumière du ciel éblouit et aveugle.

Et voilà qui augmentait la ferveur du petit homme à qui le ciel avait pourtant refusé la paternité au début de son ménage pour ensuite la lui accorder à pleines mains. Il avait fait son devoir et fourni aux demandes de sa chère épouse autoritaire et masculine.

–Notre Père, qui êtes aux cieux, que votre saint nom soit sanctifié, que...

La machine à images dans la tête au blond ardent de Marie-Jeanne s'arrêta soudain pour ensuite fonctionner au ralenti. Elle s'abandonna à contempler des scènes interdites la menant dans une tasserie de foin où la retrouvait le grand Moïse qu'elle acceptait de voir venir vers elle.

Il marche, cale dans le foin sec, fait surgir de la poussière qu'un oeil-de-boeuf dans l'angle du comble, par sa luminosité dirigée, fait tailler au couteau.

*Et s'approche d'elle qui s'étend sans attendre tout en atti-
rant sur sa personne des poignées de foin pour cacher à la
face même du ciel son désir et son consentement.*

–Suis venu vous couvrir, très chère Marie-Jeanne.

–Y a le foin qui me recouvre déjà...

–Je vais vous couvrir au sens biblique du terme.

*–C'est ben ce que j'avais compris. J'connais bien le lan-
gage de l'Évangile, vous savez.*

Il s'arrête, demande :

–Je peux ?

–Pouvez, pouvez... tant que vous voudrez.

*Et bien moins témérairement mais bien plus joyeusement
et ardemment, le prêtre qui ne porte pas sa soutane ni son
col romain, mais un pantalon noir seulement et une chemise
immaculée à blancheur de neige, poursuit sa marche labo-
rieuse dans une tasserie étouffante qui semble devoir l'engloutir sous son poids, tout comme les fluides infernaux qui
aspirent son âme.*

C'est l'été. C'est la canicule, C'est le temps des foins.

*Maurice et l'homme engagé se trouvent en ce moment
dans la prairie la plus éloignée de la maison à y remplir ras
bord un 'rack' de foin neuf, et ils ne seront de retour avec
leur serrée que dans une bonne demi-heure et davantage,
tout le temps pour la femme impétueuse de vivre quelques
instants de folie pure, de fol amour, que d'aucuns qualifie-
raient de folie furieuse.*

*Marie-Jeanne a foulé le foin aux champs depuis le pre-
mier voyage du matin après que le soleil eut transformé la
rosée de l'aube en vapeur aussitôt aspirée par le ciel bleu et
clair, pour ainsi finir de sécher le foin fauché de la veille.
Mais il y a le repas du midi à préparer et il faut bien une
bonne heure et plus pour ça, ce qui justifie son absence de
là-bas où Maurice et le père Pitou s'affairent à deux seulement.*

–Sainte Marie, mère de Dieu, priez pour nous, pauvres pécheurs, maintenant et à l'heure de notre mort... Ainsi soit-il.

Marie-Jeanne murmurait les mots dans un automatisme commun à tous ceux qui s'adonnent à pareille récitation. Et cela ne dégageait aucunement son esprit de ses pensées pour le moins interdites qui couraient tout droit vers un marécage libidineux.

Devant la croix, les gens avaient bougé lentement depuis leur arrivée. Des couples, après un rassemblement d'hommes d'un côté et de femmes de l'autre, s'étaient reformés. Il était plus naturel à la plupart de prier en famille et c'est pourquoi, à l'église, parents et enfants logcaient de coutume dans le même banc.

Cela n'empêchait pas les attentions de se trouver ailleurs que dans le giron du couple. Ainsi, Albert Martin, le cultivateur le plus éloigné dans le cinquième rang, celui qui avait pour voisins les Poulin d'un côté et le bossu de l'autre au pied de la montagne, songeait en ce moment aux propos scabreux du père Morin sans en débattre dans son esprit mais en pensant à une scène de réalisation...

On veillerait avec les Poulin ce samedi-là. Et si la soirée devait tourner à la dangereuse aventure évoquée par le vieux venimeux de Théodore Morin, cela pourrait bien se passer comme il le voyait en ce moment même par son imagination enflammée.

"Quen, bonsoir vous autres! " de dire la femme Poulin en accueillant les visiteurs qui, ce samedi soir de chaleur douce, se présentent à leurs voisins tel que convenu durant la semaine.

Joséphine porte une robe verte à fleurs blanches en coton léger; et la ligne d'un corps qui n'a jamais enfanté laisse voir une poitrine sinon généreuse du moins qui conserve la fermeté de la jeunesse, puis des hanches bien proportionnées sous une taille fine.

Ah, Marie-Louise, malgré les grossesses, ne s'était guère alourdie et son mari se demandait pourquoi elle l'attire moins que la femme du voisin. A-t-il donc perdu la grâce du mariage, celle qui constitue le ciment d'un couple honnête vivant en 1930 ?

–Comment c'est que ça va, mon Albert ? demande le volubile Josaphat qui s'est trimé pour l'occasion.

–Parfaitement ! J'sus en avance su' tous mes travaux. Même que j'trouve le temps d'aller à pêche avec mon gars.

–Pis comment c'est qu'il va, lui, l'Pat ?

–Il travaille souvent pour le bossu qui le paye ben comme il faut.

Joséphine fait une moue exprimant l'inquiétude :

–Le bossu, il touche pas aux enfants, lui, toujours ?

–Pas de danger ! fait Marie-Louise. C'est un homme fiable, ben à sa place. S'il fallait, il se ferait mettre en prison que ça prendrait pas goût de tinette.

–Ben v'nez vous assire, restez pas au bord de la porte comme ça. Prenez les bonnes berçantes qu'il y a là, au milieu de la place. On va se conter des peurs.

À l'esprit d'Albert vient une idée audacieuse. Il connaît bien les êtres de cette maison pour l'avoir visitée à quelques reprises et suggère :

–On devrait aller veiller en haut, dans vot' grande chambre du bord. D'abord qu'il fait pas trop chaud à soir...

Voilà qui étonne les autres. Mais qui aussi les prédispose à vivre quelque chose de nouveau.

–C'est vré, ça ! approuve Josaphat. Quen, on a rien qu'à prendre les berçantes pis se les passer. Je monte la moitié de l'escalier, pis tu me donnes les chaises, mon Albert.

Ce qui est fait rapidement, et les deux couples se retrouvent bientôt dans cette pièce qui occupe la moitié de la surface du deuxième étage de la maison sous le comble. Une *grande fenêtre donne sur le côté sud et permet d'apercevoir la fin du cinquième rang et la montagne protectrice au bout, plus loin que la chaumière du bossu Couët.*

Dans la réalité du soir présent, bien loin du rêve d'Albert, le vicaire Morin commanda la prochaine dizaine de chapelet qu'on devait dire en position agenouillée. Dur pour les genoux. Dur pour les tissus. Dur pour la libido des quelques chairs subissant la tentation du démon, comme celles d'Albert ou de Marie-Jeanne.

D'aucuns déployèrent un mouchoir sur le sol pour protéger le moindrement leurs jambes sinon de la douleur du moins de la couleur. Vert pour ceux qui se trouvaient sur l'herbe ou dans le foin fou des environs. Brun pour ceux qui s'étaient approchés trop de la croix et mis sur une surface où la terre avait été fraîchement brassée.

La Marie-Jeanne Nadeau fit comme tous. Ses genoux écrasèrent quelques fraises des champs qui croissaient là en abondance. Maurice rechigna un peu en lui disant :

–On va tout se salir, là, nous autres.

–Le bon Dieu, su' la croix, il a pas eu peur de se salir pour nous autres.

–Ouen...

Et Marie-Jeanne referma les yeux tandis que les doigts de sa main droite égrenaient machinalement le chapelet. Parfois, l'image du vicaire en train de prier lui venait quand elle entrouvrait les paupières, mais c'est surtout son rêve luxurieux de la tasserie qui occupait son esprit quand elle paraissait le plus fervente.

Le prêtre habillé en homme parvient à elle dans le foin poussiéreux dont les chuintements sous les pas ajoutent à l'excitation palpable. Le pan de lumière bien équarri par l'oeil-de-boeuf tombe un court instant sur la chemise trop blanche de ce personnage entraîné par sa chair vers la

femme au coeur grand ouvert. La Vierge Marie pourrait pro-
fiter de cet escalier lumineux pour descendre en Moïse, le
prendre par la main de l'âme et le ramener à ses devoirs
sacerdotaux de pureté et de retenue glorieuse. Mais la
Vierge est peut-être occupée à quelque chose de plus pres-
sant en ce moment même, comme de se pencher au-dessus
du berceau de milliers de nouveau-nés du jour disséminés
partout dans la si belle et si féconde province canadienne-
française...

—C'est archifou, ce qui nous arrive, madame Nadeau,
vous le savez bien.

—Se parler dans une tasserie de foin, c'est pas si fou que
çu, d'après moé.

—Mais en venant vers vous, il était question de vous...
disons de... vous couvrir...

—Venez vous cacher sous le foin.

—Si votre époux devait revenir.

—Il sera pas là avant une demi-heure, trois quarts d'heure
au moins.

—On sait jamais.

—Vous êtes un prêtre : ça pourrait rien que l'honorer ad-
venant qu'il entre dans la grange à brûle-pourpoint. Maurice
est pas un mauvais bougre, vous savez...

—Nous lui dirons que nous parlions, sans plus.

—On lui dira que ce qu'il voit, ce n'est pas du tout ce qu'il
pense. Si c'est un prêtre qui le dit, il le croira dur comme
fer...

Le soir avait commencé d'ardoiser les bâtiments sur la
petite colline, mais la croix du chemin restait blanche
comme un suaire sur l'horizon aux brillances alourdies. Symbole du grand rachat, la croix rassembleuse ayant orné les
étendards des armées les plus conquérantes n'avait de cesse
de rappeler aux Canadiens français leur dette envers Dieu

qui les avait préservés de l'extinction depuis près de deux siècles. Voilà pourquoi on en avait planté partout, dans chaque rang, sur bien des horizons, afin que chaque jour de l'année, on puisse la voir et entendre le message qu'elle portait, message sacré et indiscutable qui se confondait avec le personnage ensanglanté, crucifié et couronné...

D'autres profitaient de cette heure de recueillement pour voyager profondément en eux-mêmes et s'y promener dans le grand territoire portant le nom 'amour' qui y mariait sans peine la prière et la sensualité. Parmi ceux-là Sophia Paré accompagnée de son mari Jean. Le couple avait pris place dans l'herbe derrière les Pépin. Sophia se rappela tout d'abord ce drôle d'échange avec le bossu Couët quand il lui avait fait part des propos non moins bizarres du père Théodore Morin... On avait d'abord parlé d'une veillée de rang... Sophia avait dit :

–Ah, ben oui !... Une veillée de même, tous les hommes dansent avec toutes les femmes. Ça fait du bien de se changer les idées un peu.

Voilà qui parut étonnant à son homme mais encore plus au bossu qui venait d'entendre un propos cousin tenu par le vieux Théodore Morin un peu plus tôt. Couët ne se retint pas de dire :

–Le pére Thodore, il ose dire que les hommes pis les femmes, ça devrait se mélanger plus...

Et il éclata d'un rire si sonore que la montagne de la Craque en frémit sur ses bases profondes. De la sorte, il voulait montrer que l'idée n'avait aucun sens et pourtant, le seul fait de l'énoncer constituait un test de moeurs et de fantasmes à faire subir aux Paré.

–D'abord que l'argent est rare comme de la marde de pape, fit le maître de maison, tout est échangeable, tout, excepté la femme ou le mari... Le vieux Morin dit des affaires de même pour faire étriver le monde.

Francis Pépin se tourna au beau milieu d'une dizaine afin de dire à mi-voix à Jean Paré en lui adressant un clin d'oeil :

–On aurait dû s'emporter du vin de messe.

–J'en ai à maison... si tu veux v'nir après l'chapelet.

–Ça serait une ben bonne idée.

–On va vous attendre, ma femme pis moé.

Sophia en fut bien contente en son for intérieur. Angélina était une bonne voisine et son mari un être agréable. Lorsque chacun se reprit d'une certaine attention pour la prière en cours, la femme commença de ressentir les attaques du Malin qui s'y prenait par quatre chemins, tout en louvoiement. Il lui ramenait en tête des mots dits lors de la rencontre avec Bossu Couët et suggérait à la faveur des Avé une rêverie toute en images rapides mais intenses.

C'est dimanche. Il fait grand soleil. On s'est téléphoné. D'un commun accord, Paré et Pépin ont décidé de se rendre pique-niquer sur la montagne de la Craque. Eux quatre seulement, sans un seul enfant qui les accompagne. Chaque femme de son côté prépare le repas de son couple. Les Pépin retrouvent les Paré chez eux et on se met aussitôt en route à pied. Le reste du rang n'est pas bien long. Les sentiers de la montagne prennent tout leur temps de conduire les marcheurs là-haut et demandent sueur et efforts... Un attelage ne pourrait parvenir là-haut et serait plus nuisible qu'autre chose; et il faudrait le confier aux soins du bossu qui se demanderait peut-être si les paroles du vieux Morin poussaient les deux couples voisins à escalader la montagne pour... qui sait... Tandis qu'à pied, on éviterait la cabane à Couët... et Couët du même coup.

La robe d'Angélina lui sied à merveille. Un coutil à rayures dans des tons d'été : gris et bleu pâle. La femme de vingt-huit ans n'a pas eu d'enfants et sa taille s'est admirablement conservée. Son visage rayonne sous la clarté du grand jour. Sophia, elle, possède une belle enveloppe charnelle, et son voisin ne se prive pas de la détailler discrète-

ment quand la chose est possible. Peut-être qu'elle a surpris ces yeux baladeurs déjà et que ça lui a rendu Francis Pépin plutôt sympathique voire attirant d'une certaine manière.

Une phrase qu'elle-même avait dite vient croiser le chemin de la rêverie de la pulpeuse Sophia Paré dont le ventre fécondé arrondit toute la personne.

"Une veillée de même, tous les hommes dansent avec toutes les femmes. Ça fait du bien de se changer les idées un peu."

Et la marche vers la montagne revient en l'esprit de la jeune personne. Les hommes suivent. Tous deux sentent le propre et ça repose les muqueuses nasales des odeurs de l'agriculture si omniprésentes la semaine. On ne parle pas de la crise économique. On n'y pense même pas. On ne parle pas de la maladie : elle n'est pas dans le rang. Car le rang est jeune à part le vieux Morin. Le jour est zéphyrien et il faut le boire jusqu'à étancher sa soif pour longtemps. Francis arbore au coin de son front une boucle de cheveux que soulève parfois une brise légère, laquelle ajoute son charme à toutes les autres invites de la grande nature.

Une phrase bien plus explicite que toutes les autres revient en la mémoire de Sophia qui cesse un moment de voir la scène imaginée.

"Le pére Thodore, il ose dire que les hommes pis les femmes, ça devrait se mélanger plus..."

La marche reprend. Des voisins de rang regardent passer. D'aucuns, des hommes, vont jusqu'à sortir sur leur galerie pour arc-bouter un pied de fausse indifférence à la garde et faire échange de quelques idées de surface. Les Nadeau, les Poulin, les Martin se manifestent et interrogent les marcheurs sans leur poser de questions. On les envie un peu. On voudrait être avec eux.

"On va manger su' la montagne," de lancer Jean Paré.

"Bonne idée pour élargir les horizons!" déclare Albert

Martin dont la phrase est toujours plus recherchée et moins émaillée de sons et mots typiquement canadiens-français.

"Vous avez pas envie de venir avec nous autres ?" questionne Jean après avoir aperçu Marie-Louise debout derrière la moustiquaire de la porte d'été.

Sophia aime bien les Martin aussi. Le hasard lui a permis déjà de converser avec Albert et l'homme lui a paru se complaire dans l'exercice.

–C'est quoi que t'en dis, la mère ?

–Donnez-moi cinq minutes pour préparer à manger.

–On va vous attendre le temps qu'il faut; on a tout not' temps, de dire Angélina Pépin.

Hors du rêve de Sophia, dans la réalité de ce si beau soir de juin, tandis que des liens passant par la prière et le rapprochement des valeurs se renforçaient, d'autres se nourrissaient de l'intérieur comme des embryons à naître rapidement ou bien plus tard. Cela se produisait surtout chez les jeunes personnes, d'aucunes pas même encore pubères; mais des conjoints aussi percevaient en eux-mêmes la gestation d'un sentiment nouveau en train de se former à leur insu...

Et la rêverie trépidante de Marie-Jeanne Nadeau, elle, se poursuivait.

L'abbé dansant sur les Avé parvient à elle et se tient au-dessus de sa personne couchée.

–C'est donc ce que vous voulez vraiment, Marie-Jeanne ?

–Je le veux.

–Mais cette parole n'est-elle pas celle du consentement au mariage, à l'union sacrée d'un homme et d'une femme pour la vie, que dis-je, pour l'éternité ?

–Ce 'je le veux' veut-il dire 'je ne veux rien d'autre à tout jamais' ?

–Ou bien 'aujourd'hui, je veux ceci' et demain, je pour-

rais vouloir cela ?

La femme sourit, pose sa main sur le foin :

–Allongez-vous près de moi, cher Moïse. Courtisez-moi un peu.

L'homme fait ce qu'elle suggère. Puis elle ramène sur leur personne assez de foin pour les faire disparaître tous les deux à la vue des curieux, peut-être même à celle de Dieu et de sa cour céleste.

–Il serait temps d'arrêter... nous sommes tous les deux quasiment en état de péché mortel déjà.

–Quel mal l'amour humain fait-il donc tant à Dieu, monsieur le vicaire ?

–Dieu n'est-il pas pureté ?

–C'est dans sa pureté qu'il nous a fait cadeau de l'amour. Ce sont les humains qui ont transformé l'amour en règles strictes démoralisantes.

–Où pêchez-vous donc de pareilles idées, madame Nadeau ?

–Je lis.

–Le lecture est si souvent condamnable. Heureusement, il y a la lecture du saint Évangile. Elle seule nous instruit des choses du Seigneur.

–Vous parlez comme quelqu'un qui veut dételer à peine commencé.

–Peut-être que le ciel est en train de venir à mon aide vu la faiblesse de ma chair.

Il fait sombre dans ce trou. Il y fait chaud. Deux corps aussi bien en chair dégagent beaucoup de chaleur dans un milieu aussi étroit et fermé. Par bonheur, il entre parfois par les grandes portes ouvertes donnant sur la batterie de la grange un air frais apporté par un petit vent qui annonce peut-être la venue d'un temps plus gris et de ses orageuses promesses.

Marie-Jeanne ne songe plus qu'à son désir exacerbé par la présence auprès d'elle, en ce lit de péché, d'un homme qui la trouble chaque fois qu'elle se confesse à lui. Et pourtant, elle veut savoir Dieu de son côté et se dit que si le beau Moïse en est venu à cette promiscuité, c'est parce que le Créateur de toutes choses l'y a conduit ou bien ne l'a pas empêché de s'y rendre par sa grâce, ce qui ne veut pas dire qu'Il lui a tourné le dos.

Tout bon catholique n'aurait jamais pu voir Dieu derrière ce couple interdit, et seulement le diable; et l'abbé Morin lui-même craint qu'il en soit ainsi. Il doit réagir. Quitter ces lieux de la tentation, s'éloigner de cette femme diablement attirante et qui devrait le repousser voire le chasser plutôt que de l'aspirer dans sa toile comme elle le fait par ses paroles lénifiantes, par ses odeurs enivrantes, par ces formes qu'il a souvent vues et qu'il sait là, à portée de main, dans la pénombre.

Mais le jeune prêtre suffoque de désir. Sa chair s'érige rien qu'à l'idée de se savoir au bord du gouffre des plaisirs défendus. On l'y pousse inexorablement. Il s'agrippe sur les bords, mais les bords lui échappent et pas même ses ongles ne lui serviraient utilement en si précaire situation qu'il a contribué à créer.

Et Marie-Jeanne ne voit plus rien d'autre que la fusion totale de deux désirs, avec la bénédiction céleste en prime...

Sophia dessilla les yeux et jeta un oeil rapide du côté de Francis Pépin puis, plus loin, d'Albert Martin, tous deux ombragés par la haute croix. Elle se demanda un moment ce que ces hommes pouvaient avoir en tête au sujet des propos insensés du père Morin. Il lui revint une phrase de son mari lors de leur rencontre avec le bossu :

"Le vieux Morin dit des affaires de même pour faire étriver le monde."

Puis elle vit que des têtes se tournaient vers le sud, la

montagne, le fond du rang. Elle regarda aussi. Un attelage venait, facile à reconnaître : c'était un petit cheval attelé à un selké, donc la voiture pas comme les autres du bossu Couët. Lui qui avait aidé à organiser cette réunion de prière y arriverait avec un retard étonnant. Sans doute avait-il une bonne raison car on le savait pieux comme un moine et ponctuel comme un oiseau migrateur.

Sauf que sa venue réchauffait toutes les têtes, enflammait toutes les rêveries. Il était celui par qui le message du vieux Morin avait couru dans le cinquième rang comme l'aurait fait la lave de cette montagne si elle s'était soudain transformée en volcan actif.

Albert Martin ne put s'empêcher de revoir une image qu'il avait souvent laissée envahir son cerveau : celle d'une rencontre intime avec Sophia Paré. La femme était au lit, étendue sur un drap pâle, nue, offerte, en attente. Et lui la regardait dans la pénombre, le coeur fou, la chair embrasée. Pendant ce temps, son épouse Marie-Louise et Jean Paré se berçaient sagement dans la cuisine, ignorant ce qui se passait dans la chambre du second étage et ne s'en inquiétant aucunement non plus. Seul un rêve pouvait permettre de pareilles conditions impossibles et l'homme ne se privait pas de le faire tout éveillé et de le nourrir malgré les attentes du neuvième commandement qui interdit de convoiter une autre femme que la sienne propre.

Lui aussi de même que sa Marie-Louise avaient été interpellés par les propos du père Morin transmis par Bossu; et en ce moment, Albert se souvint du début de cet échange-là...

–*Ben... il dit que les hommes pis les femmes du rang icitte, ça devrait organiser des veillées pis... ben...*

–*Envoye, Dilon, parle !* fit Albert.

–*Ben... changer de compagnie.*

–*Ben quoi, c'est pas nouveau. Les calleurs le disent tout le temps quand on danse : un demi-tour à gauche, un demi-*

tour à droite, on change de compagnie. Quen, c'est notre voisin Josaphat qui calle aux veillées, il va te le dire, lui.

–Thodore veut dire... changer de compagnie... plus que pour la danse.

Les époux s'échangèrent un regard entendu.

–C'est quoi ça ? Il est malade, le père Thodore. Mais pourquoi c'est faire que tu nous dis ça, Dilon ?

–J'parle pour parler. J'me dis que... ben y a pas de sujets qu'on peut pas aborder en jasant.

–Vous avez raison, approuva Marie-Louise. Mon mari disait tantôt que des fois, vous êtes un peu... notre conscience. Hein, c'est vrai que t'as dit ça, Albert ?

–Ben oué... je l'ai dit. Mais...

Si la venue du bossu avait alimenté les rêves les moins catholiques, son arrivée sur place les bloqua, tout comme le soleil est la source de l'arc-en-ciel avant d'en devenir le bourreau. En fait, ce fut son poney qui retira l'attention de la prière, du fantasme, de la personne du prêtre pour la capter dans une cabriole et un hennissement que l'on ne connaissait guère à la *Brune* toujours si calme et discrète. Nul n'aurait pu expliquer ce geste subit et sans suite. Peut-être que la Vierge passait par le cerveau de la bête et par ses muscles pour faire émerger les rêveries désordonnées des marais fangeux qui les embourbaient jusque là de plus en plus. Ou bien le hasard commandait-il au quotidien comme tous les jours ? Bossu savait, lui, qu'il n'avait pas provoqué le poney à l'aide des guides. Il descendit du selké en se demandant quelle mouche avait piqué la *Brune*. Car il croyait qu'il s'agissait bel et bien d'un insecte piqueur venu ponctionner à même les réserves de sang de l'animal sa ration du soir.

Plus de Marie-Jeanne dans la tasserie qui recherche les bras du prêtre pour la réchauffer alors qu'elle sue déjà à grosses gouttes de par l'excitation libidineuse qui l'occupe tout entière. Disparue dans la tête d'Albert Martin l'image d'une Sophia dénudée et désirée. Et interrompue en l'imagination de Sophia cette marche à deux couples puis à trois vers la montagne de la *Craque* que l'on atteindrait, que l'on gravirait, que l'on dominerait pour y poser la nappe du pique-nique à six au cours duquel on partagerait le pain, le vin et les propos joyeux, mais sans doute pas les pensées les plus profondes et inavouables...

Un autre que Bossu aurait bien moins dérangé bien moins de personnes. Mais le bossu était Bossu Couët, un personnage qui parlait sans dire, qui inspirait sans parler, que l'on voyait comme un petit roi, plus à l'image de Pétaud que de George V d'Angleterre. Car le vrai souverain de cette assemblée de prière, c'était l'abbé Morin, un prêtre messager qui servait de fil téléphonique entre le peuple et son Créateur, tandis que Bossu colportait les idées folles du vieux venimeux à Théodore Morin.

L'abbé Moïse Morin avait la prestance.

L'infirme Odilon Couët possédait la hideur.

Moïse s'exprimait dans la douceur et sa voix ressemblait à l'aile d'un séraphin.

Odilon se distinguait par la raucité de ses cordes vocales et leur timbre aussi lourd que puissant.

L'épaisse chevelure châtaine du vicaire contrastait avec ces cheveux luisants, aplatis, raides et noirs du quadragénaire infirme.

Des regards féminins allaient d'un homme à l'autre tant que dura la descente de Couët de sa voiture; mais alors, un cri de jeune fille se fit entendre. Des gens bougèrent de l'autre côté du selké. Il venait de se produire un accident. Personne encore n'en savait la gravité. Le vicaire sentit une vague pas comme les autres dans son dos, et qui n'avait pas grand-chose à voir avec la récitation du chapelet. Il se tourna et son visage changea, perdant son empreinte d'élévation spirituelle pour adopter celle de l'ahurissement béat devant une scène à prime abord horrifiante.

Juliette Goulet était agenouillée, accroupie et se tenait le ventre à deux mains en gémissant de douleur. Il parut au vicaire qu'elle avait été frappée par quelque chose, peut-être un sabot du petit cheval qui s'était cabré en hennissant l'instant d'avant.

Des témoins avaient vu ce qui s'était réellement passé à l'arrivée de l'attelage du bossu. La fillette aux yeux fermés, toute en recueillement et en communication avec les élus, avait sursauté en entendant les pas de la *Brune* tout près. Alors elle avait reculé plutôt de libérer l'espace devant le petit cheval qui, à son tour, avait eu un mouvement incontrôlé et s'était cabré. Bossu avait tout vu, lui, et s'inquiétait fort du sort de Juliette, une des rares enfants du rang à ne pas le craindre.

–C'est quoi qu'il arrive ? demanda l'abbé Morin qui venait de se joindre à l'attroupement autour de celle qu'on croyait blessée.

Bossu se sentait coupable de s'être approché aussi près des gens en prière et voulut se disculper :

–Aurait fallu qu'elle se tasse un p'tit peu...

–C'est les sabots du cheval ou quoi ?

–Ben non, c'est la menoire qui l'a accrochée quelque part dans le...

L'accident n'était pas mortel mais aurait pu avoir de bien plus graves conséquences. La conjugaison des mouvements simultanés de Juliette et de la *Brune* avait fait en sorte que l'extrémité de la menoire glisse entre les jambes de la fillette et pénètre son corps de quelques pouces, lui faisant perdre son enfance et causant de la douleur mais sans plus. Un transpercement très dommageable pour une jeune virginité mais qui ne provoquerait en fin de compte que des questions assoiffées de la part des curieux.

Couët n'avait pas terminé sa phrase afin que l'on comprenne ou devine ce qui s'était passé sans avoir à le dire. Un récit trop explicite de l'incident aurait peint plusieurs fronts d'un rouge écarlate, à commencer par celui de la mère de l'enfant, Désirée, qui venait de se pencher sur sa fille aînée pour la questionner à l'oreille, se doutant trop de l'origine de son malaise.

—On va s'en aller à maison tusuite, pis je vas te soigner ben comme il faut. Ça va être rien.

Juliette fit un signe de tête affirmatif. Pierre Goulet quitta un groupe d'hommes pour venir s'enquérir de la situation. Son épouse lui parla à l'oreille, puis partit avec Juliette qui continuait de se tenir le ventre, mais à hauteur pudique. Et son père s'adressa au vicaire :

—On peut continuer le chapelet. Ça sera rien pantoute.

—Bon.

Bossu s'excusa encore :

—J'aurais pas dû venir trop proche... mais les enfants aiment ça, toucher au poney. Elle s'est jamais énervée avant à soir.

Pierre Goulet reprit :

—C'est pas de ta faute pantoute, Dilon, c'est la p'tite fille, calvâce, qui s'est mis dans les jambes...

L'incident fut vite clos. La prière reprit. Mais les fantasmes ne revinrent plus, de toute la récitation du chapelet, remuer toutes ces chairs que l'été jeune rendait vulnérables aux attaques des démons les plus souriants, les plus aguichants, les plus hypocrites...

***

Chapitre 16

Il y avait deux milles et demi depuis la Grand-Ligne jusqu'à la maison du bossu Couët. Dix jeunes cultivateurs se partageaient les deux côtés du cinquième rang. Du monde vigoureux. D'aucuns sans enfants mais la plupart qui peuplaient bien rondement le pays au goût du clergé.

Le monde rural de la province de Québec était pauvre, mais moins que le monde urbain; et personne, malgré la grande crise, n'y crevait de faim. Et, derrière le manque flagrant d'argent sonnant, l'on trouvait à rire, à chanter, à s'amuser entre voisins aux affinités certaines et qui tous, dans une belle unanimité, ces jours-là de l'été tout neuf de 1930, clamaient leur dégoût devant les propos scabreux du père Morin véhiculés par le bossu qui voulait se rendre intéressant.

C'était la misère certes, mais une misère qui, grâce à la sainte Église, devenait une **sainte misère**. Or, une misère sanctifiée n'est-elle point une misère attachante ? Une misère à laquelle on tient d'une certaine façon ?...

Et pourtant, on ne parvenait pas à enterrer le sujet allumé par le vieux Théodore, à l'oublier, à l'éteindre à jamais comme un feu de paille déclenché par un coup de foudre, et que la pluie inonde de ses vertus les plus apaisantes.

Venus ensemble à la croix du chemin, les couples Morin

et Roy repartirent à quatre à pied. Ils étaient parmi les plus proches de la croix et de la petite école. Une courte randonnée conviviale et chacun retrouverait son chez-soi, la tête remplie des menus événements du soir : ceux qui s'étaient produits à la rencontre de la prière et ceux à venir durant les quelques minutes de leur cheminement vers la maison.

Les deux femmes allèrent devant alors que les assistants se dispersaient pour regagner leurs pénates aux premiers signes de cette tardive brunante de la fin juin.

–Comment va le père Thodore ? On l'a pas vu à soir, demanda Joseph à son voisin Hilaire.

–Il est pas trop fort sur la prière, le père. C'est pas ordinaire pour un homme de son âge.

Blanche tourna la tête vers les hommes :

–Bah ! on prie à sa place, pis ça fait pareil. Comme ça, on va le sauver malgré lui.

Marie ressentit alors un coup de pied dans son ventre. L'enfant en gestation réagissait-il au propos ou bien se sentait-il trop secoué par les pas pourtant mesurés de celle qui lui donnait la vie malgré lui. Hilaire soupira :

–On pense qu'il commence à retourner en enfance, le vieux. Il dit des affaires qui tiennent pas deboutte pantoute.

–On a entendu dire ça par le bossu, oué.

–Le bossu, il répète ça, lui, à tout vent. Il a toujours pas l'âge de retourner en enfance, lui.

–On parle de quoi au juste, là ? osa demander Marie qui savait d'avance la réponse.

Blanche dit, l'air offusqué :

–Le beau-père, il a dit à Bossu que le monde du rang, ça devrait... ben changer de maison... j'veux dire... les hommes pis les femmes pis toute là... Ça s'dit pas, des affaires de même. Rien que de penser à ça, j'ai honte. J'te dis que le beau-père, des fois, lui... qu'il est donc velimeux quand il veut des fois...

Les deux hommes eurent ensemble un rire désordonné qui cherchait à exprimer leur désaccord sans toutefois y parvenir tout à fait :

Marie commenta :

–Premièrement, c'est contre les commandements du petit catéchisme... les commandements de Dieu pis de l'Église.

–Deuxièmement, c'est prêcher le péché mortel...

Les deux hommes laissaient les femmes s'exprimer. Aucun n'osait parler maintenant, de peur que sa voix ne le trahisse, sachant bien que ses glandes salivaires fonctionnaient à plein sous l'impulsion que leur donnaient ces idées par trop libertines et excitantes...

Le vicaire fit monter à bord de sa voiture le couple Fortier dont la terre se trouvait la première de la droite du rang et la seconde depuis la Grand-Ligne après celle de Pierre Goulet. L'abbé prenait inquiétude pour l'état de santé de la jeune fille qui avait été frappée au ventre par l'attelage du bossu, sans pourtant qu'il ne sache exactement ce qui s'était passé. Les Goulet avaient quitté les lieux avant la fin du chapelet et lui s'arrêterait chez eux pour savoir de quoi il retournait avec cette histoire malencontreuse et malheureuse.

–Vous avez pas emmené vos enfants ? demanda le vicaire qui allait embrayer pour faire avancer son auto noire au fini lustré que les derniers rayons obliques du soleil faisaient briller de bien des feux.

–Rien que la Louiselle, fit Dora. Elle est plus loin, là...

–On va la faire monter. Ça va lui faire plaisir de prendre un tour de machine.

–Ah, c'est pas nécessaire ! s'exclama la femme de sa voix la plus persuasive. Elle connaît le chemin. Pis faut ben qu'elle s'accoutume parce que l'automne, ça va venir vite. Elle va entrer à l'école à son tour.

–Vous avez combien d'enfants déjà, vous autres ?

–Quatre de vivants, deux de morts en bas âge.

–Et quel est le prénom de chacun ?

–Roland : 7 ans. Louiselle : 5 ans. Luc : 4 ans. Pis Henriette : 2 ans.

–Une bien belle famille déjà ! Et c'est pas fini, j'imagine fort bien ?...

Dora soupira :

–Ça, c'est le bon Dieu qui décide, pas nous autres.

–Vous avez bien raison, madame Fortier. Je devrais vous appeler Dora, vous avez l'air si jeune encore.

Ce fut silence jusqu'auprès de la petite Louiselle que l'on fit monter. La fillette devint rouge de plaisir et d'orgueil de se voir ainsi sur la banquette avant de la 'machine' du vicaire de la paroisse. Et surtout, c'était la première fois de sa jeune vie qu'elle irait en automobile. Personne n'en possédait dans le rang, et on allait au village en robetail, en waguine ou en carriole l'hiver, voitures que tiraient des chevaux de chemin depuis les maisons des rangs jusqu'à l'église, aller et retour.

Jean-Pierre tira sur une des tresses de l'enfant, disant sur un ton enjoué :

–Un beau tour de machine en 'casse-pinette' : es-tu contente, toé ?

On lui parlait rarement, à elle comme aux autres enfants de son âge, et la petite fut doublement intimidée par la présence du prêtre et cette interpellation de la part de son père. Elle se contenta d'un signe affirmatif répété. Et Jean-Pierre éclata d'un rire surfait.

Deux couples avaient voyagé ensemble pour venir, et voilà qu'ils retournaient à la maison de la même manière. Les Martin s'étaient arrêtés devant la demeure des Paré, les voyant se mettre en route, et leur avaient proposé de monter sur la banquette arrière de leur voiture d'été à quatre places. On avait accepté en modifiant un peu la scène et les deux hommes furent ceux qui s'installèrent derrière les femmes. Marie-Louise prit les rênes.

Il y avait des affinités certaines entre ces quatre personnes. D'abord entre les hommes qui ne se sentaient jamais en compétition, qui se prêtaient mutuellement volontiers des outils, qui s'échangeaient souvent du temps, surtout en automne lors de la grande récolte de l'avoine et des pommes de terre. Chaque famille avait un nombre d'enfants sensiblement égal : huit chez les Paré et six chez les Martin. Et quand Sophia Paré accoucherait, Marie-Louise agirait comme sage-femme comme elle l'avait fait avec empressement en quelques occasions déjà. Mais avant cela et tout d'abord, ce serait au tour de Marie-Louise d'enfanter et là, Sophia revêtirait les habits de sage-femme. À moins que ce ne soit Marie-Jeanne Nadeau, cette autre voisine dévouée.

Là ne s'arrêtait pas le va-et-vient des atomes crochus entre les deux couples, et les choses pouvaient aller bien plus loin. Il arrivait à Marie-Louise de penser à Jean Paré dans les moments les plus intimes de son couple. Mais en vraie chrétienne, elle prenait toujours bon soin de chasser impitoyablement de telles images qu'elle attribuait au Tentateur et à qui d'autre. Quant à lui, Albert ne faisait pas grand zèle pour se débarrasser des fantasmes qui lui présentaient la belle Sophia bien enveloppée dans toute sa nudité sur un vaste drap de satin rose, offerte, ouverte.

Par contre, les Paré, malgré les agréments qu'ils retiraient de leur fréquentation du couple Martin, n'avaient jamais une seule fois, dans leur imagination, conçu de fantaisies coupables incluant ces voisins attrayants. Mais voici que les propos du père Morin, qui s'étaient répandus dans le cinquième rang comme une traînée de poudre, allumant partout des feux, risquaient, à leur insu même, de faire exploser leur libido si tant est qu'une situation favorable en vînt à se présenter. Et cela pourrait arriver n'importe quand, peut-être ce soir même de douce chaleur et de grâce.

Mais le grand obstacle à l'éclosion et surtout au cheminement du désir était les enfants. Partout des enfants. Des oreilles d'enfants. Des yeux d'enfants. Des enfants, il en mouillait. La plupart des maisons du rang en grouillaient. Une invasion de marmaille en chaque demeure à part celle des Rousseau désertée par la fille unique du couple et celles des Poulin et des Pépin, que Dieu avait frappées du sceau de l'infertilité pour des raisons connues de Lui seul.

Il y avait aussi les enfants en gestation. Les deux femmes, Sophia et Marie-Louise, étaient enceintes. Barrière de plus et quelle barrière que celle d'un ventre trop bombé !

Devant chez eux, les Roy allaient entrer dans la montée quand Hilaire suggéra :

—Pourquoi c'est que vous venez pas faire un petit tour à maison ?

—Pourquoi c'est faire que vous venez pas vous assire sur notre galerie ? répliqua Joseph. On aurait encore une bonne heure à jaser avant la grosse noirceur.

—J'ai du bon vin de cerise de l'année passée, enchérit Marie de sa voix la plus invitante.

—C'est pas de refus, hein, Blanche ? de dire Hilaire.

À ce moment même, la voiture du vicaire arrivait à leur hauteur sans toutefois soulever de poussière tant la vitesse du véhicule était réduite. Des enfants dont les petits Roy, Jean et Julien, couraient derrière, et le prêtre s'amusait à les laisser rattraper la voiture puis à accélérer afin de les distancer un peu. Et chaque fois qu'ils venaient près de monter sur le pare-chocs arrière et manquaient leur coup, il riait aux éclats à remplir tout l'habitacle pour le plus grand plaisir des Fortier et de leur fille.

—Vont voir que ça prend des saprées bonnes pattes pour rattraper une machine ! s'exclama Jean-Pierre qui tournait parfois la tête pour voir les enfants tandis que le prêtre les surveillait par son rétroviseur.

Et pas très loin, qui n'intéressait pas grand-monde quand une automobile se trouvait dans les parages, le bossu Couët suivait sans hâte, la *Brune* au pas court presque endormi. Le quadragénaire infirme avait besoin de se rendre chez les Goulet pour s'enquérir de l'état de la fillette que son selké avait blessée, peut-être sérieusement. Et il en profiterait pour voir le cheval qu'il venait de vendre à Pierre pour remplacer l'autre qu'on avait dû euthanasier récemment.

Et pendant ce temps, tous ceux qui étaient venus à la croix du chemin regagnaient leur domicile, tous plus rayonnants qu'avant le chapelet, protégés par la Vierge et à l'abri du péché et de ses conséquences désastreuses.

—Malheureusement, on a fini notre glace pour cette année, déclara Marie Roy quand elle vint servir du vin aux trois adultes qui avaient pris place sur la galerie.

—Déjà ! lança Hilaire sur le ton de l'incrédulité. Nous autres, on manque jamais de glace.

—Jamais ! approuva Blanche.

—Vous en dépensez donc ben !? reprit Hilaire.

—Pas plus que tout le monde. J'pense pas, dit Joseph en acceptant le verre que lui présentait sa femme.

—Elle a fondu trop vite ?

—On peut dire ça, oui.

—Ton parc à glace mesure six pieds par six pieds, quelque chose du genre ?

—Un peu comme ailleurs. Pis on a mis de la paille en masse pour protéger la glace.

—Allons donc voir ça !

—Si tu veux, Hilaire, mais j'vois pas en quoi...

—Deux têtes, c'est mieux qu'une. Venez-vous avec nous

autres, les femmes ?

—Ben finissons nos verres, pis on ira ensuite, dit Joseph sur le ton de l'autorité...

—Vous voilà rendus à bon port ! fit le vicaire en stoppant sa voiture devant la porte des Fortier.

—Ben on vous remercie à plein pour le tour de machine, dit Jean-Pierre, plus mielleux que de coutume.

—C'est ben bon d'vot' part ! ajouta Dora qui faisait toujours appel à cette phrase quand les mots lui manquaient pour remercier.

Le vicaire posa sur la tête de la fillette sa grosse main dont l'empan allait d'une tresse à l'autre :

—Et puis, toi, ma petite Louiselle, as-tu aimé ça, te promener en automobile ?

Elle sourit de toutes ses dents blanches en faisant un signe affirmatif. Il ajouta :

—Un autre tantôt, on se rendra jusqu'à Mégantic.

La fillette eut un vif éclat de rire. Son contentement atteignait un comble. Mégantic, c'était le Montréal des enfants des environs. Quand on s'y rendait, on s'en vantait une semaine à l'avance et une semaine par la suite.

Dora, qui était descendue, lui ouvrit la portière, et bientôt les Fortier rentraient à la maison, tandis que le vicaire poursuivait son chemin avec la même intention de s'arrêter chez les Goulet pour en savoir plus sur l'état de la jeune fille blessée par le selké du bossu.

Couët venait, réfléchissant, roulant dans sa grosse tête des souvenirs de jeunesse. Comme il en avait essuyé des quolibets aux airs d'insultes ! Et comme ces attitudes déplorables des uns avaient rehaussé la valeur de celles des rares personnes qui lui témoignaient de la sympathie ! De la vraie et non pas que celle, artificielle, dictée par la charité chrétienne. Un sentiment issu du fond d'un coeur et pas de nécessités implantées dans les âmes par la religion catholique.

D'instinct et d'expérience, il savait qui riait de lui et qui le prenait en pitié, qui ne voyait que sa bosse, sa tête, ses jambes et qui regardait au-delà, en direction de son coeur, de son esprit et de son humanité.

Des rares anges ayant croisé le chemin cahoteux et ardu de sa vie misérable, Delphine Robert de son rang de Saint-Samuel avait été le plus merveilleux. Des années durant, après l'avoir ramené à la maison suite à son accident du bocage, elle avait été présente par son sourire, le plus beau du monde, ses *'bonjour Odilon'* qu'il recueillait dans son coeur comme autant de roses s'ajoutant au bouquet de rêve y croissant depuis l'incident de la jambe brisée. Il ne la voyait que furtivement et tout juste une fois par semaine à la grand-messe alors qu'il devait tourner la tête pour l'apercevoir dans leur banc, parfois sur le perron de l'église alors qu'il manoeuvrait pour se trouver pas loin d'elle, et pourtant, son visage éclatant brillait chaque heure de sa vie d'adolescent dans les plus augustes lieux de son imagination.

Elle avait eu dix-sept ans. Un jeune homme du rang voisin s'était mis à la fréquenter au milieu des années 1890. Bossu n'en avait conçu aucun sentiment négatif, aucune animosité envers lui ou la belle jeune femme d'un blond ardent au visage si pâle et aux yeux couleur d'azur.

Puis elle avait eu dix-huit ans et alors, un visiteur abominable s'était rendu chez elle pour chasser le cavalier et la prendre sur sa sauvage monture. Il était un précurseur de la grande faucheuse qui, assise plus loin, à la croix du chemin, attendait qu'il parachève son oeuvre macabre. Ce dictateur implacable avait pour nom *'tuberculose'*, et il frappait à bien des portes en ce temps-là. À trop de portes. Comme si chaque famille lui avait dû quelqu'un, à ce créancier retors...

Delphine avait dépéri rapidement. Il avait fallu l'envoyer

dans un petit sanatorium de Mégantic où les soins de prolongation s'étaient écrasés contre un mur. Rarement n'avait-on vu une malade se faire abattre en pleine jeunesse, foudroyée par ce mal terrible qui faisait rarement quartier à ses victimes trop nombreuses.

Delphine avait rendu son dernier souffle la veille de ses dix-neuf ans au départ d'un bel été verdoyant, et Odilon avait souffert mille morts dans son coeur de onze ans. Il s'était rendu à l'exposition du corps sur les planches à la demeure des Robert. Pourquoi elle ? Pourquoi pas moi, à sa place ? Pourquoi le bon Dieu est-il si cruel ? Mille questions, toujours les mêmes en des mots différents, avaient assailli son âme. Vaine quête ! Aucune réponse ne lui était venue. Alors il avait dû penser que la vie n'est rien d'autre qu'une seule et grande interrogation à laquelle rien excepté la mort ne saurait répondre. Et son désir de mourir s'était accru considérablement, muselé par la seule religion qui damnait les suicidés, clouant ainsi à la croix de la vie aussi bien les grands malades que les plus défavorisés du sort.

Assis dans un coin de douleur profonde, engoncé dans des pensées funestes qui prenaient tout l'espace de sa vie, le jeune bossu n'avait cessé de regarder le corps étendu que la vie avait déserté avant son heure. Mille fois, son regard perdu et caché s'était promené de la chevelure d'or flottant sur la robe blanche aux chaussures noires contenant ces pieds adorés qui s'étaient donnés à lui pour le sortir de ce moment tragique de son enfance alors qu'il s'était cassé une jambe dans le bocage infranchissable. Delphine non seulement avait porté secours à son corps abîmé ce jour-là mais aussi et surtout à son âme brisée. Il avait vécu pour son regard, pour son sourire angélique, pour ces fleurs en gestes qu'elle lui offrait chaque semaine, et, par la suite, pour les souvenirs impérissables profondément enracinés dans chaque partie de son coeur attristé. Souvenirs arrosés de ses larmes et qui, pour cette raison, étaient restés vivaces tout au long de sa vie. Souvenirs qui, chaque jour du bon Dieu, s'emparaient de son être profond pour l'emporter hors du temps malheureux dont il était un prisonnier oublié parmi les plus misérables.

–Dilon, où c'est donc que tu t'en vas ? lui lança une voix qui se rendit le prendre dans sa noire pensée pour le rendre à la réalité du soir.

C'était Romuald Rousseau qui avait manqué le rendez-vous de la croix du chemin et désirait parler à quelqu'un de n'importe quoi. Le bossu fit s'arrêter la *Brune* :

–Ah, j'vas faire un tour su' Pierre Goulet. Sa p'tite fille a eu un p'tit accident au chapelet tantôt, pis je m'en vas prendre de ses nouvelles.

–Un accident ? Quelle sorte d'accident ?

–Pas grand-chose : est r'partie su' ses deux pieds avec sa mère. T'as dû les voir passer devant icitte.

–On a fait notre train en retard à soir, ma femme pis moé. On a tout manqué c'est qui s'est passé dans le rang. T'as dû aller au chapelet ?

–Ben sûr ! Ben sûr !

Georgette, qui avait tout entendu, sortit et demanda la même chose que son mari :

–C'est quoi qui est arrivé à la p'tite Goulet donc ?

–Ah... elle s'est accrochée dans la menoire de mon selké. Elle a reculé quand c'était pas le temps. Un accident, c'est que vous voulez.

–Les enfants... avec le nombre qu'il y a dans le rang, y en a toujours un d'éclopé.

–Un accident, c'est un accident !

–'Cartain' ! fit Romuald avec un signe de tête affirmatif.

–Certain ! enchérit Georgette.

–Ben moé, j'vas continuer mon chemin. La brunante nous tombe su' l'dos : va falloir que je r'vienne à grosse noirceur.

La femme parla avec autorité, clignant des yeux :

–Si c'est grave pour la p'tite fille, vous arrêterez nous le dire, monsieur Couët.

–Grave, grave : c'est dur à dire, ça...

–Ben mettons que le docteur Arsenault est demandé pour la soigner. C'est-il la Juliette, ça ? Ou ben Fernande ? Ou l'autre, là, la p'tite Lucie ?

–C'est... la plus vieille... Ben à plus tard... si ça adonne.

Et Bossu clappa, qui n'avait plus envie de parler et se sentait appelé à prendre des nouvelles au plus vite de la blessée, cette jeune fille qui lui avait toujours souri plus et mieux que les autres enfants du cinquième rang.

On lui répondit "à plus tard" à voix mêlées.

On était vraiment en pleine heure entre chien et loup sur le plancher des vaches... Les bâtiments des Fortier et des Goulet plus loin étaient silhouettés par les dernières lueurs venues de l'ouest crépusculaire...

Les deux femmes Martin et Paré s'occupaient à l'examen de pièces de tissu mises sur la table de la petite salle à manger tandis que les maris fumaient la pipe en se berçant dans la grande cuisine.

–Celui-là, le beau fleuri, je veux faire une robe pour Agathe. À treize ans, elle se développe vite, pis elle peut pus mettre des robes de petite fille. J'en ai eu de sa grand-mère pour elle, mais c'est pus ben ben à mode.

–Déjà treize ans, ton Agathe ? Pis ton plus vieux, quel âge qu'il a, lui ?

–Notre Félix est rendu à quinze ans. Un homme. Il a fini son école, pis il travaille dans les chantiers l'hiver. Showboy. L'été, il aide son père. Une bonne paire de bras, j'te dis. À soir, il est parti à pêche sur le lac *Miroir* avec le gars à Maurice Nadeau, l'Euchariste à Maurice.

–Euchariste, quand j'entends ce nom-là, moi, j'me demande c'est qu'elle a dans la tête, la Marie-Jeanne, d'appeler ses enfants de même. Ses deux plus vieux : Armoza pis Lorenzo. Valéda, Alfreda, Émilienne...

–Pis son dernier donc : Hormidas. Ça, c'est pas battu. J'veux pas m'avantager, mais j'ai choisi des prénoms qui sonnent un peu mieux.

–Je les sais, mais... redis-moé les donc !

–Comme je l'ai dit : les deux plus vieux, c'est Félix pis Agathe. Ensuite, c'est Dominique, Rachel, André, Louis, Antoinette pis la p'tite Desneiges. Huit en tout.

–Ton mari, il perd pas de temps coudon.

–Comme on dit : ça prend deux personnes pour danser le tango. Pis deux pour faire des enfants... Faut ben faire notre devoir de bons chrétiens.

–Ouais, soupira Marie-Louise. Not' devoir... not' devoir... On se le fait souvent rappeler par les prêtres. Faut croire ce qu'il faut croire...

Dans la cuisine, Jean Paré lança un crachat tordu dans le crachoir cabossé posé à terre entre les deux chaises berçantes occupées par les presque voisins. Et, rieur, il dit à voix retenue pour que les femmes n'entendent pas :

–Y a pas personne qui a reparlé des propos du vieux Thodore Morin à soir au chapelet. Par chance que le vicaire a rien entendu de ça, lui. Ça ferait scandale dans la paroisse que ça serait pas long...

–Un boutte de temps, j'me sus demandé si c'était pas du colportage du bossu Couët, ça, ben plus que des paroles du pére Morin.

–Non, non, il l'a ben dit, le vieux. Mais... des fois, j'me demande si on pensera pas comme lui à son âge. Un vieux veuf qui r'garde la vie par en arrière pis qui regrette de pas avoir tout pris le p'tit peu de plaisir que la vie nous réserve.

Albert regarda du côté des femmes qui jaspinaient sans prêter attention ni oreille aux hommes. Il détailla une fois de plus la ronde Sophia que ses rêves parfois déshabillaient sans pudeur. Une voix sortie de son plexus solaire émergea de sa bouche :

–Des fois, j'me demande si on devrait pas essayer ça.

Le regard de l'autre devint grand comme la craque de la montagne. Il parvint à dire dans un souffle incrédule :

–Tu veux dire... changer de femme ?

–Oué... Tu vas pas me sacrer dehors parce que j'te dis ça, toujours ?

–Es-tu sérieux quand tu dis ça ?

–Pourquoi pas ?

–Les femmes voudraient jamais, tu penses ben.

–Pour le savoir, faudrait leur en parler.

–Tout d'un coup qu'on se ramasserait avec des enfants mélangés. Un mien chez vous. Un tien icitte.

–Ben non ! Sont déjà enceintes, toutes les deux.

–C'est ben vré : j'y pensais pas... 'Chapeau pointu', dirait Arthur Bilodeau, ça me vire quasiment à l'envers rien que de parler de ça.

–Pis moé avec, soupira Albert dans un aveu soulageant.

–C'est qu'on fait ? On leur en parle ?

–Pas tusuite, parce qu'elles vont crier au scandale, mais chacun de not' bord à soir, dans la chambre. C'est que t'en penses, toé ? Rien que pour voir...

–Si un le fait, faut que l'autre le fasse, hein ! Autrement, y en a un qu'aurait l'air fou pas mal.

–On a autour de 35 ans tous les quatre : si on veut prendre la chance quand elle passe, c'est le temps. Ou ben on aura à regretter ce qu'on a manqué à quasiment 90 ans comme le vieux Thodore Morin.

–Quand est-ce qu'on s'en reparle tous les deux ? Demain, pas plus tard ?

–Si on remet à un autre tantôt, il se passera jamais rien.

–T'es pas un homme jaloux, toé, toujours ?

–Écoute, mon Jean, c'est sûr qu'on peut pas se débarrasser de ça facilement, mais quand ça se fait entre des amis comme nous autres...

–Ben d'accord avec ça, moé !

–Il s'agit pas de se montrer meilleur que l'autre, il s'agit de faire une expérience, de prendre ce que la vie peut nous offrir. On travaille assez. En plus qu'on est en pleine crise. C'est le vicaire lui-même qui dit qu'on doit s'amuser.

–Il voulait dire 'de la manière que les prêtres le disent'.

–Ça se ferait entre nous quatre, ben entendu.

–Si le bon Dieu voudrait qu'un homme se limite à une femme, il nous aurait fait pour que ça bloque quand c'est pas not' femme. On perdrait nos moyens. On les garde : ça veut dire qu'on est bon pour plus que toujours la même.

–C'est peut-être ben ce qui va nous arriver.

–On le saura pas si on essaye pas.

–J'y en parle à soir, à ma femme.

–Moé itou, mon ami...

Les deux hommes avaient échangé comme poussés par un vent irrésistible. Chaque phrase tirant la réplique. Chaque repartie amenant l'autre... Il y eut une longue pause. Albert reprit la parole, la voix chevrotante mais forte :

–Pis, comment c'est que tu trouves le temps qu'il fait ? Idéal pour récolter du beau foin c't'année...

Joseph Roy alluma un fanal et précéda sa femme et le couple Morin au hangar à glace.

–C'est-il tout c'est que t'avais de paille, ça ? questionna Hilaire quand il aperçut le contenu du parc.

–Oué... J'en avais pas plus...

–Tout le problème est là. Il faut quatre pieds de paille au moins par-dessus la glace pour qu'elle se conserve sans fondre avant les grosses chaleurs de juillet.

–C'est comme j'te dis : j'en avais pas plus.

–L'hiver prochain, si tu manques de paille, viens me voir. Si j'en ai de surplus, je t'en repasserai. Comme ça, tu pourras conserver ta glace jusqu'au mois d'août.

–C'est pas de refus. J'ferai ça.

–On devrait s'assire pour jaser un petit brin, tous les quatre, suggéra Hilaire qui, à l'aide de ses pieds, poussa la paille pour la ramasser en tas qui feraient office de sièges.

Joseph accrocha la lanterne à un clou de bois d'une pièce de soutien de l'enclos :

–Pourquoi pas ? On peut veiller une p'tite heure icitte, hein, les femmes ?

–Que quelqu'un ferme la porte pour pas que les enfants viennent nous déranger ! ordonna Marie qui, ensuite, s'aida du mur de bois brut pour prendre place dans la paille, elle qui ne se manoeuvrait pas aussi aisément que de coutume vu son état de femme enceinte.

Blanche Morin prit place à son côté. Il y eut un moment de silence. Tandis que Joseph allait faire glisser la porte sur son rail d'acier pour la fermer complètement, non sans fracas, Hilaire parcourut l'intérieur du regard. Toutes choses lui apparurent dans une sorte de clair-obscur qui les déformait et leur donnait un nouveau sens, comme si leur âme avait été de gris, dépouillée de ces couleurs qui parfois voire souvent, empêchent de voir l'essentiel.

Deux harnais étaient suspendus au mur opposé au parc à glace. Ainsi accrochés, les sangles, bourrures, traits et autres composantes donnaient allure de fatras sans utilité. Mais, à l'instar des sentiments humains qui se bousculent dans un inconscient sombre, les divers éléments de cuir, de matériel, de métal formaient un ensemble à la fois désordonné et fascinant, qui exprimait une puissance invisible et une aptitude à l'ordre insaisissable.

Plus loin, sur le mur, à hauteur d'homme, deux brides se reposaient de leur longue journée dans les champs de labeur. Leurs oeillères rappelaient le regard docile des bêtes de trait alors que de jour, elles empêchent ce même regard de tout voir pour ne pas distraire l'animal et l'exciter.

Et encore, des râteaux de bois dont on se servait pour réunir les andains en lisières de foin ou d'avoine fauchée. Et aussi une petite faulx qui, plaquée là, donnait à penser plus à la mort et son allégorie qu'à une récolte de belle saison. Et puis encore, sur le mur du fond, le contour d'une batteuse, celle-là qui avait arraché et avalé le bras d'un homme de Saint-Sébastien dix ans plus tôt, et dont on craignait de moins en moins l'avidité à mesure que le temps passait.

—Assis-toé, mon Hilaire, dit Joseph de retour de la porte refermée.

—Quen, en face de nos p'tites femmes.

—P'tite ? Pas trop comme c'est là ! rétorqua Marie.

—Bah ! dans quelques semaines, tu vas retrouver ta taille, dit Blanche qui, elle-même ayant traversé huit grossesses, connaissait le tabac et pouvait intervenir au bon moment afin de soulager une consoeur partie pour la famille.

—Ça fait bizarre de se retrouver comme ça, à quatre, le derrière su' la paille, fit Joseph en riant alors qu'il prenait place à son tour au fond du parc.

—Un peu plus noir, pis on se tromperait de femme, commenta Hilaire que la situation émoustillait.

Les femmes demeurèrent coites. Joseph lança de sa voix portante :

—Tu m'dis pas que tu penses comme ton pére, Hilaire ?

—À propos de quoi ?

—Ben... de c'que tu viens de dire... Se tromper de femme.

—Ah ? Ça ? J'voulais parler de la noirceur, pas de c'que tu penses que j'voulais parler.

–C'est mieux de même !

Hilaire se racla la gorge. Il venait de mentir sur sa véritable intention et voulait se rattraper pour remettre le sujet sur le tapis sans montrer sa véritable intention : il reprit une idée déjà exprimée plus tôt :

–Le pére, il commence à retomber en enfance.

Cette fois, Blanche s'opposa vigoureusement :

–Pantoute de pantoute ! comme dirait Maurice Nadeau. Il sait ben trop ce qu'il dit, le vieux snoreau qu'il est. Je le connais, depuis le temps...

Tout allait bien pour Hilaire qui parla avec une hésitation feinte :

–Ça se pourrait ben itou !

–Ça se peut certain ! Avec l'âge, on dirait qu'il est de moins en moins catholique. La messe, j'vous dis que c'est pas son fort. La communion non plus. La confesse : une fois par année, pis ça le force. Une vraie honte ! Par chance que le curé le sait pas...

Joseph intervint :

–Faudrait pas l'accabler non plus ! À son âge, on va peut-être se comporter comme lui.

Comme Marie-Jeanne Nadeau, Marie Roy n'avait pas peur des mots, encore moins dans ce lieu insolite où elle ne se sentait pas la même que de coutume.

–Arrêtons de tourner autour du pot, pis parlons de son idée, au pére Thodore, de mélanger les couples humains... comme des animaux. Avec les conséquences... l'enfer pis tout le reste. Après tout, c'est peut-être pas vrai, tout ce qu'on nous dit, pis monsieur Morin comprend des choses que nous autres, on comprend pas, parce qu'on se fait remplir la tête... Posons-nous donc la question une bonne fois pour toutes, pis réglons ça !

Joseph fut fort étonné des propos de son épouse. Mais pas contrarié comme il aurait pu le penser. Surtout que l'idée maîtresse de l'échange s'additionnant à la bizarrerie du lieu où l'on se trouvait, loin du labeur, loin des enfants, loin des prêtres, loin des voisins, le disposait à du neuf, du pas déjà vu, de l'excitant.

Blanche Morin eut dans son oeil gauche une image et dans le droit une autre. Deux visions diamétralement opposées par leur effet en elle : répulsion vive et attrait puissant. D'une part, elle imagina Joseph s'approchant d'elle pour la toucher, lui masser les pieds, chevilles, mollets... De quoi soupirer fortement. D'autre part, elle vit son Hilaire déployer ses grandes mains baladeuses sur la poitrine de Marie Roy, et voilà qui lui coupait le souffle. L'impensable d'un côté annihilait son consentement de l'autre.

Hilaire, quant à lui, composait à mesure avec l'évolution de l'échange d'idées, et surtout de sensations qui voyageaient dans sa substance à la vitesse des mots entendus. Officiellement outré, scandalisé par l'idée explosive émise quelques jours plus tôt par son père et véhiculée par tout le rang par le selké du bossu Couët, sa chair d'homme avait la mèche courte et s'embrasait aisément. Mais de là à voir sa chère Blanche dans le lit d'un voisin, il y avait toute une marge...

Il lui vint alors une idée de compromis afin que soient rapprochés les désirs charnels masculins de ceux, émotionnels, des femmes. Une pratique encadrée. On garderait les vaches à l'intérieur du clos de pacage, dans les limites du parc à glace... Il fallait l'exprimer sans choquer.

–Ce que le pére a dit est pas péché en autant qu'on dépasse pas certaines limites, vous savez. Quen, mettons que je me mets à masser les pieds, les jambes, le dos à Marie, y a pas de mal là-dedans. Même chose si Joseph fait pareil avec Blanche. Pourvu que ça dépasse pas ça. C'est comme danser un set carré. Si ça reste un set carré, personne peut trouver à redire. Essayons-le, on va voir... Comme il en faut un premier qui se décide, ben, ça va être moé...

Il se rendit à genoux près des pieds de sa voisine Marie.

Et entreprit de délacer lentement la bottine de cuir souple qu'elle portait.

–Envoye, mon Joseph, fais pareil avec Blanche ! Y'a pas de péché là-dedans. On sait où c'est qu'il va falloir s'arrêter, pas besoin du vicaire pour nous le dire, encore moins du curé Lachance, vous pensez pas, vous autres ?

Joseph hésitait. Il n'aimait guère voir l'autre masser les pieds de sa femme, mais en même temps, les pieds de Blanche, qui restaient bien là sans le moindre geste de retrait, l'appelaient jusque dans son ventre remué.

Voir son mari agir incita Blanche à entrer dans la danse. Elle se pencha vers l'avant et entreprit de se déchausser alors que Joseph ne bougeait toujours pas, sidéré, congelé en ce parc de la glace, bouche bée, interloqué...

Il y eut un moment où la paille cessa de chanter ses tentations et l'on put entendre quelque chose bruire quelque part on ne savait où.

–Vous entendez ? chuchota Marie.

–Il doit y avoir une petite bête dans le hangar, suggéra Joseph qui sortit de sa prostration, se leva, prit le fanal et commença d'examiner l'intérieur de la bâtisse.

Le long d'un mur se trouvait une cordée de bois de chauffage bien sec, coupé de longueur, fendu et mis là l'année d'avant, au temps de la belle prospérité qui avait pris fin abruptement ce jeudi noir d'octobre, jour du krach de la Bourse. On avait ménagé le bois au cours de l'hiver, même si on n'en manquait pas dans l'érablière, de ces chicots à abattre, de ces arbres tombés de vieillesse ou bien déracinés par un coup de vent malicieux. C'est que Joseph préférait vendre les surplus au village pour mieux répondre aux besoins familiaux en des sphères où il ne possédait aucune compétence, aucune possibilité de produire l'objet, la denrée ou le carburant requis, comme par exemple l'huile de charbon nécessaire pour l'éclairage au fanal ou à la lampe à l'intérieur de la maison.

C'est derrière cette rangée haute que l'espèce de chuintement se produisait. Il pouvait s'agir d'une petite bête sauvage que la venue du quatuor avait dérangée.

–Pas un revenant toujours ? lança Hilaire pour dérider tout le monde.

–Dis donc pas ça, toé ! protesta son épouse qui, malgré la quasi-noirceur due à l'éloignement de la source de lumière, pouvait distinguer son mari en train de pétrir les mollets de la voisine qui, elle, ne se dérobait pas et se prêtait au jeu.

Pour Marie, un contrat verbal avait été passé entre eux. Personne ne s'était objecté au rapprochement charnel entre partenaires différents, et on savait les limites de l'entente. Des mains qui cffleurent, qui touchent, qui massent, rien de plus, et pas ailleurs que sur les membres supérieurs et inférieurs, et le dos. Sauf que Joseph ne lui avait jamais frotté les jambes de cette façon, pas même avec de l'alcool à friction pour soulager ses jambes de trop d'efforts ces journées de travaux lourds d'une récolte ou d'une autre.

–Je l'ai trouvé ! lança Joseph. C'est un 'portipi' (porc-épic). C'est ses poils qui frottent après le mur du hangar. On va le laisser là; il nuit pas à personne, pis il va pas s'approcher de nous autres. Il peut toujours s'en aller en passant en dessous de la porte...

Et l'homme revint vers le parc. Et la lumière de la lanterne tomba sur les trois personnes qui s'y trouvaient assises. Blanche regardait son mari frictionner les mollets de Marie qui, torse penché vers l'arrière, bras lui servant d'étançons, gardait les yeux fermés et soupirait fort.

Une puissante charge d'adrénaline envahit le corps de Joseph. Une suffusion de sang sous la peau fit rougir son visage, mais rien n'y parut en raison du faible éclairage. Il accrocha le fanal et se jeta littéralement à terre, près des jambes de Blanche. Comme pour rattraper les gestes de son voisin par les siens plus osés, il posa ses mains rugueuses sur les genoux mêmes de la femme. Elle le regarda droit dans les yeux, jeta un vif coup d'oeil à son homme qui lui fit un léger signe de tête, prit les deux mains de son nouveau partenaire et les força à se poser plus haut, sur ses cuisses...

—Pas trop haut, là, vous autres ! Autrement, ça serait péché mortel, avertit Hilaire qui, à son tour, stimulé encore plus, dépassa les genoux de sa partenaire.

Plus personne ne dit mot. Le moment devenait trop sérieux. La montée du désir rend muet. Quand l'organisme se mobilise pour l'accouplement, il doit faire appel à tous ses potentiels, y compris celui de la parole. Un seul grand appel, celui de la fusion; une seule réponse possible, les gestes y menant.

Voilà qui mettait en péril le contrat verbal signé par les quatre plus tôt... Serait-on capable de ne pas franchir les frontières entre l'amitié et celles du péché mortel ? On courait tout droit vers un précipice en bas duquel se trouvaient des pierres en éclats qui blesseraient, peut-être mortellement, ceux qui s'y écraseraient...

Le vicaire Morin était assis dans les marches de l'escalier de la maison Goulet, éclairé par la lueur d'un fanal à mèche longue qui brûlait bien l'huile. Pierre avait pris place sur le bord de la galerie et ses jambes gambillaient au rythme des propos échangés. Des enfants avaient mis leur nez dans la moustiquaire, mais pas Juliette qui se faisait invisible. On parla du temps qu'il faisait, des foins qui seraient excellents, du prochain chapelet à la croix du chemin vers la fin du mois de juillet. Cela donna le temps au bossu de venir. Il entra dans la cour. On le salua de signes et d'onomatopées. Il fit stopper la *Brune* au coin de la galerie et descendit de son selké.

—Pis, ton ch'fal, mon Pierre ? C'est comme tu voulais ?

—Numéro un. Une bonne bête. Un peu sueux, mais rien de pire. Fort à plein. J'te dis qu'une waguine pleine de bois de chauffage, il te hale ça comme il faut, aussi ben dans les roulières de la cédrière que dans les côtes du haut de la terre.

Bossu n'osait s'enquérir de l'état de Juliette, pas plus que le vicaire ne s'était risqué à le faire depuis son arrivée quelques instants plus tôt. Désirée, qui savait par les enfants que des visiteurs se trouvaient devant la maison et qu'il s'agissait du vicaire et du bossu Couët, ne fut pas longue à deviner la raison profonde de leur arrêt alors que la brunante achevait de mourir dans les rougeurs de l'horizon. Elle s'amena à la porte et annonça la nouvelle qu'ils étaient venus quérir :

–La p'tite fille, elle a pas grand-chose finalement. Ça y en prendrait plus que ça pour appeler le docteur. C'est la menoire qui l'a frappée au bord de la cuisse. C'est rien !

Mais la jeune fille avait saigné un peu, guère plus qu'un suintement, et sa mère le tut. Il pouvait s'agir de la blessure causée par la perte de son hymen, mais peut-être que l'accident avait déclenché ses premières menstrues. Rien, en tout cas, qui regarde ces hommes, pas même son mari Pierre qui se fit rassurant par sa conclusion sur l'événement :

–Si Désirée le dit, c'est que c'est comme ça ! Des enfants, elle connaît ça. C'est elle qui a élevé ses frères pis ses soeurs. Pis asteur, c'est ses propres enfants. Quand y en a un de malade, elle sait quoi faire, pis elle le fait.

–Pour en r'venir à ton ch'fal, reprit Bossu, comme ça, t'es ben satisfait ?

–Le pire, c'était de le payer. La crise, ça nous laisse pas grand argent dans nos poches. Effrayant comme l'argent est rare. C'est que vous en dites, vous, monsieur le vicaire ?

–Molière écrivait : "*Point d'argent, point de Suisse* !" En d'autres mots, si on a moins d'argent, on se paye moins de luxe. On fait tout soi-même. Autosuffisance. Je dis Molière, mais j'suis pas trop certain. C'était peut-être un dicton populaire, du temps où tu pouvais louer un Suisse à ta guise.

–Un Suisse ? s'étonna Bossu. Vous voulez dire une sorte d'écureux ?

Le prêtre ne put s'empêcher de rire :

—Mais non, mais non ! Un homme qui vient du pays appelé la Suisse. Les Suisses, ils louaient leurs services aux bourgeois de la France. Et c'est pour ça qu'on disait : "*Point d'argent, point de Suisse.*"

Le vicaire se racla la gorge une autre fois avant de dire avec autorité :

—Venez nous voir, madame Goulet. Venez jaser un peu au clair de lune.

—La lune éclaire pas fort à soir, glissa Pierre Goulet en sortant sa pipe et sa blague à tabac.

—Attendez, attendez, on va fumer une bonne cigarette, dit le vicaire en cherchant un paquet de brûlots de sa propre confection, faits de tabac *Lasalle* et de papier à rouler *Vogue*.

—C'est pas du mauvais tabac que j'ai là, reprit Goulet. Du bon *Picobac* de compagnie traité à la râche d'érable.

—Qu'importe ! affirma le vicaire en arborant son paquet. Et vous, monsieur Couët, fumez-vous la cigarette à l'occasion ?

—Ben rarement ! déclara le bossu. C'est un peu dur pour les poumons; j'aime mieux la boucane de pipe.

Pendant ce temps, Désirée sortait avec une chaise pliante qu'elle ouvrit et mit en place pour s'asseoir devant la porte. Sa personne cacha en bonne part la lumière venue de l'intérieur par la vertu de quelques lampes à l'huile, mais, en même temps, la lueur silhouetta son corps. Le prêtre ne put s'empêcher d'évaluer les rondeurs féminines et voilà qui fit accélérer son coeur en même temps que sa libido montrait le bout de son nez dans ces lointains où il la confinait sans appel chaque jour du bon Dieu.

Au bout du compte, les trois hommes allumèrent chacun une cigarette. Et l'odeur de la fumée se répandit dans l'air ambiant qu'une nuit tranquille gardait parfaitement immobile.

Et pendant que l'on continuait à bavarder gaiement, l'aura de Désirée parut prendre de l'expansion jusqu'à envelopper le prêtre tout entier qui se sentait maintenant baigné d'une sorte d'euphorie favorisée par la noirceur, l'air doux de la nuit et la présence dans l'ombre de ces yeux globuleux du bossu qui contrastaient avec ceux, luisants et qu'on savait bleus, de la femme de pas trente ans.

–Comme ça, votre petite est pas blessée sérieusement ?

La femme dit en injectant une légère touche d'impatience dans sa voix, histoire de clore le sujet pour de bon :

–Non, non, je vous l'ai dit : est ben correct, la Juliette. Même pas de blessure apparente...

Chez les Fortier, on se mettait au lit plus tôt que de coutume. Les enfants avaient été tous envoyés dans leur chambre pour y entreprendre leur nuit. Le petit Roland avait grimacé sans oser protester de vive voix. Un ordre du père était un ordre auquel on ne désobéissait jamais, pas même ne l'aurait-on discuté par une moue ou le moindre geste. C'était, là comme dans toutes les demeures du rang, la loi du père qui prévalait. Toutefois, Jean-Pierre, malgré sa force musculaire et sa carrure, ne sortait jamais la férule ni n'utilisait ses mains pour frapper les petits. Sa voix lourde portait une autorité bien suffisante pour commander l'obéissance sans réserve.

Il y avait du désir dans l'air. On avait côtoyé des voisins, des voisines, et voilà qui émoustillait chacun des partenaires de ce couple fort en santé. Aussi le petit bout de chemin dans la 'machine' du vicaire ajoutait un bonheur de plus à une journée bien remplie.

–T'es-tu d'équerre pour à soir ? demanda Jean-Pierre à sa maigrichonne épouse quand ils furent enfermés derrière une porte close et enrobés d'un clair-obscur profond à peine dessiné par la faucille astrale dont quelques rais jaunâtres entraient par la fenêtre.

Dora se rendit voir dehors par les vitres, mais ne put apercevoir, à part les choses en ombres chinoises, qu'une lueur issue de la demeure des Goulet. Et pourtant, elle le savait, le vicaire et le bossu s'y trouvaient en ce moment. Le prêtre avait dit qu'il s'y arrêterait. Quant à Couët, qui venait de vendre un cheval à Goulet et pouvait se sentir responsable du léger accident survenu à la Juliette, où donc serait-il allé ailleurs que chez leur voisin ?

—Ils en ont, de la visite, les Goulet, eux autres.

—Ça adonne de même.

—On sait ben, la Désirée a pas trente ans, pis est ben tournée. En plus qu'avec un prénom de même, ça dérange un petit peu les hommes, y compris sûrement, monsieur le vicaire Morin, hein !

—Dis donc pas des affaires de même, Dora, pis viens te coucher, là !

Le lit craquait depuis un moment sous le poids et les mouvements de l'homme qui avait ôté ses vêtements du jour pour ne garder qu'un sous-vêtement imprégné des odeurs d'un long et dur labeur.

Dora eût préféré qu'il se lave et se change avant de lui céder son corps, mais, en homme de son temps, Jean-Pierre ne faisait pas tant de cérémonies avant d'aller au lit.

—On a une grosse journée encore demain, viens te coucher, la mère.

—Oué, je me déshabille, ça sera pas long.

—Garde-toé z'en le moins possible sur le dos, ça sera plus frais pour dormir.

—Tu me dis pas ça pour la vraie raison ?...

L'homme éclata de rire :

—On va faire d'une pierre deux coups d'abord.

La jeune femme enleva tous ses vêtements qu'elle déposa sur une chaise, puis elle revêtit une jaquette blanche tandis que son époux l'attendait patiemment, allongé sur le dos, anticipant le plaisir intense qu'il connaîtrait bientôt par la pénétration de ce corps de femme, le seul qu'il ait connu dans sa vie d'homme trentenaire.

Quand elle fut sous le drap, il lui lança abruptement :

–Non, mais serais-tu capable de t'imaginer que j'sus un autre ?

–Quoi c'est ça, là ?

–Ben... pourrais-tu imaginer un autre à ma place ?

–Pour faire quoi ?

Il montra un soupçon d'impatience :

–Ben... pour êtrc là, à ma place... pour accomplir le devoir conjugal... Mettons... monsieur le vicaire...

–C'est qu'il te prend à soir, de dire une affaire de même, toi, donc ?

–Tout ce qu'on peut penser peut se dire, si ça fait pas de tort à personne.

La meilleure façon de contrôler un échange étant de se cacher derrière une question qu'on renvoie à l'autre, Dora ne s'en priva pas :

–Pour me demander ça, ça veut dire que tu penses que tu pourrais en avoir une autre à ma place, non ?

–Ben...

–T'hésites, ça veut dire que j'ai mis le doigt sur quelque chose, là...

–Ah, si tu veux que je le pense, je peux le penser.

–T'as marché au catéchisme, Jean-Pierre, tu te souviens pas du neuvième commandement ? Le prêtre nous l'avait expliqué... C'est noir sur blanc dans l'évangile : tu ne convoiteras pas la femme d'un autre homme. Ça vaut autant pour les maris des autres. La fidélité conjugale, c'est pas rien que dans les faits que ça doit être, mais itou dans les pensées.

–Sainte misère, penser à une chose pis la désirer, c'est

deux affaires, ça. Pas pareil pantoute !

Dora rit :

–Pantoute de pantoute ! dirait Maurice Nadeau.

Une main énorme mais familière se posa sur sa poitrine juvénile. Voilà qui excitait son homme mais pas elle. Un soupir accueillit le geste. Il crut à un encouragement.

Ce qu'aimait cette femme dans l'accomplissement du devoir conjugal, c'était le va-et-vient de l'homme en sa chair qui alors s'embrasait vite. Elle se disait que c'était sûrement le même phénomène chez ses consœurs du beau sexe. On pense que les autres nous ressemblent, ce qui est plutôt vrai par nature mais plutôt faux par culture.

–Suis prête ! Embarque !

Même à corps découvert, sans draps et en pleine clarté, Dora eût disparu en entier sous pareil animal velu. Heureusement, les muscles de l'homme se fondaient bien dans le corps plutôt décharné de son épouse.

Et une partie de lui devint une partie d'elle.

Puis il advint un moment de profond silence qu'il finit par briser en chuchotant. La voix tremblotante, il demanda :

–Comme ça, t'as pas le droit d'imaginer monsieur le vicaire à ma place comme c'est là.

–Es-tu fou, toi ? Ce que t'as à faire, fais-le vite, pis arrête donc de me dire des niaiseries comme ça.

–Le vicaire aurait pu pas être prêtre. T'aurais pu le connaître avant moé. Le marier. Pis faire des enfants avec lui. J'sais pas, moé...

Dora soupira :

–Ah, le venimeux de bonhomme Morin, il a semé la zizanie dans le cinquième rang avec ses idées de changeage de partenaires entre couples, là, lui !

–J'te parle du vicaire, pas d'un homme ordinaire du rang.

–Encore pire ! Un prêtre, c'est sacré.

–Sont pas faits en chair humaine, les prêtres, tu penses ?

–Peut-être, mais ils se contrôlent, eux autres.

–Penses-tu ?

–J'te pense... Envoye, là, continue...

Et l'homme fonça dans le vaste univers de son plaisir.

Les soupirs étaient profonds et prolongés dans le parc à glace. Chacun respirait à pleins poumons, histoire de brider sa chair, mais la chair est faible, et plus encore quand elle entre en contact avec une autre chair faible. Hilaire, qui avait été le premier à peloter, fut aussi prompt à délaisser les membres de sa nouvelle partenaire pour lui masser le dos, depuis la nuque jusqu'aux reins. Il s'était glissé derrière la grande Marie qui, les yeux clos, semblait s'abandonner tout à fait à ce jeu insolite et formidable.

L'idée de pécher avait déserté tout le monde.

L'idée de se montrer le plus doué venait de disparaître de la tête des deux hommes en présence.

Blanche Morin n'aurait pas voulu être la roue qui grince et baraude. Le désir exacerbé de chacun formait avec les autres un attelage qui tirait fort le carrosse de la concupiscence.

Joseph perdit toute réserve alors qu'il se rendit à son tour derrière sa partenaire pour lui pétrir les épaules et lui caresser la nuque. Et en son for intérieur, il livra son consentement à tout ce qui pourrait survenir en cet endroit de plaisir et de réalisation de fantasmes inavouables que le père Théodore avait tisonnés par la bouche du bossu Couët.

–Tant qu'à être rendus là, les gars, allons au bout.

La voix parut provenir d'un autre univers. Chacun savait qu'il s'agissait d'une des femmes. Chacun savait qu'il s'agissait de celle de la grande Marie. Elle était la plus capable de décision des quatre personnes sur place tout autant que de la plupart des habitants du rang, à l'exception peut-être de la

Marie-Jeanne que son indécis de mari rendait encore plus autoritaire et dirigiste.

–C'est que t'en penses, Hilaire ? demanda Joseph. Moé, en tout cas, j'serais d'accord. On a envie de se baigner. On est rendus au bord du lac. Autant plonger...

–J'dis pas non si Blanche dit oui.

Une fois encore, Blanche pensa qu'elle ne serait pas la roue qui baraude et elle jeta dans un soupir :

–On plonge, pourquoi pas d'abord qu'on est rendu...

Et c'est ainsi que devait se produire le tout premier acte d'échangisme dans le cinquième rang de Saint-Léon en ce début d'été 1930... Même le porc-épic fut inondé par des vagues de plaisir qui se répandaient par tout le hangar à bois et à roulant des époux Roy, tandis que chacun se délectait d'une chair toute neuve et d'une chaleur formidable...

***

Chapitre 17

–Tu veux dire... changer de femme ?

...

–Es-tu sérieux quand tu dis ça ?

...

–Les femmes voudraient jamais, tu penses ben.

...

–Tout d'un coup qu'on se ramasserait avec des enfants mélangés. Un mien chez vous. Un tien icitte. Ah, ben non ! Sont déjà enceintes, toutes les deux.

...

–C'est qu'on fait au bout' du compte ? On leur en parle ou ben donc non ?

...

–C'est le vicaire lui-même qui dit qu'on doit s'amuser. Que c'est le meilleur remède à la crise pis la sainte misère.

...

–J'y en parle à soir, à ma femme.

...

–Toé itou ?... Parfait de même...

Dans la chambre des époux Martin, Albert songeait à cet échange verbal avec le deuxième voisin. Dans la chambre des époux Paré, l'homme aussi songeait à cet échange avec le voisin Albert Martin.

—Tu sais pas c'est quoi que l'excité à Jean Paré m'a dit à soir, toé ?

C'était le noir profond dans la chambre. L'homme et la femme venaient de se mettre au lit. Et chacun, allongé sur le dos, savait que le moment n'était pas ordinaire. Quelque chose de solennel et d'inédit flottait dans l'air, y enterrant tous les relents de fumée que la pipe d'Albert avait générés peu de temps auparavant.

—Excité... ça doit vouloir dire qu'il était pas sérieux.

—Non, non, se hâta de dire la voix masculine. Il était ben sérieux. Il voudrait... j'sais pas si j'dois te dire ça... Tu vas sauter en bas du 'litte'...

—J'me doute de ce que c'est... on en a parlé ça fait quelques jours... c'est l'histoire de l'autre fois du père Thodore Morin, j'suppose, là.

—Oué... c'est pas mal ça... en trois mots, il aurait envie de coucher avec toé... à condition ben entendu que moé, je couche avec Sophia. Il dit que, vu que vous êtes enceintes toutes les deux, y a pas de danger que viennent des enfants qui seraient pas à chacun de nous autres. Même qu'il doit être en train d'en parler à sa femme.

—Si c'est votre idée, à tous les deux...

—C'est pas ça que j'ai dit, là.

—J'pense que tu le penses. J'pense que vous vous êtes mis d'accord pour nous en parler, à Sophia pis à moé.

—J'savais ben d'avance que tu dirais que c'est sans grand bon sens.

—Je l'ai pas dit. J'ai pas dit ça.

—Quoi, tu le ferais avec Jean ?

–Si tu le fais avec Sophia, oui. On serait kif-kif...

–La religion, le péché, les curés pis tout ça ?

–On ira en enfer à quatre. Autant ça qu'aller au ciel tout seul. Vous autres, les deux gars, vous brûlez depuis que le père Morin s'est ouvert la trappe à ce sujet-là. Je vas en parler avec Sophia pis lui dire que j'suis pas contre l'idée. Ça te surprend, hein ? Mais faudra pas que tu te surprennes si j'y prends du plaisir par exemple...

Albert en avait le souffle coupé. Elle reprit :

–Tu dis rien ? Tu voulais rien que me faire parler ?

–Non, ben non.

–Pas besoin d'en discuter plus, c'est comme ça. T'es d'accord. Suis d'accord. Jean est d'accord. Reste à Sophia à prendre la décision finale et ça y sera. On trouvera une manière de s'isoler tous les quatre, pis on oubliera la crise comme dirait monsieur le vicaire, en s'amusant ben comme il faut.

–Eh ben ! Eh ben !

Pris de court par la réaction de son épouse, l'homme ne songea plus qu'à l'accomplissement de son 'devoir' conjugal, en conformité avec les attentes de la sainte Église. Pour ce qui était d'une pratique située en dehors de la morale chrétienne, il y repenserait plus tard, quand il serait moins éberlué que maintenant...

Jean Paré, en un environnement similaire, protégé par la noirceur de la chambre, conforté par le défi qu'on s'était lancé entre hommes de parler aux femmes sans ambages de l'idée du père Morin, n'osait pas. La présence en son épouse d'un enfant en gestation élevait une barrière assez haute devant son idée et ses mots. La seule façon d'entrer dans le vif du sujet était de jeter l'anathème sur la pensée du père Théodore Morin tout en mettant en valeur celle, très chrétienne et moralisatrice, du prêtre Morin et de la sainte Église.

–Albert pense comme le vieux Thodore. Il dit que lui pis

moé, on devrait changer de femme un bon soir. J'te l'ai envoyé promener avec ses idées de même... rien que bonnes pour l'enfer.

—T'as toujours dit que tu croyais à l'enfer pour ceux qui font du tort aux autres, pis pas pour le restant.

—J'pense que l'enfer se trouve en dehors des commandements de Dieu pis ceux de l'Église.

Le seul objet que l'on pouvait vaguement distinguer dans l'obscurité de la nuit était un crucifix suspendu au mur d'en face, et que venait chercher de faibles rayons de lune. Sophia s'en servit pour faire dévier la conversation. Son intention n'était pas de l'éviter, mais plutôt de tester celles de son époux. Elle dit :

—On devrait dire une dizaine de chapelet avant de s'endormir, tu penses pas ?

—On en a dit pas mal à la croix du chemin, des dizaines de chapelet, tu penses pas, toé ?

—Une de plus, ça fera pas de tort.

—C'est comme tu veux.

—Ce que t'as commencé à me dire, tu le finiras après.

—Ben correct de même ! Au nom du père, du Fils et du Saint-Esprit...

L'homme pria sans conviction. La femme, pendant ce temps, cherchait des mots pour répondre aux propos qu'elle anticipait et qui seraient très certainement la répétition de ce que Jean avait jeté tout d'un souffle sur la table sitôt au lit avec elle.

Et il revint à la charge après le dernier Avé :

—Comme j'te disais, je l'ai un peu sermonné, notre voisin qui se prétend plus renseigné que nous autres...

—Tu me contes des peurs, Jean, là. On a entendu ce que vous avez dit dans la cuisine. C'est toi qui a proposé à Albert Martin de changer de femme. Tu l'as influencé pis là, tu me dis que c'est le contraire. Si tu veux en parler, Jean, on va en parler, mais commence pas en me poussant des menteries. Pis t'as pas besoin d'avoir peur : pas plus que Marie Roy ou Marie-Jeanne Nadeau, j'ai peur de parler de n'importe quoi. Parler d'une chose, c'est pas la faire. T'aimerais ça, passer une heure ou deux avec la Marie-Louise Martin ! Pis Albert aurait du goût pour passer une heure ou deux avec moi ! C'est pas moi qui vas mettre des bois dans les roues si à tous les trois, ça vous convient.

Étonné, il mit sur la table la grande objection :

–Le péché mortel, l'enfer pis tout ça...

–On a mis huit enfants au monde; un neuvième est en route. On les élève du mieux qu'on peut. On est du monde pauvre comme tous les autres du rang, pis de la paroisse, pis du pays. On travaille à la sueur de notre front. On a de la misère noire. C'est la crise. Si, comme pense monsieur le vicaire, on trouve des moyens d'oublier le pire de temps en temps...

–Tu t'en accuserais pas à confesse ?

–M'accuser de quoi ?

–Ben de... faire des folies avec Albert tandis que j'en ferais avec Marie-Louise.

–Pantoute ! On se ferait excommunier par le curé Lachance. Si tu crois au diable sorti de l'enfer, Jean, pense au curé Lachance qui apprendrait que nous quatre, on a...

Voilà que Jean Paré se sentait moins assuré d'entrer dans un pareil territoire inconnu, recelant peut-être des pièges, des dangers qu'on ne saurait voir, encore moins jauger avant d'y marcher pieds nus au risque de se faire mordre par une ou des créatures venimeuses...

–Si on fait ce qu'on a dit, va falloir que personne hésite. Personne devrait entrer dans une expérience nouvelle sans être certain qu'il sera capable de le supporter.

–Suis pas d'accord ! Ceux qui montent dans des gros zeppelins par exemple, ou ben les alpinistes dans les hautes montagnes, ils peuvent pas prévoir avant de partir tout ce qui les attend en cours de route. Nous autres, les cultivateurs, on est pas habitués à ça, mais d'aucuns, un peu partout dans ce bas monde, prennent des risques. L'Américain, monsieur Hugues, qui fait des essais avec des avions qui ont jamais volé... Monsieur Amundsen, qui est allé explorer le pôle Nord pis qui a fini par mourir dans l'Arctique, ça fait pas deux ans...

Jean faillit tomber en bas du lit. Il aurait cru que son épouse le rabroue vertement de seulement oser lui parler des propos qu'il avait échangés avec Albert alors que tout, en sa tête à elle, semblait avoir été réfléchi, pesé, mesuré. Pour Sophia, la seule chose qui avait l'air de compter vraiment, c'était l'accord des quatre personnes en cause.

Maintenant que le bateau était sur l'eau, pas facile de le faire virer de bord, et l'homme se demandait s'il avait bien agi en proposant cette bizarre randonnée de couples dont on ne connaissait pas les tenants et aboutissants... Et si l'embarcation se faisait éventrer par des récifs insoupçonnés ?...

–Bon, on va dormir, parce que les aurores nous attendront pas pour se montrer.

Comme si elle n'avait rien entendu, Sophia soupira :

–Le problème, c'est de trouver une place pour se rencontrer. On a huit enfants, les Martin, six. Ça fait quatorze paires d'yeux pour nous voir pis vingt-huit oreilles pour nous entendre.

–C'est sûr qu'on peut pas risquer de se faire voir. Ça donnerait un ben mauvais exemple.

–C'est pas l'idée de l'exemple à donner : on va pas commettre un crime. Mais ces choses-là, on les garde pour soi. Les enfants, ça doit pas voir leurs parents en train d'accomplir leur devoir conjugal, pas plus en train de...

–De quoi ?

–De faire ce que vous voulez faire, les hommes.

–Comment ça, les hommes ? T'es pas d'accord, je le savais. Pis tu le disais pas.

–C'est pas ça que j'ai dit pantoute. Mais l'idée vient d'abord de vous autres...

–C'est Albert...

–Menteur, c'est toi d'abord.

–C'était pas la première fois qu'on en parlait, Albert pis moé, tu sauras...

–Admettons !...

Sous la couverture et dans l'ombre profonde, Sophia souriait. Ça s'était passé comme elle et Marie-Louise l'avaient prévu. Les deux femmes avaient entendu les propos des hommes en ayant l'air de rien ce soir-là. Elles savaient bien d'avance par les regards et les allusions des maris que chacun s'excitait aisément en présence de la femme de l'autre. Elles se l'étaient dit auparavant. Chacune se savait désirée par l'homme de l'autre. Et quand l'idée folle du père Morin avait déferlé comme un grand vent du printemps sur tout le cinquième rang par la bouche du bossu Couët, elles s'en étaient parlé strictement entre elles. Même chose ce soir-là, lors de l'examen des tissus. En fait, elles avaient piégé les hommes avec la complicité de la noirceur. Sophia en ce moment, tout comme Marie-Louise chez elle, se souvenait de la scène du soir...

–*Celui-là, le beau fleuri, je veux faire une robe pour Agathe. À treize ans, elle se développe, pis elle peut pus mettre des robes de petite fille. J'en ai eu de sa grand-mère pour elle, mais c'est pus ben ben à mode.*

–*Déjà treize ans, ton Agathe ? Pis ton plus vieux, quel âge qu'il a, lui ?*

Ensuite, on avait parlé de prénoms d'enfants : des beaux et des moins beaux comme ceux des Nadeau qui allaient de

Hormidas à Euchariste en passant par Armoza et Valéda. Puis, un peu après, les femmes étaient parties dans la chambre, emportant la lampe et les morceaux de tissu avec elles. Sauf que là, à voix basse, on s'était entendu pour écouter les hommes dont on savait déjà qu'ils discutaient de l'idée folle du père Théodore.

C'est le vicaire lui-même qui dit qu'on doit s'amuser.

–Il voulait dire 'de la manière que les prêtres le disent'.

–Ça se ferait entre nous quatre, ben entendu.

–Si le bon Dieu avait voulu qu'un homme se limite à une femme, il nous aurait fait d'une manière que ça bloque quand c'est pas not' femme.

–C'est peut-être ben ce qui va nous arriver.

–On le saura pas si on essaye pas.

–J'y en parle à soir, à ma femme.

–Moé itou, mon ami...

Marie-Louise soupira à deux longues reprises avant de dire à l'oreille de sa voisine :

–C'est quoi qu'on va leur répondre ?

–Parlons franchement d'abord entre nous deux... Ça te le dirait-il, toi, de coucher avec mon mari ?

–Ben... si c'était pas du péché...

–Oublie le péché...

–Je l'haïrais pas... ça te fâche pas, toujours ?

–Ben non, voyons ! T'es ma meilleure amie avec Marie-Jeanne. On se fâche pas après sa meilleure amie parce qu'elle aimerait ce qui nous appartient.

–Justement, ils nous appartiennent pas, les hommes. Ils appartiennent à leur Créateur pis à eux-mêmes.

–Oué... ça, c'est de la haute pensée... philosophique comme dirait ton mari Albert.

–Mais Albert, tu te laisserais... toucher par lui ?

–Si tu veux savoir la vérité : oui. Même que des fois, quand on accomplit notre devoir conjugal, j'y pense, à ton mari. Ça te rend pas jalouse, toujours ?

–On peut tout partager entre amies tant qu'on se joue pas dans le dos.

–Ils vont nous en parler chacun; c'est quoi qu'on va répondre ? Ils s'attendent qu'on lance des hauts cris, qu'on gueule au nom du salut éternel et pis tout le reste...

–On va dire oui pis voir s'ils sont vraiment sérieux ou ben si c'est rien que pour fanfaronner de même. Pis si la peur les prend une fois dans le bateau, ce que je pense qui va arriver –parce que je connais les hommes : sont prompts à dire mais escargots quand c'est le temps de faire–, on fera volte-face en disant qu'on a voulu les tester. Comme ça, à deux à faire pareil, chacune de notre bord, on va les tenir ben comme il faut par la cravate. Les hommes, faut toujours leur donner l'impression que c'est eux autres qui mènent tout. Comme dirait le bonhomme Richard : "Nous autres, les femmes, on laisse les hommes faire les lois, pis on se contente de faire la loi."

Elles rirent toutes deux à l'étouffée.

Albert dit à Marie-Louise avant de s'endormir :

–J'pensais pas que t'aurais accepté ça vite de même.

–On peut toujours revirer de bord...

–Non, non... non, non... c'est juste...

–On en reparle demain...

–Ouen...

Jean dit à Sophia avant de s'endormir :

–C'est vrai, comme tu disais, que y a pas grand place pour se rencontrer à quatre personnes...

–Ben sûr que ça se trouve... Un pique-nique sur la montagne de la *Craque* ou ben au bord du lac *Miroir*. Ou ben, pour être certains de pas se faire voir, la cabane à sucre des Martin... Y aurait notre grange, dans la clairière du haut de la terre. On pourrait même faire un petit voyage à quatre à Mégantic, pis prendre des chambres à l'hôtel Frontenac.

–On dirait quasiment que t'as pensé à tout déjà...

–Ça prend pas un génie pour trouver un lieu isolé : suffit d'y réfléchir deux secondes.

–Ah... t'as ben raison !

–On dirait que... t'es moins prime que tout à l'heure, avec l'idée folle du père Thodore ?

–Non, non... non, non... mais j'trouve que ça va vite dans ta tête. On dirait que... ben Albert, il t'intéresse plus que t'en avais l'air.

–Tu commences-tu à te montrer jaloux déjà ? Jean, Jean, vas-tu reculer dans les acculoires ?

–Ben non voyons donc !

–Pense pas à Albert, là... pense à Marie-Louise... C'est une femme plaisante à regarder... pis qui déteste pas ça, la chambre à coucher...

–Elle te l'a dit ?

–Ça se voit, non ?...

Il dit, le ton faussement naïf et en bâillant :

–Sais pas...

***

Chapitre 18

Malgré toute cette volupté qui avait enflammé les corps au cours de cette heure de folies charnelles en ce hangar à bois et à glace, le retour des partenaires, l'un à l'autre, ne fut pas de tout repos à cette heure tardive.

Il y avait des réserves dans l'air en la chambre à coucher des Morin et des regrets qui rôdaient en celle des Roy.

Blanche et Hilaire avaient gardé un profond silence sur le chemin de la maison. Le vieux Théodore, engoncé dans une berçante et un coin de la cuisine sombre, l'oeil de fauve qui captait les rares lueurs d'une lampe posée au milieu de la table, parut deviner ce qui s'était passé. En tout cas, ses questions l'avaient fait penser.

"D'où c'est que vous venez tard de même ?"

"Du chapelet, le pére."

"Le chapelet, ça fait longtemps que c'est fini, ça."

"On a jasé avec du monde. C'est pas défendu."

Le ton de son fils, la promptitude à répondre de sa bru avaient allumé le flair du vieil homme.

"J'vous ai vus marcher avec Pit pis Marie Roy après le chapelet. Pis même que je vous ai vus aller au hangar en arrière de la maison."

"Êtes-vous rendu que vous faites de l'espionnage, le pére, là, vous ?" avait blagué Hilaire.

"C'est-il défendu de r'garder par les châssis asteur ?"

"Ben non, vous savez ben. C'est votre seul désennui. Vous auriez dû venir au chapelet avec nous autres. Parler au monde, ça fait du bien de temps en temps."

"Du monde de mon âge, y en a pas dans le cinquième rang. C'est tout du jeune monde comme vous autres. Faudrait que je m'en aille rester au village."

"Les vieux sont pas obligés de parler avec les vieux, pis les jeunes avec les jeunes. Qui c'est qui a dit ça ?"

Et Théodore avait décelé chez Blanche une sorte d'excitation peu coutumière. Ses gestes étaient moins réglés que d'habitude. Pomper de l'eau. En boire. Essuyer sa bouche. Emprunter l'escalier pour aller voir aux enfants. Les rares mots qu'elle avait prononcés ç'avait été pour dire que "jaser avec du monde, c'est pas défendu". Tout ça ne ressemblait pas tout à fait sa bru de tous les jours.

Pourquoi les deux couples étaient-ils donc allés dans ce hangar ? La question turlupinait le vieillard. Il les avait vus sortir de la maison ensemble. La faible distance entre les deux voisins plus des restants de brune s'ajoutant à la lueur d'un fanal lui avaient révélé leur identité et leur direction. Et Théodore, assis devant la fenêtre à fumer une longue pipée et même à tirer sur une pipe morte, avait ensuite attendu patiemment qu'ils ressortent de la bâtisse. Avec ses idées sur la morale, il n'avait pas été long à imaginer qu'il se produisait là-bas des choses pas catholiques; et cela le réjouissait fort. Quant à croire qu'il ait pu se passer un échange complet entre les partenaires, le vieil homme n'aurait pas cru la chose possible chez des gens aussi encarcanés par la religion et son clergé autoritaire. Et si peu de temps après qu'il en ait lancé l'idée dans l'air du cinquième rang.

"J'ai une p'tite idée de c'est qui s'est passé dans le hangar à Pit Roy le temps que vous avez passé là à quatre..."

La maison Morin, qui comportait deux étages, était divisée en trois pièces au premier. Outre la cuisine, deux chambres complétaient l'espace disponible ainsi qu'une petite salle d'aisances. L'une de ces pièces était attribuée au jeune couple et la seconde, guère plus étroite, au grand-père. Le vieil homme avait donné à la sienne le nom de 'cellule' et il en parlait même parfois comme de son tombeau. Autant qu'il le pouvait, il se tenait à l'extérieur et 'vernoussait' autour des bâtisses ou bien marchait dans le rang jusqu'à la masure du bossu pour y faire une 'jase' sans conséquence.

"Allez pas vous faire des imaginations, vous, là !"

"Pourquoi que je m'en ferais pas si tu veux pas me dire c'cst quoi que vous êtes allés faire là quasiment deux heures de temps ?"

Hilaire était interdit entre la cuisine et la chambre, porte ouverte et pied déjà dans l'autre pièce, tandis que sa femme redescendait du second étage où tout devait bien aller comme son silence en témoignait. Chacun fut interdit par le sourire bourré d'ironie moqueuse du vieil homme.

"On a placoté aux lueurs d'un fanal, si vous voulez savoir. Pas plus que ça !"

"J'cré pas ça pantoute !"

"Dites-vous c'est quoi qu'on aurait pu faire... non, dites-nous c'est quoi que vous auriez voulu qu'on fasse là."

Blanche était intervenue à ce moment :

"Monsieur Morin, vous devriez aller vous coucher, vous. C'est tard pour un homme de votre âge."

"Ton mari vient de m'dire qu'il s'en est passé des belles dans le hangar à Pit Roy à soir..."

Le visage de la jeune femme prit couleur de farine, mais l'éclairage mesquin n'en laissa rien paraître. Toutefois, son regard à l'endroit de son mari n'échappa point au vieil inquisiteur qui ramassait tout de son oeil vif rapetissé par un sourcil broussailleux. Il se savait sur la bonne piste. Quelque chose s'était vraiment passé dans le hangar. Qu'il sache implicitement lui suffirait.

"Le pére nous fait étriver. J'ai rien dit pantoute."

Le vieil homme se mit à ricaner. Hilaire s'impatienta :

"Des fois, vous êtes rien qu'un vieux tannant."

Dans un souffle rauque, le vieillard se mit à rire. Et les époux entrèrent dans leur chambre. Une fois au lit tous deux, Blanche dit presque tout bas :

–Lui, là, j'te dis que je m'ennuierai pas quand il partira pour de bon.

–Il fait l'aimable avec personne, tu le sais.

–N'empêche que c'est son idée qui est arrivée à soir.

–Comment ça ?

–Ben... tu dois savoir, je t'ai jamais vu à l'envers comme avec la Marie Roy.

–Pis toé avec Joseph, t'as pas eu l'air de t'ennuyer non plus, ça je te le dis.

–Je t'ai suivi, Hilaire, pas plus.

–On va pas s'accuser de ci pis ça. On a embarqué dans le bateau tous les deux ensemble pis de notre plein consentement, peu importe l'espace que chacun a pris dedans.

–En tout cas, j'pense qu'on a fait quelque chose de pas ben ben correct.

–Ça nous a pas appauvris.

–Ça nous a pas enrichis non plus.

–T'en es sûre ?

–Vous autres, les hommes...

Il faisait pleine noirceur dans la pièce et les deux époux échangeaient à mi-voix. Dans sa chambre, Théodore jubilait. Quoi qu'il se soit passé dans le hangar à Pit, se disait-il, cela allait dans le sens de ses pensées. Si on ne s'était pas rendu au bout du voyage qu'il avait évoqué l'autre jour devant le bossu Couët et en la présence d'Hilaire et de sa femme, nul doute qu'on avait cheminé un bon bout dans cette direction-là. Passer deux heures dans un hangar, à la lueur d'un fanal et sans enfants dans les parages, cela devait sûrement avoir remué la chair de ces jeunes personnes toutes en santé et bourrées d'énergie.

Chez les Roy, en ce moment même, la tension était encore plus forte entre les deux conjoints. La jalousie du mari ne lui permettait pas de voir qu'il avait accompli exactement les mêmes gestes que sa conjointe. Tout comme il avait fait l'amour à leur voisine, leur voisin avait fait l'amour à sa Marie. Kif-kif... Mais Joseph cherchait de l'inégalité, de l'avarie, du lèse-majesté dans cette soirée de péché.

–Comment c'est qu'on a pu faire pour en arriver à quelque chose de même ?

–C'est venu tout seul.

–Pas si sûr, moé.

–Chacun a agi suivant sa personne, suivant ses élans du moment.

–À te voir faire avec Hilaire, ça datait pas d'hier que t'avais envie de lui.

La femme eut un vif éclat de rire :

–Pas rien que lui... Albert, Jean, Pierre... des hommes attirants dans tout le rang.

–Ben c'est pire.

–Tu vas me faire accroire que tu penses jamais à Sophia Paré, à Marie-Louise Martin, à Désirée Goulet... pis même à la forte Marie-Jeanne Nadeau ?

–Dis donc Dora Fortier tant qu'à y être ?

–Moins une femme est désirable, plus elle est intense.

–Où c'est que t'as pêché ça ?... En tout cas, on recommencera pas ça, c'est qu'on a fait à soir, c'est garanti.

–C'est comme tu voudras. C'est toi qui mènes dans la maison, pas moi.

–Parce que toé, t'aimerais ça recommencer, on dirait ?

–J'ai pas encore commencé à le regretter. Dis-moi pourquoi je devrais le regretter, pis on verra. C'est à toi de me convaincre. J'écoute...

On était au lit dans une chambre noyée par l'obscurité pleine. Il rôdait dans l'air une odeur de cèdre venue des vêtements de l'homme laissés sur une chaise; c'est qu'il bûchait dans la cédrière ces jours-là, en attendant le vrai temps des foins. Rien de mieux que du bois de cèdre sec pour allumer un feu dans le poêle ou la fournaise. Il fallait des quartiers et des éclisses. D'aucuns s'en servaient, d'autres pas. Marie en exigeait pour tout l'hiver, ce qui, pour elle, était plus important encore que la réserve de pommes de terre ou de glace.

Elle dut insister devant son silence réprobateur :

–Tu dis rien, Joseph ?

La voix de l'homme devint impatiente :

–C'est péché mortel, c'est-il assez ? L'enfer, ça dure longtemps, tu sauras, pas mal plus qu'une heure dans un parc à glace avec les Morin.

–Penses-tu pour de vrai qu'une petite heure dans un parc à glace peut valoir une éternité de malheur ? Tu penses pas que... ben y'a quelque chose qui tient pas debout dans ça ?

–C'est pas à nous autres de décider. C'est écrit dans le catéchisme. C'est les commandements du bon Dieu...

–Pis tu penses qu'un bon Dieu pourrait nous envoyer en enfer pour ce qu'on a fait à soir ?

–C'est 'cartain'.

–Ben moé, j'suis pas certaine pantoute. On a pas fait de mal à personne à soir, là, nous autres...

–T'en sais plus, toé, Marie Roy, que les prêtres, que le pape Pie XI et pis tous les représentants du bon Dieu...

–J'me sens pas mal. J'sens pas qu'on a fait du mal. Que veux-tu, je le sens pas, moi. Avant de passer par là, j'aurais cru que ça serait un péché assez grave, asteur non ! Qui c'est qu'on a attaqué ? Qui c'est qu'on a assommé ? Qui c'est qu'on a détruit ? Qui c'est qu'on a volé ?

–En tout cas...

Le soupir de son mari indiquait à la femme qu'il se laissait influencer malgré l'apparence de ses protestations. Joseph était ainsi fait : prompt à s'exprimer, à jeter des affirmations, à décider, et pourtant, enclin à la volte-face par grands détours quand on s'inscrivait en faux devant ses idées. Elle le connaissait à fond et savait comment s'y prendre avec lui pour le faire pencher de son bord...

Il fallait quand même endormir sa possessivité. Marie savait qu'elle le pouvait par les gestes; aussi fit-elle glisser sa main sur lui pour trouver sa chair en disant en tendresse :

–Hilaire est loin de te valoir, tu sais.

–On aurait pas cru à vous voir...

–J'pourrais dire la même chose... Ça s'explique... On s'est jamais vus faire notre devoir conjugal, tandis que là, on pouvait voir l'autre faire. Ça excite à plein, ça...

–Maudit que tu prends tout ça tranquillement, toé !

–Regarde, Pit, on a essayé ça... on a rien qu'à pas recommencer comme tu disais tantôt pis oublier ça à jamais. Seulement... demande-moi pas de m'en confesser parce que je le ferai pas.

–Quant à ça, moé non plus !...

Et les Roy accomplirent leur devoir conjugal. Le foetus bougea fort, dérangé qu'il était par ces coups bien plus puissants que ceux reçus plus tôt en soirée et ces autres subis les nuits d'avant...

***

243

Chapitre 19

Assise sur une chaise berçante, la femme de Mégantic, une émule de la Bolduc, et qui avait avec la célèbre chanteuse gaspésienne (de Montréal) quasiment des airs de famille, ce que plusieurs pensaient à cause de son nom de famille, le même, oubliant ou ignorant que le nom de fille de la vraie madame Bolduc était Mary Travers, aligna quelques notes avec sa musique à bouche en guise d'introduction à sa chanson qu'elle n'avait toutefois pas présentée.

Elle s'arrêta net. La musique avait servi à faire taire l'assistance et à lui donner son attention presque totale. Et elle annonça de sa voix menue qui semblait voyager sur un fil ténu :

–Mes bons amis du cinquième rang et invités de la Beauce, –et d'ailleurs s'il s'en trouve icitte aujourd'hui– comme première chanson, j'ai choisi un air de madame Bolduc. Vous l'avez probablement déjà entendue, cette petite ritournelle, su' vos gramophones... Et ça s'intitule... *Nos braves habitants...*

Elle reçut quelques applaudissements et un bruyant bravo de la part du vigoureux petit Josaphat Poulin. Cette réaction provoqua l'hilarité générale dans la grande cuisine d'été de la famille Nadeau où l'on se trouvait.

Car c'était grand jour de noce que ce vendredi, le 27 juin. Armoza, la plus vieille de la famille Nadeau, avait épousé devant Dieu et les hommes, ce matin-là, en l'église de Saint-Léon, un fils de cultivateur de Saint-Sébastien répondant au nom de Armand Fortin. Le couple s'établirait sur une petite terre rocheuse de Sainte-Cécile sur le chemin de Saint-Samuel.

Le repas achevait. Il avait fallu occuper les deux cuisines pour recevoir tous les invités et il s'en trouvait autant dans celle d'hiver. Ceux-là continuaient de parler sans savoir que de l'autre bord, la Bolduc de Mégantic entonnait une chanson de la Bolduc de Montréal.

En fait, à part la parenté des Nadeau venue de la Beauce et clairsemée, Marie-Jeanne et Maurice avaient tenu à recevoir tout le cinquième rang. Et tout le rang s'était rendu à son invitation pressante. La femme et son mari en étaient bien contents tout autant que leur fille Armoza et son jeune époux de vingt ans, petit homme au visage sanguin et à la couette fantasque.

La chanteuse se trouvait au bout de la table, derrière les mariés, sur une petite estrade, improvisée pour la circonstance. Et sa voix, si on faisait silence, atteindrait tout le monde de tous les recoins. Quelqu'un, Josaphat Poulin, se leva et se rendit dans l'embrasure de la porte entre les deux parties de la maison afin de requérir l'attention de tous. Il l'obtint quasiment...

Et Aline Bolduc se coiffa d'un chapeau de paille aux bords effilochés pour reprendre sa chanson par la musique d'introduction...

–Bravo ! Bravo ! cria de nouveau Josaphat en retournant prendre place aux côtés de son épouse Joséphine qui, embarrassée derrière ses joues rouges, lui imposa de se taire par un signe d'autorité.

–Tiens-toi tranquille ! fit-elle pour le clouer à sa chaise.

Et la chanteuse chanta...

C'est aux braves habitants
Que je m'adress' maintenant
Tam di li di di dam, tam li di di dou dé...
Quittez jamais vos campagnes
Pour v'nir vivre à Montréal
Tam di li di di dam, tam li di di dou dé...

Sur la turluterie de l'imitatrice de la Bolduc, des réflexions se disaient par les bouches qui ne béaient pas toutes, par des onomatopées approbatives et par les yeux agrandis de certitude et de contentement. Des regards clamaient : *j'vous l'avais ben dit que c'est ben mieux par icitte que dans les villes.* D'autres proclamaient : *crise ou pas, on reste su' nos terres.*

Dans des grandes villes comme ça
De la misère il y en a
Tam di li di di dam, tam li di di dou dé...

Et ça pour cet hiver
Y'en a qui mangent du pain noir
Tam di li di di dam, tam li di di dou dé...

Nos habitants sont contents
De voir arriver l'printemps
Tam di li di di dam, tam li di di dou dé...

Avec leur femme et leur enfant
S'en vont travailler aux champs
Tam di li di di dam, tam li di di dou dé...

De l'orgueil il y en a pas
Ah, mais parlez-moi donc d'ça
Tam di li di di dam, tam li di di dou dé...

Plusieurs se sentaient fiers de l'absence d'orgueil chez les gens de la terre. Qui ne savait pas que pour cultiver, et le bien faire, il faut garder la tête basse et regarder le sillon ou la nouvelle pousse ? Car il faut se pencher, quand on est un habitant, pour ramasser sa subsistance...

Aline, quand elle chantait des mots ou turlutait, gardait un faciès sérieux, mais lorsque son instrument prenait sa place, voici qu'elle devenait tout sourire et que ses yeux éclatants comme des étoiles semaient la joie jusqu'au fond de la cuisine d'hiver.

Quand l'hiver est arrivé
Y ont quelque chose pour manger
Tam di li di di dam, tam li di di dou dé...

Leurs caves et leur armoire
Sont remplies d'provisions d'hiver
Tam di li di di dam, tam li di di dou dé...

À part de ça ils ont d'l'argent
Y ont pas besoin de la Saint-Vincent
Tam di li di di dam, tam li di di dou dé...

Écoutez-moi mes amis
Où'ce que vous étiez restez-y
Tam di li di di dam, tam li di di dou dé...

Les gens qui crèvent de faim
Montréal en a déjà plein
Tam di li di di dam, tam li di di dou dé...

Gardez vos enfants chez vous
Pour faire des habitants comme vous
Tam di li di di dam, tam li di di dou dé...
C'est mieux que d'courir les rues
Et d'passer leur temps aux p'tites vues
Tam di li di di dam, tam li di di dou dé...

Tout en cultivant leurs champs
Ils développent leurs talents
Tam di li di di dam, tam li di di dou dé...

C'est avecque ces gensses-là
Qu'a prospéré not' Canada
Tam di li di di dam, tam li di di dou dé...

Les applaudissements fusèrent de toutes parts. Armoza se leva, se tourna et salua la chanteuse bien bas. Les femmes invitées eurent l'occasion une fois encore d'admirer sa robe de mariée toute de volants, blanche comme la neige avec un voile d'au moins six pieds de longueur.

Le chant de la fausse madame Bolduc avait été commandé par les parents de la mariée qui avaient vu à tout pour que la noce soit belle et grosse malgré la crise et donc le manque d'argent. Et surtout mémorable. On avait même invité le vicaire de la paroisse. Mais les prêtres ne participaient pas à des noces en dehors de leur propre famille, au loin souvent. À moins qu'il ne s'agisse de notables du coeur du village, d'une classe sociale plus proche du presbytère.

C'est deux airs de la vraie Bolduc, que son imitatrice devait offrir aux mariés et leurs invités entre le gros du repas et le partage du gâteau. Elle annonça la seconde chanson :

—Asteur, je vas vous chanter une chanson qui s'appelle...

—*J'ai un bouton su' l boutte d'la langue*, s'écria Josaphat Poulin que sa femme rabroua aussitôt en le tirant vers elle par la manche.

—C'est justement ça, lança la chanteuse, le regard éclairé.

Aline possédait non seulement la voix de la Bolduc mais aussi son allure avec ses cheveux coupés en balai, ses épais sourcils et son regard où se mélangeaient intimement la bonté et l'ironie, à un point tel que son interlocuteur en venait à souhaiter qu'elle se moquât de lui (ou d'elle) pour aussitôt se sentir rassuré par sa bienveillance.

Et la femme y alla de quelques notes sur son instrument à bouche. Les voix se turent les unes après les autres. Ce n'était pas coutumier de voir et d'entendre une femme chanter en solo sur une scène, et c'est dans une curiosité tout à fait charmée que les oreilles se mirent à l'affût, au détriment des menteries qu'on était à se conter.

Me voilà mal amanchée
J'ai un bouton su' l'bout du nez
Quand e'j'viens pour regarder
J'vous dis que ça m'fait loucher
J'vous assure c'est bien souffrant
Ça m'fait faire du mauvais sang
J'me sus fait une bon' onguent
Y'a guéri dans pas grand temps.
Pis j'en ai un su' l'bout d'la langue
Qui m'empêche de turluter
Pis ça me fait bégaygay... e'bégaygaygaygaygaygaygayer

–Tout l'monde ensemble ! lança Josaphat qui se leva pour demander aux assistants de bisser.

Et l'on entonna avec lui la dernière ligne de la chanson joyeuse, mais dans l'hésitation au début :

Pis ça me fait bégaygay... e'bégaygaygaygaygaygaygayer

–Encore une fois, mes amis... pis plus fort...

Pis ça me fait bégaygay... e'bégaygaygaygaygaygaygayer

–Encore une fois, encore une fois... faut chanter pour faire lever la couverture de la maison...

Ce qui fut quasiment fait :

Pis ça me fait bégaygay... e'bégaygaygaygaygaygaygayer

La chanteuse n'en fut pas démontée pour autant, et après quelques notes pour reprendre l'attention, elle invita le boute-en-train à venir chanter avec elle en duo :

–V'nez donc avec moé, icitte, vous... qu'on chante à deux. Pis vous allez faire chanter le monde avec nous autres, vous avez d'lair bon là-d'dans...

Josaphat n'hésita pas une seconde malgré le geste de retenue de sa femme. Il libéra son bras et, sur son pas voûté, se rendit au bout de la table sous les applaudissements et les bravos.

–Je m'appelle Aline Bolduc, dit la chanteuse à pleine voix. Et vous ?

–Josaphat Poulin ou ben tit-Jos pour les amis.

–Tit-Jos, je vais chanter le couplet pis vous le refrain...

–Le quoi ? Pis le quoi ?

Rien qu'à voir Josaphat, les gens avaient le goût de rire. Il était de loin le plus volubile de tous les cultivateurs du rang et compensait pour l'air taciturne de plusieurs, surtout depuis la déclaration de la crise de '29 quelques mois auparavant et de la misère noire que le vent avait répandue dans le monde pour empoisonner la vie de tous à la manière du gaz moutarde durant la Grande Guerre.

–Hey, le marié ! Comment c'est qu'il va, le marié de Sainte-Cécile ?

Josaphat avait mis ses mains sur les épaules du jeune homme qu'il connaissait peu puisque les époux ne s'étaient fréquentés pas même quatre mois avant de convoler en justes noces.

Armand tourna la tête et répondit, le visage rayonnant :

–Ça peut pas aller mieux.

Josaphat cria pour tous qui n'avaient rien entendu :

–Ça peut pas aller mieux qu'il dit. J'comprends quand on marie la plus belle fille de la paroisse. O.K. d'abord, on se remet à chanter. Êtes-vous d'accord tout le monde ?

Ce fut une rumeur approbative générale.

–Madame Bolduc, faites-nous sonner votre ruine-babines pis continuez vot' chanson. Envoye donc...

Elle sourit et reprit la musique, tandis que Josaphat se trémoussait au rythme des notes et qu'il mimait le bobo dont faisait état la chanson.

J'ai un clou su' l nerf du cou

Qui est aussi grand qu'un trente-sous

J'en ai un sur le menton

Qui est aussi gros qu'un citron

J'en ai un autre su' l'bord d'l'oreille

Qui m'sert de pendant d'oreille

Je vous assure qu'ils tarnissent pas

Sont garantis quatorze carats.

Pis j'en ai un su' l'bout d'la langue

Qui m'empêche de turluter...

À ce moment, Josaphat lança :

–Tout le monde ensemble, tout le monde ensemble.

Et l'on accompagna la Bolduc pour la suite :

Pis ça me fait bégaygay... e'bégaygaygaygaygaygaygayer

–Encore une fois...

Pis ça me fait bégaygay... e'bégaygaygaygaygaygaygayer

Ce fut l'hilarité générale tant la turluterie était égrianchée et sonnait faux de partout.

Suivirent deux autres couplets et refrains qui rendirent heureux chacun des assistants. Les paroles évoquaient la misère inventée de celle qui les chantait, ses maux physiques et son combat contre les problèmes de toutes sortes. À deux reprises, il était question de la mort et pourtant, tout le monde rit quand Aline chanta :

Si ça continue comme ça

Ils vont chanter mon libera

Et...

Ça finit par l'enterrement...

C'est qu'à la noce, personne de plus de cinquante ans ne s'y trouvait, à l'exception du père Théodore Morin qu'on avait assis à la table d'honneur à côté des parents de la mariée. Et quand on est en bonne santé, on croit que ça va durer toujours. Les maladies de la chanteuse faisaient rire parce qu'elle les attribuait à quelqu'un de jeune, ce qui apparaissait à tous comme une impossibilité, surtout quand il était question de rhumatismes et de maux de reins.

Au plaisir qu'on avait d'entendre les mots s'ajoutait celui de voir Josaphat mimer et gesticuler sans crainte du ridicule. Un jour de noce étant un jour de rire et de plaisir, il ne fallait pas y venir affligé d'une vieille constipation mentale et porter des habits trop serrés. Bien assez des interdits de la religion qui frappaient la danse et la consommation par les hommes de boissons alcoolisées.

–Mes bons amis, dit la chanteuse, on va laisser les mariés découper le gâteau de noce, pis plus tard, on aura, pour vous divertir, un violoneux, un accordéoniste et moé-même pour vous offrir d'autres p'tites chansons de madame Bolduc. Je vous dis : à plus tard ! Pis merci en attendant !

–Bravo ! Bravo ! lança Josaphat qui obtint des applaudissements nourris pour la femme artiste.

Et le joyeux homme retourna à sa place tandis que la chanteuse se dirigeait vers la porte grande ouverte menant à l'extérieur. Elle reçut des bons mots de congratulations de la part de tout un chacun le long de son chemin.

C'est Marie-Jeanne, mère de la mariée, qui réglait la cérémonie et qui, pourtant, le faisait sans cérémonie. Elle avait demandé à la chanteuse de faire deux chansons durant le repas et maintenant, il lui fallait annoncer autre chose. On s'attendait à ce que ce soit le partage du gâteau par les nouveaux mariés, mais il n'en fut rien :

–Mes amis, la parenté, le voisinage de tout le rang, encore une fois merci à plein pour avoir accepté de venir icitte aujourd'hui, à la noce de notre fille Armoza pis de son mari Armand. Tantôt, ils vont séparer le gâteau, mais pas tusuite. Pour asteur... Ben sûr, on a invité monsieur le curé pis monsieur le vicaire à venir manger avec nous autres pour fêter ça, mais comme de ben entendu, ils viennent pas aux noces, eux autres. Faut les comprendre : ils passeraient ben tous leurs étés d'un boutte à l'autre de la paroisse à courir les banquets comme aujourd'hui... Mais... y a des exceptions partout comme vous le savez. Ben on a notre monsieur le vicaire avec nous autres, pis vous le saviez pas, j'en suis certaine. Vous allez voir c'est que vous allez voir...

Et la femme s'adressa à un personnage invisible qui se trouvait certainement au second étage puisqu'elle dirigeait son regard et sa voix vers l'escalier. Toutes les têtes se tournèrent vers le même endroit et l'on aperçut des pantalons noirs venir, descendre. Le porteur apparut avec son col romain au cou et son missel tenu contre sa poitrine. C'était le voisin Romuald Rousseau qui s'était déguisé en prêtre pour faire rire et livrer une prêche de son cru à des tablées désireuses de l'entendre.

Pendant que ces choses se produisaient, le fils aîné des Nadeau, Lorenzo, ainsi que Rose-Alma Bilodeau, la maîtresse d'école du rang, venue du village pour aider au service des tables, achevaient une tournée de breuvages. Elle servait du thé depuis une grosse théière noire et lui, il distribuait de la bière en bouteille aux hommes de plus de dix-huit ans. Lorenzo, un blondinet aux yeux bleus, avait été l'élève de Rose-Alma; et maintenant, il aurait bien voulu en être l'époux. De son côté, elle ne le détestait pas. Elle ne le rejetait pas. Mais elle tenait entre eux deux une certaine distance. En tout cas pour le moment...

On applaudit le faux prêtre. D'aucunes, femmes seulement, froncèrent les sourcils. Ce n'était pas respectueux de s'amuser ainsi aux dépens du clergé. Mais ça se faisait souvent aux noces. Le vieux Théodore Morin jubilait quant à lui. Chaque liberté qu'on prenait face à cette religion autoritaire et oppressante qui l'avait étouffé toute sa vie ajoutait à sa propre liberté tard voulue, trop tard embrassée.

Rousseau alla sur l'estrade derrière la table d'honneur et prit la parole après avoir béni les assistants d'un signe de croix :

–Mes ben chers frères pis mes ben chères soeurs, j'ai deux mots à vous dire... même si vous voulez pas les entendre...

–Oui, on veut; oui, on veut ! s'écria Josaphat que l'on approuva de toutes parts. Envoye, mon maudit calâb, dis-nous ça, toé, là !

–Les deux mots, c'est... *allez chier* !

L'assistance croula de rire, Josaphat donnant le ton par une voix qui surpassait toutes les autres. Et Rousseau reprit :

–Vous vous demandez pourquoi c'est faire que j'vous dis ça. Parce qu'ils doivent être rares, ceux qui en ont envie.

Il se tut et scruta les invités de coups d'oeil rapides sur

tous de chaque côté des quatre tables, celles des deux cuisines. Chacun pensa à ses intestins et personne ne devait se manifester.

–Malgré que vous faites tout pour que ça vous arrive.

Nouveaux rires nourris.

–Pis ça va vous arriver avant la fin de la journée.

L'on rit encore.

Ce que tous ignoraient à l'exception de la fausse madame Bolduc, c'est qu'un vrai prêtre se trouvait en ce moment même près de la porte d'entrée à l'extérieur, et qu'il était en mesure d'entendre tout ce que disait le faux vicaire à l'intérieur. Quelque chose attirait l'abbé Morin dans le cinquième rang. Quelque chose d'indéfinissable. Il était porté à se rendre plus souvent là que dans les autres rangs de Saint-Léon. Était-ce la montagne qui l'appelait ? Le lac au loin ? Les gens et leurs apparences ? Les âmes sans doute ? Ou quoi encore ? Il avait décliné poliment, tout comme le curé, l'invitation à prendre part au banquet de noce tout en se promettant, sans le dire, de faire une saucette chez les Nadeau durant l'après-midi. Et comme le repas avait tardé, il arrivait en quelque sorte prématurément. Le curé avait béni le mariage; lui, le vicaire, était là pour bénir la noce. Ce qu'il entendait, farces grossières et rires gras aux dépens du clergé, ne l'y inclinait guère.

La sortie d'Aline Bolduc avait coïncidé avec l'arrivée du vicaire Morin qui avait stationné son auto au bord du chemin, à l'ombre de liards protégeant la maison des ambitieux rayons du soleil. Ils se connaissaient. Ils s'étaient parlé. Puis le prêtre avait décidé d'attendre dehors la fin du repas et il avait tendu l'oreille... Rousseau continua :

–C'est que j'sus v'nu vous dire, c'est que l'enfer existe.

–On le sait, on le sait, lança Josaphat.

–C'que vous savez pas, c'est que... ben y a deux enfers. Y a l'enfer du feu, ça, vous le connaissez, nous autres, les prê-

tres, on vous en parle assez en chaire. Pis y a l'enfer de la...
de la marde... un grand lac de marde...

Des femmes protestèrent de grognements, qui regardaient
la table, ayant l'air de dire que ce n'était ni l'endroit ni le
moment de se montrer d'une pareille vulgarité. Mais Rousseau poursuivit :

–C'est le pére Thodore qu'arrive d'l'autr' bord... Saint-
Pierre lui dit : "*Pére Thodore, vous qui avez répandu des
idées folles dans tout le cinquième rang, vous irez en enfer.
Mais comme vous êtes pas un si méchant homme que ça, je
vous laisse le choix entre l'enfer de feu pis l'enfer de...*" vous
savez quoi.

Le faux prêtre perdit l'attention des gens. Beaucoup se
murmuraient des réflexions à mi-voix. C'était l'expression
'idées folles' qui suscitait ainsi les dires. La plupart savaient
que Rousseau faisait allusion à cette idée de changement de
partenaire inventée par le vieil homme et véhiculée par le
très énigmatique et insondable bossu Couët.

Les Morin et les Roy étaient assis face à face. Le regard
d'Hilaire rencontra celui de Marie, tandis que Joseph et
Blanche s'échangeaient une oeillade furtive et complice.

Josaphat intervint :

–Taisez-vous, on veut entendre la suite. Envoye, mon
grand fainéant de la Beauce...

–Saint-Pierre emmène le pére Thodore au bord d'un châssis pis lui montre l'enfer du feu. Ça chauffe là-dedans en
maudit... surtout pour ceux qui ont commis le péché mortel,
on dira pas l'quel... Ça se fesse su'a yeule. Ça se donne des
coups de broc à foin. Ça se brûle les uns les autres à coups
de tisonnier... comme la marâtre avec la p'tite Aurore. Pas
ben drôle, l'enfer du feu. Ensuite, le bon saint Pierre, il emmène le pére Thodore devant un autre châssis, pis lui montre
l'enfer de la... marde. C'est plein de monde là. Des Goulet,
des Paré, des Morin, des Nadeau, des Martin, on se croirait
dans le cinquième rang. Ça se parle. Ça rit. Faut dire que

tout le monde est calé jusqu'à ceinture dans un mélange de fumier animal pis d'une autre sorte qu'on nommera pas... Par chance que tout le monde est habillé comme il faut. Et pis les femmes pis les hommes, c'est tout mélangé; un peu plus pis ça danserait des sets carrés. J'vous dis que y a pas à hésiter pour le pére Morin qui dit à saint Pierre : *'ben, c'est ça que j'choisis.'*

—Ben correct, de dire saint Pierre qui, là, sonne une cloche pour parler aux damnés de l'enfer de... vous savez quoi... *"O.K. tout le monde, la récréation est finie. Tout le monde, on se cale la tête dans le jus pour le restant de la journée."*

La salle éclata de rire. Tous les yeux se posèrent sur le vieil homme qui salua de la tête, de la main et du sourire. Rousseau reprit la parole :

—Pis c'est là que le pére Thodore a regretté en maudit ses vieux péchés.

Autres rires plus clairsemés.

—Pis j'vous dis que si vous avez pas aimé mon histoire, ben j'pourrais vous pardonner si s'rais un vrai prêtre, mais vu que j'en suis pas un, ben j'vous dis simplement : ceux qui ont pas aimé ça, deux mots pour vous autres...

Ils furent criés par Josaphat :

—Allez chier !

On applaudit. On rit de toutes les manières polies et impolies. Mais parut soudainement le vrai vicaire dans l'embrasure de la porte, et la rumeur cessa graduellement.

—On dirait que vous m'attendiez pas, là, tous vous autres.

Une autre rumeur s'éleva : hésitante, résignée et moins vargeuse que la précédente.

—J'ignorais que monsieur Rousseau avait été ordonné prêtre. C'est récent, dites-moi, monsieur Rousseau ?

—Suis pas ordonné prêtre, suis ordonné... cultivateur.

—Chacun son métier et les vaches seront bien gardées.

Marie-Jeanne intervint pour dénouer une situation quelque peu corsée :

–Si c'est pas monsieur l'abbé Morin ! Vous nous avez dit que vous viendriez pas, mais ça nous fait grand plaisir de vous recevoir parmi nous. Hein, vous autres ?

–Ah, Dieu est partout, par sa présence invisible autant que par ses prêtres, quand cela est possible.

–V'nez vous en icitte, on va vous faire une place avec nous autres à la table d'honneur.

On applaudit le prêtre, tandis qu'il se rendait au lieu indiqué par la Marie-Jeanne qui prit la parole sitôt le silence revenu :

–J'espère que vous êtes pas offusqué toujours, là, à cause du petit sermon à monsieur Rousseau.

–Mais non ! Aucunement ! Quand on rit aux dépens de quelqu'un ou de quelque chose, si le rire n'est pas empreint de mesquinerie, de méchanceté, de mépris, alors on rit bien... Rions. Allez, rions tous en choeur !

Et l'abbé se mit à rire, bedon sautillant. Et la Marie-Jeanne rit aussi. Et Maurice ricana de son mieux. Et Josaphat lança un grand rire sonore. Et bientôt tout le monde fut à rire, à l'exception du père Théodore Morin qui ne trouvait pas ça drôle et se disait que le prêtre parvenait à faire faire tout ce qu'il voulait à ces gens soumis et 'liche-cul'.

On crut que le bonhomme était trop vieux, au bord de la sénilité, qu'il était à moitié sourd peut-être sourd comme un pot, qu'il ne se trouvait peut-être présent que de corps, et que son esprit vagabondait dans son vieux passé de poussière et de souvenirs effilochés.

Quand un certain calme revint, le vicaire dit à l'adresse de son imitateur :

–Maintenant, monsieur Rousseau va aller retrouver ses habits du dimanche et oublier qu'il fut vicaire pendant un quart d'heure. Et puis tiens, on va lui demander d'aider les passeurs de liqueurs et, à chaque cabaret rempli qu'il tiendra entre ses mains, il viendra me le faire bénir. Ainsi, mes bons, bons amis, vous boirez une boisson bénie et bonne à boire. Que la noce se poursuive ! J'arrive à temps pour le gâteau, m'a dit madame Bolduc tout à l'heure à l'extérieur. Je prendrai le dernier morceau... s'il en reste, bien entendu...

Une rumeur s'éleva. Elle disait en toutes sortes de mots que c'est le premier morceau qui devait aller au prêtre et pas le dernier comme son humilité l'avait commandé.

Il était là, ce gros gâteau tout blanc et rose, à étages, confectionné durant la semaine par Cécile, la servante du curé. On l'avait apporté en précaution dans la petite voiture fine des Nadeau. Il avait fallu deux hommes pour le protéger du soleil, du cahotage et des faux départs imprévus de la jument. Lorenzo et son père s'étaient rendus au village la veille afin d'en ramener ce chef-d'oeuvre culinaire digne d'une noce d'avant la dépression, une folle noce des années douces.

Un ruban blanc entourait le couteau noir à long manche dont on se servait pour la boucherie en décembre de chaque année. Armoza avait des fourmis dans les doigts la pressant de prendre l'instrument tranchant pour enfin découper des portions minces à distribuer à tous par les mains Rose-Alma et Lorenzo auxquels s'était docilement ajouté Romuald.

Elle attendait un signal de sa mère. Marie-Jeanne le lui donna en disant :

—Asteur, Armoza va nous couper ça, c'te beau gâteau-là. Si, mettons, que y en a pas assez pour tout le monde, j'ai fait des beignes avec des confitures aux fraises des champs. Ça fait que... tout le monde va se la sucrer, la fraise... ben comme il faut...

Elle obtint des rires. Le marié joignit sa main rugueuse à celle, veloutée, de sa nouvelle épouse et le grand découpage commença alors même que le vicaire bénissait avec ostentation le gros gâteau.

Et le banquet se poursuivit dans l'allégresse et sous la bénédiction divine passant par le doigt généreux du vicaire Morin. Souventes fois, des regards de femmes glissèrent furtivement sur sa personne et le prêtre les ressentit comme autant de caresses agréables dont il ne devait pas toutefois se laisser griser ni abuser par souci de propreté de son sacerdoce et de fidélité à son voeu de chasteté.

Il arriva même à Blanche Morin de ressentir un certain désir après deux regards d'affilée ayant croisé celui du prêtre et son sourire esquissé. Elle qui avait connu un autre homme que son mari récemment fut moins prompte que naguère à obéir au commandement qui interdit les pensées impures.

Chacun goûta au gâteau. D'aucuns, adolescents surtout, s'empiffrèrent de beignets arrosés de confiture. On finit par se lever de table. Des hommes disposèrent des chaises et des bancs improvisés autour de la cuisine. Il y aurait des conteux d'histoires, des musiciens et de la danse durant l'après-midi.

Des couples se retrouvèrent entre eux, notamment les Paré et les Martin qui s'entendirent pour aller marcher un peu, histoire de se dégourdir les jambes et de prendre l'air. Et aussi de digérer la viande qu'ils avaient tous ingérée : du boeuf pesant et du lard lourd, deux mets auxquels l'oisiveté ne faisait pas peur.

–Ça va nous faire grand bien ! déclara Albert quand les deux couples furent dehors, pas loin de l'appentis d'un hangar où avait trouvé refuge la fausse madame Bolduc pour se protéger contre les trop ambitieux rayons solaires.

–Ben on vous félicite pour vos chansons ! dit Jean Paré en s'adressant à la chanteuse. Vous auriez dû rester dans la maison pour manger du bon gâteau avec nous autres.

–J'ai pas été invitée pour ça.

Albert intervint :

–La Marie-Jeanne aura décidé ça, là, elle.

Les quatre partenaires des deux couples savaient que dans chacune des chambres, il avait été question d'échanger plus que de l'amitié et des paroles, mais personne ensuite n'avais pris l'initiative d'en reparler. Cette petite randonnée pédestre à laquelle chacun avait consenti de bonne grâce leur permettrait-elle de faire des pas dans la direction qu'on avait voulu prendre malgré de grandes hésitations camouflées derrière un certain cran de surface ?

Après quelques mots encore échangés avec la Bolduc, on emprunta le chemin tapé qui avoisinait l'allée des vaches et menait au lac *Miroir* que la terre des Nadeau touchait par son extrémité de l'ouest.

L'on se parla du temps qu'il faisait, du soleil ardent, du foin presque prêt pour la faux, de la prestation de Romuald Rousseau à table et de l'inconfort de plusieurs à la surprenante survenue de l'abbé Morin. Et les pas s'ajoutant aux pas amenèrent les deux couples à un boisé de conifères où l'on perdit de vue la brillante surface de l'eau.

Bien qu'elles fussent toutes deux enceintes, et pas de la veille, les deux femmes n'eurent aucun mal à suivre les hommes qui marchaient devant, ou bien elles auraient fait halte pour se reposer. C'est que le pas était lent et sous le signe de la détente. Et du temps à perdre pour le mieux vivre.

Les gars allaient en bras de chemise, tous deux ayant laissé leur veste dans la cuisine d'été, accrochée à un clou de bois. La fraîche et l'odeur du sous-bois de même que le silence qui y régnait s'avérèrent propice à la confidence. Et aux vibrations...

–On devrait s'assire pour se reposer un peu ! suggéra Jean quand on aperçut de nouveau, mais à proximité, la brillance de la surface de l'eau.

Albert enchérit :

–On s'assit à fraîche entre les sapins, avec l'eau en vue pas loin. Une belle place pour se sentir ben comme il faut. La meilleure à vrai dire...

–On va être ben, ben ! réfléchit Sophia tout haut.

–J'te pense ! approuva Marie-Louise.

On délaissa le chemin pour trouver espace entre des sapins qui formaient un abri naturel et l'on prit place sur le sol herbeux sans se soucier trop des taches inévitables subies par le linge sur le sol d'un bocage où règne invariablement l'humidité.

Une fois qu'on fut installé, une sorte de pudeur, peut-être une gêne superficielle simplement, rôda au-dessus des têtes. En cette heure du jour, les maringouins se terraient dans les interstices entre les écorces des arbres dépourvus de résine collante et odorante. Cette odeur même protégeait les quatre amis des insectes piqueurs tout autant que le soleil qui les obligeait à se retirer en attendant la tombée du jour. Mais que de sang à sucer si on était seulement à la brunante devaient se dire les cousins somnolents et les frappe-à-bord allongés ! Que de peau à effleurer et que de chair où enfoncer son dard ! Il y avait les bras dénudés des dames, leurs jambes offertes par des robes guère plus longues que celles des années folles. Et puis, il y avait les cous masculins, bronzés comme du cuivre et bourrés de vaisseaux sanguins bien irrigués. Et toutes ces mains bien lavées du matin. Et ces visages d'été au tan cuivré, luisant d'une sueur fine, à la peau encore fraîche de la jeunesse toujours présente dans l'étincelle des yeux.

Car il en brûlait, du feu, dans les regards. Comme si on avait su pour quelle raison précise on se trouvait là. C'est qu'on avait repéré l'endroit idéal pour échanger ce qui pouvait l'être.

–Une belle place en titi, hein ! Regardez l'eau qui brille au travers des branches.

C'était Jean qui avait dit cela. On se reput un moment à regarder les reflets d'argent toujours changeants comme sur fond kaléidoscopique.

–Y a rien que sur la montagne que c'est aussi beau

qu'icitte ! suggéra son épouse un peu hésitante.

Jean reprit la parole :

–Le problème, sur la montagne, c'est qu'on voit le lac *Miroir* de pas mal haut, tandis qu'icitte, on peut quasiment toucher l'eau avec nos mains.

Albert enchérit :

–En plus que su' la montagne, on y va le dimanche, pis le dimanche, y a toujours du monde là, l'été. Y a des journées qu'on veut voir du monde, pis d'autres journées moins.

Chacun devinait à quoi le jeune homme faisait allusion. Il était temps qu'on s'en reparle, de ces propos que les deux couples avaient eus séparément tout en sachant que leurs vis-à-vis avaient échangé sur le même sujet le même soir.

–Finalement, mon Johnny, en as-tu parlé, à ta femme, de ce qu'on s'est parlé l'autre jour ? D'après moé non, vu que tu m'as pas appelé le lendemain comme prévu.

–J'ai pensé la même affaire de mon bord. On a parlé de ça, nous autres. Pis vous autres ?

–Nous autres itou.

Les deux femmes silencieuses s'échangèrent un regard entendu. Elles avaient communiqué par téléphone, s'étaient dit des choses par mots très couverts. Puis, sachant les deux hommes occupés dans le haut des terres, elles s'étaient vues et avaient parlé des idées farfelues de leurs capricieux de maris qui se disaient prêts à plonger dans une aventure que la religion eût taxée de dépravation funeste et diabolique.

Maintenant, les deux hommes, dont le coeur s'était considérablement accéléré, restaient muets, figés dans leur audace et par la peur de ce qui risquait de se produire. Car il y avait un accord tacite pour un échange de partenaires. Car le lieu leur avait été octroyé comme tout naturellement. Car l'isolement le permettait. Car l'occasion était en or. Car rien de tout cela n'était fortuit puisque chacun avait suivi le chemin d'une première rencontre.

Mais si on les avait suivis ? Et puis, l'oeil de Dieu était partout. Quoi faire pour arriver à faire, malgré tous les obstacles qu'il faudrait encore franchir ? Fallait-il commencer par les mots, par les suggestions ou bien par les gestes ? Toutes ces questions et tergiversations en train d'assaillir les hommes furent emportées brutalement par ce que firent les femmes sans rien dire, complices par le regard et leur conversation secrète de la semaine. En même temps, elles se déplacèrent sans se lever, l'une vers l'autre, puis l'une croisant l'autre, afin de rejoindre le mari de l'autre. Les ventres rebondis se frôlèrent et ces messieurs eurent des regards plus que surpris.

—C'est ça que vous vouliez, les gars, fit Marie-Louise quand elle fut auprès de son voisin.

—Ben...

—C'est ça que vous avez, enchérit Sophia qui se colla contre l'épaule d'Albert Martin.

—Il est toujours temps de...

—De revirer de bord ? questionna Sophia avec un sourire bourré d'ironie. Asteur, on est tous dans le même bateau. On change pas de cap, on change de mari.

Durant la semaine, elles s'étaient dit que les hommes, au dernier moment, changeraient d'idée, reculeraient dans le bacul, pris de remords, apeurés comme des enfants qui grimpent dans un arbre et craignent de se blesser en tombant, et ne savent plus comment redescendre. Sinon, s'ils devaient aller de l'avant, elles-mêmes ne s'objecteraient pas et iraient jusqu'au bout. Même qu'elles favoriseraient la nouvelle expérience en pelletant du charbon dans la chaudière de la locomotive qui les entraînait à toute vapeur vers une contrée inconnue et prometteuse. Elles avaient discuté de religion, de commandements, de petit catéchisme et en étaient venues à la conclusion que le péché mortel ne saurait se trouver dans un échange librement consenti. On s'était jusque dit que les prêtres eux-mêmes, dans des circonstances semblables, ne résisteraient pas à la tentation...

Marie-Louise mit la main sur le genou de son nouveau partenaire. Jean actionna les freins :

—Ouais, on a pas notre petit mot à dire, nous autres, les gars...

—Votre mot ? s'étonna Sophia. Votre mot ? Vous l'avez dit ben avant nous autres.

—Quoi ? ajouta Marie-Louise. Asteur que c'est le temps, c'est la jalousie qui se réveille dans vous autres ?

—Moé, jaloux ? Ben voyons donc ! clama Jean.

—Moé pas plus ! protesta Albert à son tour.

Sophia fit glisser sa main sur la nuque de son partenaire en disant de sa voix la plus suave :

—Assez parlé ! Asteur agissons ! On peut pas reculer. Moi en tout cas...

—Moi non plus ! assura sa consoeur.

Toutes les barrières qui restaient encore devant Albert tombèrent ensemble. Lui qui avait si souvent désiré la voisine Sophia comprenait que si on devait ne pas accomplir ce pour quoi on était venu là, jamais l'occasion ne reviendrait. Il fallait monter dans le train ou bien traîner de la patte le restant de sa vie à marcher sur les dormants de la voie ferrée en se contentant d'un désir appelé à devenir frustration sèche et stérile. Il se pencha vers la femme et posa sa bouche à moitié ouverte sur son cou, tel un vampire en manque de sang frais depuis un siècle ou deux.

Marie-Louise savait qu'une fois stimulée, elle deviendrait plus sensuelle qu'un homme, en tout cas que Jean Paré. Alors elle prit l'initiative en s'emparant de sa main pour se faire entourer la taille, tandis qu'elle offrait sa bouche à boire au désir de l'homme.

Les respirations masculines devinrent très fortes. Les partenaires d'occasion ne virent plus les agissements du partenaire habituel que pour exciter bien davantage leur propre libido. Le processus d'échange était devenu irréversible.

On ne s'attendait pas à de la nudité de la part d'aucune personne vu la nature du lieu. Voilà qui avait pour effet d'exacerber les désirs encore bien plus. En même temps, on se savait à l'abri de tout regard indiscret et pourtant...

Non loin de là, sur le bord d'une rivière qui se déversait dans le lac, un homme pêchait. Et pas n'importe qui. Bossu Couët, la seule personne du rang à n'avoir pas été invitée à la noce d'Armoza par Marie-Jeanne, se consolait en tâchant d'attraper du poisson sur la terre même des Nadeau. Il s'était rendu à proximité en selké et son petit cheval broutait de l'herbe fraîche et bonne un peu plus haut.

Personnage discret et silencieux s'il en fut, Couët laissait pendre sa ligne, l'hameçon chargé d'un appât qui se tortillait et la pesée dans l'eau noire d'un petit bassin réputé pour regorger de truites grises aussi vigoureuses qu'affamées.

Et il songeait à ce qu'aurait été sa vie s'il n'était pas né bossu et si Delphine avait survécu. Peut-être qu'elle se trouverait là même, à son côté, ligne à l'eau tout comme lui, à tâcher de leurrer une belle truite qu'on ferait griller ensemble plus tard de retour à la maison. Car il aurait possédé sa maison. Une vraie maison de cultivateur. Pleine de vie, de soleil et d'enfants...

Pour éviter de se faire brûler par les rayons trop directs de ce plein midi, l'homme s'était mis sur la tête une casquette de cheminot, décousue à l'arrière pour permettre à son crâne excessif d'y pénétrer sans désagrément. Il lui parut entendre soudain des gémissements venir du boisé voisin. Souventes fois, il avait entendu des animaux se plaindre, mais ces lamentations-ci ne sauraient être qu'humaines. Puis il distingua deux voix féminines. Aucun doute possible, il s'agissait de personnes humaines de l'autre sexe. Se pouvait-il qu'en se rendant aux fraises, elles aient été attaquées par un ours noir ou une meute de loups ? Puis des grognements furent entendus. Mais pas ceux de bêtes, loin de là, malgré leur similitude apparente avec des grondements d'ours ou de porc. Alors il lui vint en tête une idée renversante, impossible : se pouvait-il que des couples humains soient en train de copuler entre les sapins ? Il fut emporté par sa curiosité malsaine et, délaissant son attirail à pêcher, il marcha comme un Sauvage, tout en prudence et en silence, vers le jardin des lamentations. On était bien trop au coeur de l'action pour le savoir venir. Il s'embusqua en s'accroupissant derrière un grand sapin quand il aperçut à travers les branches des corps s'agiter d'une façon qui ne laissait planer aucun doute. Deux couples en train d'accomplir leur devoir conjugal, l'un en présence de l'autre, cela avait de quoi surprendre la terre entière. Bossu encore plus.

L'infirme put apercevoir des cuisses receveuses, des craques de fesses masculines et pas grand-chose de plus vu que personne ne s'était dénudé vraiment. On s'était embrassé, touché, caressé, peloté, puis les hommes avaient plongé dans un univers profond qui les aspirait, les retenait et s'apprêtait à les vider de leur substance la plus précieuse.

Bossu reconnut les personnages en action : les Martin et les Paré. Et pourtant, son esprit survolté ne se rendit pas compte sur-le-champ que les couples étaient entremêlés et que la femme Martin recevait les hommages du sieur Paré, tandis que la femme Paré était pénétrée par son voisin. Et la chevauchée fantastique se poursuivait entre les sapins protecteurs. Et les chevaux y allaient à fond de train, non pas pour se livrer à de la compétition, mais par besoin extrême de se livrer sans retenue...

S'agissait-il de dépravation ou plutôt de bon voisinage ? Toujours est-il que le bossu se souvint de l'impensable idée complètement folle du père Théodore, répandue par lui-même dans toutes les demeures du cinquième rang, histoire de faire rire et d'étonner. Est-ce cela qui avait incité ces deux couples voisins à copuler l'un en présence de...

La pensée ne se termina pas dans son lourd cerveau, car il prit conscience tout à coup de l'échange de partenaires, Albert honorant Sophia, Jean honorant Marie-Louise. Pauvre Couët, il ne savait plus où donner de la bosse. Et entre ses jambes, le démon de la chair se faisait fébrile. Plus loin, du côté de l'eau, une truite avait mordu et, bien hameçonnée, elle se débattait si fort que le manche de ligne était à chaque seconde attiré vers le bassin noir. À cause d'un appât irrésistible, de la volonté calamiteuse d'un pêcheur, un pauvre poisson affamé finirait par mourir à bout de résistance dans son propre élément : l'eau qui l'avait vu naître. Si au moins le pêcheur l'avait attrapée selon les règles de l'art et sortie de l'eau pour ainsi l'endormir par privation d'oxygène avant de la faire mourir, la truite n'aurait pas connu cette interminable agonie en devenir, appelée à durer des jours...

Tout ça, au fond, par la faute du vieux Théodore. C'est son idée qui avait fait épidémie dans le rang, répandue comme le plus excessif et aérien des microbes, pire que celui de la grande grippe espagnole de si fraîche mémoire malgré la douzaine d'années qui l'enterrait dans un oubli général volontaire. C'est son idée, au père Morin, qui avait poussé ces deux couples à se rencontrer à l'abri du reproche de la terre entière. C'est leurs bruits à odeur de péché qui avaient éloigné le bossu du bassin noir où le piège mortel s'était refermé sur ce pauvre vertébré inférieur. Et combien d'autres conséquences fâcheuses s'ensuivraient, s'enchaîneraient les unes les autres, se provoqueraient par un interminable et prodigieux effet domino ? Dans les yeux agrandis du bossu, il s'écrivait une grande question : et si ce qui se passait là, tout près, s'avérait le tout premier pas d'une formidable ou peut-être abominable libération sexuelle de tous les gens de la paroisse, de la région voire du pays tout entier ?

On ne voyait guère les ventres arrondis des femmes puisque les hommes les cachaient de leur corps et parce qu'elles avaient gardé leurs dessus qui les enfouissaient à mi-cuisses au moins. Sinon Bossu eût été doublement scandalisé...

Albert n'en pouvait plus de se retenir pour que dure le plaisir insupportable et pourtant, il s'arrêta un moment. Pas pour reprendre son souffle puisqu'il en avait pour trois hommes, pas pour transpirer moins puisque des gouttes de sueur tombaient sur sa partenaire comme une pluie chaude qui n'en finissait pas. Encore moins par esprit de compétition devant la performance de son voisin qui continuait de plonger et replonger dans le ventre de sa femme. Non, Albert s'arrêta pour connaître un autre délice : celui de l'immobilité soudaine dans l'action et des mots murmurés à l'endroit de sa nouvelle partenaire. Il lui était d'abord venu en tête des phrases aux comparaisons implicites du genre "t'es la meilleure au monde", "j'ai jamais été aussi heureux", "j'ai jamais connu un moment pareil", "tu m'excites à mort". Mais quand on nourrit son esprit aux fables de La Fontaine, on perçoit vite le sens caché des phrases, et ces pensées à deux tranchants, ce n'est surtout pas ce qu'il devait servir à sa compagne du moment devant son épouse qui était tout près et entendrait sûrement pour y prendre ombrage par la suite quand le feu du moment se serait éteint.

–Moé pis Marie-Louise, on est pas prêts de regretter ce qui nous arrive. Pis d'après c'que je vois de vous deux, ça va être pareil.

Sophia ouvrit les yeux, posa leur infinie douceur sur le visage de son partenaire et approuva de signes de tête affirmatifs, puis referma les yeux pour signifier son désir de le voir reprendre son ascension vers des sommets plus hauts encore que les plus hauts sommets.

Survint alors une première apothéose : celle atteinte par Jean Paré. L'homme imprima de tels coups de boutoir à son mouvement de va-et-vient qu'il crut atteindre sa compagne en plein coeur avec l'extrémité de sa lance. Mais il en aurait fallu davantage pour que la Marie-Louise se fasse empaler à mort. Il entra dans sa finale, et le ton plus aigu de ses gémissements l'annoncèrent à tous. Emportée par ces élans grandioses, Marie-Louise s'envola à son tour sur les ailes de l'insensée jouissance charnelle si conspuée par l'Église, si condamnée par les prêtres, si méprisée par les bonnes moeurs, le plus souvent si impardonnable chez les autres mais si tolérable chez soi-même.

Couët frottait sans vergogne la bosse de son pantalon. Il ne savait plus quel couple regarder. Il ne savait pas qui des Paré ou des Martin, qui des Paré-Martin ou des Martin-Paré, lui apportait le plus d'excitation. Quand le premier couple à atteindre le dessus de la montagne le fit, son attention alla toute au second couple. Albert donna un dernier coup de piolet afin d'accéder au sommet. Sophia poussa son corps en avant pour être sûre d'escalader à la même vitesse que son partenaire. Puis, au même moment, Albert grognonna, et Sophia pépia. Marie-Louise et Jean avaient eu le temps de se dégager l'un de l'autre, et ils purent voir et entendre le crescendo ultime de la symphonie amoureuse.

Le pantalon du bossu se mouilla à l'intérieur de la cuisse gauche. Le pauvre homme ferma les yeux et resta face contre terre, toute sa personne inondée de soleil, de lumière et de vifs regrets... *Malheur à celui par qui le scandale arrive*, entendit-il en écho dans les profondeurs de son âme...

La communion prit fin, mais pas l'union. Albert demeura un moment bien enfoui dans sa voisine sous le regard repu et amusé de sa femme et du voisin Paré. Et avant de se détacher de Sophia, il dit à l'intention de tous :

–On devrait inventer le mariage à quatre. Sophia aurait deux maris pour la vie. Marie-Louise itou. Pis Jean pis moé, ben on aurait deux femmes pour la vie.

–Bonne idée, mais y a pas un prêtre qui voudrait faire un mariage de même, objecta Jean qui arborait un large sourire aux lèvres.

–Ça pourrait s'faire entre nous autres, dit Marie-Louise. Un témoin ? Peut-être même pas ? Quen, on pourrait demander au bossu Couët de bénir ça, c'te mariage-là.

–Suis sérieux, vous savez, dit Albert en se dégageant des jambes de Sophia.

Entendant son nom, Bossu hocha doucement la tête sur sa misère noire. Si cette terre pouvait donc s'ouvrir sous lui, l'engouffrer comme un ventre de femme peut vous aspirer le corps d'un homme : c'est là que serait sa plus grande apothéose, à lui.

Les couples se reformèrent suivant l'ordre établi. Les vêtements furent vite replacés suivant la normale. On resta assis dans l'amitié. Albert reprit la parole :

–Si on fait le serment du sacrement de mariage, mais pour quatre, j'vois pas pourquoi c'est faire que le bon Dieu serait pas content. Pis ça voudra dire qu'on pourra changer de partenaire quand on voudra toute notre vie. Si y en a un qui meurt, le couple qui reste s'occupera du veuf ou de la veuve. Vous trouvez pas que c'est une bonne idée ?

–Ben bonne idée ! approuva Sophia.

–D'accord ! fit son mari.

On regarda Marie-Louise qui acquiesça à son tour avec un sourire et un signe de tête.

Albert exprima le serment :

–Chacun de nous deux ici présent prend pour épouse Marie-Louise Perron et Sophia Coulombe. Ensemble, Jean Paré et Albert Martin, on dit : *oui, je le veux.*

"*Oui, je le veux* !" reprirent sans rire les deux hommes en choeur.

–Chacune des deux femmes ici présente prend pour époux Jean Paré et Albert Martin, un pis l'autre. Ensemble, Sophia Coulombe et Marie-Louise Perron, on dit : *oui, je le veux.*

"*Oui, je le veux* !" dirent en choeur les deux femmes.

Bossu entendit le prononcé de pareil serment si terriblement contraire aux bonnes moeurs, aux traditions, aux commandements de Dieu, aux pratiques courantes de la sainte religion. Tout se bousculait en sa pauvre tête : culpabilité, crainte de Dieu, révolte, désespoir et surtout incompréhension totale. Par moments, il se croyait en enfer; en d'autres, au paradis. Où était le vrai ? Où se cachait la certitude ? Toutes les balises de sa vie risquaient de s'effondrer autour de lui, à moins que des forces spirituelles ne viennent les étançonner pour qu'elles continuent à tenir debout le reste de ses jours comme toutes ces années depuis sa naissance malheureuse.

–On est tous les quatre maris et femmes, reprit Albert avec un long signe de tête affirmatif.

Sophia questionna :

–La fidélité à quatre, ça se peut-il ?

Son mari donna la réponse satisfaisante :

–Sûr que ça se peut ! On change de partenaires rien qu'entre nous quatre. Autrement, ça aurait pas de bon sens. On pourrait pas pratiquer ça avec tout le cinquième rang, comme de ben entendu.

–Pis là, on va retourner à la noce ou ben d'aucuns vont s'inquiéter de nous autres.

Les hommes aidèrent les femmes à se relever, puis on attendit le signal de l'un d'eux pour se mettre en marche. Un bruit venu d'ailleurs vint les alerter tous les quatre et les cloua sur place.

–On dirait que c'est des pas au bord du bois, pensa Albert tout haut.

–Une vache peut-être ?

–Allons donc voir, Jean, fit Albert qui se dirigea aussitôt entre les arbres pour déboucher dans la clairière descendante, ce qui lui permit d'apercevoir le bossu se brimbalant rendu à mi-chemin entre le boisé et la rivière.

–Penses-tu qu'il nous a vus, le bossu, Jean ?

–Aucune idée ! Ça se pourrait ben... C'est curieux comme une belette, c't'homme-là. Mais il parlera pas. D'abord, y a personne qui pourrait le croire. Il se ferait plus de tort que de bien à placoter.

–Quoi c'est qu'il sera venu faire par icitte aujourd'hui, ce-lui-là ?

–Il doit pêcher sur le bord de la rivière. Il mange pas mal de poisson, lui. Il a le temps de pêcher. Pis paraît qu'il est bon pêcheur itou.

–Peut-être pas autant que Josaphat Poulin, mais il en poi-gne pas mal.

–Bon, retournons avec les femmes pour leur dire...

–On devrait pas. On va dire que c'est une vache. Autre-ment, ça va leur faire peur pour la prochaine fois.

–Quant à ça... t'as ben raison ! Pas un mot su' la 'game' à personne !

Et bientôt, le quatuor se mit en marche lente pour retour-ner à la maison Nadeau où l'on continuait de s'amuser ferme à la noce d'Armoza.

***

Chapitre 20

À cette heure, ce n'était pas le gros divertissement fait d'histoires épicées racontées par quelque boute-en-train genre Josaphat Poulin ou Romuald Rousseau, ni le temps de nouvelles prestations par madame Aline Bolduc et pas plus celui de la danse de sets callés, non, c'était l'intermède entre le repas et l'amusement collectif, la pause des jambes durant le premier travail intense des estomacs paquetés.

Pendant que d'aucuns travaillaient à l'intérieur, desservant puis défaisant les tables montées et préparant les deux cuisines pour la fête, la plupart des hommes et quelques personnes de l'autre sexe se trouvaient à l'extérieur, qui dans une balançoire à jaser, qui à marcher autour des bâtiments, qui à échanger devant la maison à l'ombre des peupliers et en manches de chemise.

Un trio s'était formé spontanément plus tôt, composé du vicaire Morin, du vieux Théodore et de son fils Hilaire, auxquels se joignit bientôt Joseph Roy, un jeune homme peu loquace, mais qui posait beaucoup de questions et semblait se complaire à écouter les réponses. Ce qu'il ne faisait qu'à demi par ailleurs.

L'on se parla quelques moments de la pluie et du beau temps, et surtout du dirigeable *R-100* dont on avait prévu la venue à Montréal dans les derniers jours de juillet ou les premiers du mois d'août.

–Malheureusement, on ne pourra pas le voir, à moins d'aller se mettre sur son chemin le long du fleuve Saint-Laurent, se désola le vicaire en soupirant.

–L'important, c'est pas de le voir passer, l'important, c'est de savoir qu'il va passer par chez nous.

–J'aime votre idée, Hilaire. C'est comme pour Dieu, l'important n'est pas de le voir, l'important, c'est de savoir qu'il existe et veille sur nous du haut des cieux.

L'oeil quelque peu ironique, Joseph Roy ajouta :

–En espérant qu'il prenne pas en feu... je parle du dirigeable, pas du bon Dieu.

Loin de trouver à en rire, le prêtre voulut en profiter pour approfondir son enseignement aux allures anodines :

–Dieu est feu. Sa vue serait insupportable aux yeux de notre corps. Sa présence serait intolérable aux tissus humains qui brûleraient. Quand notre esprit sera libéré de notre corps, il retrouvera Dieu et son feu d'amour.

–Moé, intervint Théodore, j'ai toujours pensé que c'était l'enfer, le feu éternel. Pis vous dites que Dieu, c'est le feu. C'est compliqué en tabarnouche, c't'histoire-là, là... Y a du feu partout du côté de vot' éternité...

Et le vieil homme ricana à penser à l'embarras qu'il jetait sur le clerc. C'était mal connaître l'abbé Morin qui avait réponse favorable à tout :

–Je viens de le dire : Dieu est un feu d'amour. L'enfer, c'est un feu de supplice éternel. Les deux enveloppent mais ne consument pas. D'où le bonheur éternel dans le feu de Dieu et le malheur éternel dans le feu du démon...

Le sujet de conversation bifurqua abruptement quand Hilaire aperçut venir au loin, sur la terre des Nadeau, les couples Paré et Martin. Il lui passa rapidement par la tête cet échange de partenaires qu'on avait pratiqué dans le parc à glace voilà peu de temps. Mais il chassa bien vite cette idée de son esprit en regardant comme impensable que dans un si court intervalle, il advînt dans le cinquième rang deux cas de mélange de couples. Il constata sans plus :

–Quen, Jean Paré pis sa femme avec les Martin : sont allés faire une marche au lac. Ils ont peut-être vu le bossu par là. Couët m'a dit hier qu'il s'en irait pêcher à l'entrée de la rivière *Noire* aujourd'hui...

Mais ce sujet intéressait moins le prêtre qui aurait voulu en revenir à Dieu et ses voies, et qui, pour y parvenir, reprit le sujet du dirigeable, un sujet qu'il possédait autant que celui de la doctrine concernant les choses divines :

–Pour en revenir à ce qu'on disait...

–Attendez un peu, intervint Joseph. Tant qu'à jaser, on va se trouver un banc. Y a tout ce qu'il faut en arrière de la maison : des planches cagées pis du bois de chauffage. Deux bûches, une planche : ça nous fera un bon banc pour quatre.

Théodore approuva le premier :

–C'est pas de refus. À mon âge, les jambes...

Le banc de bois fut vivement improvisé et les quatre hommes y prirent place, avec la possibilité de s'adosser au mur de la maison pour se reposer le dos parfois. Par politesse, on attendit que le prêtre reprenne la parole :

–Oui, pour en revenir à ce qu'on disait sur les dirigeables, saviez-vous que c'est une invention qui date de pas loin de cent ans, ça ?

–Tant que ça ?! s'étonna Hilaire au nom des autres qui ne savaient pas grand-chose sur le sujet.

–Oui, messieurs. C'est un Français qui a inventé cet appareil-là en 1852.

–Moé, j'pensais que c'est des Américains qui avaient inventé ça durant leur guerre civile.

–Non, mon cher ami. C'est un dénommé Giffard qui a mis ça au point en 1852, dix ans avant... la guerre de Sécession des Américains. Et ça s'est passé en France.

–Ah, les Français, c'est du monde intelligent ! argua le père Morin.

–Ils sont nos cousins et on vient des mêmes souches ancestrales, fit valoir le vicaire, l'oeil allumé de fierté.

Puis il revint à sa leçon sur les dirigeables :

–Savez-vous qu'un appareil comme le *R-100,* qui va venir nous visiter le mois prochain, disons dans deux mois, ça mesure 700 pieds ? 133 pieds de hauteur. 133 pieds de diamètre. 156 tonnes. 5 millions de pieds cubes d'hélium.

–C'est plus gros que notre église, on dirait ? fit Joseph sur le ton de l'interrogation.

–Oui, mais par contre, notre église, elle risque pas de tomber, elle. C'est fragile, un dirigeable. Un loustic malveillant tire une balle de petit calibre dans la coque et le feu éclate à la grandeur dans deux ou trois secondes.

Joseph s'objecta :

–J'pensais que l'hélium, c'était pas dangereux.

–Le problème, c'est que plusieurs sont remplis d'hydrogène. Les zeppelins surtout. L'hélium, c'est pas facile à avoir, ça fait qu'ils se servent le plus souvent d'hydrogène, un gaz terriblement inflammable.

–C'est beau, votre culture, monsieur le vicaire, déclara Hilaire. Trouvez-vous ça, vous, le pére ?

–Ouais ? dit le vieil homme sans grande conviction. Y en a qui sont bons en culture pis d'autres en agriculture.

–Pis comme ça, dit Joseph, le *R-100,* c'est un Français qui a inventé ça ?

–Mais non, mais non, mais non, ce n'est pas du tout ça que j'ai dit. Le *R-100* est un zeppelin, c'est-à-dire un dirigeable rigide. Celui inventé par Giffard était en toile ou je ne sais pas, mais sans armature métallique comme les zeppelins. C'est le comte Ferdinand von Zeppelin qui, en 1900, a le premier fait voler un dirigeable rigide.

Et pendant que le prêtre continuait de faire étalage de ses connaissances en matière de plus lourd que l'air, voici que les deux couples, revenant du haut de la terre des Nadeau, s'approchaient lentement de la maison et qu'on les regardait venir sans avoir l'air de leur porter toute l'attention.

Mais le vieux Morin se demandait bien ce qu'ils étaient allés faire au lac au beau milieu d'un jour de noce aussi chaud alors que les deux femmes portaient un enfant et que leur grossesse en était visiblement à un stade assez avancé.

Jamais le prêtre n'aurait soupçonné quoi que ce soit de pas catholique dans cette randonnée pédestre et il n'y voyait que ce que les vieux appelaient une marche de santé.

C'est exactement ce que déclara Albert Martin quand on fut à portée de voix du quatuor masculin en train de pérorer sur n'importe quoi :

–On s'est rendus au lac, tous les quatre.

Le père Théodore, qui voyait encore très bien à une certaine distance, perçut le teint rosé des femmes puis leurs yeux clairs, indices qu'elles avaient connu les jouissances de la chair. Mais le vicaire, lui, se montra bien moins perspicace :

–Ah, les madames ont de vraies belles joues rougeaudes : ça fait du bien, de marcher au grand air et au beau soleil.

Marie-Louise ne broncha pas et sourit finement, tandis qu'un rose plus accentué barbouilla le visage de l'autre femme.

–Vous avez pas vu de pêcheurs au bord du lac, toujours ? s'enquit le père Morin.

La question embarrassa les quatre randonneurs. Comme si le vieil homme avait su que le bossu devait s'y rendre ou bien l'y avait envoyé pour espionner... Mais cela s'avérait impossible : qui aurait dit d'avance que les deux couples se réuniraient pour marcher jusqu'au lac *Miroir* au beau milieu de ce jour de noce ?

—Pas vu le bossu pantoute ! fit Albert avec vivacité.

—Il m'a pourtant ben dit qu'il passerait sa journée à pêcher su' la rivière *Noire* aujourd'hui. Vous êtes vous rendus au bord de la rivière toujours ?

Jean Paré aussitôt répondit :

—Ben non ! Ben non, pas si loin que ça.

Hilaire regarda les femmes avec curiosité. Il lui parut que les robes portaient des taches. S'était-on assis sur l'herbe ou quoi de tel ? Ce ne serait certainement pas lui qui cherche-rait à savoir en tout cas.

De grands cernes sur la chemise de ces messieurs à la hauteur des aisselles témoignaient d'une activité qui prêtait à de la sueur. Mais, en ce moment, malgré leur marche au so-leil, aucun ne transpirait, ni les femmes non plus.

Hilaire se dit qu'il pensait trop, qu'il devrait cesser de le faire ou bien il finirait par s'adonner à quelque jugement té-méraire. Le vieux Théodore remarqua les mêmes indices et en fit un, lui, un pareil jugement en se disant que ces cou-ples avaient accompli leur devoir conjugal pas loin du lac, peut-être même qu'ils avaient échangé les partenaires comme il le souhaitait et en avait lancé l'idée.

Et le vicaire, s'il avait remarqué des choses pas catholi-ques, les aurait tout de suite expliquées à la lumière de l'ob-servance des commandements et de la bonne morale.

Albert prit la parole pour détourner l'attention d'eux vers d'autres :

—Monsieur le vicaire, l'été, quand il fait chaud de même, vous devriez ôter votre soutane noire pis vous habiller comme un père blanc d'Afrique.

—Ah, l'idée n'est pas mauvaise, mais ce n'est pas la norme ici. Monsieur le curé et monseigneur l'évêque désapprouve-raient pareille attitude de ma part, surtout que je ne suis qu'un vicaire.

–Mais le meilleur vicaire à la ronde ! affirma Jean Paré avec de grands signes affirmatifs.

–Ça, c'est ben trop vrai, enchérit Albert. Vous vous occupez des fêtes du cinquantenaire de la paroisse, pis il paraît que ça marche rondement.

Hilaire blagua :

–Ça marche rondement, c'est pour ça qu'il est le meilleur vicaire à la ronde.

Les deux femmes se mirent à rire après un bref coup d'oeil complice l'une à l'autre. Ainsi, elles contribuaient à détourner l'attention d'elles-mêmes et de leur randonnée.

Le prêtre leva les deux mains dans un geste propre à tempérer les élans :

–Attendez, attendez, pas si vite ! Il y a partout des fêtes du cinquantenaire et des vicaires qui s'en occupent. Et ça marche rondement partout. Tenez, par exemple, à Saint-Honoré, en 1923, c'est pas si loin, avec le vicaire Bélanger, ce furent des fêtes grandioses pour une paroisse ordinaire comme la nôtre.

–Vous allez faire encore mieux, on le sait, intervint Albert.

–Ça, ça va dépendre des paroissiens eux-mêmes. Moi, je ne peux rien faire tout seul.

–Ben on va être là, hein, vous autres ?

Hilaire, Jean et les deux femmes approuvèrent. Le vieux Théodore ne broncha pas.

–Et vous, monsieur Morin, lui dit le prêtre, vous serez au milieu de nous autres, j'espère.

Le vieil homme pourlécha ses lèvres pétassées avant de répliquer :

–Moé, monsieur, je vis au jour le jour. Une journée, j'sus là, pis l'autre, j'sus pas là.

–On dirait quasiment notre Seigneur en train de dire à ses

disciples : *encore un peu de temps et vous me verrez, encore un peu de temps et vous ne me verrez plus...*

–C'est ben ça j'veux dire.

–Vous allez tous nous enterrer, dit Sophia qui, elle-même, avait entendu cette phrase des centaines de fois alors que des plus jeunes parlaient à des aînés devant elle.

–J'vas pas enterrer 'parsonne', j'sus trop vieux pour pelle-ter de la terre.

Tous rirent, y compris le vicaire qui sentait une barrière entre lui et ce vieillard. C'était dans le regard du vieux. C'était dans le ton de ses phrases. C'était le fait qu'il s'adres-sât plus aux autres qu'à lui-même, et pourtant, le personnage le plus en vue de cette noce n'était-il point le vicaire, l'ad-joint du chef de l'autorité religieuse, l'homme de Dieu ? Le dignitaire du jour quoi !

On regarda par-delà le prêtre venir un jeune homme qui lança :

–Monsieur le vicaire, les nouveaux mariés vous récla-ment pour un portrait. Êtes-vous d'équerre pour ça ?

–D'équerre certain ! J'y vais. Mesdames, messieurs : à plus tard !

–On fait ça dehors, en avant de la maison, dans les carrés de fleurs et de fougère à madame Nadeau.

–Je suis votre serviteur ! s'exclama le prêtre qui accom-pagna le photographe en souriant largement.

*

Une heure plus tard, à l'intérieur, on était au beau milieu de la fête qui avait repris tous ses droits après la pause ayant suivi le repas du midi.

Les mariés avaient pris place à une table de coin, à côté de la petite tribune où se faisaient valoir trois musiciens dont madame Bolduc. Et en ce moment même, c'est Aline qui y allait de sa prestation, une chanson qu'elle avait annoncée sous le titre de *Si vous avez une fille qui veut se marier...*

Il y avait du monde tout le tour des deux cuisines, assis sur des chaises, des bancs et même d'aucuns comme Josaphat Poulin, sur le plancher, à côté de sa Joséphine. Les premières notes de la ruine-babines se rendirent chercher l'attention de tous et la femme-artiste chanta :

Si vous avez une fille qui veut se marier,
C'est à vous la bonne maman de tout lui expliquer:
Faut q'tu restes au logis
Pour plaire à ton p'tit mari.
Tu auras de l'agrément
Avec tes petits enfants
Tam di li di di dam, tam li di di dou dé...

–Bravo ! Bravo ! lança Josaphat qui se mit à applaudir, suivi de plusieurs.

Les musiciens qui accompagnaient la chanteuse continuèrent de jouer sous les applaudissements et elle attendit que cela prenne fin pour y aller de son deuxième couplet.

Mais si tous les maris n'sont pas tous garantis,
C'est qu'il y a bien de ces femmes avec des grandes fautes aussi.
Elles sont toujours marabout;
Elles veulent toujours faire à leur goût.
Si le mari veut leur parler,
Dans leur coin s'en vont bouder.
Tam di li di di dam, tam li di di dou dé...

Plusieurs de ces dames zyeutèrent le vicaire qui avait pris une chaise près de la porte donnant sur l'extérieur, afin de respirer un peu mieux, lui vêtu de noir, pas très entraîné et bedonnant. Il exprimait sa pensée par des sourires fins en biais et de légers signes de tête.

Madame Bolduc poursuivit sa chanson :

Quand on est fiancé, on commence à s'préparer.
On s'ajète du beau coton pour se faire des beaux jupons.
On s'ajète d'la flanellette:
On se fait des belles jaquettes.
Avec un peu d'ambition,
Je vous dis que c'est pas long.
Tam di li di di dam, tam li di di dou dé...

Dora Fortier et Angélina Pépin étaient assises tout près du prêtre. En fait, Angélina était sa voisine de chaise et elle n'osait pas trop bouger de peur de le toucher et pour ne pas qu'il pense qu'elle le faisait exprès. Pourtant, elle aurait eu le goût qu'il la touche. Il passerait de l'électricité dans ce contact sûrement. Elle l'espérait fort. Cela figeait sa personne comme dans de la glace.

La veille de nos noces, on veut pas se coucher.
On a peur d'passer tout drette, pas être capab' de se réveiller.
Le matin de nos noces,
On commence à se poudrer
On se met un p'tit peu d'fard
On a l'air d'une vraie poupée.
Tam di li di di dam, tam li di di dou dé...

–C'est-il assez vrai, ça ! dit Dora en se penchant sur sa voisine que, sans le vouloir, elle poussa un peu.

Et c'est ainsi que la sensuelle Angélina se trouva à toucher la main du prêtre avec le revers de la sienne. À peine, mais le courant passa. Un courant à haut voltage de surcroît. Dans les deux sens. Peut-être du courant alternatif. Elle toucha un duvet fourni. Il toucha une peau d'une grande douceur. Le voltage augmenta encore...

–Excusez-moi, monsieur le vicaire !

–Toute pardonnée, madame Pépin, toute pardonnée.

Puis s'adressant à Dora, Angélina répondit :

–C'est vrai que c'est des belles paroles en 'titi', ça.

Le prêtre enchérit :

–C'est la vraie vie que dépeint madame Bolduc, celle qui a composé la chanson. Elle deviendra une grande vedette. Sans doute pas comme Albani, mais une vedette du peuple. Parlant d'Albani, vous savez sûrement qu'elle est morte au début d'avril à Londres, en Angleterre. Une grande perte pour le monde artistique. C'était une diva, une vraie diva. Jamais le Canada français n'en produira une d'un aussi grand rayonnement international : impossible, impensable !!!

Dora et Angélina regardaient le prêtre, les yeux agrandis, sans trop comprendre le véritable sens de son propos. La célèbre cantatrice Albani avait beau venir du Canada et porter un nom bien du pays, soit Emma Lajeunesse, ça ne leur disait pas grand-chose à part le nom.

–Elle était pas mal âgée ? fit Angélina sans grande chance de se tromper.

–Soixante-dix-sept ans, qu'elle avait. État de santé précaire depuis un bout de temps. Je l'ai entendue une fois en personne, vous savez. Oui, oui... Ça fait vingt ans au moins. À Québec. Un événement mémorable dans ma vie, vous savez... Elle était une amie intime de la reine Victoria. C'est quelque chose, ça !

On ne put approfondir davantage. La chanteuse se remit à l'ouvrage après un entremets de violon et de musique à bouche.

Quand tu s'ras mon époux,

J'te donnerai d'la soupe aux choux.

J'te planterai d'la bonne salade.

J'te f'rai cuire des belles grillades.

J'te donnerai toutes les douceurs.

J't'aimerai de tout mon coeur.

Je m'assirai sur tes genoux.

Dieu bénira notre chez-nous.

Tam di li di di dam, tam li di di dou dé...

La finale en musique prit fin et les deux cuisines applaudirent en choeur et de tout coeur.

Le violoneux, qui avait pris la relève de madame Bolduc comme maître de cérémonie, lança à pleine voix :

–Mesdames, mesdemoiselles, messieurs, le temps est venu d'un set canadien. C'est que vous en pensez ?

Des 'oui', des 'oué' et des 'ouais' fusèrent de partout, et aussitôt, des couples s'attroupèrent au centre de la cuisine d'été où se trouvait le plus gros du monde. Les Goulet, les Rousseau, les Poulin et les Roy attendirent que le violoneux donne le signal et que le 'calleur', l'autre musicien, commence à lancer sa voix qu'il faisait porter sur les notes des deux instruments. Car madame Bolduc, quand elle ne chantait pas, jouait quand même de son harmonica.

Pour l'heure, les Paré et les Martin se faisaient bien tranquilles dans leur coin de la cuisine d'hiver, quasiment à l'écart de la fête. Ils arboraient tous les quatre, d'un seul côté du visage, un sourire énigmatique, encore baigné des plaisirs interdits. On avait commis un péché mortel de la chair et pourtant, aucun ne s'était senti vraiment coupable par la suite, pas même en la présence d'une soutane noire. On savourait encore la jouissance ressentie et l'on se demandait dans toutes les substances quand viendrait la prochaine occasion de pécher.

Tous les prêtres ne voyaient pas la danse du même oeil, mais le vicaire Morin quant à lui n'avait jamais jeté l'anathème sur aucune, pas même le tango, frappé d'interdit en 1912 par le pape Pie X. Et il embarqua dans l'enthousiasme général tout en reprenant la conversation, –à voix suffisante pour être entendu–, avec Dora et Angélina auxquelles se joignirent les parents de la mariée, Marie-Jeanne et Maurice Nadeau.

Le couple emporta des chaises pliantes et prit place devant le trio déjà en mode échange.

–Pis, monsieur le vicaire, demanda la plantureuse femme, comment c'est que vous trouvez notre noce ?

–Une grosse noce. Vraiment, une grosse noce ! Et surtout une belle noce ! Du monde à plein. De la vie. De l'énergie dans l'air. Fait chaud, mais ça, c'est rien.

–Ben contente de vous l'entendre dire.

Pendant ce temps, les danseurs tournoyaient dans la place et le 'calleur' se plaisait à répéter plus souvent que besoin : *changez votre compagnie...* Ce qui, à tout coup, poussait les Paré et les Martin à s'échanger des regards qui n'en disaient long qu'à eux-mêmes.

Lorenzo s'amena jusqu'au vicaire, cabaret en main et verres remplis de bière dessus :

–De le bonne bière de compagnie, dit-il. Vous en prenez un verre, monsieur le vicaire ?

–Certainement ! J'voudrais pas manquer ça pour tout l'or du monde. Un prêtre devrait-il se limiter au vin de messe ? Ce sont les Lacordaire qui vont me regarder de travers peut-être et je serai un mauvais exemple, mais qui n'a pas de défauts ?

–Vous faites ben, vous faites ben, approuva Marie-Jeanne qui accepta un verre elle aussi.

Dora, qui s'était tue jusque là, posa une question :

–Vu qu'il y a de l'alcool dans le vin, un prêtre peut-il entrer dans un cercle Lacordaire ?

–Ça s'adonne, dit l'abbé Morin que s'empressa d'approuver Maurice Nadeau par des signes de tête. Le vin de messe est en fait le sang du Christ répandu pour la rémission de tous nos péchés. Être Lacordaire, c'est s'abstenir de boire pour le plaisir de boire. Quand on dit la messe, on ne boit pas le vin pour le plaisir, mais pour que s'accomplisse le miracle de la transsubstantiation.

Dehors, tout près de la porte, bien assis sur un banc d'où il lui était possible d'entendre l'échange en cours qui lui parvenait à travers les accents de la musique, le père Théodore Morin riait dans sa barbe. Du vin qui se transforme en sang, voilà qui lui apparaissait comme une autre parmi les interminables âneries que la religion faisait avaler à ses fidèles, la plupart aussi aveugles que naïfs. Voir si le bon Dieu avait besoin de tout ce processus de la soi-disant rédemption du monde pour sauver les âmes ! Le vieil homme ne croyait même pas en la divinité de Jésus-Christ. Et s'il lui concédait une belle et bonne philosophie, le prophète, à son regard, n'était pas plus ou moins fils de Dieu que lui-même.

Toutes ces idées reçues, Théodore Morin les avait retournées dans tous les sens au cours de sa vie, tout en fauchant le foin, tout en récoltant les fruits de sa terre, tout en suant au labeur, et il avait fait appel au bon sens naturel pour les évaluer, les mesurer par le long, le large et le travers.

Et maintenant, dans son entendement, la religion, et par extension toute religion, ne saurait faire usage, pour contrôler ses fidèles que d'une pensée aux antipodes du plaisir, culpabilisante, menaçante et effrayante. Toutes ces caractéristiques, la pensée catholique les avait. Pourtant, le vieil homme avait choisi de se taire, de ne pas s'objecter à l'enseignement du clergé, et ce qui lui avait échappé à propos de l'échange de partenaires chez les couples, il aurait voulu le rattraper. Les mots seulement, mais pas pour les renier et seulement pour les remettre sous le couvert. D'un autre côté, il continuait de souhaiter que des couples du rang se mélangent pour le plaisir et il soupçonnait quatre d'entre eux de l'avoir fait, soit les Roy et les Morin d'une part quelques jours auparavant, et les Paré et les Martin ce jour même dans le haut de la terre des Nadeau près du lac *Miroir*.

Et le vieillard, l'oeil petit, caché derrière ses vieux sourcils à pattes d'araignée, imaginait ce qui s'était peut-être produit là-bas sur le coup de midi sans pour autant cesser de prêter oreille aux absurdités que le vicaire débitait allégrement à l'intérieur de la maison.

Les hommes au milieu, les femmes autour... et saluez votre compagnie...

Angélina jeta un oeil du côté de son époux qui conversait avec Hilaire Morin plus loin, vers la partie hivérisée de la maison. Et dut se rendre compte que, pour le moment du moins, la présence du prêtre à ses côtés lui était bien plus agréable que ne l'eût été celle de son mari.

Dora était animée d'un sentiment semblable. À l'attrait purement charnel ressenti s'ajoutait une sorte d'attirance spirituelle pour cet homme de Dieu qui aurait pu, s'il avait été son mari, contribuer fortement à élever et son corps et son âme vers les sommets d'un ciel infini.

Marie-Jeanne, femme terre-à-terre s'il en fut, formée pour enseigner et diriger, jouissait ici et maintenant de la présence du vicaire Morin. Après avoir vu à tout après le repas, voici qu'elle avait pris la décision de s'asseoir avec le prêtre, suivie comme toujours de son petit mari.

Tous par la main et en tournant maman...

La danse se poursuivait. Les hommes suaient. Les femmes suivaient. Le calleur callait. Les musiciens donnaient le meilleur d'eux-mêmes. Aux quatre coins de la demeure familiale et tout autour à l'extérieur, les invités montraient leur bonheur par des propos badins, des rires intempestifs, des racontages et racontars.

Maurice Nadeau prit timidement la parole :

–C'est donc beau, notre sainte religion !

Le vicaire mit sa main en cornet derrière son oreille droite :

–Comment dites-vous ? Je n'ai pas entendu. Je me fais vieillissant.

–J'dis que c'est beau, notre sainte religion catholique.

Marie-Jeanne reprit après lui :

–J'vous dis que lui, il parle pas fort. De la misère à faire écouter ses enfants. Il dit que c'est beau, notre sainte religion catholique.

Elle avait parlé sur le ton de l'autorité et son dire atteignit plusieurs personnes dont Angélina bien entendu, Dora aussi et le père Morin qui tenait dans sa bouche une pipe morte en regardant au loin, sans en avoir l'air, la portion du lac visible depuis la maison Nadeau.

–C'est la seule vraie, comme vous le savez tous. Hors de la sainte Église catholique, point de salut ! Nous sommes les choyés de l'univers entier.

–Les seuls élus ! fit Dora en insistant sur l'idée par de nombreux signes de tête à faire envie aux Juifs hassidiques les plus fervents devant le mur des Lamentations.

–Je ne vous le fais pas dire, madame Fortier.

Le bonhomme Morin n'y tint plus cette fois : il se pencha et se mit la tête dans la porte, juste derrière la soutane du vicaire :

–Dites-moé pas que les protestants pis les musulmans vont tous aller en enfer, là, vous !

–Vous m'avez fait sursauter, père Morin, là, vous... Pour répondre à votre question, disons qu'il est difficile de savoir où ils iront après leur mort...

–Même s'ils font une vie meilleure que la nôtre, ils vont se ramasser avec les démons de l'enfer ? C'est injuste en vieux maudit, moé, j'trouve.

–Vous savez, l'Église ne dit pas qu'ils iront en enfer, elle dit : 'point de salut'. Cela pourrait vouloir dire que ces âmes infidèles pourraient aller, par exemple, dans les limbes pour l'éternité. Aux limbes, il n'y a pas de souffrance morale; c'est juste que ça doit être ben ennuyant de passer l'éternité au neutre comme ça.

–J'me demande si c'est pas l'Église catholique qui se trouve dans les limbes. Voir si un enfant protestant sera pas sauvé comme un enfant catholique : v'nons pas fous avec ça.

–Ah, vous, là, père Morin, vous vous montrez rebelle devant la sainte Église, la seule bonne Église.

–Moé, là, un groupe de monde qui se dit le seul bon de l'univers, ça me rend soupçonneux comme le yable.

Et domino, les femmes ont chaud...

Le sel callé prit fin. Le vicaire invita le père Théodore à discuter avec lui à l'intérieur, mais le vieil homme refusa.

–Trop de vacarme en d'dans ! Ça crie, ça saute, ça danse, c'est beau tout ça quand on est jeune, mais à proche 90 ans, ça fatigue vite. Venez dehors, vous.

–C'est que je suis en train de jaser avec des gens intéressants.

–Dans c'te cas-là, restez avec eux autres. Moé, j'continue à fumer drette icitte.

–On va y aller, vous rejoindre, nous autres. Qu'est-ce que vous en dites, madame Nadeau ? Et vous, mesdames ?

Maurice dit :

–On a justement installé un banc dehors, le long du mur de la maison.

Marie-Jeanne enchérit :

–Ben on peut emmener nos chaises avec nous autres.

Et c'est ainsi que devait se former un groupe de jase dehors à l'ombre fraîche de deux érables jeunes qui croissaient dans la cour de ce côté.

Une autre danse réunit d'autres participants dans la cuisine d'été. Les Paré et les Martin restèrent ensemble, sortirent par l'avant avec l'intention d'aller se faire la conversation sous les peupliers.

*

En même temps que se formaient et se déformaient les groupes, Rose-Alma et Lorenzo prenaient un moment de répit de l'autre côté du grand poêle à la tête imposante. Un coin peu fréquenté de la grande cuisine.

–Tu t'ennuies pas trop de l'école, toujours ? lui arriva-t-il de demander au jeune homme.

–Non, fit-il spontanément, comme si ç'avait été la seule réponse possible.

Puis il se reprit en pensant à elle :

–Ben... oui d'une manière.

–Je gage que tu t'ennuies de ta maîtresse des fois.

–C'est sûr, c'est sûr !

Lorenzo Nadeau avait vu le jour au matin du quatorze avril 1912, quelques heures à peine après le naufrage du Titanic survenu dans l'Atlantique Nord. D'aucuns se plaisaient à dire de lui qu'il pouvait bien être la réincarnation d'un naufragé qui avait alors péri dans les eaux glaciales de l'océan profond. Mais il n'en croyait rien. Car la religion catholique disait non à la théorie de la réincarnation et favorisait plutôt celle de la résurrection des morts à la fin des temps quand la trompette de saint Michel se ferait entendre pour donner le signal du jugement dernier.

Il rêvait de Rose-Alma. Mais elle accusait un an de plus que lui et cette différence s'était avérée marquante du temps de son école. Elle était alors la maîtresse en haut de sa tribune et lui, au bas, l'écolier à sa petite table de travail parmi d'autres étudiants semblables à lui, et considérés par Rose-Alma comme ses égaux dans son coeur. Comment en arriver à aplanir cette distance quand on est aussi réservé que lui ?

–Mais t'avais assez de ta sixième année. D'abord que tu sais ben lire pis que t'écris tout ce que tu veux écrire.

–J's'rais pas capable d'écrire un livre par exemple.

–Ça, on laisse ça à monsieur Hugo... malgré que monsieur Hugo n'écrive plus depuis une bonne cinquantaine d'années au moins. Vu qu'il est mort ça fait un demi-siècle déjà. Mais y en a d'autres pour prendre sa place. Après Hugo, il ne me vient pas de noms dans la tête, là, comme ça, mais je vas y penser comme il faut. As-tu déjà lu un livre, toi, Lorenzo ?

–Ben... non...

–Faudrait que tu le fasses. Ça instruit même si t'es plus à l'école. Ça enrichit. Paraît que tous les riches lisent des livres. Pis qu'on peut pas devenir riche sans lire.

Surpris, le jeune homme s'excusa :

–J'en ai pas, moé, des livres.

–Ça se trouve. Quen, je vais t'en prêter un. Mais va falloir que tu le lises.

–Je vas le lire, c'est sûr.

–Pis que tu me le redonnes après.

–Je vas vous...

–Dis-moi donc 'tu' une bonne fois pour toutes : on est quasiment du même âge, Lorenzo.

Le visage du jeune homme tourna au cramoisi. Voilà qui était un grand signe d'amitié sinon de plus.

–Je vas vous... je vas te le redonner.

–Dans ce cas-là, quand tu vas venir au village, viens à maison. Je vas t'en prêter un. J'en ai de monsieur Victor Hugo. J'en ai de monsieur Alfred de Musset. J'en ai un de monsieur Louis Fréchette... c'est... attends... *La légende d'un peuple.*

–Ben... moé... j'connais rien là-dedans pantoute.

–Je te prêterai *Notre-Dame de Paris* de monsieur Hugo. C'est une belle histoire d'amour...

Entendre dire ce mot par la bouche de cette jeune fille qui faisait tant vibrer son coeur avait de quoi ajouter encore chez le garçon à l'idée que Rose-Alma pouvait ressentir quelque chose pour lui, elle aussi. Mais il en aurait fallu pas mal plus pour que son audace le pousse jusqu'à lui proposer de la fréquenter. Devenir son cavalier officiel était le plus grand rêve de ces dernières années. Bref, il aimait Rose-Alma depuis sa troisième année, et son pire cauchemar était d'entendre parler qu'elle 'sortait' avec un autre.

Rose-Alma s'était laissé fréquenter par quelques-uns, mais aucune de ces relations n'avait duré bien longtemps. Et on savait qu'elle était libre comme l'air de l'été de ce temps-là. En fait son coeur était au neutre. Elle venait tout juste de célébrer ses dix-neuf ans et son plus cher désir consistait à faire l'école encore au moins quelques années. Il y avait encore six ans la séparant du bonnet de la Sainte-Catherine.

Lorenzo Nadeau avait besoin de s'armer de patience et de s'affiler les griffes s'il voulait faire d'elle la mère de ses enfants. Et il devrait longtemps soulager ses propres pulsions à la manière des célibataires en attendant de l'épouser devant Dieu et les hommes. Ou bien de guerre lasse devrait-il tourner ses hormones exacerbées et ses yeux enamourés vers d'autres belles du canton.

Pour l'heure, il se contentait de bien se sentir en sa présence, de lui vouer une grande admiration vu ses connaissances, ses attraits physiques et sa force de caractère. Certes, il n'arrivait pas à plonger son regard dans celui de la jeune femme et seulement à le croiser furtivement, mais il emmagasinait dans son coeur chacune des images qu'elle lui offrait quand elle posait ses grands yeux bruns sur lui.

Ce qu'elle faisait en ce moment alors qu'il gardait la tête basse et que tout le sang de son corps semblait réuni dans sa face sur le point d'exploser.

–Il reste-t-il encore de la bière dans la 'shed' ?

Il releva la tête et la regarda, étonné :

–Ben oué...

Croyait-il ainsi que son regard le soupçonnait qu'elle voulait en consommer ? Elle le rassura :

–Non, non, c'est pas pour moi. C'est juste pour savoir, comme ça, là.

–Ah !

C'est Lorenzo et lui seulement qui avait fait le service de la bière aux hommes de la noce. Marie-Jeanne en avait acheté trois caisses qu'on avait mises sur de la glace dans la grande dépense appelée parfois la 'shed'. La femme et peut-être les invités aussi n'auraient pas vu d'un très bon oeil que Rose-Alma, la maîtresse d'école du cinquième rang, serve une boisson alcoolisée.

–Sainte bénite ! j'prends jamais de bière, moi. Et toi, Lorenzo ?

Le jeune homme rougit encore plus. C'est que déjà, depuis le matin, il avait ingurgité quelques verres, sans toutefois se 'déranger'. Mais il n'aurait pas voulu qu'elle le sache. Peut-être que ça lui vaudrait un mauvais point dans son coeur. Toutefois, il était bien incapable de mentir, en tout cas pas encore. Et il répondit :

–J'y ai goûté un peu...

Sans prévenir, elle lui prit la main :

–Hé ! viens de l'autre côté, on va danser un set carré.

–Ben... j'sais pas danser, moé.

–Tout le monde sait danser, voyons.

–Pas moé.

–Viens, tu vas voir. J'vas te le montrer.

Les mots magiques venaient d'être prononcés. *J'vas te le montrer.* Mots de maîtresse d'école. Mots qui mettent en confiance totale les écoliers accrochés à la jupe et à l'esprit de la personne qui leur enseignait, tout comme, dans leur petite enfance, ils l'étaient aux attributs maternels.

Il fut obligé de la suivre.

On fut bientôt dans l'autre cuisine en attente d'une nouvelle danse, tandis que les musiciens arrêtés échangeaient entre eux comme le faisaient au bord de la porte, mais à l'extérieur maintenant, les Nadeau, le vicaire et les autres.

Et Lorenzo finit par entrer dans la danse, entraîné par Rose-Alma qui le prévint d'abord :

—T'as qu'à suivre c'que dit le calleur !

Mais il parut gauche et sa mère avertie le regarda aller pour le railler quand il s'approcha à son signe d'autorité :

—Tu danses comme un veau qui gingue.

Rose-Alma intervint aussitôt :

—Faut commencer par le commencement, madame Nadeau, vous devez savoir ça, vous.

—Ouais, ouais...

Et la blonde hommasse retourna à ses intérêts du moment qui se trouvaient à l'intérieur du groupe de conversation. Elle se fit rabrouer par le vicaire :

—Vous n'auriez pas dû lui faire honte comme ça, madame Nadeau.

—Vous l'avez pas vu danser pour me dire ça.

—Pas besoin non plus. Il a dansé pour danser, pour s'amuser, pas pour gagner un concours d'élégance.

—On sait ben : vous autres, les prêtres, vous pardonnez tout ce qui est défectueux.

—Nous pardonnons les fautes; or, Lorenzo n'a pas commis la moindre faute. C'est un jeune homme timide : il lui faut de l'encouragement.

Maurice était pleinement d'accord, mais il n'osa approuver par crainte de représailles de la part de son épouse malcommode.

Et la fête se poursuivit avec ses autres joies et parfois ses ombres. Les plus heureux furent ceux et celles qui se crurent les plus heureux. Et parmi ceux-là, outre les nouveaux mariés, la plupart des gens du cinquième rang.

*

Revenu chez lui, Bossu arrangea et fit cuire ses truites. Et il les mangea sans beurre et sans âme. Le cinquième rang avait fait la noce sans lui. Mais surtout, deux couples avaient sombré dans le péché mortel sous ses yeux inquisiteurs. Et en partie par sa faute. Voilà qui pourrait attirer la foudre divine sur tout le rang, du village à la montagne, du lac *Miroir* jusqu'à la source de la rivière *Noire*...

***

Chapitre 21

Ce même soir de la noce d'Armoza Nadeau, un imprévu devait se produire, qui changerait à jamais la face du cinquième rang, dit le rang de la montagne de la *Craque* de Saint-Léon, cette grande paroisse qui avait un pied dans les Cantons de l'Est et un autre dans la Beauce. Deux couples, les Paré et les Martin, s'amenèrent chez les Roy où se trouvaient déjà les Morin. Les uns ignoraient totalement que les autres avaient, tout comme eux, changé de partenaires dans l'accomplissement de leur devoir conjugal. D'ailleurs, cette expression devenait fausse en l'esprit de tous puisque rien de conjugal et encore moins que rien d'un devoir n'étaient en cause dans cette pratique vers laquelle on s'était laissé glisser sans trop s'en rendre compte.

Il y avait eu l'idée lancée par le vieux Morin et colportée par le bossu, il y avait eu la chaleur de l'été pour lui donner de l'élan, il y avait ce temps de la vie où l'on aspire à sortir de soi-même et de ses us et coutumes, il y avait enfin cette profonde dépression économique qui poussait chacun et chacune à se tourner vers les plaisirs gratuits et quand même neufs. Sans compter l'attrait du défendu...

Quelques petits coups de pouce au destin, des désirs cachés qui avaient surgi dans la bouche des uns et voilà que les principes emprisonnés au creux du coeur de chacun avaient sauté comme le bouchon d'une bouteille sous la pression d'un champagne trop agité regorgeant de bulles sensuelles et frivoles.

Le remords, qu'on avait redouté et craint qu'il n'apparût au-delà du plaisir nouveau goûté dans l'aventure extraordinaire, n'avait pas été au rendez-vous. Tout au plus la peur de son hideux visage avait-elle suggéré quelques hésitations qui en fin de compte n'avaient rien fait d'autre que d'exacerber les désirs.

Il y avait une âme damnée derrière cette rencontre de soir de noce. Le vieux Théodore, qui avait somnolé toute la journée en tétant sa pipe aussi noire que morte, manigança ce jour-là pour que les couples qu'il devinait les plus aptes à échanger se retrouvent ensemble après des heures de plaisir à manger, à danser, à rire en un même lieu; et alors, il ne manquerait peut-être qu'une étincelle pour qu'une très souhaitable explosion des sens survienne.

La stratégie utilisée ? Simplement de transmettre aux uns l'invitation des autres et aux autres l'invitation des premiers. Ainsi, chacun, chacune se croirait invité en un lieu donné, soit la maison des Roy où le vieil homme soupçonnait qu'il s'y était produit des flammèches dans le hangar quand Hilaire et Blanche avaient rendu visite à Joseph et Marie l'autre jour, et qu'ils avaient eu tant de mal à lui en parler ensuite.

Sauf que les choses n'arrivent pas toujours comme on le voudrait, et tel que planifié. Mais l'objectif n'a aucune question à poser aux moyens pour l'atteindre.

Les quatre couples formaient un cercle dans la cuisine des Roy. Marie venait de servir des breuvages. De la bière aux hommes et de la liqueur douce aux dames. Les quatre hommes étaient gris; les quatre femmes, souriantes. Certes, Marie-Louise et Sophia n'avaient guère dansé vu leur état 'intéressant', mais les folies du boisé leur gardaient le rose aux joues et le sourire au coeur.

On parla, on blagua, on but, on vanta les mérites de Marie-Jeanne qui, une fois encore, s'était fait remarquer par l'ampleur des moyens pris pour souligner le mariage de sa fille.

–J'me demande ben ce que ça a pu coûter, une noce de même ? s'interrogea Albert pour tous.

–Ben moé, j'dis cinquante piastres comme il faut, commenta Hilaire Morin.

–Vous avez vu son trousseau, à Armoza, les hommes ?

–Pas moé en tout cas, fit Joseph.

–Moé non plus, d'ajouter Jean Paré.

–Ben nous autres, on a vu ça, déclara Marie.

–Les femmes, ça les intéresse plus que nous autres, suggéra Albert.

Marie-Louise prit la parole pour nommer les choses que contenait le trousseau de la mariée :

–Y avait des belles taies d'oreillers, ça se peut pas. Plus de nappes que dans un trousseau ordinaire. Des tabliers brodés. Courtepointes, catalognes, draps de laine et de coton. Serviettes, débarbouillettes... Des linges à vaisselle pis du butin, encore du butin. Son coffre en cèdre est plein.

Sophia intervint :

–Marie-Jeanne a dit que sa fille serait mieux équipée qu'elle-même l'était quand elle s'est mariée avec Maurice Nadeau. Pis que ça sera pareil pour les autres de ses filles.

–Elle fait ben. Nous autres itou, on va faire comme elle, affirma Marie-Louise. Même que j'ai commencé déjà le trousseau de ma plus vieille Cécile. Je vas l'équiper ben comme il faut. L'hiver passé, on a tissé des couvertes au métier. On va faire pareil l'hiver prochain.

–Oublie pas de nous inviter à t'aider, avertit Sophia.

Marie-Louise reprit en souriant :

–J'y manquerai pas, c'est ben certain. Entre nous autres,

faut se donner un coup de main de temps en temps. S'échanger du temps...

Il se fit alors une pause. À plusieurs, la phrase donnait à penser à une autre forme d'échange à laquelle tous avaient participé plusieurs fois par le fantasme et au moins une dans la réalité. Mais deux couples ignoraient que les deux autres avaient plongé tête première dans cette étrange aventure et vice versa. Et les uns et les autres se croyaient les seuls au monde à défier le malheur, les commandements de Dieu et la vie elle-même par le moyen des plaisirs interdits.

Hilaire lança une poignée d'audace au beau milieu de la place :

—Avez-vous pensé à ça, vous autres, les trois couples ici présents, à l'idée pas mal bizarre lancée par le père chez nous pis colportée par le bossu Couët ?

Joseph joua d'hypocrisie tout en songeant au moment inoubliable où il avait possédé Blanche :

—Bizarre, le pére Thodore ! Tu peux le dire, Hilaire.

—Par chance que le curé sait pas ça ou ben mon vieux pére se ferait bannir de la paroisse. Devenir un Canadien errant à 88 ans, ça doit pas être trop drôle, ça.

Marie Roy se sentait mal à l'aise dans pareil échange qui exhalait le faux de tous ses pores. D'un autre côté, jamais elle n'aurait avoué devant les Paré et les Martin qu'elle et son mari avaient changé de partenaire avec les Morin dans le parc à glace. Ou bien la nouvelle aurait fait le tour de la paroisse comme une traînée de poudre. Et il aurait fallu s'en défendre bec et ongles.

Et puis, il y avait les enfants qui bourdonnaient tout autour comme des moustiques affamés, oreilles à l'affût, et qui cherchaient à tout entendre de ce qui se disait entre adultes pour se dépêcher de le placoter ensuite. Elle ne pouvait les voir, mais elle en savait au moins un qui captait tout et, à coup sûr, le répéterait.

L'horloge n'avait pas à réfléchir, elle, pour sonner les heures et elle marqua lentement et inexorablement les 8 heures du soir, alors qu'il faisait encore grande clarté dehors. Et sur ce son, un autre se fit entendre : celui du téléphone. La sonnerie indiquait qu'on appelait chez les Roy. Marie alla répondre :

–Oui, allô !

–C'est madame Pépin... Angélina.

–Ah, bonsoir Angélina !

–J'appelle pour vous inviter à venir veiller un peu avec nous autres.

–Ça adonne pas trop à soir, Angélina, on a dc la visite. Albert Martin pis Marie-Louise, Jean Paré pis Sophia, Hilaire Morin pis Blanche sont tous ici avec nous autres. Mais quen, venez donc vous joindre à nous autres, vous deux. Ça serait plus facile de déplacer un couple que quatre, tu penses pas ?

Hilaire Morin intervint :

–Attends, Marie, attends ! Ça serait peut-être une bonne idée qu'on aille faire un tour chez eux. Tu couches les enfants, Marie, pis on fait une virée tous les huit su' les Pépin. Y ont pas d'enfants, eux autres. On serait rien que du grand monde. C'est que vous en pensez, vous autres ?

Jean Paré approuva d'un signe de tête. Albert Martin d'un bref applaudissement. Sophia et Marie-Louise s'échangèrent un regard entendu. Hilaire s'adressa à son épouse :

–Blanche, c'est que t'en penses ?

–Pourquoi pas ? C'est juste là, à côté de l'école. Allons-y tout le monde si tout le monde est d'accord.

–Angélina, dit Marie, on est d'accord pour aller chez vous veiller une heure ou deux. Vu qu'on est tout proche, on va y aller à pied.

–Ben j'm'en vas vous préparer des petits boires à ma manière, pis ça va vous faire grand bien...

–C'est les hommes qui seront contents.

–À tusuite là !

–C'est O.K.

Marie déclara, une fois le récepteur raccroché :

–Greyez-vous, on va voir les Pépin. Sont tout seuls, pis ils nous invitent.

Joseph, le seul à n'avoir pas été consulté, ne se sentait pas très enthousiaste, mais il ne laissa pas voir. C'est que la Marie changeait d'air et d'humeur quand il était question de Francis Pépin. Ça, il le sentait, il le voyait, il le craignait bien un peu. Ce que ne comprenait pas Joseph, c'est qu'il était le premier à se montrer troublé quand il était question de la belle Angélina, un être sensuel qui lançait, peut-être sans le savoir ni le vouloir, des signaux invisibles à bien des mâles de l'espèce. Mais ces attitudes et ces inquiétudes restaient bien secondaires dans leur vie; et le quotidien exigeant avait tôt fait de les camoufler derrière les travaux et les jours.

Les couples attendirent un moment que Marie puisse voir aux enfants pour qu'ils soient couchés à leur départ. De là-bas, à l'occasion, elle jetterait un coup d'oeil sur la maison pour se mieux dire que tout y allait bien.

Et l'on marcha sur le cinquième rang, dans la poussière que les pas soulevaient légèrement, sans mélanger les couples ni les sexes. L'on ne devait pas éveiller l'attention puisque la ferme des Pépin se situait à mi-chemin entre celles des Paré et des Roy, et, qui plus est, voisine de celle des Morin. En fait, à l'exception des Martin, on pouvait apercevoir des gens du milieu du rang se rendre chez des gens considérés eux aussi comme faisant partie du même coin.

Angélina et Francis se mirent debout sur la galerie pour souhaiter la bienvenue aux visiteurs. On se salua à distance. Les femmes pépiaient. Les hommes avait délaissé leurs pipes le temps d'une marche au grand air. Le soleil brillait sur la surface du lac *Miroir* au loin. Il se coucherait dans l'eau et tous savaient qu'il pourrait pleuvoir le jour suivant. Mais en ce moment, le lendemain, c'était à un siècle devant. C'est qu'un jour de noce est mémorable et, avec d'autres, sert de balise dans une vie.

–La Angélina, j'vous dis qu'elle s'est mis une robe pas mal écourtichée ! commenta Sophia en tournant la tête vers les autres de façon à ce que l'on ne l'entende pas depuis la galerie.

–C'est pas pire qu'en 1925, le temps du charleston, argua Marie-Louise. Ma soeur Henriette, elle, est restée accrochée à ce temps-là, pis elle porte tout le temps ses robes en haut du genou. Une vraie calamité pour les curés.

Il y avait pas mal de moustiques dans l'air. C'était la période de l'année pour leur invasion barbare. Et surtout, c'était l'heure du soir la plus favorable à leur quête sanguinaire. Pour cette raison, les hommes encore chaudasses et leurs compagnes déstabilisées par les événements récents y compris la noce du jour, se faisaient aller les bras et les mains dans tous les sens pour faire fuir les bestioles affamées qui se contentaient de quelques pas de danse ailée dans l'air ambiant avant de se poser quelque part dans un autre territoire humain au sous-sol gorgé de sang chaud et frais.

Angélina leur dit à tous, quand ils furent au pied de l'escalier :

–Va quasiment falloir veiller en dedans : y a trop de mouches à soir.

–Pis nous autres, icitte, on dirait que c'est pire, ajouta son époux.

–Y a-t-il des marécages su' ta terre ? demanda Albert.

–Non, mais le lac est plus proche. Pis y a la rivière *Noire* qui coupe dans le trécarré.

Angélina reprit :

–C'est pas grave, on a des bonnes portes à 'scrigne'. Quand on rouvre pas, les mouches passent pas. Pis on a pompé du DDT tout à l'heure, ça fait que tout ce qui pique est mort ou va mourir.

Hilaire ne manqua pas l'occasion :

–Tout ce qui pique va mourir ? Les gars, nous autres, on ferait peut-être mieux de pas rentrer.

Albert enchérit :

–Pantoute de pantoute ! dirait Maurice Nadeau.

Les hommes seulement ricanèrent à la blague. Les femmes retinrent leurs rires en leur for intérieur.

L'on entra. L'on prit place dans la grande cuisine. L'on but. Cette fois, il fut offert aux hommes de la bagosse, et sa haute teneur en alcool eut tôt fait d'emporter à tire-d'aile la presque totalité des inhibitions masculines. Maintenant, l'on riait, l'on se contait des faits, des histoires scabreuses. Albert demanda aux femmes de faire cul sec avec leur verre de vin de pissenlit.

–Non, mais vous voulez nous soûler ou quoi ? demanda Sophia.

–Oué, c'est ça qu'on veut, lança Hilaire.

Les autres gars approuvèrent.

Les filles se regardèrent et se comprirent.

Et chacune fit cul sec avec son boire.

Le discours devint échevelé, les rires désordonnés. Une suggestion qui eût pu paraître farfelue sembla séduire tout le monde : on jouerait à cache-cache comme des enfants de première année. Mais pas tous à la fois. L'idée vint une fois encore d'Hilaire Morin. Comme si son esprit engrisé avait été guidé de loin par celui de son père, le vieux Théodore.

Et de la maison, le père Morin, embusqué derrière une fenêtre, avait vu aller sur le chemin tous ces couples que par son rusé micmac il avait fait se réunir chez les Roy. Et il savait qu'ils s'étaient rendus chez les Pépin. Le vieillard songea aussitôt que la maison Pépin était libre d'enfants et qu'il pourrait bien s'y passer du 'bouillon' si le hasard voulait que plusieurs parmi tout ce beau monde soient éméchés juste assez mais pas trop...

Ce qu'il souhaitait arrivait donc en tous points chez les Pépin. Tout le monde était gris. Tout le monde était ouvert au plaisir. Et tout le monde était harcelé par le désir.

–Le jeu de cachette, ça va se passer de même, dit Hilaire. Un homme va se cacher quelque part en haut. Une femme, pas la sienne ben sûr, va essayer de le retrouver. Ça devra pas prendre plus que cinq minutes. Qui c'est qui veut commencer ?

Tous les gars se portèrent volontaires.

–Dans ce cas-là, dites-moé un chiffre entre un pis cinq... Celui qui tombe sur celui que je pense commence. Pis j'vois pas pourquoi c'est faire que j'tricherais.

Le sort désigna Francis Pépin. Un autre tirage fit en sorte que sa chercheuse fût Sophia Paré.

–Tout le monde est d'accord ? demanda Hilaire.

On approuva de partout. Il ne s'agissait encore, dans l'esprit de tous, que de l'échangisme léger, rien de comparable à ce qu'on avait vécu entre les Paré et les Martin ce jour-là, et entre les Morin et les Roy l'autre jour. Quant aux Pépin, ils étaient encore vierges de toute forme d'expérience en pareil domaine frappé d'interdiction par l'Église.

Marie Roy enviait Sophia, mais elle le dissimulait bien loin dans sa substance profonde. Hilaire et Joseph auraient bien voulu être à la place de leur voisin, mais le sort en avait décidé autrement.

–Francis connaît tous les recoins de sa maison, c'est pas juste, protesta Sophia sans conviction.

–Ah, le jeu, c'est le jeu, statua Morin.

Puis il commanda :

–Francis, va te cacher asteur !

Pareil comportement ludique, qui eût paru infantile à des observateurs froids et lucides, allait chercher, tout autant qu'une danse carrée, le puissant goût de s'évader que les travaux du quotidien, les nécessités de la vie et les commandements de la religion endormaient en chacun, assommaient, reléguaient aux oubliettes les plus sombres des basses-fosses les plus inaccessibles de l'âme.

Que du rire ! Que de l'excitation ! Que le moment présent ! Et personne pour penser ou leur faire penser à tous qu'il pût s'agir d'un démon, celui de la chair, qui 'callait' la danse en ce moment, que ses appels silencieux criaient fort à la libido de chacun. Si au moins, il n'y avait pas eu la crise économique. Si on avait pu se payer d'autres plaisirs. Si on avait pu consommer en abondance suffisante des biens extérieurs à soi. Mais voici qu'on en arriverait peut-être à se consommer les uns les autres. Comme le bon Dieu risquait d'être mécontent, de se fâcher, de se venger ! D'autres avant eux avaient croqué la pomme défendue et s'en étaient mordu les doigts longtemps, et leur maudit péché continuait de faire des ravages chez tous leurs descendants... Du moins l'affirmait-on dans les saintes Écritures et dans les chaires violentes et accusatrices...

Voilà ce qu'aurait pu leur dire, à ces gens qui marchaient au bord du précipice, le très pieux vicaire Morin. Mais cet homme de Dieu se trouvait en ce moment au village après avoir assisté à la noce d'Armoza et il relatait au curé, son patron, les événements de la journée. Et l'abbé Lachance de commenter la journée du vicaire en une seule phrase :

"Je n'aime pas beaucoup les paroles des chansons de cette madame Bolduc. Quand elle parle de jupons et d'épouses qui s'assoient sur les genoux de leur mari... Seigneur, où s'en va la morale ? Les époux dignes de ce nom ne doivent se rencontrer que dans un seul but : la procréation. Et d'une seule manière : dans leur chambre noire et leur... lit... C'est ça, la vie du couple et il ne doit pas en être autrement."

Un monde séparait son discours et les événements en train de se produire dans la maison des Pépin du cinquième rang. Francis grimpa l'escalier en trois enjambées et se rendit dans la chambre du fond où il ne se déroba pas du tout à la vue de quiconque le rechercherait et pénétrerait dans la pièce à sa suite. En fait, il s'étendit dans l'ombre sur la catalogne d'un lit en attendant sa suiveuse. Le soleil avait beau baisser, son disque apparaissait encore à belle hauteur au-dessus du lac, et sa lumière affaiblie venait ajouter à la griserie de l'homme en attente.

Sophia déclara en entamant les marches de l'escalier :

–J'espère que j'tomberai pas dans... dans les pissenlits.

Elle faisait allusion au vin bu et tous comprirent. Et rirent un bon coup en prenant un autre, servi entre-temps par les mains généreuses de la belle Angélina. Une chute aurait pu provoquer une fausse couche mais qui aurait pu songer à pareil accident déplorable en des moments aussi intenses de vie et de jouissance ?

–Fais-y pas mal ! avertit son mari qui espérait pour sa femme des moments agréables là-haut.

Sophia, qui avait entendu les pas de Francis quand il s'était rendu à la chambre du fond, ne s'attarda pas dans le couloir y menant, qui circulait entre deux autres pièces aussi étroites que longues. Ce corridor était vraiment obscur et s'il devait s'y trouver à la traîne un objet quelconque, la femme enceinte pourrait trébucher et se faire du mal. Mais rien de fâcheux ne s'était produit. Elle parvint à la porte de la dernière chambre qu'une lucarne éclairait. Et sans frapper, elle entra...

En bas, on criait :

"Hé que ça prend du temps !"

"Il doit se passer des affaires pas catholiques."

"Pas assez longtemps, c'est péché véniel; trop longtemps, c'est péché mortel."

Les voix se mélangeaient avec les éclats de rire. On se berçait. On tendait l'oreille. On riait pour des riens.

—En attendant, qui c'est qui veut danser ? lança Angélina.

Et elle se rendit devant la tablette de l'horloge pour y prendre une musique à bouche dont elle savait jouer. Sans véritable talent toutefois.

—Tout le monde veut danser, voyons...

C'était Hilaire qui déjà se levait pour inciter les autres à faire comme lui. On le suivit. Angélina enfila des souliers ferrés qu'elle avait dans le placard des vêtements d'étable et prit place sur une chaise droite. Elle accorderait du pied en même temps qu'elle irait de sa toune de ruine-babines.

Pendant ce temps, là-haut, Sophia ouvrait toute grande la porte de la chambre du fond. Elle put voir dans la pénombre la silhouette allongée de l'homme qui aurait dû se mieux cacher et ne l'avait pas fait à dessein.

—Y nous reste quatre minutes, Sophia, viens t'assire au bord du lit.

—C'est pas le jeu, ça.

—On va en faire le jeu. Pis on triche pas pantoute.

—Fais pas ton Maurice Nadeau, là, toi !

Elle referma la porte à moitié, s'approcha du lit mais resta debout. L'homme se redressa et se mit en position assise en disant :

—Il nous reste rien que trois minutes ou ben on va se faire disqualifier.

Et il montra la place à côté de lui. Elle accepta de s'asseoir. En fait, son hésitation n'en était pas vraiment une. Et puis, la fatigue d'une longue journée se faisait sentir.

Lui reprit la parole :

—Dans mes rêves les plus fous, j'aurais pas imaginé voir ma plus belle voisine tuseule dans une chambre à coucher avec moé.

–Va falloir retourner en bas...

–Entends-tu ? Ils s'amusent comme des petits fous. Ils doivent même pas penser à nous autres.

–Angélina, elle ?

–C'est elle qui joue de la ruine-babines. Je reconnais le son pis son accordage avec ses pieds.

En effet, les notes de musique passaient par une grille de chaleur et, montées sur le bruit du tapage de la jeune femme, parvenaient aux oreilles du couple interdit.

Francis prit la main de Sophia :

–C'est quoi que tu penserais d'un petit bec ?

–Tu vas me prendre pour une pécheresse.

–Pantoute ! Y a pas de péché là-dedans.

–C'est ça que les hommes disent.

–Ceux qui disent le contraire aiment pas les plaisirs de la vie. Pis veulent que personne les aime...

–Rien qu'un d'abord...

L'homme ne se fit pas prier. Il prit la femme dans ses bras. Et le contact des lèvres eut lieu et dura plusieurs secondes au cours desquelles les mains masculines se mirent à explorer la poitrine généreuse qui se laissa pétrir sans protester. Les respirations devinrent plus rapides, les coeurs bondirent et la sueur perla au front de chacun.

Soudain, ce fut silence en bas et par toute la maison.

Une voix féminine, celle d'Angélina, monta jusqu'à ce couple surexcité :

–Hé, là, vous autres, en haut, c'est que vous faites ? On commence à être jaloux, nous autres, icitte, en bas...

La jeune femme pensait que son mari, qui connaissait sur le bout des doigts tous les êtres de la maison, se faisait introuvable et que cela expliquait le retard pris par les deux joueurs à revenir en bas.

Puis il lui passa par la tête une image qui l'interpella :

elle vit Sophia et son mari dans les bras un de l'autre. Et curieusement, elle n'en conçut aucune crainte et encore moins de la colère.

Le baiser prit fin. Le pelotage aussi.

—Va falloir redescendre, dit la femme qui se leva.

Francis la suivit. Elle cria :

—Je l'ai trouvé... caché dans la noirceur.

Elle ne mentait pas, tout en ne disant pas la vérité.

—On vous attend, là, nous autres, lança Jean Paré par la grille.

—On arrive.

Ce jeu de cache-cache puéril n'était dans la tête de chacun rien d'autre qu'un prétexte à jouer avec le feu. L'alcool — il ne se trouvait aucun membre du cercle Lacordaire en ces lieux— continuait de produire ses effets lénifiants et relaxants propres à ouvrir l'esprit à des expériences nouvelles et inavouables devant une société aux moeurs aussi rigides que celles du temps quasi victorien encore après la frénésie des années folles.

À la demande de sa partenaire du moment, Francis parut le premier dans l'escalier sous les joyeux quolibets de ses pairs :

"Ouais, t'es pas mal fripé, mon Francis !"

"T'as pas d'l'air à avoir ben de la poussière sur tes culottes non plus."

"Ouais, il s'en est passé..."

On avait allumé des lampes dans la cuisine. Le soir l'avait demandé. Mais l'éclairage de la pièce demeurait gris et les figures sombres. Pourtant, l'on souriait et l'on riait.

—Vous avez dépassé vos cinq minutes, déclara Hilaire quand Sophia parut à la suite de Francis.

Aucun des deux n'avait de quoi dire et ce peu de loquacité suscita d'autres réflexions vite enterrées par la voix de celui qui avait lancé le jeu :

–Asteur, on va changer de jeu... Celui-là, c'est trop long. Pis c'est pas assez de monde en même temps. Angélina, vous avez combien de chambres en haut ?

–Trois en haut pis une en bas.

–Ce qui fait quatre... et on est cinq couples.

–Pis y a la petite chambre à débarras, ajouta Francis.

–C'est tant qu'il faut.

–C'est tant qu'il faut pour faire quoi ? demanda Albert.

–Pour changeâiller de partenaire.

Hilaire s'était composé un sourire fixe qui pouvait se transformer en n'importe quoi. On pouvait considérer sa surprenante proposition comme une énorme blague ou la prendre au sérieux. Il ne prenait aucun risque en lançant l'idée dans ce clair-obscur imprégné des haleines à odeur d'alcool.

Personne ne parla pendant un long moment. Albert brisa la glace :

–Nous autres, on est pas contre l'idée.

–Nous autres non plus, dit Jean Paré.

Hilaire reprit :

–Comme dirait le vicaire : c'est le temps de la crise, il faut faire quelque chose de plaisant pis qui coûte pas cher pour se désennuyer.

–Ouais, c'est pas que la petite affaire, hein, mon mari ? dit Angélina qui hésitait et croyait à une immense farce.

Réchauffé par sa brève relation avec la voisine là-haut, l'homme répondit :

–Pourquoi pas ? On pourrait essayer ça une fois dans notre vie...

Hilaire s'exprima clairement bien que chaudasse comme la plupart des autres :

–Je vas vous dire comment ça va se passer. D'abord, on

pourrait voter comme aux élections. Y a-t-il quelqu'un qui est contre le nouveau jeu ? Une seule personne contre et ça finit là. Tout le monde joue ? O.K. Ce qui va arriver, c'est que les femmes vont se disperser dans toutes les chambres, une par place, le temps que nous autres, on sera dehors. Là, on va choisir chacun une chambre au hasard, pis on va rentrer, pis se rendre là. Chacun sera libre de faire ce qu'il veut. Pis aucune lampe, rien que la lumière des étoiles. À soir, comme y a pas de lune, y va faire noir en dedans.

–Avant, intervint Francis Pépin, on prend cinq minutes pour un p'tit verre. Préparez vos verres, on va les remplir.

Ce ne fut que du vin cette fois. De quoi rendre malades comme des veaux certains hommes qui avaient bu de la bagosse durant la journée et la soirée.

Mais la boisson n'intéressait plus grand-monde et les verres furent délaissés. On était bien assez éméché et on avait envie d'autre chose. Hilaire que l'on considérait le maître du jeu ne tarda pas à donner le signal:

–Bon, ben, les boys, dehors. Les filles, choisissez-vous une chambre. Pis rappelez-vous que chacun sera libre de faire ce qu'il veut tant qu'il sera avec la personne...

–Ouais, mais si la femme tombe sur son mari ?

Hilaire eut une idée qu'il trouvait heureuse :

–Ça sera l'occasion de recommencer le jeu dans quelques jours, vous pensez pas ?

Voici qu'un profond silence vint signer une sorte de pacte d'échangisme entre la moitié des cultivateurs du cinquième rang de Saint-Léon en ce début d'été 1930...

***

Chapitre 22

Sophia choisit la même chambre que précédemment, soit celle du fond au second étage. Il lui avait passé par la tête que Francis devinerait son choix et ferait le même. Elle ne s'était pas trompée.

–Bon, pour ceux qui sont jamais allés en haut de ma maison, je vais vous dire comment que c'est, dit-il en s'adressant aux hommes qui étaient sortis à l'extérieur suivant la règle du jeu établie au préalable.

Et il fournit toutes les explications nécessaires. Hilaire dit alors :

–À tout seigneur tout honneur. Francis, à toé de choisir le premier.

Et le maître de céans opta pour la chambre du fond au deuxième. Les autres chambres furent ensuite choisies, chacun, plus engrisé que l'autre, disant :

–J'espère que ça sera pas ma femme.

L'un d'entre eux eut un dernier sursaut de conscience :

–Tout d'un coup qu'un ver rongeur nous poigne tout le monde par après ? se demanda tout haut Joseph Roy non sans un sourire peu convaincant aux lèvres et que dessinait la lueur du fanal apporté par Francis sur la galerie.

—Ben, on se laissera ronger, fit Albert dans un grand rire déployé que le père Morin, toujours à sa fenêtre, aurait peut-être pu entendre si son ouïe avait été aussi fine que jadis.

Tous rirent.

—On y va, les gars, suggéra Hilaire qui prit les devants.

Il se dirigea aussitôt vers la seule chambre du premier. Et entra. Mais l'obscurité l'empêcha de voir qui était la dame du hasard...

Au presbytère, en ce moment même, les deux prêtres conféraient dans le bureau du curé. L'on échangeait à propos des paroissiens à la lueur d'une lampe à la mèche généreuse. L'abbé Lachance dit :

—J'ai croisé le docteur Arsenault à la boutique de forge aujourd'hui. Il m'a dit qu'il se trouve pas moins de trente femmes dans un état intéressant dans notre belle paroisse de Saint-Léon. Ce qui signifie, mon cher vicaire, que les difficultés économiques de notre époque n'empêchent pas la marche de notre peuple sur le dur mais formidable chemin de sa survie. Notre sainte religion, nos grosses familles, notre agriculture : voilà les trois formidables clés de notre avenir. Nos gouvernements le comprennent. Nos évêques le prêchent. Dieu nous voit et nous entend.

—Vous avez parfaitement raison, monsieur le curé. Je me disais justement ces choses-là cet après-midi, à la noce de mademoiselle Nadeau.

—Quel est son prénom déjà ?

—Armoza.

—Ah oui !

—Et son époux a pour nom Armand Fortin.

—Une autre belle famille en perspective.

—Dieu y veillera.

—Parlez-moi un peu encore de cette noce, mon cher monsieur le vicaire !

–Les gens se sont bien amusés. Ils ont ri, chanté... ont conté des histoires... parfois un peu... osées...

–Et vous ne me parlez pas de la boisson et de la danse ?

–Bah ! c'était comme à toutes les noces de par ici.

L'abbé Lachance soupira à voix cassée :

–Difficile de contrôler les gens... malgré les interdits.

–Quelques-uns étaient chaudasses, mais personne en état d'ivresse. Pour ce qui est de la danse, ce furent des sets canadiens. Rien d'excessif. Ils étaient trois qui musiquaient. Et puis, cette chanteuse dont je vous ai parlé, qui faisait des airs de madame Bolduc. Une madame Bolduc elle-même. Somme toute, pas de quoi fouetter un chat. Rien qui offense les bonnes moeurs. Une fête d'amitié. Ça fait du bien à ces gens-là qui vivent loin de la richesse, surtout par ce temps de crise...

–Il est à se demander comment les Nadeau ont pu payer pour tout ce qu'ils ont servi à leurs invités.

–Ce sera du vieux gagné. Les cultivateurs ont eu de bonnes années dans la dernière décennie. Comme vous le savez, monsieur le curé, les années '20 furent très prospères. Faut croire que d'aucuns comme les Nadeau ont mis un peu d'argent de côté pour les jours difficiles.

–Faut croire.

Sophia devina que son 'visiteur' dans le noir de la pièce était nul autre que Francis Pépin :

–J'pense que j'sais qui c'est.

–On a dû penser pareil pour choisir la chambre.

Il sut par la voix qu'elle avait pris place sur le lit, et il s'en approcha à tâtons. La main de l'un repéra celle de l'autre et l'homme put alors s'asseoir à son tour.

–On va pouvoir continuer ce qu'on a commencé, dit-il, la

voix émue et joyeuse à la fois.

–D'abord que c'est le jeu...

–Faut battre le fer quand il est chaud.

«Flac ! Flac ! Flac !»

À chaque trois ou quatre secondes, le tue-mouches frappait et faisait une nouvelle victime. Bossu Couët avait décidé de faire maison nette. Attirées par le fumier de la *Brune*, les mouches domestiques avaient envahi sa cabane ces derniers jours et il n'avait pas réagi. Mais voici que les événements du jour faisaient surgir du pauvre homme une colère bien anodine.

Pour lui permettre de débusquer les bestioles embarrassantes qui s'étaient permis de partager sans son autorisation les fruits de sa pêche à la rivière Noire, le bossu avait allumé trois lampes à l'huile et les avait disposées, mèches hautes, aux trois coins de sa modeste demeure.

«Flac ! Flac ! Flac !»

Trois autres cadavres démantibulés, écrasés sur les murs, tombés par terre ou restés collés au treillis de la tapette à mouches. Du bonbon pour la chatte qui dévorerait tous les insectes morts trouvés sur son chemin, même si elle avait savouré un mulot à l'heure du souper puis quelques bons morceaux de truite.

Teddy dormait sur le lit de son maître et chaque fois qu'il entendait «Flac», il entrouvrait un oeil et bougeait un peu la queue. Les cadavres de mouches, lui, ça ne l'intéressait guère; et tout ce qu'il désirait en ce moment, c'était la paix pour mieux se reposer et digérer son souper.

Bossu avait beau abattre des mouches nuisibles, il ne parvenait pas à faire de même de ses pensées qui ne cessaient de virevolter dans son cerveau surchauffé et tout autour. La suggestion libidineuse du vieux Théodore, qu'il avait répandue par tout le cinquième rang, lui était revenue en pleine face devant le spectacle scandaleux de ces deux couples dans le petit boisé près du lac et de la rivière. Par chance qu'il n'avait pas emmené son chien à la pêche ou bien l'animal aurait trahi sa présence et on lui en aurait voulu de se trouver dans les environs, tandis qu'on s'adonnait à des actes illicites... et qui faisaient bien moins rire à les voir qu'à en parler vu, surtout, leur manque d'élégance et l'évidence du péché mortel.

Et pourtant, Couët ne parvenait pas non plus à chasser de son esprit les images plus que gaillardes de ce midi-là auxquelles s'ajoutaient d'autres tout aussi égrillardes mettant en scène des couples du cinquième rang, comme ça lui était arrivé, bien malgré lui, à quelques reprises depuis qu'il avait colporté d'une maison à l'autre les idées saugrenues du père Morin...

Blanche Morin avait hérité de la chambre à débarras où il se trouvait des tas de couvertures, un métier à tisser, un dévidoir, mais pas de lit. Angélina lui avait parlé du contenu de cette pièce et la femme s'y était trouvé en tâtonnant un endroit où s'asseoir en attendant l'homme du hasard. Sa tête tournait tout comme celles des autres femmes sous l'effet du vin et du jeu en cours.

La porte s'ouvrit lentement. La jeune femme chercha à toiser du mieux qu'elle put la silhouette masculine que dessinaient de faibles lueurs venues des étoiles et de la grille de la fournaise. Elle crut qu'il s'agissait de son mari Hilaire.

–C'est toi ?

–C'est moé.

Et la porte se referma. Mais ce n'était pas la voix de son mari. Elle supputa :

–C'est Joseph ?

–Non !

–Albert ?

–Non !

–Jean ?

–Eh oui ! On dirait que tu voulais quelqu'un d'autre...

–Non, c'est pas ça pantoute. Ben au contraire, ça me fait ben plaisir de te voir.

–Finalement, moé, j'sus pas certain si c'est Blanche Morin ou ben Marie Roy.

–Laquelle que t'aimerais le mieux ?

–Celle que t'es.

–Ben, c'est Blanche.

Jean prit place sur le plancher devant la porte à laquelle il s'adossa tout en disant :

–Pis c'est quoi qu'on va faire ensemble ? On a la liberté de faire ce qu'on veut, mais si tu veux faire quelque chose pis moé le contraire ? Veux-tu que je m'approche ?

–Pourquoi pas ? Ils vont s'approcher, eux autres, tu penses pas ?

–Ben... ça doit ben...

Un bruit se fit entendre. L'homme se dirigea vers la voix féminine située le moment d'avant.

–J'arrive. Comme ça, on va se parler de plus proche.

On entendit aussi des voix venir de la chambre voisine : un glapissement peut-être, un gloussement. Qu'était-ce ?

–Ouais, dit l'homme, y en a qui sont vites su' leurs patins, on dirait. C'est peut-être Hilaire avec ma femme Sophia.

–Ta femme, elle est dans la chambre du fond.

–Ah oui ? Comme ça, elle est avec Francis Pépin.

–Pis je sais qui, ben quelle femme, se trouve dans chaque chambre en haut pis en bas. En bas, c'est Marie-Louise.

–Dans ce cas-là, elle se trouve avec ton mari.

–Ah ! Un bon choix pour lui... pis pour moi. Suis pas jalouse...

–Angélina se trouve à côté, elle. Donc avec Joseph.

–Pis dans l'autre, c'est Marie...

–Avec Albert... c'est le seul qui reste.

–Il fait noir, mais on sait un peu ce qu'il se passe.

–Tous des couples nouveaux. Aucun homme avec sa femme; aucune femme avec son mari... Pis le vin du sans-gêne qui réchauffe les coeurs...

–C'est mieux de même : tant qu'à plonger, on plonge.

–Je dois t'avouer une chose, Blanche. Sophia pis moé, c'est pas la première fois qu'on fait ça... Ben... on l'a fait aujourd'hui avec Albert pis Marie-Louise.

Blanche émit un rire fin, un brin sournois :

–Pareil pour nous autres : l'autre jour, on a changé avec Joseph pis Marie.

–Ah ben maudit ! J'aurais pas cru ça pantoute.

–Moi non plus de vous autres, malgré que j'y ai pensé quand je vous ai vus prendre le bord du haut de la terre à Maurice Nadeau.

–Ça va être moins compliqué de même...

L'homme avança sa main à tâtons et toucha la cuisse de la femme. Il avait voulu prendre sa main, mais comment savoir ce qu'on fait exactement dans pareille obscurité ? D'autant que cette pièce n'avait aucune fenêtre... Tout, cependant, avait la couleur rose dans cette chambre noire...

Des yeux luisaient dans la nuit. Ils captaient les lueurs de lampadaires espacés formant un rang étiré là dehors. Des yeux qui paraissaient noirs comme du charbon. Des yeux qui semblaient égarés. Des yeux qui n'entendaient pas le bruit presque infernal mais régulier parvenant aux oreilles de cet être bizarre en attente de quelque chose.

La lumière suivante révéla sa chevelure noire, plus ténébreuse encore que son regard. Et montra sa silhouette féminine. C'était une jeune personne d'à peine vingt ans, au visage émacié plus blanc que farine, main agrippée à un morceau de fer qui servait de montant à l'ouverture où elle se trouvait debout, droite, immobile, comme perdue dans un autre monde situé à l'autre extrémité de l'univers, peut-être même hors son sein de matière...

Immobile, pas tout à fait car des vibrations l'atteignaient qui imprimaient à l'étrange créature un mouvement incessant fait de secousses légères quasi imperceptibles. C'était le roulement d'un train en marche qui arrivait à la gare de Saint-Léon. La jeune femme se tenait dans l'embrasure de la porte d'un wagon vide. Elle s'y était glissée à la gare de Saint-Évariste afin de s'en aller vers quelque chose qui l'appelait. Un appel venu d'ailleurs.

Elle avait pour nom Rose Lafontaine et passait dans sa paroisse pour une possédée du démon.

—La tête me tourne pas mal, dit Marie-Louise dont la voix était altérée par les effets de l'alcool.

—J'pense que tout le monde est un peu éméché à soir.

—C'est le meilleur temps pour jouer le jeu qu'on joue.

Le couple nouvellement formé était étendu sur le lit des maîtres de la maison. Une odeur de foin coupé flottait dans l'air. Francis Pépin avait fauché autour de la maison ce jour-là sans ramasser le foin. Il entrait aussi par la fenêtre ouverte le faible scintillement d'une pléiade d'étoiles que le ciel noir mettait en valeur malgré leur grosseur infime.

—Quel âge que t'as, asteur, Hilaire ?

—J'ai eu quarante-deux ans le onze de janvier. Pis j'ose te poser la même question, Marie-Louise.

—Je m'en vas avoir mes trente-quatre ans le premier d'octobre.

—Quarante-deux ans et trente-quatre, ça va ben ensemble.

—J'croirais.

Il y avait urgence dans les substances. Hilaire était prêt, sa nouvelle compagne aussi. Il tendit les bras, ramassa le corps désiré et ce fut un baiser profond. Et long. Elle osa faire ce qu'elle ne faisait jamais si tôt avec Albert : glisser sa main sur le ventre masculin à la recherche de sa virilité...

Mais il fallait d'abord ôter des vêtements...

Le vieux Théodore s'était couché dans le clair-obscur. Lui, contrairement à tous ces couples que l'avenir –et dans une certaine mesure le présent–, désignera sous le nom de 'frappeurs', gardait allumée une lampe à l'huile dont il avait abaissé la mèche au minimum. Il tenait ses bras croisés sur sa poitrine, et, les yeux grands ouverts, il regardait des scènes que son imagination projetait au plafond de sa chambre.

Dans son corps, le vieillard ne ressentait plus rien de ce que les hormones d'un âge moins avancé provoquent et entretiennent. C'est dans le regret d'avoir trop souvent manqué le train que naissaient les images.

Sa bru, en ce moment, 'fraternisait' avec Jean Paré, mais il la voyait plutôt avec Albert Martin. Et le cerveau du vieil homme ne donnait pas trop dans les fioritures. C'est dans l'accomplissement du grand acte de vie et de plaisir qu'il voyait ces deux-là. Ça, il connaissait. De ça, il avait un souvenir vif et bien actuel. Une certaine modération suivie d'une puissante expression : telle avait été sa façon de faire dans sa vie conjugale. Et ce comportement, il le concevait en des mots fort simples :

"Attendre pis foncer."

Sauf que toute sa vie durant, les autres femmes que la sienne l'avaient attiré et fait rêver. Mais la pensée établie, cette terre ingrate où il ne poussait que routine et ennui, avait toujours eu le meilleur sur ses impulsions. Et c'est ça qu'il regrettait le plus, ce conformisme qui fait subir la vie plutôt que de lui faire produire tous ses fruits. Us et coutumes qui finissent par la rendre stérile et inutile, cette vie trop brève et bien trop longue à son goût...

Angélina Pépin n'avait pas tardé à se défaire de ses vêtements pour se mettre au lit. Son nouveau compagnon, Joseph Roy, un voisin qui l'avait souvent troublée, surtout quand, lors d'une corvée de travaux lourds à l'une des deux fermes, elle voyait la sueur couler sur ses fortes épaules à la peau brunie par la saison, était encore debout.

—J'aurais pas cru qu'avec un peu de boisson dans le corps, on...

Il ne termina pas sa phrase en songeant à cet échange survenu dans le parc à glace, et qui l'avait uni à Blanche Morin tandis que sa femme était honorée par Hilaire. Après une pause, il reprit, dans un aveu qui aurait pu ralentir l'enthousiasme d'Angélina :

—J'vas te dire que ce qu'on va faire à soir, on l'a fait avec Hilaire pis Blanche l'autre jour.

Elle ne se démonta pas pour autant :

—C'est le vieux Thodore qui rirait dans sa barbe.

—Pis le curé qui arracherait la sienne jusqu'au dernier poil.

Elle eut un rire clair de fillette :

—Le curé a pas de barbe.

—Une manière de dire.

Il faisait très noir aussi dans cette pièce, autant que dans les autres de la maison, et cela ajoutait au désir de chacun. Il restait quelques inhibitions en le for intérieur de l'homme, mais la jeune femme avait perdu toutes les siennes.

—Tu viens ? dit-elle à mi-voix tremblante.

—J'sus après me déshabiller.

—J'ai pus rien su' l'dos. Comme ça, il va faire moins chaud icitte-dans.

—Ouais... Y a fait pas mal chaud aujourd'hui.

–Comme ça, Hilaire pis Blanche... avec vous autres.

–Ouais...

–L'avez-vous regretté quelqu'un ?

–Pas encore.

–Comment que t'as trouvé ça ? Pis Blanche, elle ? Pis Hilaire, lui ?

–Tout le monde a eu d'l'air ben content. Personne s'est plaint en tout cas. On en a pas reparlé pour de bon. T'es curieuse comme une belette, Angélina Pépin.

–C'est pour ça que j'ai le nez retroussé : j'aime ça fouiner un peu partout... Non, mais quand on plonge dans l'eau, aussi ben de savoir si des roches pointues se trouvent dans le fond. C'est plus prudent.

–Dans toute expérience nouvelle, ceux qui sont contre voient un tas de roches au fond de l'eau. Les 'pour' disent qu'on peut faire attention aux roches pour pas se faire mal.

–C'est pas mal vrai, Joseph, ça.

Il parvint à elle. Les corps se touchèrent. Entre les deux coula une sueur de feu...

Dans leur univers hiératique, les prêtres avaient renoué avec leur routine du soir. Chacun s'était retiré dans sa chambre pour prier, lire une partie de son bréviaire, réfléchir avant de se coucher pour la nuit, quitte à ne dormir qu'une heure plus tard.

Le train siffla trois coups. La gare ne se trouvait pas bien loin du presbytère. En réalité, pas une maison du village n'échappait à la distance parcourue par le sifflement de la locomotive et le bruit de son roulis. On avait l'habitude. Ce que l'on ignorait, c'est qu'un être blafard venu d'ailleurs s'apprêtait à descendre d'un wagon à bestiaux pour entrer dans la vie de la paroisse de Saint-Léon, et ce, à l'insu de tous, même des gardiens de la foi qui, eux, jasaient avec Dieu chacun dans leur chambre.

Et puis, le cheminot qui dirigeait les manoeuvres en actionnant une lanterne le long du convoi ne vit pas descendre la sombre créature qui semblait surgie d'un autre monde ou bien d'outre-tombe. Mais son attention fut attirée par autre chose : comme une lueur venue d'une fenêtre de l'église. Pouvait-il s'agir simplement d'un reflet dans les vitres provoqué par la lumière de son fanal ? C'est à quoi il songea sans s'inquiéter outre mesure, sans penser qu'il puisse y avoir du feu dans la bâtisse ou simplement un prêtre qui y marchait avec un dispositif d'éclairage à la main, ou une lampe ou une lanterne. Jamais il n'aurait pensé une seule seconde qu'il pût s'agir d'une manifestation extraordinaire, sorte de réaction à l'arrivée dans les parages d'un être qui n'était pas seul en lui-même et abritait peut-être une entité haïssant la sainte Église, les églises et leur contenu sacré.

L'homme aux sourcils broussailleux garda ses yeux petits et poursuivit sa tâche qui, en plus de transmettre des signaux à l'ingénieur, consistait à jeter sur le quai des sacs de 'malle'. Ceux-ci étaient dans le wagon de queue. Il s'y rendit et accomplit son travail, tandis que dans la nuit, la créature s'en allait comme un fantôme vers une destination connue d'elle seule...

Albert Martin et Marie Roy s'étaient retrouvés dans la première chambre du second étage, celle qui se trouvait le plus près de l'escalier. Par nature, ces deux-là, personnages sans peur et sans reproche, étaient les plus aptes à connaître une expérience enrichissante. Quand la femme avait décidé d'un chemin à prendre, elle le suivait jusqu'au bout. Et lui , il disait souvent que sans sa volonté d'explorer l'inconnu, l'être humain serait resté un barbare habitant les cavernes, entraîné à la violence quotidienne par la peur omniprésente.

Et l'homme situait cet événement auquel prenaient part cinq couples du cinquième rang, au chapitre des valeurs les plus éloignées de la guerre, de la destruction et du négatif.

Sa seule inquiétude allait vers la possibilité qu'un enfant naisse d'un de ces couples illicites et que plus tard, sans le savoir, il épouse son demi-frère ou sa demi-soeur du même rang. Il y aurait là les risques inhérents à la consanguinité. En tout cas, ce danger était écarté quant à eux puisque la Marie portait déjà un enfant dans son ventre.

–J'espère que t'es un homme propre, Albert, parce que moi, j'sus ben pointilleuse là-dessus.

–Écoute, j'me lave comme il faut tous les soirs dans le 'sink' à maison. Pis tous les samedis, c'est le gros lavage dans la cuve en arrière de la maison. L'hiver, on rentre la cuve dans la cuisine d'été qu'on chauffe une journée par semaine, justement pour se laver ben comme il faut.

–Je le savais par Marie-Louise. Mais les hommes du rang sont pas tous aussi propres. Josaphat pis Romuald, ça pourrait être mieux, ces deux-là.

–C'est peut-être pour ça qu'ils sont pas de notre groupe icitte à soir. Malgré qu'aujourd'hui, aux noces, les deux avaient l'air ben propres de leur personne. En tout cas, ils étaient habillés en dimanche.

–L'important pour asteur, c'est nous autres.

–C'est certain.

Les voix se croisaient. Les sons se mariaient agréablement. L'on n'avait pas à se voir pour s'imaginer nus et beaux, désirables et offerts. Dès les premiers instants dans la chambre, chacun de son côté de lit, avait enlevé ses vêtements. Il l'avait proposé. Elle avait aussitôt donné son accord et procédé... Et pendant ce temps, on s'était avoué de part et d'autre que ça n'arrivait pas pour la première fois, qu'il s'était passé semblable chose, les Morin avec les Roy, les Martin avec les Paré.

Et les deux partenaires étaient maintenant étendus sur un lit dont les ressorts du sommier gémissaient sous leur poids et semblaient à tout moment en arriver à se distendre un peu trop. On s'y adapta. L'on resta sur le dos. L'on y était encore. Elle fit les premier pas à l'aide de sa main qui trouva celle de ce compagnon que l'on savait très respectueux de la gent féminine et que les femmes appréciaient pour ça.

–Faut pas que ça soit une affaire d'hommes, ce qu'on fait à dix à soir.

–Ça s'est parlé dans les chaumières, tu sauras. Si une des femmes était pas d'accord, son couple serait pas là, à jouer à ce jeu-là. En plus que quatre des cinq couples ont déjà subi le baptême du feu comme on dit des soldats qui vont au front. Y a rien que Francis pis Angélina qui sont sans aucune expérience.

–Francis est avec Sophia Paré. Pis Angélina...

–Avec mon mari dans la chambre d'en face.

–Ressens-tu de la jalousie ?

–Ben sûr ! Mais faut la brider, la maudite jalousie, comme un cheval rétif, pour l'empêcher de ruer dans les brancards.

–Dans mes rêves les plus farfelus, j'aurais jamais pu imaginer ce qui nous arrive à dix à soir. Surtout que ça s'est pas préparé des années d'avance. On aurait pu penser que ça pourrait arriver à deux couples, ben comme c'est arrivé à vous autres pis nous autres, pis une fois dans une vie par accident, mais que tout nous conduise à faire ça à dix... être prêts à ça dix à la fois... Ça parle, ça. Ça veut dire que c'est pas la mer à boire... j'veux dire que les histoires d'enfer à cause du péché mortel, j'vois pas comment que ça pourrait nous pendre au bout du nez.

Marie tout comme Albert était grise de vin et l'ivresse de l'interdit l'avait gagnée aussi : une addition qui exacerbait son désir. Elle s'empara de la main de son compagnon et la fit glisser sur son ventre rebondi vers son mont de Vénus.

–Quand est-ce que tu vas avoir ton nouveau bébé ?

–Début d'octobre.

–C'est pas loin.

–Pis on voudrait une fille... après quatre gars, ça serait le temps.

–Si tu l'as demandé ben fort au bon Dieu, tu vas l'avoir. Suffit de vouloir une chose avec toute sa personne, pas rien qu'un peu, pis à condition que la chose soit raisonnable, on finit par l'avoir d'une manière ou d'une autre.

–Tu penses que le bon Dieu exauce toutes les prières ?

–Si c'est pas le bon Dieu, ça sera les forces de l'univers. Mais... c'est pas rien que de le dire... faut... comme vibrer quand on le demande... C'est ça, le secret, le grand secret de la vie si on la veut d'une manière plutôt qu'à la manière qu'on nous dit qu'il faut vivre...

Il y avait de quoi tressaillir pour Marie quand la main de son compagnon toucha son corps à la fois excité et abandonné. Elle soupira fortement. Il sentit son propre corps s'ériger encore plus...

–Seigneur, Vierge Marie, saints du ciel, bons anges, protégez ce peuple de l'impureté. Ne permettez jamais que le vice entre chez nous et se répande comme un microbe, comme une maladie contagieuse. L'impureté pour l'âme est pire que la grippe espagnole pour le corps. Je vous en prie, Seigneur...

C'était le curé, agenouillé à un prie-dieu qu'il avait fait installer dans sa chambre, qui adressait au ciel sa plus importante supplique. Le pire péché, juste avant le meurtre, pire que l'ivrognerie, que la médisance et la calomnie, que le vol et l'extorsion, que la haine et l'agression, c'était, pour lui comme pour tout le clergé catholique, la luxure, l'abominable luxure qui faisait pleuvoir les âmes en enfer au rythme d'une grosse tempête hivernale.

S'il avait pu faire ériger une sorte de ligne Maginot autour de Saint-Léon pour protéger ses ouailles contre les démons de la chair, des fortifications imprenables tout comme en étaient déjà l'encadrement par le sacrement du mariage, celui par les us et coutumes, l'autre par le glaive de la honte prêt à frapper ceux qui offensent la morale chrétienne, sans compter la très efficace menace du feu éternel prêt à engloutir tous ceux et celles qui s'abandonnent aux feux si éphémères de l'amour illicite, quelle qu'en soit la forme !

–Seigneur, fit le prêtre en regardant le plafond noir, une ligne Maginot faite de toutes sortes d'armes, érigée d'obstacles, massive et haute, pour protéger la vertu en danger.

La femme aux allures de spectre marcha, marcha. Fut-ce la prière du curé ou bien la lueur dans l'église, toujours est-il qu'elle quitta le village en des pas qui semblaient guidés par une force invisible. L'appelait-on ailleurs ? Ou la reconduisait-on ailleurs ? Cet être quasi éthéré relevait-il de Dieu ou du démon ? Obéissait-il aux forces du bien ou à celles du mal ?

Elle prit la direction du cinquième rang. L'emprunterait-elle ou bien passerait-elle son chemin vers Saint-Sébastien ? Et comment parvenait-elle en pareille obscurité à garder le cap sans tomber dans le fossé ? Les végétaux du bord du chemin l'en empêchaient sûrement. Quand elle les sentait frôler ses jambes, elle donnait un léger coup de barre vers le milieu de la route de terre battue. Cela se produisit dans quelques courbes, mais rarement sur chemin droit. À l'embranchement du cinquième rang, elle s'arrêta. Et regarda les étoiles comme si elle était à lire quelque signe dans la nuit profonde...

–J'ai jamais fait ça avec une femme... enceinte.

–Ah !

–Angélina pis moé, ça poigne pas.

–Un jour ou l'autre, ça pourrait.

–Non, j'pense qu'elle pourra jamais avoir d'enfants. C'est comme ça...

Il passa dans la tête de Sophia que la chose pourrait bien se produire maintenant que la jeune femme aurait été couverte par un autre que son homme. Il paraissait que le mari d'Angélina ne s'imaginait pas le moins du monde que la stérilité pouvait provenir de lui. Peut-être confondait-il virilité et stérilité ? Bah ! si le ciel permettait la chose, il appartiendrait aux Pépin de composer avec cette réalité, et elle-même cessa de s'en préoccuper pour ne se consacrer qu'à la folle expérience entamée avec ce nouveau partenaire de la nuit.

La main de Francis oeuvrait avec ardeur depuis un bon moment sur elle et la jeune femme se sentait prête pour le grand voyage.

"Il a perdu l'idée. Il a perdu l'idée"

C'est cela surtout qu'on avait dit à propos du vieux Théodore à l'analyse de sa pensée sur la fidélité conjugale imposée par les valeurs du temps et sur les relations extraconjugales qu'il disait possibles voire même souhaitables dans un mariage qu'il qualifiait d'ouvert.

Le vieillard continuait de ne dormir que d'un oeil...

Ainsi en était-il du chien Teddy chez le bossu Couët. Il s'était couché en boule au pied du lit et l'homme avait pris sa place sur sa paillasse. Bossu se rappelait d'un jour lointain où il avait déposé des fleurs sur la tombe de Delphine au cimetière de leur paroisse. Un prêtre s'était amené.

"C'est que tu fais ici, Bossu !"

"Sus v'nu prier un peu."

"Pour qui ? T'as pas de parenté d'enterrée ici."

"Ben... pour les disparus."

"J'pense que c'est toi qui devrais disparaître."

Bossu n'avait pas osé dire qu'il venait se recueillir sur la sépulture de sa si chère Delphine. Il était désemparé. Hésitant. Atteint par un sentiment de culpabilité qui transparaissait et que saisissait le prêtre autoritaire et injuste.

"Tu peux venir quand y a un enterrement, mais en dehors de ça, t'es mieux de faire tes prières dans l'église quand c'est le temps... ou chez vous, à la maison."

"Ah, c'est ben 'cartain' ! J'sus arrêté comme ça, en passant devant le cimetière."

"C'est ça : bonne journée !"

C'est une des raisons ayant poussé Bossu à quitter sa paroisse natale pour s'établir au fond du rang d'une autre paroisse, sous la protection de la montagne, à l'abri de sa fidélité envers celle qui l'avait protégé et respecté dans le vieux temps, la douce Delphine qui avait rendu l'âme si tôt dans la vie, avant même de se marier.

C'est ainsi que Couët avait pu se débarrasser, du moins temporairement, des pensées lubriques venues malgré lui en son imagination suite aux événements du midi à la rivière *Noire*. Quand ces choses interdites venaient se balader dans sa tête, suggérées par quelque démon de la chair, il parvenait à les enterrer de souvenirs, tous ceux qui rattachaient son coeur à la si belle Delphine...

La créature spectrale se remit en marche. Elle entra dans le cinquième rang. Pour aller où ? Pour y faire quoi ? Le rang finissait en cul-de-sac à la cabane du bossu. Mais ici se trouvaient des balises, soit les lueurs qui s'échappaient des fenêtres des maisons alignées de part et d'autre du chemin. Un observateur eût pu croire qu'il s'agissait d'une mendiante qui aurait tôt fait de frapper à une porte pour y demander un gîte pour la nuit de même que la charité pour l'amour du bon Dieu. Mais il n'en était rien, sembla-t-il, puisque ses pas réguliers, tous égaux et presque mécaniques, la conduisirent au-delà de la demeure des Goulet puis de celle des Fortier. Tout au plus entendit-on le chien de chaque famille gémir à son passage dans la nuit noire.

Les choses avaient progressé dans la chambre occupée par Blanche Morin et Jean Paré. L'homme écrasait maintenant sa nouvelle compagne sous son poids. Mais les vêtements demeuraient un obstacle. Une main sur elle et l'autre sur lui-même, il entreprit de se dévêtir sans cesser de pétrir le corps si désirable. Elle faisait de même tant bien que mal...

Un homme commença à geindre dans les ténèbres. Il retenait sa voix pour ne pas qu'on l'entende depuis l'extérieur de la chambre. Une oreille indiscrète se serait demandé s'il s'agissait de Francis Pépin, Hilaire Morin, Jean Paré, Albert Martin ou Joseph Roy. Car c'était le bruit de l'orgasme masculin. L'apothéose qui fait croire que la vie terrestre n'est pas l'enfer et qu'il s'y trouve certains plaisirs intenses à connaître. Et pourtant, l'explosion que l'obscurité cachait amenait dans son sillage le remords à la lame longue, capable de vous labourer un coeur et de vous flétrir une âme.

Dans sa chambre, dans son lit, le jeune vicaire n'était pas parvenu à résister à la tentation au rappel de toutes ces scènes de la noce, de toutes ces images de femmes désirables si bellement fagotées et aux parfums irrésistibles, et il venait de se libérer d'une tension insupportable. Quand son corps revint graduellement au repos, que son coeur se mit à ralentir et sa respiration à se stabiliser, il soupira :

"Seigneur, comme la chair est faible !"

Puis, dans une sorte de silement de bête blessée :

"Pardonnez à votre serviteur, Seigneur, cela ne se reproduira plus... plus jamais... plus jamais..."

Et l'abbé Morin pensa : "Et le curé, lui, qu'arrive-t-il de son surplus d'énergie ? "

Il attendrait la venue dans la paroisse d'un prêtre visiteur pour se confesser. En attendant, il contemplait son regret...

Blanche et Jean, dans cette chambre à débarras où, s'aidant d'un éclairage éphémère aux allumettes, l'on s'était improvisé un lit à même des couvertures en piles et des oreillers en tas, le relation atteignait son paroxysme. On était au coeur du péché s'il s'en trouvait un en cette matière. C'était presque silence. Même les respirations étaient retenues, et les heurts modérés...

Dans la chambre occupée par Hilaire et Marie-Louise, on en était aussi en pleine ascension vers les sommets du plaisir et ni l'un ni l'autre n'avaient jamais atteint ce territoire où l'oxygène se fait plus rare mais les sueurs plus abondantes... Et le ciel laissait faire. Il se contentait de regarder par ses myriades d'yeux scintillants...

Le couple le plus allumé de tous en ce moment était celui d'Angélina et Joseph. Ces deux-là s'étaient mutuellement désirés depuis de nombreuses d'années, en fait depuis qu'avait commencé leur voisinage à l'établissement du couple Roy dans le cinquième rang. Et bien que Joseph fût le plus réticent des voisins à plonger dans cette expérience unique et interdite, il était en ce moment même le plus consentant.

Plus rien d'autre n'existait que la fusion des corps et chacun des partenaires voulait la prolonger pour l'éternité en même temps qu'il tâchait d'accéder au spectaculaire orage des sens...

Et le couple le moins affecté par l'alcool était composé de Marie Roy et Albert Martin, tous deux dans la chambre près de l'escalier entre les deux étages de la maison Pépin. Et pourtant, cette atténuation des effets ne signifiait pour aucun des deux le retour des inhibitions. Ni l'un ni l'autre ne craignaient le péché mortel et ses conséquences funestes. Et moins que les autres –à part le meurtre–, le péché de la chair tant décrié par les tribuns de la chaire.

Marie et Albert furent des rares à échanger quelques mots, tandis que leurs corps échangeaient les plus doux et les plus violents excès.

–Faudrait pas que ça finisse là après à soir, dit-il à travers sa respiration raccourcie.

–C'est vrai, Albert.

–Tu penses ça ben comme il faut ?

–Certain !

–Aucune révolte ?

–Contre qui ? J'étais libre de le faire... mon mari itou.

–Et puis, ma femme ou ben j'serais pas en train de...

–Continue... ça va bien.

–C'est pas le temps de penser à autre chose...

–Ben... non... ça nous aide à retenir notre... souffle...

Il comprit son allusion aux apothéoses et reprit sa course à relais sans mettre le pied au plancher. Les deux 'machines' allaient à la même vitesse...

Quand la femme aux allures de bohémienne de l'enfer passa devant la résidence des Morin, le père Théodore rouvrit les yeux. Il entendit quelques aboiements courts du chien de la maison et sut qu'il devait se trouver une petite bête sauvage pas loin.

Puis elle parvint à hauteur de la maison des Roy. Là, elle parut hésiter. Était-ce la croix du chemin de l'autre côté de la route pas très loin qui l'empêchait de poursuivre à son rythme ? Pourtant, elle ne pouvait apercevoir cette croix dans la nuit, pas plus que l'école du rang tout juste à côté. Le clair d'étoiles ne suffisait pas à délinéamenter les bâtisses ou objets dont il n'émanait aucune lumière. Et quoi de plus sombre qu'une école de rang au coeur de l'été, à part un calvaire poussiéreux ?

Les yeux de cette créature de la nuit se posèrent sur la faible lueur qui s'échappait de la maison Pépin plus loin. Et voilà qui détermina sa décision et son pas. Ou bien sa réponse de morte-vivante à l'appel d'une force mystérieuse...

Si la prière de groupe est promue comme étant la meilleure, qu'en est-il de la jouissance de groupe ? Du péché à plusieurs. Le chemin qui mène à l'enfer s'en trouve-t-il raccourci pour ces adeptes de la luxure abominable ? Que penserait le curé Lachance devant cinq explosions des sens à l'intérieur d'une même maison et résultant d'une dépravation innommable ? Et si le vicaire était celui qui entendrait la confession de ces misérables en train de se précipiter tous dans l'abîme du vice, pourrait-il essuyer les résultantes de ces plaisirs inouïs mais graves ? Sa main pourrait-elle se lever pour donner généreusement l'absolution à des êtres qui avaient dépassé tout entendement dans leur recherche du vil plaisir charnel ?

Quand survinrent les apothéoses multiples, Rose Lafontaine se trouvait au milieu du chemin devant la maison Pépin. Pour la première fois depuis son embarquement sur le train à Saint-Évariste, elle parut reprendre conscience. Car un sourire à peine esquissé se dessina sur ses lèvres.

Bossu Couët connut un moment de répit dans ses pensées qui alternaient des territoires du sentiment à ceux de la libido exacerbée. Il se dit qu'il ferait bien de se faire chauffer de l'eau afin de préparer du thé le plus fort possible. Et il le boirait le plus chaud qu'il pourrait afin de se rafraîchir corps et âme.

Agenouillé à son prie-Dieu, yeux clos, douleur au visage, le curé Lachance sortit enfin de sa longue et pieuse prostration. Il sourit de bonté composée. Et de certitude. Dieu défendrait Lui-même l'entier territoire de Saint-Léon contre toute forme d'invasion barbare et infernale. Une voix intérieure, sûrement la réponse du ciel à sa prière, le lui disait, le confirmait, l'affirmait, le garantissait...

Les couples de 'frappeurs' retournèrent dans la grande cuisine les uns après les autres sans rien se dire. On attendait que les dix personnes soient là. Et un silence heureux régnait en maître.

Tout naturellement, les couples réguliers se reformèrent, chacun avec sa chacune. Personne ne savait encore si on se parlerait en groupe de cette expérience à dix.

Et l'on put entendre, venu de fort loin, ce qui ressemblait au roulement du tonnerre ? Venait-il des nuages porteurs d'orage ?

Une sorte de frottement contre la porte puis un coup porté par la main de quelqu'un qui veut attirer l'attention fut entendu soudain par le bossu. Voilà qui était inhabituel par cette noirceur et à pareille heure du soir avancé. Couët pensa à tit-Pat Martin qui venait peut-être lui rendre visite. Ou quelqu'un d'autre venu le réclamer pour soigner une bête dangereusement malade ?

Bizarrement, Teddy n'émit aucun aboiement, aucun silement, lui qui prévenait toujours de l'approche d'un être vivant d'importance. Il continua de dormir en boule comme si on lui avait injecté une drogue lénifiante.

Le bossu, qui était assis à la table et sirotait son thé, délaissa sa tasse, se laissa glisser hors de sa chaise et alla ouvrir. Il aurait pu crier à son visiteur d'entrer, mais quelque chose lui commandait de se rendre à sa rencontre.

Aucun verrou n'avait été poussé. On aurait pu entrer sans frapper. Jamais l'homme ne barrait sa porte quand il se trouvait à l'intérieur, encore moins ce soir-là de presque totale obscurité.

Il ouvrit d'un coup sec.

La créature fantomatique ne sursauta pas. Elle se tenait debout, silencieuse, immobile, en attente.

Bossu Couët vit son propre regard s'agrandir encore plus, au point d'y loger au complet toute la montagne effacée, là, à l'arrière...

**

Chapitre 23

Hilaire Morin, celui qui avait donné les cartes du jeu tout ce soir-là, reprit la parole quand les cinq couples du milieu du cinquième rang se furent reformés comme jadis ils s'étaient épousés pour l'éternité devant Dieu et les hommes. Et devant la très sainte religion catholique.

–D'abord, faudrait se parler de ce qui s'est passé icitte, à soir. Pas besoin de détails. Les détails appartiennent à chacun, à chacune. Mais faut savoir si quelqu'un parmi nous autres est rongé par le remords comme le penseraient ceux qui nous auraient vus faire... si ça existait, du monde de même dans le monde.

–Pas moé en tout cas ! intervint Francis Pépin.

–Ni moi non plus ! s'empressa de dire son épouse, la délicate Angélina.

–Et les autres ? Tout a été comme vous auriez voulu ?

Personne ne parla. Hilaire reprit :

–Moé pis Marie-Louise, on est ben contents. Pis toé, Blanche ?

–Itou... itou...

–Albert ?

–Itou certain !

–Ceux qui restent... qui ont rien dit encore ?

Ce fut silence de nouveau. Les yeux de tous brillaient dans le clair-obscur créé par la nuit et la lueur d'une seule lampe. Et personne ne réclamait mieux comme éclairage. La complicité semblait meilleure ainsi. À plusieurs, on se sent plus fort devant l'interdit. Chacun savait que pas un des autres ne méritait l'enfer pour avoir plongé dans cette expérience somme toute enrichissante, en tout cas bien enlevante. Pourtant, après un tour de table d'inquisition sur la possibilité de regrets, Hilaire parla aussitôt de ce qu'un prêtre aurait parlé en pareille situation, devant une dizaine de pécheurs et pas des moindres.

–Va falloir garder tout ça pour nous autres, vous pensez pas ?

Une rumeur approbative circula. Il reprit :

–Aller dire... mettons au confessionnal c'est qui s'est passé icitte, ça pourrait faire un scandale. On pourrait se faire tirer des roches pis excommunier...

Albert s'empara de la parole et se fit convaincant :

–D'abord que c'est pas péché pantoute, qui c'est qui s'en confesserait ? On a tué personne. On a volé personne. C'est la crise : on mange de la misère à pleines brassées, pis faut trouver à s'amuser un peu. C'est comme ça qu'on peut le mieux se battre contre la misère pis d'en rire. C'est ça : on rit de la misère en se donnant du plaisir. Le bon Dieu peut pas être contre ça ou ben ça serait un mauvais Dieu, pas un bon Dieu pantoute, là...

Albert, qui, ce jour-là, avait deux fois goûté au fruit défendu, était de plus en plus convaincu de la justesse des vues du vieux Morin sur la vie et ses possibilités en autant qu'on se dégage des diktats de la religion et que l'on s'en remette directement à Dieu pour établir sa propre morale. Il reçut l'appui de Jean Paré qui s'exprima à son tour :

–Des religions défendent de manger ci ou ça. La nôtre de

manger de la viande le vendredi. Qui a raison, qui a tort ? Le bon Dieu nous a bâtis avec la faim pour nous dire de manger quand c'est le temps, c'est-à-dire quand notre corps en a besoin : c'est pas à la religion de nous dire quoi manger pis quand le faire. Un couple qui se rapproche, pis que chacun ressent du plaisir, si le bon Dieu avait pas voulu ça, il aurait pas fait ça comme ça. On est pus au temps de la reine Victoria, là...

Hilaire reprit la parole tandis que son collègue reprenait son souffle :

–J'aimerais ben entendre les femmes là-dessus. Ça doit vous faire peur, à vous autres, quand on dit que la religion doit pas tout régler dans notre vie, quand on dit qu'on doit rendre des comptes directement au bon Dieu... Avez-vous quelque chose à dire ? Là-dessus pis sur ce qui s'est passé à soir dans c'te maison ?

Personne ne répondit. Il demanda :

–Savez-vous ce qu'on va faire ? Chacune pis chacun va parler. Même si c'est rien que pour dire un mot ou deux... C'est pas facile de s'entendre comme il faut à deux personnes, imaginez à dix. Si on veut refaire ce qu'on a fait à soir, faut que tout le monde soit content. Personne qui se sente traîné de force. De coutume, c'est l'homme qui mène. Les prêtres, c'est des hommes, pas des femmes. Le pape aussi. Mais nous autres, ça va prendre dix voix favorables ou ben on vire de bord. Faut être tout le monde sur le même bateau ou ben tout le monde débarque. Je vas nommer chacun, chacune pis je voudrais entendre un mot ou deux sur tout ça. N'importe quoi. Ce qui vous passera par la tête... Y a-t-il quelqu'un contre ça ?

Personne ne parla.

–Bon... Commençons par les maîtres de la maison. Francis, as-tu deux mots à nous dire ?

–Je regrette rien. J'vas pas m'en confesser. Pis j'serais prêt à recommencer.

–Pis Angélina, elle ?

–J'dis comme Francis.

–Asteur... Marie-Louise.

–J'pense comme Francis pis Angélina.

–Albert ?

–Pareillement. D'ailleurs, je l'ai dit tantôt.

–Joseph ?

–J'dis que si on refait ça, va falloir faire attention. Bloquer les vitres d'en bas avec quelque chose pour pas qu'on nous redoute. Paraît que le bossu Couët rôde la nuitte autour des maisons. C'est pas certain, mais faudrait pas prendre de chance. Si quelqu'un nous voit nous réunir à dix, il va vouloir savoir c'est qu'il se passe.

–C'est certain qu'il va falloir faire attention. On pourra dire que c'est une réunion de prière pis de jasette.

Des voix approuvèrent. Le tour de table se poursuivit :

–Marie ?

–Tout le monde sait que c'était la deuxième fois pour nous autres. On l'a pas regretté la première; on le regrettera pas non plus après à soir...

Il se fit une pause.

–Avais-tu autre chose, Marie ?

–Oui. Si une femme part pour la famille avec un autre que son mari, faudrait que le mari l'accepte. Avez-vous pensé à ça, les gars ? Seriez-vous capable d'élever comme il faut l'enfant d'un autre homme ? Si vous êtes d'accord là-dessus, tout va ben aller.

–On pose la question aux gars. J'accepterais la situation. Vous autres ?

–Oui, fit Jean Paré.

–Itou, dit Francis Pépin.

–Oui, fit Albert Martin sans plus puisqu'il s'était déjà expliqué.

–Peut-être que ça nous donnerait une fille après quatre, cinq gars, lança Joseph Roy.

–Sophia ?

–Les deux fois que ça nous est arrivé, une à midi pis une à soir, j'ai trouvé que c'était une belle expérience. Un homme fait plus attention avec une autre que sa femme. Et ça va le porter à faire plus attention dans le futur avec sa femme, vous pensez pas, les gars ?

–C'est vrai, ça, dit Albert que tous parurent approuver.

–Il reste Blanche pis Jean qui ont pas dit grand-chose encore. Blanche ?

–Avais-tu peur pour me choisir en dernier ? demanda à la blague l'épouse d'Hilaire.

–Ça doit être ça, dit-il du tac au tac.

–Ben nous autres, c'est arrivé avec Joseph pis Marie : on a aimé ça. À soir, c'était la deuxième fois pis tout a été comme sur des roulettes.

–Tu vois, mon Jean, t'as des bonnes roulettes. À toi de clore le débat...

Il parla à son tour alors qu'on riait à la blague d'Hilaire :

–Aujourd'hui, j'ai été avec Marie-Louise. À soir, c'était avec Blanche. Mon ambition pis mon envie, c'est de... le faire avec Marie, ensuite avec Angélina.

–Moi, j'aurais une petite question, dit alors Sophia. Y a dix cultivateurs dans le cinquième rang : on va-t-il s'ouvrir aux autres ? J'veux dire... faudrait-il un jour ou l'autre inviter les Goulet, les Fortier, les Rousseau, les Nadeau et les Poulin ? Ou ben les laisser de côté ?

Hilaire commenta :

–Si on veut garder le secret, ça serait difficile. Faudrait que les choses adonnent comme pour nous autres. On a été amenés à ça sans trop s'en rendre compte. Dix personnes dans notre cercle, c'est déjà beau, mais vingt, j'me demande si la chicane risquerait pas de prendre.

Jean Paré parla :

—Je propose que si un autre couple montre qu'il est intéressé, pis clairement, ben là, on s'ouvre. Mais après en avoir discuté pis ensuite voté. Si une seule personne de nous dix s'oppose, on reste un groupe fermé.

—Mais si on reste dans le secret, qui pourrait s'intéresser à nous autres ? objecta Albert.

Jean répondit :

—On va attendre que ça vienne d'eux autres, pis si ça vient pas, on dit rien. Après tout, c'est pas une religion, notre histoire, pis on a pas besoin de recruter du monde. C'est pas l'armée non plus, pis on n'a pas besoin de nouveaux soldats. On se fait pas la guerre, on se fait... l'amour... Mon idée, moé, c'est ça !...

L'horloge sonna les douze coups de minuit. On le prit comme un sceau sur le pacte que l'on venait de signer par des actes et par des paroles.

*

L'étrangeté de la scène qui se déroulait chez le bossu Couët aurait fait dire à un observateur qu'on était loin, fort loin des choses de Dieu et de sa sainte Église, elle qui se proclamait la seule bonne Église hors de laquelle personne ne saurait espérer le salut éternel.

Le petit homme infirme était assis près de son lit. Il attendait sans rien dire, sans rien faire, sans se lasser. Et sur sa paillasse gisait le corps de la visiteuse. Il semblait inerte, et ses yeux restaient grands ouverts, son visage farinacé engoncé dans son abondante chevelure charbonneuse. Depuis son arrivée, elle s'était comportée comme un zombi. N'avait pas prononcé un seul mot. Couët l'avait dirigée à sa couche par la voix seulement et sans la toucher en lui commandant de s'y étendre.

Et voici qu'il attendait patiemment en priant, dans l'espérance que finisse cette transe, peut-être attribuable à une possession démoniaque ainsi que le prétendait son entourage là-bas à Saint-Évariste.

Cette Rose Lafontaine était née l'année de la mort de Delphine, peut-être la même semaine voire le même jour. Quand il passait par chez elle, le quêteux s'arrêtait, lui qui filait droit son chemin devant la plupart des demeures, sauf dans les paroisses de la Beauce, les seules où il lui arrivait de mendier systématiquement.

Un jour de l'année 1924, quelque chose l'avait poussé à s'arrêter chez les Lafontaine. Il y avait vu Rose, avait su ce qu'on croyait à son propos aux alentours, et cherché depuis ce temps ce qui n'allait pas chez elle. Certes, comme le saint curé d'Ars, elle pouvait être la victime d'êtres maléfiques, de ces démons possessifs qui, pour des raisons inconnues, s'attaquent à certains humains plutôt qu'aux autres; mais il pouvait aussi s'agir d'un trouble mental difficile à cerner. Quelqu'un quelque part lui avait parlé d'épilepsie. Quelqu'un d'autre de transes médiumniques. C'est pourtant l'idée d'une possession diabolique qui prévalait. Car le commun des mortels a besoin de ces êtres d'exception pour se rassurer sur lui-même. Tout comme les mieux nantis ont besoin de savoir qu'il se trouve des gens démunis qui souffrent, une souffrance dont eux sont exemptés. Grâce à Dieu, vont-ils même jusqu'à se dire. Voire à dire...

Rose avait le plus souvent toute sa raison. Ses crises survenaient la nuit seulement, autour de onze heures, parfois avant, parfois aux douze coups de minuit. On disait entendre des chaînes sur le toit de la maison. On disait que lors des attaques du Malin, il arrivait que des éclairs parussent dans le ciel alors qu'aucun orage ne s'annonçait à l'horizon.

Le bossu avait analysé, additionné les faits, réfléchi sur le hasard et les voies du Seigneur sur lesquelles on pouvait supputer tout en les sachant impénétrables, et déduit la possibilité que Rose fût la réincarnation de Delphine. Il avait trouvé semblables lueurs dans le fond des regards. Ressenti comparable trouble dans son for intérieur en la présence de l'une et de l'autre malgré la distance du temps les séparant.

Donc Rose était-elle une autre Delphine ? Plausible mais peu probable quand même. Ou bien, au moins, la religion ne condamnerait pas la théorie de la réincarnation.

Et puis était-elle possédée ou simplement malade ? Malade de l'âme comme on l'est tant du corps dans notre vie.

C'est à ces deux questions fondamentales que se butait une fois encore l'impassible bossu qui veillait sur cet être plus étrange encore que lui-même.

Il aurait pu ajouter une troisième question aux deux premières. Comment avait-elle fait pour venir chez lui, jusqu'au fond du cinquième rang, au pied de la montagne, si loin de chez elle ? Pouvait-elle s'être dirigée d'elle-même ou bien des entités d'un autre monde l'avaient-elles guidée par leurs appels et leurs sombres lumières ?

*

Les couples d'un soir s'étaient donné d'autres règles afin de cacher ce qu'ils avaient fait et désiraient refaire, soit un échange de partenaire au lit à l'occasion. Pas question de s'en parler par téléphone ou bien tout le rang aurait su le temps d'y penser. Par contre, il serait difficile d'organiser d'autres soirées du même genre sans se parler privément pour que le mot passe.

"Pour que le mot passe, eh bien, il faut justement un mot de passe !" avait déclaré Hilaire.

Fallait un code. On en avait le premier mot déjà : les 'frappeurs'. Et plus précisément le verbe 'frapper' qui désignait l'acte d'échangisme. Fallait un vocabulaire simple et qui mette les oreilles indiscrètes sur une fausse piste. Albert avait été le premier à utiliser celui-là et même en avait dit quelque chose à Josaphat Poulin. Mais Josaphat, l'énervé, avait la mémoire courte et avait sûrement oublié aussi vite.

D'autres mots clefs avaient été proposés. Le chapelet en famille pour désigner l'échange à plusieurs comme ce soir-là. Mais on avait rejeté l'idée par respect pour une composante de la religion chère au coeur de tous. Albert, lui, avait proposé des chiffres pour désigner les couples du rang. À partir de 1 pour les Goulet jusqu'à 10 pour son couple, le dernier et plus proche de la montagne. Et c'est ainsi que les Fortier eurent, sans le savoir, le numéro 2, les Rousseau, le 3. Hilaire déclara que le chiffre 4 de son couple portait la chance. Les Roy eurent le 5, les Pépin le 6, les Paré le 7, les Nadeau le 8, les Poulin le 9. Et pour faire encore plus et mieux, on désignerait l'homme du couple par son numéro de couple suivi du A et la femme par son numéro de couple accompagné de la lettre F. On pourrait même s'envoyer des messages par la voie d'un enfant sans que personne n'y comprenne rien du tout si la lettre devait être interceptée ou tomber en des mains adultes.

Le *secret*, pour qu'une secte ou une société quelconque tienne et ne soit pas l'objet de la vindicte, c'est précisément ça : le secret. Voilà qui serait la toute première préoccupation du groupe des 'frappeurs' ou bien ils devraient cesser leurs activités à peine commencées si quelqu'un en venait à les dénoncer au presbytère.

Un deuxième principe avait été adopté. Celui de la *protection des enfants*. Personne ne devrait se permettre quoi que ce soit si un enfant risquait d'en être le témoin. En conséquence, seule la maison des Pépin pourrait servir de lieu de rencontres, comme ce soir-là. Ou, exceptionnellement, un endroit sûr comme une cabane à sucre en dehors de la saison du printemps. Ou une grange éloignée, érigée dans une éclaircie d'un haut de terre. Mais jamais dans un bâtiment près d'une maison à moins qu'il ne soit hermétiquement fermé à toute forme d'intrusion. Quatre des couples avaient avoué une erreur : les Paré et les Martin avaient échangé en pleine nature et craignaient que le bossu Couët en ait surpris quelque chose; les Morin et les Roy regrettaient non pas leur premier échange, mais le lieu où ça s'était passé, soit le parc à glace d'un hangar voisin de leur maison.

Autre principe : *la négation*. Quoi qu'il survienne, jamais on ne devrait avouer la pratique. Ni aux voisins, ni aux prêtres, ni même au pape, s'il advenait que Pie XI passe par là.

Encore un principe : *l'entraide*. À ce chapitre, on ferait exemple. Davantage de corvées réunissant les cinq couples. Pour les foins, les récoltes, les sucres. Et cela multiplierait les occasions de... 'frapper'...

Sophia Paré avait obtenu l'accord de tous à sa proposition d'un autre principe : *la bonté envers les animaux*. Trop de gens battaient les bêtes, leur infligeaient en riant d'inutiles souffrances, et cette pratique cruelle l'affligeait au plus haut point depuis l'enfance. En plus d'être louable, cette protection offerte aux non-humains pourrait servir de couverture aux activités d'échangisme. Qui croirait que des coeurs sensibles puissent offenser les bonnes moeurs et passer outre à certains commandements de Dieu ?

Avant de retourner chez eux, les couples, ce premier soir de leur association extraordinaire, allèrent jusqu'à s'engager individuellement et mutuellement. La cérémonie prit allure de rituel improvisé que l'on reprendrait au besoin si d'aventure de nouveaux couples devaient subir leur initiation.

Une formule fut composée par Sophia et Albert sous la supervision d'Hilaire. On la voulut simple afin que chacun puisse l'apprendre par coeur sur sa simple répétition par chacun devant tous.

"Moi, (Untel), adhère à la société des 'frappeurs' et en accepte les trois grands principes: secret, protection des enfants et des animaux, et entraide. J'aurai pleine liberté à l'intérieur du regroupement et respecterai la liberté des autres en toutes choses."

Depuis un bon moment, l'orage s'annonçait au loin. Les étoiles s'étaient mis une couverture nuageuse par-dessus la tête afin de dormir jusqu'au petit matin. On n'y avait prêté aucune attention. On n'entendait pas le tonnerre gronder faute de se taire pour tendre l'oreille. Car si, après les ébats nouveau genre, on s'était fait peu loquace au retour dans la grande cuisine, voici qu'un intense besoin de jacasser semblait s'être emparé de toutes les langues pour les délier toutes ensemble sans retenue.

–C'est le temps de s'engager, de dire Hilaire par-dessus les conversations. Chacun et chacune sont libres de le faire ou de pas le faire.

–Le faire ou ne pas le faire : voilà la question ! enchérit Albert qui rit tout seul.

Personne n'avait saisi son allusion à la voix lointaine de Shakespeare.

Si la seule lampe allumée éclairait peu, voici que les éclairs se mirent à enflammer les regards en ajoutant leur éclat à celui déjà inscrit dans les yeux par les hormones emballées auxquelles on avait mis la bride sur le cou durant ces échanges de partenaires excessifs.

Les dix personnes avaient maintenant pris place autour de la table au milieu de laquelle on avait installé la lampe à l'huile. Son feu servirait à jeter assez de lumière sur le papier du serment afin que tous puissent le lire. Personne ne portait de lunettes ni n'en avait besoin pour lire. Les problèmes de santé se faisaient rares dans le cinquième rang et les âges, pour ce qui était de ceux attablés là, allaient de 28 à 42 ans. Tous étaient donc plus jeunes que le volubile Hilaire mais plus vieux que la délicate Angélina, ce qui ajoutait à l'homogénéité du groupe.

–Qui casse la glace ? demanda Hilaire à voix forte.

On lui porta attention par un presque silence. Un éclair surgit dans la pièce, entraînant avec lui un coup de tonnerre. On aura beau dire, personne n'est jamais le même quand l'orage éclate au-dessus de sa tête. Cette force de la nature comme toutes les autres commande le respect et donne à penser à la petitesse de l'homme en même temps qu'à la toute-puissance du Créateur de toutes choses. De là à croire que Dieu parle aux bons par l'ensoleillement et aux méchants par les colères de la foudre, il aurait fallu au moins un prêtre pour l'affirmer dur comme fer en ce moment.

Joseph se fit rassurant, lui, le plus fort en muscles, et fouilla derrière sa phrase pour y déterrer de l'humour :

–Vu que nous autres, on a cassé la glace déjà dans le parc à glace où c'est que ben y avait pas de glace pantoute, comme on vous l'a avoué, ben j'sus prêt à la casser encore à soir.

Hilaire tendit le bras en sa direction et lui présenta le papier contenant la déclaration commune à laquelle on voulait donner allure de serment officiel, à tout le moins d'un engagement individuel formel.

Il lut :

"Moi, Joseph Roy, adhère... à la société... des 'frappeurs'..."

Un violent coup de tonnerre à l'éclat formidable et sec frappa sur le dernier mot de l'engagement : *choses.*

Marie échappa un petit cri nerveux. Cela rassura et fit sourire.

–À mon tour, dit-elle sans tarder, alors que le roulement de tambour s'éternisait dans le ciel.

Son époux glissa le papier vers elle qui le prit et lut.

L'orage continua de dispenser ses violences à la maison Pépin et à tous les environs, cognant de ses multiples doigts sur les vitres des fenêtres, crachant ses clartés dansantes sur toutes les choses et les racoins de la pièce, tâchant à tout instant de massacrer les tympans.

–Grâce au ciel, on va se rappeler de ce qu'on fait là, déclara Albert Martin entre deux lectures.

–En tout cas, si c'est le démon qui cherche à nous faire peur, il va être obligé d'aller se faire voir ailleurs, commenta Hilaire.

Plus sensibles, plus religieuses et, de ce fait, plus peureuses que les hommes, les femmes montrèrent davantage de sérieux dans leur prise d'engagement. Certaines voix chevrotèrent même, mais la voix du nombre finit par triompher des petites anxiétés aussi bien que des fureurs de la nuit...

L'orage maintenant passé, il était temps pour tous, à part les Pépin, de rentrer à la maison. Venus à pied, tous auraient à s'en aller en profonde noirceur. Il fallait des lanternes. Les Pépin n'en disposaient que de deux. Il en échut une aux Paré et une autre aux Morin que les Roy accompagneraient jusque chez eux. Les plus éloignés étaient les Martin : Francis se rendit atteler pour les reconduire en voiture. Quand il rentra, les autres allaient partir.

–Pis comme ça, tout le monde est content !?

Hilaire reçut des approbations que la fatigue rendait peu éloquentes. On se salua par des voix entremêlées et partirent ensemble les Paré, les Roy et les Morin.

–T'aurais pas une chignole à me prêter ? demanda Albert à Francis. J'ai cassé la mienne v'là deux jours pis...

–Ben oué... je m'en vas te chercher ça que ça sera pas long.

Seul avec sa femme et Angélina, Albert interrompit leur échange :

–Pis... comment que vous avez trouvé votre veillée ?

–J'ai de la misère à imaginer que ça s'est passé, moi. Toi, Marie-Louise ?

–Toi, Albert, as-tu de quoi à 'chiâler' ?

–Pantoute. Pis toé, ma femme ? Hilaire, il t'a pas fait mal trop, trop toujours ?

Sorti de sa griserie, chacun avait du mal à parler des événements chauds du soir. Surtout à trois. Et pourtant, on trouvait une nouvelle excitation à le faire.

–Pourquoi c'est faire que vous resteriez pas jusqu'au matin ? suggéra Angélina. On pourrait jaser encore un peu pis ensuite se reposer.

Francis entra, outil à la main. Sa compagne redit son invitation :

—J'étais en train de dire à Marie-Louise pis Albert qu'ils devraient rester icitte pour le restant de la nuit. Tu pourrais les reconduire demain matin.

Une lueur passa dans les yeux du jeune homme et un fin sourire à la touche coquine lui vint aux lèvres :

—Ben bonne idée ! Restez donc ! D'abord que vous avez des grands enfants fiables à la maison.

—J'ai rien contre, dit Albert.

On regarda vers Marie-Louise qui se tenait debout, bras croisés, tenus entre la poitrine et son ventre occupé par le futur bébé. Elle pencha légèrement sa tête vers l'épaule droite et fit une moue d'accord :

—Pourquoi pas ?

En sa tête, il apparaissait net qu'il se passerait un autre échange de partenaire avant les aurores et qu'elle connaîtrait en un même jour un quatrième homme après Albert le matin, Jean le midi et Hilaire le soir. Ce serait Francis la nuit. Mais elle avait déjà l'habitude. Et surtout le désir...

Tous deux hautement satisfaits de leur expérience de la soirée, Angélina et son époux songeaient eux aussi à la possibilité de croiser les plaisirs de la chair. D'où leur invitation et leur insistance.

Francis s'enthousiasma et il parut que chez lui comme chez les trois autres, la fatigue du jour et du soir prenait du repos pour laisser la place à une énergie renouvelée. Les voix relevaient le ton. Les coeurs battaient plus vite. Plus besoin de prendre du vin pour endormir ses hésitations et traverser de l'autre côté du miroir du conformisme.

—Allons donc jaser un p'tit peu dans la chambre du premier. Y a deux lits là... Pis on aura rien qu'à se laisser aller à dormir.

–On aura pas de misère à ça, après une journée de noce comme aujourd'hui.

–Attendez que je retourne mettre le cheval dans l'étable, ça sera pas long.

On l'attendit en se parlant des choses de la noce, du repas, des musiciens, du vicaire Morin. Francis ne se fit pas attendre bien longtemps. Le tonnerre grondait encore un peu au loin quand il rentra. On délaissa toutes choses. L'homme de la maison prit la lampe et les devants. Le couple Martin le suivit, elle la première. Et la belle Angélina ferma la marche vers de nouvelles heures audacieuses.

***

Chapitre 24

–Commences-tu à te réveiller, ma p'tite Rose ?

La jeune personne répondit par un soupir. Peut-être pas non plus. Possible que le soupir ait répondu à un simple besoin d'oxygène. Ou bien d'ozone que l'orage avait laissé flotter dans l'air ambiant. Car il avait cogné fort, le tonnerre, au pied de la montagne de la *Craque*.

Bossu bâillait de plus en plus souvent. Parfois, ses paupières trop lourdes tombaient à la rencontre les unes des autres. Mais l'infirme réagissait et secouait quelque peu la tête pour reprendre ses esprits.

Et soudain, sans crier gare, les yeux de Rose s'ouvrirent tout grands. Elle fixa le plafond bas de son regard noir. Puis tourna la tête et parut se questionner.

–Tu sors de loin ! fit aussitôt Couët en lui offrant un léger sourire bienveillant.

–Ah ?

–Sais-tu où c'est que t'es ?

–Chez vous, ça doit ?

–Tu te rappelles pas d'être venue icitte, au fond du cinquième rang ?

–Ben... non...

–C'est comme ça : te v'là rendue à Saint-Léon. T'es arrivée pas tard après minuit. T'avais l'air perdue.

–J'ai passé par une autre... transe.

–C'est ça qui t'est arrivé. 'Cartain' que c'est ça !

Mais la certitude était tout sauf totale en la tête du bossu inquiet.

–As-tu faim ? J'ai des restes de truite du souper dans mon armoire : t'en veux ? Ou ben du lait assez frais avec des galettes à 'l'awoine' ?

–Oui... du lait avec une galette.

–Je m'en vas te chercher ça...

L'homme se leva et se rendit dans la dépense attenant à la seule autre pièce de sa cabane. Il en ressortit avec une tasse de lait et la galette acceptée. Et retourna à la jeune femme qui s'était levée et assise au bord du lit.

–Quen, ça va te faire grand bien.

–Ben... merci à plein !

–T'as l'air pas mal fatikée, fit-il en reprenant sa chaise.

–Je l'sus chaque fois que ça m'arrive, l'histoire...

L'histoire voulait désigner ces crises d'on ne savait quoi, peut-être de possession diabolique, peut-être d'épilepsie. Il pouvait aussi s'agir, selon certains, de transes à l'indienne provoquées par une lointaine ascendance abénaquise.

–T'en rappelles-tu quand est-ce que t'es partie de chez vous ?

–Ben... non... Me sus couchée pis... là, j'me réveille.

Puis elle mangea en silence, en mastiquant fort lentement, le regard perdu dans une recherche tourmentée. Couët la laissa faire sans dire et attendit qu'elle finisse pour reprendre la tasse et retourner la déposer sur la table.

–Tu peux te recoucher pis dormir comme il faut. J'te ramènerai chez vous, à Saint-Évariste, en voiture fine. Y en a plusieurs dans le rang qui vont se demander qui que t'es pis pourquoi c'est faire que t'es venue chez nous.

La jeune femme se mit sur ses pieds. Un peu et sa tête aurait frôlé les poutres du plafond.

–J'vas vous laisser votre lit si vous voulez dormir un peu vous itou.

–Ben non ! Ben non ! Recouche-toé pis dors. Moé, je vas m'étendre sur ma peau de carriole là, su'l plancher. J'dors souvent n'importe où c'est... su' les bancs de quêteux, dans des granges, des hangars... n'importe où avec la permission du propriétaire. On se réveillera quand on se réveillera. Ensuite, on partira pour Saint-Évariste...

–Bon ben...

*

Les Martin et les Pépin avaient gagné la chambre à deux lits du second étage de la maison. Francis proposa vite que l'on dorme et commença le premier à se dévêtir. On suivit son exemple. Angélina prêta une jaquette à Marie-Louise et les deux femmes retournèrent au premier pour se changer pour la nuit et se laver quelque peu à la débarbouillette. On alluma une lampe pour y voir quelque chose, puis on s'approcha de l'évier où des serviettes étaient suspendues; et l'une fit couler de l'eau en actionnant la pompe tandis que l'autre allait quérir du savon du pays dans la dépense voisine.

–Penses-tu que les gars vont demander à...

–À faire comme on a fait à soir ? coupa Angélina, le ton rieur.

–Ça me surprendrait pas, asteur qu'on l'a fait une fois. Pis nous autres, deux fois dans la même journée. J'te jure que... ça bardasse en dedans, une journée comme aujour'hui.

–J'pense que le vin nous a fait tourner la tête.

–Ah, c'est pas que j'ai du remords !... C'est juste que ça fait un gros changement dans une vie, une histoire comme ça. Tu penses pas ?

–Oui... mais vu qu'on est plusieurs, c'est plus facile.

−Tu penses-tu que le bon Dieu pourrait nous punir ?

−J'vois pas pourquoi.

−Moi non plus, mais on sait jamais.

−Ben non... il aurait pu nous faire tomber le tonnerre su' la tête tantôt, mais il l'a pas fait.

−C'est bien vrai, ça.

Elles finirent de se laver çà et là en glissant la serviette mouillée et savonnée sous leur vêtement de nuit. Marie-Louise demanda :

−On accepte-tu si... mettons qu'ils nous demandent de changer de lit ?

−J'ai rien contre. Albert est un bel homme. Mais j'veux pas que tu sois jalouse par exemple.

−Trop tard pour être jalouse.

−Francis, il te tenterait, lui ?

−Ben... j'dis pas non.

−Comme ça, tout est réglé. On est des 'frappeurs' ou ben on l'est pas.

Là-haut, les deux hommes avaient pris l'initiative de changer de lit et tué le feu de la lampe. Ils se parlaient dans la noirceur en attendant le retour des femmes.

−La mienne va aller avec toé, pis la tienne avec moé.

−Peut-être ben qu'elles vont pas vouloir ça, eux autres.

−On dira pas un mot, pis elles vont pas se 'rébicheter' une fois qu'on... aura commencé.

L'autre voix émit un joyeux petit rire.

−J'pense que j'entends craquer une marche de l'escalier : elles doivent revenir, dit Francis à mi-voix. On va se taire pis attendre c'est qu'elles vont faire.

Croyant que la lampe de la chambre était restée allumée, Angélina avait laissé l'autre en bas, mèche courte qui brûlerait jusqu'au matin. On put gravir l'escalier sans problème, mais une fois en haut, on se retrouva dans le noir absolu. À tâtons, Angélina trouva la main de Marie-Louise et la fit marcher à sa suite. On entra dans la chambre. Ce que les gars avaient voulu et prévu se produisit : Marie-Louise se dirigea vers le lit où était Francis, pensant qu'il s'agissait de celui de son couple normal, et Angélina fit de même de son côté. Les hommes gardèrent le silence, feignant dormir tous les deux, malgré les questions de leurs compagnes.

–Quoi, vous êtes déjà endormis, vous autres ? dit l'une.

–La jacasserie sera pas longue, fit l'autre.

–De nos jours, les femmes sont plus solides que les hommes.

–Les vrais 'tough' sont pas ceux qu'on pense, hein ?

Angélina se glissa sous le drap chaud tandis que sa consoeur faisait de même. Pas plus l'une que l'autre ne se doutait de la supercherie masculine. Chacun, de Francis et Albert, jouait souvent des tours pendables aux autres voire même des tours de cochon et pourtant, elles ne se méfiaient pas. Et chacune pensa que leur échange devant l'évier quant à la possibilité d'un autre croisement des partenaires s'avérait inutile et même dérisoire.

Albert se tourna sur lui-même vers sa nouvelle compagne. Il tendit la main et la posa sur sa cuisse sans toutefois la bouger afin qu'elle songe à un mouvement involontaire d'un dormeur plongé dans les abîmes du rêve...

Quant à Francis, il s'approcha de Marie-Louise et la toucha à la cuisse avec son corps érigé. Puis s'arrêta et fit croire qu'il somnolait. Elle pensait dur comme fer avoir pour compagnon son mari et ne remarqua pas les différences, faute de les percevoir de façon empirique, de les ressentir, de les sentir même.

Puis Albert fit couler sa main baladeuse vers la poitrine féminine. Elle chuchota, devinant qu'il avait repris conscience :

–Si on le fait, on va réveiller les Martin.

Mais il lui bâillonna la bouche avec un baiser fougueux.

Dans l'autre lit, la femme couchée faisait dos à l'homme qu'elle prenait pour son mari. Elle inséra sa main entre les deux corps et s'empara de cette virilité qu'elle prit pour celle d'Albert. Francis n'avait jamais été gâté autant si vite dans l'accomplissement de ce qu'on appelait pudiquement l'acte conjugal. Il soupira fortement.

Il vint un remords en l'âme d'Albert qui l'exprima tout bas à la fin du baiser que des caresses intimes avaient accompagné :

–C'est pas ton mari, c'est moé, Albert...

–Ça m'aurait surpris itou que rien se passerait. Deux hypocrites qui faisaient semblant de dormir. Ah, vous autres ! Deux beaux oiseaux tripatouilleux que vous êtes...

–Es-tu ben choquée ?

–Ben... non... En bas, Marie-Louise pis moé, on s'est dit que ça pourrait ben se passer. Tant qu'à faire, aussi ben continuer !

Elle prit la main de son partenaire et la poussa entre ses jambes. Il ne se fit pas prier...

Sans avoir distingué ce qui s'était dit dans l'autre lit, Marie-Louise comprit que l'organe génital qu'elle manipulait en ce moment n'était pas celui de son homme. Mais elle n'était pas femme à s'insurger pour autant, surtout après les événements du jour et du soir. Et puis, sa chair demandait. Et plus encore à se rendre compte que son partenaire était Francis

Pépin, un personnage de belle apparence, de bonne carre et de formidable énergie. Il lui passa par la tête de jouer le jeu elle aussi, de faire semblant qu'elle avait Albert et non Francis entre les mains. Et voilà qui décupla la chaleur de ses mains et celle de toute sa substance profonde.

Francis souleva la jaquette, et la femme finit par s'en dévêtir tout à fait, la rejetant au pied du lit. L'homme connut une sensation flambant neuve : celle de toucher et caresser le corps d'une femme qui portait un enfant dans son ventre depuis six mois. Cette nouvelle stimulation ajouta à sa virilité qui n'en finissait pas de s'accroître...

Les préliminaires furent brefs chez les deux couples en action. Les corps se consumaient vite dans les flammes de l'excitation charnelle. Un lit se mit à craquer, aussitôt suivi de l'autre. Marie-Louise entendit que son mari était à pénétrer Angélina. Angélina sut que son homme faisait glisser son sexe dans celui de la voisine du fond du rang. Parce qu'ils s'unissaient à une autre femme, les gars faisaient de leur mieux pour ralentir la cadence et faire durer leur plaisir tout en stimulant considérablement celui de leur partenaire...

Tout devint excessif et il fallait la force de la jeunesse pour y résister...

***

Chapitre 25

–Depuis le temps qu'on en parle, il faudrait enfin ériger une chapelle sur la montagne du cinquième rang. Qu'en pensez-vous, monsieur le vicaire ?

–Je pense que c'est une idée lumineuse, monsieur le curé. Et j'ajouterai qu'il faudrait, quand on bénira la chapelle, donner à la montagne un nom plus... évocateur disons que la montagne de... enfin comme les gens la désignent.

–Je le sais et je le déplore. Celui qui l'a baptisée la montagne de la *Craque* avait sûrement une craque dans la tête pour inventer cela. C'était au siècle dernier. Ce qui m'étonne d'autant plus. Je vous demande de consulter le livre des saints et le martyrologe afin d'y choisir un nom de saint pour notre belle montagne bleue.

Il faisait grand soleil en cette journée de la fin juin, le dernier samedi du mois. Les deux prêtres avaient dit leur messe, déjeuné et ils marchaient, l'un le long de l'église et l'autre sur le chemin du presbytère, lisant leur bréviaire et songeant aux façons d'améliorer la vie spirituelle de leur chère paroisse. Le curé s'était arrêté un moment pour s'adresser à son vicaire qui avait fait de même.

–Dans le canton de Chesham, c'est pas si loin, ils en ont bâti une, eux autres, une petite chapelle. Et leur montagne porte un nom bien plus agréable que la nôtre.

–En effet, le mont Saint-Joseph est un magnifique lieu de pèlerinage connu dans grand.

–C'est beau, mais il nous faudrait un menuisier ou deux pour élever la bâtisse. Et avant cela, lever des fonds dans la paroisse en vue de cette érection mémorable.

–Je vous charge de tout cela, monsieur le vicaire. Puisque vous êtes capable d'identifier les besoins, nul doute que vous pouvez y répondre.

–Je vous remercie de votre confiance, monsieur le curé.

–À la bonne heure ! Une bonne chose de faite. De ce pas, je poursuis la lecture de mon saint bréviaire...

Quant à lui, le vicaire Morin ferma son livre béni et, de son pas le plus long, il se dirigea vers le coeur du village. C'est à la boutique de forge qu'il trouverait réponse à la deuxième de ses questions : qui bâtirait la chapelle du promontoire ?

Dès que l'église disparut de son champ de vision latéral et que, de la sorte, apparut la rue principale, le bruit de coups de marteau sur une enclume lui parvinrent. Le forgeron Arguin, ou peut-être son apprenti Maheux, devait être à façonner un morceau de fer, probablement un fer à cheval. Un hennissement le lui confirma. Une voiture fine dans la cour ajouta à sa certitude. Quelqu'un de la paroisse était venu pour qu'on ferre son animal. Il saurait bientôt, au bout de son pas, qui ça pouvait bien être. Et allongea sa démarche vers la petite bâtisse aux bardeaux de la couverture brûlés par le soleil tout comme son revêtement de planches à la couleur uniforme d'un gris noirâtre, signe d'âge d'une telle bâtisse, semblable au visage parcheminé d'un vieillard.

Son faible étonnement s'agrandit considérablement quand, rendu dans l'embrasure de la double porte, pupilles s'adaptant à la pénombre de l'intérieur, il entendit une voix féminine le saluer en même temps que le faisait une voix masculine bourrue.

–Bonjour, monsieur le vicaire, dit la femme.

–Ouais... salut ben, ajouta l'homme de la forge, au visage noir comme le charbon qu'il venait de jeter sur son feu.

–Eh bien, le bonjour, vous deux, fit le vicaire qui ajouta à son soin des signes de tête éloquents.

C'est alors seulement qu'il vit tout près de lui, juste à côté de l'entrée, une jeune femme en robe pâle fleurie. Une paroissienne qu'il reconnut aussitôt, d'autant qu'elle était sans doute le plus beau spécimen de la gent féminine non seulement de Saint-Léon mais de plusieurs paroisses aux alentours. Un diamant dont on disait qu'elle était une perle...

–Tiens, madame Goulet. Je ne vous ai pas reconnue au premier coup d'oeil.

Le forgeron, un homme de trente ans, beau mais rugueux, s'approcha en même temps, pince à la main et fer fumant emprisonné à l'extrémité. Il le brandit :

–Désirée est venue faire ferrer leu' ch'fal, dit-il comme pour montrer qu'il était le seul maître à bord.

–Monsieur Arguin ne travaille donc pas aujourd'hui ? demanda le prêtre.

–Il est pas ben de sa santé comme souvent. Là, ça rempire pour lui. Ça fait que je l'remplace en tête de la boutique en attendant qu'il revienne, si jamais il revient. Pas fort, le pére Arguin, pas fort pantoute !

–Ah !

–Si j'peux vous aider, c'est moé qui décide icitte quand Joseph est pas là.

–Ah, ce n'est pas une cachette, il est question d'ériger une petite chapelle sur la montagne de... du cinquième rang... justement du rang de madame Goulet, histoire d'aller y dire la messe de temps en temps, le dimanche, en belle saison, comme ça se fait au mont Saint-Joseph dans le canton de

Chesham que vous devez connaître.

–Sûr que j'connais ! Pis quoi ? C'est quoi qu'un forgeron peut faire là-dedans, dites-moé donc ça, là, vous ?

–Peut-être que monsieur Arguin pourrait rassembler deux ou trois hommes pour lever la bâtisse ?

–Il est malade comme j'viens de vous le dire... Ben moé, j'ferais pas mal mieux que ça. On pourrait lever la bâtisse que ça prendrait pas goût de tinette. On fait une 'courvée' pis dans une journée, c'est fait. Une journée : fini, final.

Le front du prêtre s'éclaira comme si une lumière céleste venait de le frapper :

–Mais quelle bonne idée ! Mais quelle belle idée !

–On pourrait faire ça tusuite dimanche qui vient. D'abord que tout' ce qui traîne se salit, envoyons d'l'avant !

Arthur fit une torsion du cou et cracha en spirale dans le fumier frais d'un cheval qui, enfargé dans le travail, attendait patiemment ses fers neufs.

–Asteur, tout le monde a le téléphone dans tous les rangs de la paroisse, même si le courant électrique passe rien que par le village, pis on fait un appel général pour avoir des bras. La montagne va être noire de bons bras dimanche. Tout le monde va venir aider.

–Pas si vite ! Il faut d'abord lever des fonds pour acheter des matériaux et cela n'est pas si simple par ce temps de misère qui court et qui accable tout un chacun.

–Encore là, pas de problème !

–Et comment cela ?

–On va demander au monde d'emporter des matériaux avec eux autres d'abord que c'est pour une bonne cause. D'aucuns vont venir avec des clous, d'autres avec une planche ou deux, pis d'autres avec des bardeaux pour la couverture. Même que moé, je vas apporter de la peinture que je fais moi-même. Pis c'est de la bonne, creyez-moé, hein, hein. Ça prend ça pour une bâtisse exposée aux quatre vents comme ça sera... La montagne de la *Craque*, c'est haut, ça, en beau maudit, ah oui ! ah oui !

Désirée regardait l'un et l'autre sans se demander lequel des deux lui apparaissait le plus brillant, de celui portant la soutane noire et l'auréole qui va de pair avec le vêtement ou de celui qui travaillait dur, le visage sali de houille et les vêtements presque aussi sombres de saleté que ceux du prêtre ne l'étaient dans leur propreté. Soudain, en son imagination, il se fit un joyeux transfert. Elle vit le forgeron porter le col romain et l'abbé Morin, bras nus et souillés, manier le marteau et la pince de métal. Lequel des deux Dieu pouvait-il donc regarder avec le plus de bienveillance ? Une question qui resta sans réponse et s'estompa bien vite quand on s'adressa à elle :

–Ton mari, c'est 'cartain' qu'il pourrait v'nir nous aider dimanche, si on monte su' la montagne pour un 'bi' ?

–Ça, c'est ben sûr, mon cher monsieur Maheux.

–Depuis quand que tu m'appelles pas Arthur ? J'ai le même âge que vous autres, toé pis ton mari. Monsieur Maheux, il s'appelle Alphonse pis y reste à Saint-Benoît là-bas, dans la Beauce.

Elle ne répondit pas. Le vicaire chercha à devancer le forgeron dans la course à l'intérêt de cette si jolie personne, et il lui dit, sourire devant, gracieusement offert en prime avec les mots :

–Peut-être même que votre mari pourrait prendre la direction des travaux sur la montagne ?

Elle fit un joyeux clin d'oeil :

–Suffit de lui demander.

Arthur rougit de dépit contenu sous les résidus de charbon qui lui recouvraient le visage.

–J'veux rien dire de trop, mais Pierre Goulet, c'est un cultivateur, pas un menuisier. Les travaux de la chapelle, j'peux vous les mener, moé, comme il faut. Je l'ai déjà fait.

L'abbé se fit mielleux :

–Mais, monsieur Maheux, vous n'êtes pas menuisier vous non plus, ni charpentier, ni ouvrier, mais maréchal-ferrant.

–D'abord que j'vous dis que j'sais quoi faire.

Le prêtre pencha la tête et baissa son épaule droite en signe d'assentiment :

–Si vous le dites, je veux bien vous croire. Pourvu que la croix sur la chapelle ne penche pas au bout du compte. Et que la petite bâtisse résiste aux assauts de la nature. L'hiver, le vent doit rugir fort là-haut.

–Allez faire votre appel général, pis moé, j'm'occupe de la lever, votr' bâtisse. Pis tout' sera drette en face du vent. Pis si la tempête emporte la chapelle, faudra qu'elle emporte la montagne de la *Craque* itou, envoye donc là !...

–Soit !

–Ça veut dire quoi, ça ?

–Ainsi soit-il. Cela veut dire que je suis d'accord avec ce que vous proposez.

À ce moment, on entendit deux hennissements provenant de deux bêtes différentes. Il y eut celui du cheval des Goulet auquel répondit un autre dans la cour. En tournant la tête, le vicaire put apercevoir la voiture qui venait d'arriver et qui s'arrêta à côté de la boutique. L'occupant vint dans l'entrée.

–Salut, mon Romu, fit aussitôt le forgeron qui bougea de quelques petits pas de côté pour ainsi s'approcher, sans en avoir l'air, de Désirée Goulet, elle qui attendait, debout, bras croisés sous sa poitrine.

C'était un autre cultivateur du cinquième rang, le dénommé Romuald Rousseau, habitant voisin des Goulet. De chez lui, en revenant de traire les vaches, il avait vu Désirée atteler et partir pour le village. Et avait trouvé un bon prétexte de s'y rendre lui aussi, soit un fer lâche sous le sabot droit arrière de *Toinette*, l'une de ses deux juments.

L'arrivant salua le prêtre, la femme :

–Bonjour, monsieur le vicaire... quen, bonjour, ma voisine. C'est pas mal rare qu'on te voit venir au village sans Pierre, toé, là.

–Fallait qu'il monte dans le haut de la terre à matin de bonne heure.

–Et comment ça va, monsieur Rousseau ? demanda le vicaire qui voulait prendre l'initiative et occuper le centre de la conversation.

–Comme c'est mené.

–Et... ça l'est bien ?

–Ça doit parce que... ben ça va pas trop pire.

–On a décidé d'ériger une chapelle sur la montagne au fond de votre rang. Ça pourrait se faire dimanche. Seriez-vous d'équerre pour faire partie de la corvée ? C'est monsieur Maheux qui va diriger les hommes.

–Ben 'cartain' ! J'aurais ben voulu qu'on m'en parle pas, j'vous dis que j'aurais pas aimé ça. Tous les hommes du cinquième rang au moins seront là avec un marteau, une hache ou ben une égoïne. C'est que t'en penses, toé, Désirée ?

Intimidée par trop d'hommes aux alentours, le visage rougissant et la voix moins dégagée, elle répondit :

–J'vois personne qui va refuser d'aller à la corvée. Ça va faire au moins dix hommes, d'abord qu'il y a dix cultivateurs dans le cinquième rang.

–Tous des bons chrétiens, approuva le vicaire. C'est le seul rang de la paroisse où l'on dit le chapelet en groupe une fois par mois à la croix du chemin.

Son attention attirée par les bruits dans la cour de la boutique de forge, un voisin s'amena qui obtint de tous des salutations respectueuses. Quadragénaire aux abords de la cinquantaine, bedonnant, lunetté, visage sympathique et sourire facile, l'homme possédait une voix puissante et bien ancrée dans le territoire de ses cordes vocales.

–Si c'est pas notre bon docteur Arsenault ! s'exclama le

vicaire sur le ton du flagorneur.

–J'ai vu qu'il y avait de la vie par ici ce matin et je suis venu faire une petite visite en attendant mon prochain patient à mon bureau.

–As-tu envie de dire, mon Paul, que c'est mort icitte de coutume ? protesta le forgeron pince-sans-rire et qui avait regagné sa place au feu.

–À part les coups de marteau sur l'enclume, souvent les heures sont calmes aux alentours l'avant-midi, rétorqua le praticien qui savait fort bien quand Arthur blaguait et quand il était sérieux.

–Bien, le bonjour, madame Goulet. Tout va bien pour vous, j'espère ?

–Avec un bon docteur comme le nôtre dans la paroisse, tout peut pas aller mieux, commenta Romuald Rousseau qui n'en croyait pourtant pas un mot et s'adonnait à de la flatterie tout comme le prêtre et ses élans peu authentiques.

Car cet homme métissé faisait bien davantage confiance aux remèdes que la nature prodigue à travers les plantes et autres méthodes rarement promues par la médecine qu'aux ordonnances et conseils des docteurs diplômés.

–Faut jamais trop vanter les talents d'un homme, parce que ça le porte à s'assire dessus, déclara le forgeron dont les flammes du feu de forge embrasaient le regard.

–Le talent, c'est cinq pour cent de la profession; le travail, c'est tout le reste.

–Ça, on peut pas dire que tu travailles pas, dit Arthur qui plongea un fer dans les braises bleues.

–Et toi non plus, Arthur. Y a pas un cultivateur qui travaille autant qu'un forgeron, je peux vous le dire. Je peux vous le dire parce que je vois tous les jours ce qui se passe ici, à la boutique de forge.

Tenu à l'écart de l'échange, le vicaire glissa sa phrase comme un pied dans la porte entrouverte :

–En plus que c'est un ouvrage très dur pour les poumons, le coeur, les yeux, la peau. C'est l'un des métiers les plus durs de notre société.

Rousseau commenta :

–Mais ça permet à son homme de ben faire vivre sa famille au village malgré la crise qui écrase durement les p'tits métiers.

–Mais ce n'est pas du tout un p'tit métier ! fit le docteur. Pourquoi utiliser pareille expression ? C'est un grand métier que celui de maréchal-ferrant. Faut des bons fers aux pattes des chevaux pour pas qu'ils se brisent les sabots et risquent de se casser une patte. Faut réparer les voitures, les waguines, les bogheis et même les selkés comme celui de monsieur Couët...

On lui coupa l'envolée :

–Parlant de monsieur Couët, je l'ai vu passer à la barre du jour avec une jeune femme étrangère.

Ce que Rousseau venait de dire risquait de soulever de la poussière de scandale dans la paroisse. Une jeune personne inconnue aurait-elle passé la nuit chez le bossu, au fond du cinquième rang ?

–Ça sera de sa parenté, supputa le forgeron qui cracha de côté, lui qui s'était fourré une chique de tabac dans la bouche un moment plus tôt.

Désirée Goulet aussi avait été témoin de la scène tôt ce matin-là. Et puis, le téléphone n'avait pas dérougi pour une demi-heure et le sujet qui courait sur la ligne aller et retour était ce passage dans le rang de la voiture fine du bossu en laquelle était montée à son côté cette femme bizarre aux vêtements sombres, aux cheveux noirs comme le charbon et au corps émacié, droit comme un I. Elle n'en aurait pas soufflé mot ainsi dans un lieu public, de cette petite nouvelle sans grande importance. Mais Romuald ne possédait pas sa délicatesse, son respect des autres, sa bienveillance. Couët n'était pas un débauché. Couët n'était pas dangereux pour les enfants. Couët possédait une réputation sans tache. Il y avait sûrement une explication. Et puis, s'il avait voulu cacher quelque chose, il aurait fait ce voyage avant les aurores alors que personne n'en aurait eu vent.

Tout le rang savait que la moitié du rang s'était réunie la veille au soir chez les Pépin et qu'on avait veillé tard; et pourtant, personne n'avait parlé de cette soirée sur la ligne téléphonique. Couët et l'étrangère avaient eu toute l'attention des langues effilées...

Désirée, elle, avait écouté sur la ligne sans rien dire. Et n'en avait même pas discuté avec son mari. En plus d'être belle, cette jeune femme possédait une grande âme généreuse où le chiendent du jugement téméraire ne trouvait pas terre fertile pour s'enraciner et grandir.

Mais voici qu'un nouvel arrivant capta l'attention de tous. Le villageois portait une petite cage où était prisonnier un jeune écureuil.

–J'viens en 'nèyer' un autre, dit, l'oeil étincelant, le personnage replet à la chevelure noire et raide.

–La cuve d'eau est là : fais comme tu voudras, mon Bilodeau ! de dire le forgeron qui s'en lavait les mains.

Voisin de face et de biais par rapport à la forge, Bilodeau, homme de petit métier, chaisier à ses heures, venait flâner une partie de ses journées à la boutique quand il ne se trouvait pas au magasin général. Dans la force de l'âge, il était capable de travailler d'une étoile à l'autre, mais personne n'avait les moyens de lui payer des gages; et la famille ne pouvait compter que sur le seul mince revenu de son épouse Cécile qui faisait des ménages et travaillait tous les jours au presbytère.

Et l'homme tuait le temps interminable à piéger des petites bêtes sur son terrain. Il les accusait de tous les maux et n'hésitait pas à les faire mourir. Le plus souvent, il venait les noyer dans la cuve d'eau du forgeron qui n'avait pas eu le courage jusque là de le lui défendre malgré son désaccord.

–Tu veux faire quoi ? lui demanda le docteur Arsenault pour qui la vie animale avait une grande valeur, quoique à un degré moindre que la vie humaine.

–Le 'nèyer'.

–Pourquoi faire ça ? Relâche-le dans la nature !

–Il va revenir su' mon terrain.

–Va le libérer au bout du village. Il a droit de vivre autant que toi, Arthur.

L'autre se montra tout étonné :

–Mais c'est pas du monde, ça, c'est un 'écureux'.

–On abat un animal pour le manger, pas pour le plaisir.

–Mais ça vient gruger dans nos provisions, ces p'tites maudites bêtes-là !

–T'en tues combien par été comme ça ?

Le forgeron prit la parole :

–Il vient en 'nèyer' un ou deux à tous les jours.

–Pis tu laisses faire ça, toi ?

–Arthur Bilodeau est un homme libre. Comme moé, Arthur Maheux. Comme Romuald Rousseau, là. Pis comme toé, mon cher docteur Arsenault. Si tu veux pas tuer un 'écureux', ça te r'garde; si Bilodeau veut le faire, ça le r'garde, lui.

Il y a inconvénient à porter le même prénom qu'un d'autre. On a vite fait de comparer les ressemblances et d'associer les personnages. Le docteur se montra sévère :

–J'dirai que ça me regarde, moi, la mort d'un petit animal sauvage qui vit en liberté. Il n'appartient pas à celui où la bête se trouve, il appartient à tout le monde. Pis personne a le droit de le tuer sans une raison valable et majeure. Si l'animal a la rage, c'est pas pareil, mais s'il est en santé comme celui-là en a l'air, là, c'est une autre affaire. Qu'est-ce que vous en dites, vous, monsieur le vicaire ? Un prêtre a le respect de la vie, que je sache !

—Vous savez, la sainte Église ne se mêle pas des us et coutumes du peuple, sauf si ces us offensent la morale chrétienne, comme de bien entendu.

—Mais il est question de la vie et de la mort, s'insurgea le docteur.

—Monsieur Maheux l'a bien dit : il est question de la liberté individuelle.

Arsenault reprit :

—Eh bien moi, je dis que de l'autre côté, quand nous serons au pays de nos ancêtres, on subira le même sort qu'on a fait subir aux autres... et par autres, j'entends les humains mais aussi les bêtes. Je l'invente pas, c'est le savant Einstein qui l'affirme et Einstein est pas le plus fou de la planète terre. Monsieur Bilodeau, si vous ne voulez pas qu'il vous arrive un accident qui fera que vous serez en train de vous noyer et pris, incapable de vous libérer, alors vous penserez à toutes ces petites bêtes que vous avez tuées sans raison.

Demeurée silencieuse jusque là, Désirée s'approcha de l'homme et de sa cage pour regarder le petit animal qui, électrisé par la peur, courait désespérément d'un bout à l'autre et frappait de ses pattes les extrémités en espérant retrouver l'air de la grande liberté.

—Mon Dieu qu'il est beau ! Vous allez pas le noyer : c'est si beau, un p'tit écureuil de même.

Le peu qu'elle dit eut tôt fait d'influencer les tièdes et on rejoignit le docteur Arsenault dans sa prise de position pour sauver le petit animal de la peine de mort décrétée par l'homme oisif qu'obsédaient les rongeurs de passage sur son terrain.

C'est le forgeron qui sonna la charge en revenant vers le groupe près de la porte, son marteau de forge suspendu au bout de son bras. La lumière du jour silhouetta sa figure noircie et il lança de sa voix la plus terrible :

—Quand on y pense comme il faut, c'est vré c'est que

l'docteur dit, Arthur Bilodeau, tu sauras. Y'a 'parsonne' qui fait ça, poigner des petits animaux pis les 'nèyer' comme tu fais deux pis trois fois par jour. Ça t'avance à rien pantoute parce que le lendemain, t'en auras un ou ben deux autres encore su' ton terrain... pis qui vont prendre la place de ceuses-là que t'as 'nèyés' la veille. T'en tues deux pis le lendemain y'en a deux autres : ça t'avance à quoi ?

–D'abord, v'nez régler mon problème, protesta avec force et colère l'homme accusé.

Le vicaire ajouta enfin un mot favorable à l'idée du docteur Arsenault :

–Ça serait pas que vous aimez ça, noyer un petit animal, monsieur Bilodeau ? Pour d'aucuns, c'est un peu malicieux et... obsessif.

Rousseau enchérit en utilisant ses connaissances d'Indien sur les bêtes en liberté :

–Des écureux su' ton terrain, ils vont empêcher les suisses de venir. Les tuer, tu vas ouvrir la porte à d'autres, pis ça va rien te donner pantoute. Là, j'pense comme Arthur... j'parle pas de toé, mais d'Arthur Maheux icitte présent.

Traqué de toutes parts, confus, l'oeil bas et le cou rouge, Bilodeau haussa les épaules. Le vent tourna quand on entendit au loin le sifflement du train. C'était celui du jour en provenance de Mégantic. Il se dirigeait vers la Beauce puis Québec sur la voie ferrée du Québec-Central. L'homme déposa sa cage et profita de l'occasion pour détourner l'attention vers bien autre chose :

–J'ai vu le bossu à la gare avec une jeune dame étrangère. Elle doit attendre les gros chars pour s'en aller de par icitte. C'est à se d'mander c'est quelle est venue faire à Saint-Léon, celle-là ?

Le forgeron aurait bien voulu en savoir plus. Rousseau prit la parole :

–Je vous l'ai dit tantôt. Jamais vu c'te 'parsonne-là' par

icitte. Autour de vingt ans pas plus. Elle ressemble à une morte... un fantôme...

Depuis la cour de la boutique, on pouvait apercevoir l'arrière de la gare où se trouvaient deux attelages en attente. On reconnut le poney du bossu Couët. Mais pas de créature étrangère qui devait certes se trouver à l'intérieur de la bâtisse avec celui qui l'y avait amenée.

Le train entra en gare dans son fracas habituel. Le wagon à voyageurs dépassa la bâtisse et l'on put bientôt voir la jeune femme décharnée monter, accompagnée de Couët qui s'arrêta au pied de l'escalier. Elle se tourna pour lui dire un mot. Le petit homme répondit par des mots et par des gestes incompréhensibles aux yeux inquisiteurs.

À la boutique, tous, à part Désirée et le docteur, étaient sortis, aspirés dehors par leur curiosité malséante. Et pendant qu'ils supputaient sur l'événement inusité, la jeune femme Goulet alla à sa jument et lui flatta le remoulin en lui suggérant la patience. Le docteur, lui, prit la cage de Bilodeau et, sans être vu, sortit et se rendit sur le côté de la boutique. Là, il l'ouvrit et libéra l'écureuil. Puis il posa la cage par terre, devant une grosse roue de banneau qu'il fit tomber sur la trappe. Et il rentra chez lui...

–C'est pas ça qui va m'empêcher de me débarrasser de ces bêtes-là ! clama Bilodeau quand, un peu plus tard, il fera la découverte de sa cage écrasée en pièces.

Il vint demander au forgeron de la réparer, mais essuya un refus carré que Maheux fit tonner pour mieux impressionner la belle Désirée Goulet :

–Tu sauras, maudit torrieu, que j'ai pas le temps d'arranger ça. Là, j'm'occupe du ch'fal à Désirée. Pis à part de ça, r'viens pus 'nèyer' des écureux dans ma cuve parce que j'vas te plonger la tête dedans, toé itou, pis tu vas voir c'est que ça fait, se faire 'nèyer' de force. J'te dirai pas plus que ça aujourd'hui, mon Arthur Bilodeau. Asteur, va-t'en chez vous, pis travaille à quelq' chose d'utile. Pis dimanche, y'aura un 'bi' ou si tu veux une 'courvée' su' la montagne de la *Craque*. Tu seras là après dîner, comme ça, ça te f'ra moins d'écureux à tuer pour rien c'te journée-là.

Se tournant vers le seul qui pourrait encore le soutenir, Bilodeau s'adressa à Rousseau :

—C'est que tu penses de tout ça, toé ? Tu piéges des animaux par la patte pour leur fourrure : c'est ben pire que les 'nèyer'.

—J'ai rien à dire pantoute là-dessus.

Et Rousseau lui tourna le dos.

Le vicaire, qui avait tout observé, tout analysé, déclara pour clore la situation :

—Priez et vous saurez quoi faire. La prière vous éclairera. C'est le ciel qui vous dira quand tuer un animal et quand le laisser en liberté.

Cachée dans l'ombre, Désirée regardait l'un et l'autre sans rien dire. On faisait boucherie chez tous les cultivateurs y compris chez elle en décembre. Il fallait alors mettre à mort un porc et une taure. Elle-même, à contrecoeur, ramassait et brassait le sang lors de cet abattage nécessaire à la survie. Comment jeter la pierre à Bilodeau ? Comment approuver qu'il tue inutilement les petites bêtes en liberté ? Pourquoi l'Église n'intervenait-elle pas pour réglementer en ces questions de vie ou de mort, bien plus importantes que celles concernant la vie intime des couples mariés ?

Le vicaire s'approcha d'elle pour s'enquérir de l'état de santé de Juliette :

—Puis... votre fille, elle s'est remise de ses émotions de l'autre soir ?

—Le docteur l'a vue. On voulait être certains que tout est correct. Elle va bien. C'est des choses qui arrivent.

—Bien content de l'apprendre ! Il faudrait tout de même pas que la récitation d'un chapelet soit la cause d'un malheur.

–Un accident est un accident. Vous pourriez dire le chapelet en vous promenant dans votre machine et en avoir un, vous itou.

–C'est vrai, c'est bien vrai ce que vous dites... Et vous n'oublierez pas de dire à monsieur Pierre qu'il y aura corvée dimanche pour l'érection de la chapelle ?

–C'est la première chose que je vais lui dire en arrivant à la maison tout à l'heure. Là, je dois aller acheter des effets au magasin, pis ensuite je retourne dans le 5.

–Ça tombe bien, je dois aussi aller au magasin. Voulez-vous que je vous y accompagne ?

–Si vous voulez...

***

Chapitre 26

Penaud et dépité, Bilodeau prit la direction de chez lui, débris de cage entre les mains. Rousseau resta debout dans l'embrasure de la porte de la boutique sans rien dire. Et le forgeron, qui avait vu partir ensemble le vicaire et Désirée Goulet, trouva un prétexte pour se rendre dehors et voir où ces deux-là allaient ainsi. Il atteignit le côté de la bâtisse et fit semblant d'examiner une roue pour laquelle on avait commandé un nouveau bandage. Et sans en avoir l'air, il jeta un oeil vers le magasin général d'en face où le prêtre et la jeune femme se dirigeaient visiblement.

Le forgeron, un père de famille de cinq enfants dont quatre vivants, ignorait que son épouse en portait un cinquième depuis quelques jours, en fait depuis la fête de la Saint-Jean-Baptiste. Voilà qui ne l'empêchait pas de jauger les autres femmes dans la vingtaine ou la trentaine voire la quarantaine, d'en admirer les visages et surtout les courbes, et même à l'occasion d'imaginer entre lui et elles des scènes que réprouvaient fortement la décence et surtout les commandements de Dieu.

Dans ses évaluations d'attraits physiques, Désirée Goulet arrivait en tête de liste. Et loin en tête. L'homme passait un bon moment en sa compagnie, à la voir debout en attente, et lui au feu à travailler un fer à cheval tout en lui jetant de fréquents coups d'oeil furtifs, quand le vicaire s'était pointé, puis les autres visiteurs du matin à sa suite. Et finalement, c'est le prêtre qui jouissait de sa délicieuse présence dans leur marche vers le magasin général sis en biais, de l'autre côté de la rue, une longue bâtisse verte datant du tournant du siècle et qui portait au fronton l'inscription : G. Boulanger.

Une voix sortit le forgeron de sa torpeur. Il se redressa en maugréant :

–Vous autres, les Sauvages, on vous entend pas venir par en arrière. On dirait que vous marchez su' de la mousse.

–Arthur, j'sus pas un Sauvage, calvènusse. Tu devrais pas m'insulter de même à matin.

–T'as de l'Abénakis dans le corps, tout le monde sait ça.

–J'serais pas surpris que toé itou, Arthur Maheux, à te voir la face.

–Comment ça ?

–Remonte dans ta lignée. Y en a pas mal de monde avec du sang indien, tu sauras. Pis quand c'est que je regarde ta fille su' la galerie, là... On dirait qu'elle a du Sauvage dans le corps, elle itou.

Arthur lança à sa fille qui se berçait sur la galerie de la maison voisine :

–Jeanne, reste pas là : va-t'en en dedans avec ta mère. Tusuite, envoye !...

La fillette se leva de sa chaise en marmonnant et en piochant, puis rentra en laissant claquer la porte à moustiquaire.

–Est encore en rabette, celle-là ! jeta Arthur en crachant dans l'herbe.

Le forgeron venait de songer à son grand-père qui, suivant sa mère, témoignait avec éloquence, par ses manières et les traits de son visage, d'une ascendance autochtone. Il se rappelait une forme de mépris dans les dires de sa mère, une femme blanche à tous crins. Et Arthur préférait taire cet aspect de son héritage génétique. Il le faisait d'autant mieux quand il disait à d'autres, plus fortement métissés que lui-même, qu'ils étaient des Sauvages. Cerné, il bifurqua dans sa marche et dans ses idées :

–Pis, de quoi c'est que j'peux faire pour toé à matin, mon Romuald ?

–Je l'ai dit : un fer de 'lousse'.

–C'est 'vré' : tu l'as dit. Ça sera pas long, j'vas voir à ça. J'ai la jument à finir de ferrer, pis après, ça sera ton tour.

–T'es pas fâché toujours, de ce que j'viens d'te dire ?

–Pas plus que tu dois l'être par rapport à mes dires à moé. C'est, comme qui dirait, un prêté pour un rendu.

–Comme ça, on est quittes, pis on peut se parler d'autre chose asteur ?

–Ben moé, je r'tourne à mon feu de forge; si tu veux v'nir te faire chauffer la face devant la braise.

–J'suis...

*

–Les foins, c'est tout proche, ça. Monsieur Pierre a-t-il aiguisé ses faux ?

–Ça coupe comme un rasoir.

Le couple formé du vicaire en noir et de la femme Goulet en pâle allait entrer dans le magasin. Mais voici que déboucha sur le grand chemin la voiture fine de Bossu Couët. Le poney tourna vers le magasin. Inquiet par ce qu'il avait entendu à la boutique de forge à propos de l'étrangère que le bossu avait reconduite à la gare et qu'il avait vue prendre le train, le prêtre attendit un moment.

–Vous entrez pas, monsieur le vicaire ? fit Désirée qui venait, elle, d'ouvrir la porte et d'en franchir le seuil.

–J'ai un mot à dire à monsieur Couët. Vous pouvez m'attendre là où vous êtes si vous le désirez...

Elle ne bougea plus. La *Brune* parvint à hauteur du perron du magasin. L'abbé Morin fit un signe de la main pour indiquer qu'il voulait parler à Couët. Le cheval s'arrêta.

–Tiens, tiens, bonjour, monsieur Couët !

–Quen donc, bonjour, monsieur le vicaire!

–Qu'est-ce qui vous amène au village à si bonne heure un jour de semaine ?

–Ah, j'avais quelqu'un à reconduire à la gare.

–Un visiteur, j'imagine !...

Culpabilisé, se sentant démasqué alors pourtant qu'il n'avait jamais voulu s'affubler d'un masque, le bossu se mit à bredouiller :

–Ben... une demoiselle... de Saint-Évariste... Arrivée en pleine nuitte... j'sais pas comment...

–Celle qu'on appelle la possédée ? J'aurais dû deviner quand je l'ai vue monter dans le train.

–Son nom, c'est Rose Lafontaine.

Le vicaire descendit les trois marches et se rendit près de la voiture sans baisser le ton afin que la femme Goulet, restée dans l'embrasure de la porte, puisse bien entendre :

–Mais pourquoi diable cette personne est-elle allée au fond du cinquième rang ?

–Je l'sais pas, c'est quoi qui l'a amenée dans le cinquième rang.

–Le cinquième rang n'est quand même pas le rang du péché, à ce que je sache.

–Quel rapport avec la demoiselle ?

–Si, comme on dit, elle est envoyée par le Malin, elle pourrait rechercher les endroits où il se commet des péchés.

Désirée ne put se retenir de lancer :

–Il a pas dû se commettre beaucoup de péchés la nuit passée dans le cinquième rang. Hier, c'était la noce de la fille à Maurice Nadeau. On y était. Vous y étiez, monsieur le vicaire. Ça s'est amusé sainement et je dirais saintement.

–Certainement ! Vous avez raison, madame Goulet. Ce fut une belle noce propre. Peu de boissons alcooliques. Des danses sans danger pour l'âme. Quelques chansons un peu osées de madame Bolduc, mais pas de quoi fouetter un chat. Des quiounes, des tounes correctes... Mais peut-être qu'après la noce, il sera arrivé quelque chose. Je ne sais pas... On ne sait jamais... Seul le bon Dieu sait tout...

Couët reprit :

–Arrêtez de chercher de midi à quatorze heures, monsieur le vicaire, la jeune dame était en transe quand elle est arrivée chez nous. J'pouvais pas la laisser coucher dehors. Le saint Évangile dit : "*Frappez et l'on vous ouvrira.*" Elle a frappé à ma porte, j'pouvais pas la laisser dehors comme un pauvre chien galeux.

–Quel air avait-elle, dites-moi ?

–Perdue. En fouillant dans sa tête à matin, elle a fini par se rappeler qu'elle est venue jusqu'icitte, au village, par les gros chars. V'nue dans un char vide.

–Et... que voulez-vous dire par 'perdue' ?

–Les yeux fixes. Pas capab' de parler.

–En transe ?

–C'est ça. En plein ça.

–Elle a donc passé la nuit... dans votre maisonnette ?

–C'est ça, dans ma baraque au boutte du cinquième rang.

–Tout s'est bien passé ?

–Elle a dormi dans mon litte. Pis moé à terre avec mon chien Teddy. Pis à matin, aux aurores, on a reparti pour le village dans ma voiture fine.

Le vicaire soupira :

–Bon... tout ça m'a l'air conforme. J'en parlerai à monsieur le curé. Il faudra en parler au curé de Saint-Évariste.

–Ben moé, j'pense que c'est pas une possédée du démon pantoute.

–Comment savoir ? Comment savoir ? Vous n'avez remarqué aucune manifestation du Malin à l'occasion de cette visite ?

–Ça r'semblerait à quoi, une manifestation du Malin, comme vous dites ?

–Des bruits de chaînes. Déformations du visage. Raucité de la voix. Vomissements de substances vertes. Blasphèmes. Et surtout, surtout propos obscènes.

–Il s'est rien passé de tout ça.

–Ça ne veut pas dire que le Malin ne se trouvait pas là, mais c'est moins... criant, moins inquiétant.

–J'peux vous assurer en tout cas que j'ai fait pour le mieux.

–Non ! lança le prêtre de sa voix la plus pointue. Non...

–Non ? s'étonna le bossu.

–C'est au presbytère que vous auriez dû reconduire cette jeune personne dès son arrivée chez vous... au presbytère.

–L'orage était su' l'bord de commencer.

–Ce n'est pas une raison suffisante.

Désirée ne voulait pas en entendre plus. Le prêtre se montrait intolérant. Le bossu ne savait plus où donner de la tête. Elle délaissa le seuil de la porte et se dirigea à l'intérieur vers le comptoir de droite derrière lequel se trouvait le marchand occupé à peser du sucre.

Inquiété par ce départ, le vicaire lâcha prise et délaissa sa proie afin de retrouver la femme et le marchand.

–Bonjour, madame Goulet. Qu'est-ce qu'on peut faire pour vous à matin ? demanda Boulanger, un personnage adipeux d'environ cinquante ans, à chevelure lisse, noire et raide.

–Me faudrait une dizaine de livres de sucre blanc. Ça adonne drôlement bien, vous en pesez justement.

–Ça vous coûterait moins cher de l'acheter à la poche.

Vous reculez votre voiture sous le portique du hangar, pis je vous en mets un cent dedans.

–Mon mari aime mieux qu'on l'achète à mesure de nos besoins.

–Ça se comprend : l'argent est rare... comme de la 'marde' de pape.

–En plus qu'il a fallu s'acheter un ch'fal v'là pas long-temps. C'est pas donné, ça.

–C'est le bossu qui vous l'a vendu : ça s'est su. Il aurait rien qu'à maquignonner à l'année, lui, pis il aurait pas besoin de quêter tout partout comme il fait.

Désirée exprima sa tolérance par une moue du visage :

–Ça, je pense que c'est son affaire.

–Ah, c'est ben certain ! En plus qu'il quête jamais par icitte. Il dérange personne...

La jeune femme jeta un regard panoramique sur l'étalage de boîtes de conserve.

–Ça vous prendrait-il plus que du sucre à matin, madame Goulet ?

–Un débordoir, vous auriez ça ?

–Un quoi ?

–Un débordoir. Une lame avec deux poignées. C'est pour gosser un bois.

–Ah oui, une 'plane'. Mais Pierre en avait pas une ?

–Ça fait longtemps qu'il en veut une. Non, il en a jamais eu, qu'il m'a dit.

Arriva le prêtre près de la femme devant le marchand qui l'accueillit :

–Monsieur le vicaire. Comment que ça va à matin ?

–En bonne compagnie, ça va toujours comme il faut.

–La bonne compagnie, c'est-il madame Goulet ou ben moé, votre marchand ?

−Les deux, mon cher ami, les deux certainement !

Il se dégageait de ce prêtre quelque chose d'invisible qui atteignait la jeune femme. Sûrement des phéromones, mais qui aurait pu savoir puisque pas un des trois n'en connaissait l'existence, encore moins le nom, à ces sécrétions du cerveau qui vous troublent la personnalité en moins de deux.

Désirée ressentait dans sa substance profonde une chaleur qui semblait provenir de la voix du prêtre, de son autorité, de sa sainteté, de sa virilité peut-être aussi.

Le marchand mit à l'écart d'un regroupement de sacs de sucre l'un d'eux de dix livres, bien attaché avec de la corde à magasin. Puis il prit la direction du 'back-store' afin de répondre à la deuxième requête de sa cliente. Avant de disparaître, il demanda à l'abbé Morin :

−Avez-vous besoin de quelque chose en particulier, monsieur le vicaire, vous ?

−Ben... euh...

−Pensez-y, vous me le direz quand j'vas r'venir.

Et le prêtre resta seul avec Désirée qui, alors, se sentit moins à son aise.

−On m'a dit que, d'une certaine manière, la noce de mademoiselle Nadeau s'est poursuivie chez les Pépin du cinquième rang hier soir.

−Pas entendu parler.

−Le presbytère a de bien grandes oreilles, vous savez.

−D'abord que je vous dis que j'en sais rien, c'est que j'en sais rien, dit-elle avec une moue polie et ferme.

−On m'a rapporté que la moitié du rang au moins s'était réunie dans la maison de monsieur Francis Pépin et que la veillée a fini tard, après l'orage.

−Ah, ben vous l'avez su avant nous autres.

−Tout finit par se savoir.

−En bonne vérité, qui c'est qui vous a rapporté ça ? Bah,

c'est pas de mes affaires, ça non plus.

–Tout ce qui se passe dans une paroisse, ça regarde le presbytère, vous le savez certainement, Désirée.

La voix se faisait plus douce que la soie, feutrée comme un désir vague. Mais de se faire désigner par son prénom plutôt que par 'madame Goulet' ou à la limite 'madame Désirée' avait de quoi ajouter à l'embarras de la jeune femme.

–En tout cas, nous autres, on a pas eu d'invitation. J'me demande qui sont ceux qui se trouvaient là.

–Les Morin, les Paré, les Roy, les Martin... et les Pépin.

–Comme je vous dis : pas nous autres.

–Je le savais.

–J'en reviens pas comme les nouvelles voyagent vite. D'un autre côté, vous n'avez pas su avant tout à l'heure à la boutique de forge, que cette inconnue s'était... réfugiée chez le... chez monsieur Couët...

–Non, vous avez raison. Ça, le presbytère l'ignorait jusqu'à tout à l'heure. Comme quoi tout finit par se savoir, mais à son heure et pas avant. Tout ce qui est souhaitable quant aux réunions de personnes autres que pour nocer ou prier, c'est que l'on n'en profite pas pour se déranger...

–Se déranger ?

–Oui... boire excessivement. L'ivrognerie, y a rien de pire. Un homme ne doit jamais boire à en perdre la raison.

Sur ce, le marchand reparut avec le débordoir à la main :

–C'est pas donné, une plane comme ça. Une piastre.

–En pleine crise, tout est trop cher. Mais si il faut, il faut.

–C'est bien vrai, approuva le vicaire.

Boulanger reprit la parole, lui qui aimait raconter à tout le monde la dernière histoire apprise de la bouche d'un commis voyageur.

–C'est le vieux cultivateur qui a perdu sa vache. Il voit ses traces au bord de la rivière et lui court après. Toute la journée, il marche, il marche, il marche pour finalement se ramasser à Mégantic. Là, il est fatiké mort, pis va à l'hôtel Royal pour coucher. Pas de place. Va à l'hôtel Queens : pas de place. Va à l'hôtel Jacques-Cartier : pas de place. Va à l'hôtel Lasalle : pas de place. Va à l'hôtel Frontenac... Le gérant lui dit : "*Pas de place sauf une chambre louée à partir de minuit par un couple de nouveaux mariés. Y a un lit à deux étages. Tu prends celui du haut, pis tu bouges pas jusqu'au matin. Ils vont pas s'en apercevoir. Mais si tu bouges, tu seras obligé de 'saprer ton camp' ailleurs.*"

"*C'est d'accord ! Je la prends.*"

À minuit surviennent les nouveaux mariés. Le vieux bouge pas dans le lit du haut. Les mariés commencent à ôter leur linge... Là, le marié prend sa femme dans ses bras et lui dit : "*Dans tes beaux yeux, je vois l'univers entier.*"

Le vieux cultivateur se sort la tête et lance :

"*Si tu vois l'univers, veux-tu ben me dire où c'est qu'est ma vache ?*"

Et le marchand de s'esclaffer. Désirée rit aussi, mais le prêtre garda son sérieux, sans même le moindre sourire.

–J'ai un reproche à vous faire, monsieur Georges.

–Un reproche ? À moé ?

–Oui, à vous. Je trouve que vous racontez trop de ces petites histoires à connotation... disons un peu osée. Vous voyez ce que je veux dire. Surtout devant les dames.

–Batêche, il s'en est conté des ben plus salées aux noces hier dans le cinquième rang.

–Je sais ce qui s'est conté là, j'y étais. Là, je ne parle pas de l'histoire que vous venez de conter mais de bien d'autres. Ça nous revient aux oreilles, vous savez, Georges. On dit que même s'il se trouve des enfants ou de jeunes adolescents dans le magasin, vous y allez de vos histoires un peu grivoises et à double sens.

–Coudon, c'est la première fois que je me fais dire ça. Il

me semble que faire rire les clients, surtout en temps de crise, c'est pas péché, pis que ça devrait pas être défendu, même pas vu d'un mauvais oeil.

Désirée intervint doucement, sur le bout des orteils :

–Monsieur le vicaire, vous-même avez dit à la noce hier qu'il faut s'amuser pourvu que ça n'offense pas la morale chrétienne.

–Moi, je ne l'ai pas dit hier, c'est quelqu'un qui a dit que je l'avais dit auparavant. Et, ma foi, je l'avoue, je l'ai bel et bien dit. Mais quand, dans un propos, même humoristique, il se trouve des allusions à ce qui relève des sixième et neuvième commandements, alors la morale chrétienne est concernée. Surtout quand de jeunes oreilles sont à l'affût. Et on connaît la curiosité de nos jeunes d'aujourd'hui. La jeunesse de 1930 est bien plus éveillée que celle de 1915...

–Madame Goulet, fit le marchand qui déposa l'outil sur le comptoir à côté du sac de sucre, croyez-vous que monsieur le vicaire est trop à ch'fal sur les principes ?

–Il vous tire pas des roches, il vous a juste fait une petite remarque... de faire attention devant les jeunes.

–Madame Désirée possède la juste mesure, dit le vicaire, content de l'approbation de la jeune femme.

Et le sujet fut clos. Boulanger redemanda au prêtre ce qu'il était venu chercher. L'abbé répondit qu'il n'en avait pas souvenance vu les événements nombreux survenus depuis son départ du presbytère.

Désirée Goulet, que la présence trop près d'elle de ce prêtre trop beau troublait un peu, prit ses effets en disant au marchand de les porter à leur compte familial et salua :

–Bon, ben bonne journée à vous deux.

–Attendez, je vous accompagne jusqu'à la sortie, dit aussitôt l'abbé qui la précéda de deux pas et lui ouvrit.

–Merci de vos politesses !

–C'est un grand plaisir.

Sur le perron, il lui offrit quelques beaux mots avant de prendre le chemin du presbytère :

–Et si vous avez envie de vous joindre à la corvée de dimanche prochain sur la montagne, vous serez la bienvenue. Peut-être pourriez-vous apporter un peu à manger. Oh, pas beaucoup ! Une belle tarte aux fraises. Ça redonnerait de l'énergie à quelques-uns au milieu de l'après-midi. Et je serais... transporté d'aise de pouvoir en savourer un morceau moi-même. Si je vous dis ça, c'est que vous avez gagné un concours avec vos tartes l'an dernier. Déguster un mets que vous auriez confectionné de vos mains, ce serait très agréable pour moi.

Encore un peu plus troublée, la jeune femme accepta néanmoins :

–J'en ferai quelques-unes durant la semaine.

–Pierre et vous pourriez même voyager avec moi dimanche vu que vous habitez au bord du rang. Je vais me rendre au pied de la montagne avec ma voiture. Ce serait un plaisir de vous faire monter.

–Je vais le dire à Pierre et on vous téléphonera samedi.

–Fort bien. Et bonne journée, là !

–À vous de même, monsieur le vicaire !

La femme retourna à sa voiture où elle mit ses effets, puis rentra à la boutique pour le plus grand plaisir du forgeron et de son client Rousseau.

–Tu tombes à pic, parce que ta jument est ferrée ben comme il faut.

Il ne fallut que quelques secondes pour qu'un nouveau visiteur s'ajoute à l'intérieur. Le marchand venait se plaindre du vicaire :

–Non, mais avez-vous vu ça, vous autres ? Pus même moyen de conter des histoires drôles dans mon magasin que je me fais sermonner par l'abbé Moïse Morin...

Le forgeron, qui raffolait des histoires grivoises, prit la

défense du marchand :

–Eux autres, les prêtres, les écouter comme il faut, on ferait rien que travailler pis prier. Jamais rire. Jamais boire un p'tit verre de vin. Jamais rien faire. Conte-nous la, ton histoire, nous autres, on te sermonnera pas. Hein, Romuald ?

–'Cartain' que non !

Désirée sourit sans dire et se rendit à la tête de la *Toi- nette* pour dégager l'animal du travail et aller atteler afin de retourner sans tarder dans le cinquième rang. Georges se dé- pêcha de raconter son histoire qui commençait comme celle du magasin mais tournait autrement :

–C'est un vieux cultivateur à moitié sourd qui a perdu sa vache. Cherche la vache, trouve pas. Demande au voisinage. Dit que la vache a pas de poil en dessour du ventre pis qu'il lui manque un trayon. Trouve pas. Sa femme y dit de la faire annoncer au prône du dimanche. Elle va au presbytère pour lui. Le dimanche, à la messe, le curé dit au prône : "*Il y a promesse de mariage entre Albert Untel et Albertine Une- telle; si quelqu'un connaît un empêchement à ce mariage, qu'il se lève.*" Le cultivateur à moitié sourd pense qu'il est question de sa vache; il se lève, pis il lance : "*Elle a pas de poil en dessour du ventre, pis il y manque un trayon.*"

Venu près de Boulanger et Rousseau, Maheux éclata de rire, plus qu'eux encore, de sa voix puissante et saccadée, un rire autoritaire qui commande le rire. Il regarda du côté de la femme Goulet qui finissait d'atteler. Elle sembla n'avoir rien entendu. Ce n'était pas une feinte car son esprit était acca- paré par la personne du vicaire et cette promesse de tartes aux fraises...

***

Chapitre 27

Les Goulet avaient l'habitude de dételer chez le forgeron et de parquer leur cheval dans la grange verte à l'arrière de la boutique de forge. Ils n'étaient pas les seuls à louer une stalle chez Maheux pour y loger leur bête quand ils avaient affaire au village pour des achats ou pour satisfaire aux exigences de leur religion aux cadres rigides.

C'était dimanche, le dernier de juin, jour de messe obligatoire. Pierre Goulet conduisit sa famille au village. Il fit descendre les siens devant la porte de la maison Maheux et longea la boutique pour accéder au long terrain devant la grange.

Au prix de deux piastres par année, le foin n'était pas fourni. Et Arthur suivait de près sa réserve du fenil afin de prévenir toute ponction par un cultivateur, autant dire un vol, pensait-il à raison. Car il avait besoin de son foin pour hiverner ses vaches et ses propres chevaux. Mais on arrivait à la toute fin d'un cycle annuel et la réserve était épuisée. Et puis, les animaux du forgeron pacageaient sur la terre des Arguin de ce temps-là, et jusqu'à l'automne.

Tout cela agaçait Arthur qui rêvait de posséder sa terre bien à lui, de la cultiver et d'y élever sa famille. Un rêve qu'était bien loin de partager sa jeune épouse, elle qui avait grandi sur une terre et n'ambitionnait aucunement retourner vivre dans un rang.

Avant la messe, Arthur faisait son tour à la grange pour voir au maintien de l'ordre, et s'assurer que les cultivateurs utilisent la stalle qu'ils avaient louée et pas celle d'un autre, et pour les empêcher de lui prendre du foin, ce qui n'était pas possible ce jour-là vu le vide qui remplissait le fenil au-dessus de l'étable.

Des chevaux étaient déjà là, attachés, quand il vint alors que Goulet dételait le sien. En fait, quand le cultivateur s'était pointé dans la cour, Arthur avait sorti de la maison pour voir de près et la croiser, la belle Désirée, tout en feignant l'ignorer pour ne s'intéresser qu'à l'attelage de son époux.

—J'sus pour te parler de la 'courvée' de dimanche prochain su' la montagne.

Arthur, comme bien d'autres, déformait le mot corvée, héritage peut-être de l'ancien français qui avait laissé dans la parlure québécoise pas mal de grenailles dont on usait avec naturel et plaisir. Mais en présence de quelqu'un qui parlait bien comme un prêtre, d'aucuns se prêtaient au jeu et disaient 'corvée' sans déformation. Pas les forgerons...

—Ma femme m'en a parlé. Elle-même va faire des tartes cette semaine pour ça. Elle a dit que c'est toé, Arthur, qui vas diriger les travaux ?

—En faut un qui mène, autrement les bras tourneraient en rond tout le temps.

—C'est sûr ! J'te dirai qu'ils ont pas choisi le pire pour diriger les travaux.

—Ben non, ben non, j'sus pas mieux qu'un autre. Mais on va la lever, la chapelle, que ça traînera pas, j'te le garantis, moé, tu sauras ça.

—Je le sais trop ben : avec toé, Arthur, ça traîne jamais.

Les deux hommes se trouvaient dans l'allée entre les rangées de stalles : seize en tout. Quatre chevaux fouettaient leurs cuisses de leur queue molle afin de chasser les mouches qui, par bonheur pour eux, se faisaient quand même plus rares au village que dans les clos de pacage du cinquième rang.

Deux autres stalles se trouvaient au fond, près du mur, de l'autre côté d'une allée étroite donnant sur une échelle murale qui permettait d'accéder au fenil via une trappe verrouillée. Celles-là resteraient vides ce jour-là; le forgeron les gardait pour ses propres bêtes qui y logeaient à la semaine longue durant la froide saison.

–J'sais que t'es fiable, pis que tu vas être là... mais auras-tu une planche ou deux à fournir ? Faut des matériaux, pas rien que des bras.

–Je vas avoir deux ou trois morceaux de bois de deux par quatre : c'est que t'en penses?

–Pis une demi-livre de clous, ça serait-il trop te demander, mon Pierre ?

–On est pas riches comme Georges Boulanger, nous autres, mais on va faire notre part. On fait toujours notre bout de chemin.

–J'en sus ben 'cartain' ! Quant à moé, j'vas fournir de la peinture que j'fais moi-même pis du fer-angle. Va en falloir pour le clocher.

–C'est une ben bonne idée, une chapelle su' la montagne d'la *Craque*.

–En passant, ils veulent donner un autre nom à c'te montagne-là. Un nom de saint...

–Y était temps, j'dirai. Saint-Arthur...

–Es-tu fou ? J'pense que y a même pas eu de saints qui portaient le nom Arthur. Mais Saint-Pierre, ça, ça serait diguidou.

–Ah, c'est le curé Lachance qui décidera.

–C'est ben ça...

À l'intérieur de la maison, Désirée avait fait asseoir ses filles avec l'aide de Jeanne, l'aînée des Maheux. Bien élevées, pas une n'aurait seulement levé le petit doigt par crainte de déranger. Et s'il avait fallu même qu'une berçante craque, on aurait cessé de se bercer.

Les deux mères parlaient. Les enfants, presque tous de sexe féminin, écoutaient. Il était question de la construction de la chapelle, l'événement de l'année peut-être à Saint-Léon, à l'exception des célébrations du cinquantenaire qui approchaient à grands pas.

–Vas-tu être là, Rose-Anna, dimanche prochain, su' la montagne ?

–Je l'sais pas trop. Faut faire un bout à pied, pis j'ai le respir pas mal court. En plus que j'ai des enfants à m'occuper. J'en ai un à la chaise haute, comme tu vois.

–Ah oui, notre petit Vincent ?

–Notre seul p'tit gars. Ben, j'en ai perdu un comme tu sais.

–Ah oui, je m'en souviens comme il faut.

–J'me fais des reproches : j'aurais pas dû écouter le docteur. Ah, j'aime autant pas penser à ça !

Rose-Anna n'avait encore que vingt-neuf ans, le même âge que Désirée. Les deux jeunes femmes s'entendaient bien et c'est la raison pour laquelle, chaque dimanche, elles s'arrangeaient pour se voir et échanger quelques mots. L'une encourageait l'autre. Elles se comprenaient mieux que deux soeurs. D'ailleurs, aucune des deux n'avait de soeur vivant dans la paroisse et cela ajoutait à leur amitié.

Désirée n'avait pas été sans remarquer l'intérêt que lui portait Arthur et ça la rendait mal à l'aise. Mais elle faisait tout pour geler le forgeron dans ses allusions, ses regards et ses tentatives de rapprochement. Et pas question d'en parler à Rose-Anna qui, de toute manière, pouvait dormir sur ses deux oreilles, car personne autant qu'elle n'était fidèle à son serment du mariage.

–Pis les filles, vous autres, ça va bien ? demanda Désirée à Jeanne, Rolande et Candide, les trois plus vieilles chez les Maheux, âgées respectivement de neuf, six et quatre ans.

En guise de réponse, elle reçut des 'oui' marmonnés, des signes approbatifs, en somme des mots embarrassés. Il était si rare que des adultes s'adressent à elles à part leur mère, que les fillettes en bredouillaient.

Et la petite conversation se poursuivit jusqu'au prochain appel à la messe lancé à tout Saint-Léon par les cloches de l'église, qui sonnaient le deuxième et avant-dernier coup. Avant de partir, Désirée suivit l'autre femme dans la chambre afin de partager avec elle quelques derniers mots qu'il fallait taire aux enfants. Rose-Anna s'informa de la santé de Juliette dont elle avait appris l'accident à la croix du chemin.

–Ça paraîtra pas... sauf quand elle se mariera. Pis peut-être même pas là. Ça pourrait prendre de cinq à dix ans avant qu'elle...

–C'est ben tant mieux en tout cas !

Puis Rose-Anna confia qu'elle se savait enceinte de nouveau.

–Ça vient juste d'arriver, mais je le sais parce que je le sens.

–Pareil pour moi : pas besoin d'attendre le temps du mois de mes 'affaires' pour savoir si j'sus partie pour la famille.

Puis Désirée soupira avant d'ajouter, le ton résigné :

–On fait notre devoir de mère de famille : c'est ça qui compte.

–C'est sûr, c'est sûr !

Quelques mots encore et elles retournèrent dans la cuisine puis Désirée quitta la maison Maheux, suivie de ses fillettes à la queue leu leu.

*

L'abbé Lachance se leva dans la chaire et ne dit rien pendant un bon moment, jaugeant l'assistance de son regard froid et autoritaire. Il y avait dans ce geste le besoin de subjuguer, de soumettre à sa volonté des fidèles déjà obéissants et qui pensaient avoir affaire en leurs prêtres à des bras droits de Dieu lui-même.

–Mes bien chers frères, le sermon d'aujourd'hui sera quelque peu inhabituel. Je ne vous parlerai pas de ce que contient le saint Évangile. Je ne vous parlerai pas de Notre Seigneur Jésus-Christ, de sa vie et de sa mort. Je ne vous parlerai pas de la sainte Vierge Marie et des saints du ciel non plus. Mais je vous parlerai de la maison du bon Dieu. Oh, pas celle ci dans laquelle nous nous réunissons tous chaque semaine pour chanter sa gloire, mais celle dont nous avons besoin pour nous adresser encore de plus près à notre créateur et sauveur : une chapelle qui sera érigée sur la montagne du cinquième rang. Dimanche prochain, grâce à une corvée organisée conjointement par monsieur le vicaire et monsieur Arthur Maheux, nous construirons ce lieu de prière où nous irons à la messe chaque quinze jours durant la belle saison...

Plusieurs assistants firent des signes de tête approbatifs. D'autres se mirent à jongler. Il leur semblait que les temps étaient bien assez difficiles sans que ne soient mises sur leurs épaules d'autres dépenses paroissiales. Car on aurait beau travailler le dimanche et fournir des matériaux, il faudrait aussi rendre le sommet de la montagne plus accessible en aménageant le sentier actuel, il faudrait aussi meubler la nef, il faudrait des vases liturgiques, il faudrait un chemin de croix, il faudrait plus que des bras, il faudrait aussi des sous. Et qui en disposait de surplus par ces temps trop durs sinon quelques-uns seulement dont le marchand Boulanger, le forgeron Arguin peut-être, le docteur Arsenault, le notaire Goulet ? Même le beurrier Poirier ne jetait pas l'argent par les fenêtres depuis le déclenchement de cette crise il y avait moins d'un an.

Le bruit avait couru dans les alentours que pas un marguillier n'avait été consulté à propos de cette chapelle, que cette décision de dernière minute avait été prise uniquement par le presbytère. Blanche Parent, une vieille fille aux allures de marie-quatre-poches, avait contribué à répandre cette critique d'une porte à l'autre la veille en après-midi et en soirée. On avait téléphoné au curé pour l'en informer; il ne s'était pas inquiété vu que le propos était véhiculé par cette engeance aussi râleuse que dévote.

Et puis, le prêtre comptait sur son exhortation du dimanche pour faire taire toute velléité de protestation. Après tout, une chapelle sur la montagne n'avait rien d'une église quant à l'ampleur des travaux et des coûts.

Hilaire Morin, qui se trouvait dans un banc de la toute première rangée, presque sous la chaire, se demanda si la dite chapelle serait inaccessible parce que verrouillée, cadenassée, en dehors des messes qu'on y célébrerait. Une fantaisie presque sacrilège lui était passée par la tête. Et si on se rendait sur la montagne pour fraterniser entre couples de 'frappeurs' ? Le ciel n'entendrait pas pareille risée, songea-t-il aussitôt et il chassa bien loin cette pensée pas très honnête voire plutôt scabreuse.

Le vicaire, qui agissait comme célébrant, restait figé dans ses habits liturgiques et ses pensées lointaines. En fait, pas si éloignées que ça. L'homme en lui songeait à la belle Désirée Goulet qu'il avait côtoyée avec tant de bonheur à la boutique de forge et au magasin général. Mais le prêtre en lui la connaissait bien par le confessionnal et il savait donc que la jeune femme avait l'âme blanche comme neige. Ce qui l'attendrissait encore davantage quand il admirait son visage derrière ses yeux clos.

Albert Martin dont le banc était au premier jubé sous celui de l'orgue, n'emmagasinait que les idées principales du sermon du curé. Sa chair chevauchait son imagination et il revivait par le souvenir les plaisirs incroyables connus avec

Sophia Paré et Marie Roy ce vendredi de noce, deux jours plus tôt. Eût-il fumé une puissante drogue dans le houka qu'il n'aurait pas été plus accroché par une jouissance terrestre. Surtout, il ne ressentait aucune jalousie par le fait de savoir que Marie-Louise avait été couverte par deux amis du rang, Jean Paré et Hilaire Morin. Même que cela ajoutait une saveur d'interdit encore plus grande à la volupté qui continuait de le transporter.

Angélina Pépin tourna la tête et son regard croisa celui de Joseph Roy. Un sourire fut esquissé de part et d'autre, et à travers lui, il passa d'intenses rappels des extases du vendredi.

Marie Roy gardait les yeux fermés. À l'église, surtout à la messe, elle se comportait comme une grande chrétienne, priant, joignant les mains, se signant par grands gestes quand on le commandait depuis le rituel en cours. Pas question pour elle de croiser le regard des deux hommes qu'elle avait bibliquement connus ces derniers jours, soit Hilaire Morin et Albert Martin. De toute manière, l'un et l'autre se trouvaient hors de sa vue. Il n'en serait pas de même sur le perron de l'église, à la sortie de la messe.

Marie-Louise Martin n'avait aucun remords, pas le moindre regret à propos des échanges de partenaires. Des cinq femmes en cause, elle était celle qui avait retiré de l'expérience le plus de contentement. Il lui était même arrivé de penser au dernier homme du groupe d'échangistes qu'elle n'avait pas encore 'connu' : Joseph Roy. Angélina lui avait glissé à l'oreille qu'il ne manquait pas de virilité. Elle et son mari avaient parlé en discrétion de leur intense vendredi alors qu'ils avaient 'frappé' non pas une, ni deux, mais trois fois, l'une, le midi avec les Paré en pleine nature, l'autre, le soir chacun avec un partenaire de couples différents, et la dernière au cours de la nuit avec les Pépin. Quant à lui, Albert avait hâte de coucher avec la seule femme des cinq qu'il ne connaissait pas encore : Blanche Morin. Et puis, il avait mis sur la table l'idée d'agrandir le groupe afin d'y inclure les Goulet, les Fortier et peut-être même les Nadeau. Toutefois, les Rousseau et les Poulin n'avaient pas obtenu une note de passage de la part du couple en raison de l'hygiène des hommes qui laissait trop à désirer.

Dans le banc des Paré, première allée à gauche, Sophia ne parvenait pas, elle non plus, à trop se concentrer sur les paroles du curé. Elle en attrapait des bribes à travers les réminiscences plutôt frénétiques. Albert Martin et Francis Pépin s'étaient faits d'une douceur incomparable suivie d'une ardeur incroyable. De l'un et de l'autre, elle gardait la marque en sa chair profonde : une marque indélébile capable de combler l'appétit le plus intense tout en l'augmentant. Mystère de la libido humaine !

−Il viendra des gens d'ailleurs prier avec nous sur la montagne. Et leurs prières auront le pouvoir de nous amener de nouvelles bénédictions de la part du bon Dieu. Et qui dit bénédiction dit faveur. Des récoltes meilleures. De la pluie quand il faut. La guérison, qui sait. Accidents évités. "*Priez à plusieurs et je serai au milieu de vous,*" a dit le Seigneur...

Arthur Maheux était aux anges. Le rouge qui lui était monté au visage quand le curé avait prononcé son nom restait sur place, poussé dans sa face par un coeur qui battait fort. Malgré son penchant pour les jolies femmes, rien de sensuel ne saurait effleurer son imagination pour l'heure et toute son idée allait à la construction de la chapelle alors qu'il prendrait la vedette, quasiment à l'égal des prêtres. Et un jour prochain, il pourrait dire devant les visiteurs :

"Ça, c'est moé qui a bâti ça, c'te chapelle-là."

Car on la verrait depuis le village, la bâtisse pieuse. Pour ce faire, il pensait la faire chauler. Le blanc se détacherait sur le bleu du ciel et le gris de la montagne. On verrait de loin, d'aussi loin qu'on pouvait voir la montagne, le petit clocher et la croix capable de transpercer les nuages si nécessaire et par temps le permettant. L'homme imaginait la première messe dite là-haut et l'hommage qui lui serait rendu par l'officiant, sans doute le curé Lachance, peut-être même le cardinal Rouleau en personne.

À son côté priait de toutes ses lèvres sa jeune épouse au petit chapeau des années folles, démodé, usé, calé sur sa tête jusque sur les oreilles. Et au fond du banc, Rolande et Candide ne bougeaient pas d'une fine ligne, pas même les yeux. Quant à Jeanne, leur soeur aînée, elle était restée à la maison pour garder le petit dernier. Une tâche qui ne la contrariait pas beaucoup car elle lui permettait de ne pas voir son père pour au moins une heure entière, le temps de la grand-messe...

–Autre point important, poursuivit le curé de sa voix la plus nasillarde, il faut donner un saint nom à la montagne du cinquième rang. À cet effet, il a été décidé de lancer un concours dans les écoles pour choisir un nouveau nom. Mais comme tout le monde sait, les écoles sont fermées pour la saison estivale. Ah, qu'à cela ne tienne, le téléphone, cette magnifique invention de l'homme, inspirée certainement par son Créateur et vrai Dieu, fonctionne, lui. Et nos maîtresses d'école pour la plupart sont des demoiselles de notre paroisse. En conséquence, nous faisons appel à elles afin qu'elles contactent leurs élèves pour leur demander de participer au concours. Quand les noms suggérés seront tous collectés, ils seront soumis à une réunion des Dames de Sainte-Anne et ces bonnes personnes choisiront celui qui leur apparaîtra le meilleur. Oh, mais attention, le choix portera sur le nom et pas du tout sur son auteur puisque les Dames de Sainte-Anne ne sauront pas qui a proposé quoi...

En la tête de Rolande Maheux surgit bien vite un nom : le mont Sainte-Cécile. Et pourquoi celui-là ? Parce que sainte Cécile est la patronne des musiciens. Et que la fillette adorait jouer du violon, un instrument donné à la famille par la grand-mère maternelle de la Beauce, une femme ricaneuse et fêtarde. Non seulement elle suggérerait un nom mais elle donnerait les motifs de son choix.

Des dix personnes ayant pris part à la torride soirée du vendredi, une seule avait crainte. Joseph Roy se demandait en ce moment même derrière son masque impassible s'il ne devrait pas en finir avec cette nouvelle pratique et s'en accuser à confesse. Peut-être que le meilleur moyen de revenir aux bonnes moeurs, aux us et coutumes acceptables par la société, c'était de cesser de 'frapper' dès maintenant; mieux, de faire en sorte que le cinquième rang redevienne ce qu'il avait toujours été avant qu'il ne soit trop tard et tant que la situation restait remédiable. D'un autre côté, sa chair était fort exigeante. Il avait goûté à quelque chose de terriblement excitant. Il avait couvert la Blanche Morin, et bien que la femme ne soit pas très affriolante, il avait tiré de l'expérience un plaisir insurpassable, extrême. Et ressenti plus encore durant l'heure passée en totale intimité avec Angélina Pépin. Les deux corps avaient éclaté en orages profonds, successifs, violents avant que les chairs pantelantes ne retrouvent un repos bienfaisant : comment y trouver le moindre mal ? Le mal ne saurait être que dans l'oeil des témoins de l'extérieur s'il en avait été.

L'homme décida d'attendre. Aux autres du groupe de 'frappeurs' de prendre des mesures de barrage si cela devait être. Aux femmes d'abord en tout cas. À Marie, son épouse, peut-être, cette femme de décision qui ne se laissait jamais mener par le bout du nez...

On en avait, des choses à se dire, sur le perron de l'église ce dimanche-là. En fait, tout le monde parlait de la chapelle. On bénissait le projet. On se promettait de prendre une part solide à la corvée du dimanche suivant. On avait hâte de voir la croix surplomber la bâtisse et les grands environs de Saint-Léon. Croix qui, comme celles des églises, témoignerait de la foi chrétienne et appellerait à la prière, à la soumission à la volonté divine qui passait par la seule vraie foi, la foi catholique.

Le vieux Théodore Morin écoutait sans dire. Entouré de trois aînés du village, les pères Ferland, Coulombe et Leblanc, de vieux dos aussi chargés d'ans que le sien et plus voûtés encore, il jetait un coup d'oeil par-dessus les épaules pour mesurer l'enthousiasme sur les visages. Et il lui fut donné de remarquer que son fils allait d'un couple à un autre et qu'en fait, il s'agissait de ceux-là mêmes qui avaient veillé tard chez les Pépin le soir de la noce d'Armoza Nadeau.

Hilaire s'adressa d'abord à Francis et Angélina qui s'entretenaient avec Albert et Marie-Louise :

–Ça vous le dirait-il, une p'tite réunion après-midi chez vous ?

–Les mêmes que vendredi soir ? s'enquit Albert.

–Qui d'autre ?

–Oué... nous autres, on serait d'accord. Hein, Marie-Louise ?

–Ben oué...

–Nous autres itou, intervint Angélina qui voulait montrer que le décision venait autant d'elle que de son mari.

–Pis toé, Francis ?

–Aucun problème.

–Je vas demander aux autres d'emmener des p'tites affaires pour boire pis manger un peu dans le courant de l'après-midi. Pour le moment, on serait trois couples. Je m'en vas voir les Paré pis les Roy avant qu'ils s'en aillent. On sera là, nous autres, pas loin après dîner.

Puis Hilaire fit deux pas en arrière et monta le ton afin que des gens entendent, qui béniraient son propos :

–Pis on pourra se parler de dimanche prochain. C'est pas une mauvaise idée, ça, une 'courvée' pour lever une chapelle sur la montagne...

Rose-Anna Maheux et Désirée Goulet se retrouvèrent au pied du perron de bois pour jaser encore l'espace de quelques phrases avant de se séparer pour la semaine. Pendant ce temps, Arthur allait d'un groupe d'hommes à un autre afin d'inviter chacun en particulier à prendre part à la grande corvée du dimanche suivant. Personne ne lui opposa un refus et chez la plupart, il sentit un nouveau respect sans doute attribuable au fait qu'il serait homme de commandement à la journée du grand 'bi' de la chapelle. "Salut boss!" allèrent même jusqu'à lui dire d'aucuns. "Boss mais pas bossu!" répondait-il du tac au tac.

C'est une repartie qu'il rattrapa au milieu de sa bouche avant qu'elle n'en sorte quand Bossu Couët lui parla :

–Moé, j'sais pas si j'vas pouvoir monter en haut de la montagne dimanche prochain. Ça monte comme dans la face d'un singe pis, comme tu sais, j'sus pas organisé pour grimper trop longtemps. C'est déjà juste pour monter dans mon selké ou ben ma voiture fine.

–On va avoir des bras tant qu'il faut, mon Dilon.

–Ça prendrait pas un ch'fal itou en haut ? Ma *Brune*, j'pense qu'elle serait capable de monter, elle. C'est un poney, pis ça grimpe mieux qu'un gros percheron.

–La meilleure idée de la journée. Pis c'est moé qui vas la faire monter en haut, c'est que t'en penses ?

–J'voudrais pas confier la *Brune* à un autre que toé, mon Arthur. Les ch'faux, tu les respectes, toé.

–Comme le dit le docteur Arsenault : il va nous être fait c'est qu'on fait aux autres, bêtes ou hommes.

–C'est ben ben dit, là, ça !

Rares furent ceux qui s'en allèrent sans une certaine joie au coeur. L'argent avait beau se montrer rare, le presbytère savait y faire avec ses projets rassembleurs.

Jusque Blanche Parent qui avait tourné sa veste pour vanter les mérites de cette belle construction en vue et du changement de nom réclamé et prévu pour la montagne du rang cinq.

À ce propos, le concours aurait lieu par téléphone pendant les jours suivants et les suggestions seraient comptées, pesées par les bonnes dames de Sainte-Anne. L'idée de Rolande Maheux sera adoptée, et le jour même où serait bénie la nouvelle chapelle, on rebaptiserait la montagne sous le nom bien plus acceptable de mont *Sainte-Cécile*.

Mais avant que ces choses pieuses n'arrivent, il se passerait bien des événements d'une autre piété dans le cinquième rang, et parmi eux, cette seconde réunion des 'frappeurs' à se dérouler chez les Pépin cet après-midi-là...

***

Chapitre 28

Dora Fortier téléphona à sa voisine Désirée Goulet.

–Sais-tu ce qu'il se passe dans le rang depuis quelques jours ? J'ai su qu'il se faisait des réunions quelque part.

–Ben... non... j'sais pas grand-chose. J'écoute pas souvent sur la ligne, vois-tu.

–Ah ben moé non plus, tu sauras.

–Je t'accuse pas non plus. Des fois, ça arrive qu'on décroche, pis que la ligne est déjà occupée.

–Ça arrive à plein tous les jours.

–Dans ce temps-là, je raccroche sans faire trop de vacarme.

–C'est en plein ce que je fais, moi itou.

N'obtenant guère de renseignements de la femme Goulet, Dora raccrocha et appela aussitôt les Rousseau.

–On a su, nous autres, que d'aucuns sont allés veiller su' Francis Pépin l'autre soir. Le soir de la noce à Armoza.

C'était Georgette qui en avait appris par le téléphone, par les placotages, par Romuald qui, lui-même en avait su au village à la boutique de forge.

–Qui c'est qu'il y avait là, le sais-tu ?

–Oué... j'pense que je l'sais. Albert Martin pis sa femme. Jean Paré pis Sophia. Joseph pis Marie Roy. Et pis, aussi les Morin : Hilaire avec Blanche.

–Y ont dû nocer plus longtemps que nous autres.

–Ça doit être ça...

C'était dimanche après le repas du midi. Depuis après la messe, les cultivateurs du cinquième rang avaient jasé de la corvée du dimanche suivant et de la levée d'une bâtisse sur la montagne. Mais parmi eux, les mots échangés avaient circulé par les yeux : des regards complices au-dessus des plats endimanchés mis sur la table, et des enfants qui se bourraient la face sans se poser de questions sur les activités des adultes, encore moins celles que l'on cachait soigneusement. Toutefois, chez les couples qui n'avaient pas participé au vendredi de l'échangisme, les interrogations turlupinaient les esprits quant à la soirée chez les Pépin à laquelle ils n'avaient pas pris part faute d'y avoir été conviés. Les Poulin, les Nadeau, les Rousseau, les Fortier et les Goulet avaient de quoi se demander pourquoi on les avait exclus de cette veillée alors pourtant que tous les couples du rang avaient assisté à la noce de la fille à Maurice et Marie-Jeanne Nadeau.

–Georgette, j'ai le nez dans le châssis en t'appelant, là, pis je vois Hilaire pis Blanche sortir de chez eux. Comme t'es plus proche, peux-tu voir où c'est qu'ils s'en vont... Ils prennent le chemin vers le fond du rang... Pour moé, ils vont se réunir encore chez Francis pis Angélina. Es-tu capable de voir c'est qu'il se passe ?

–Je vas demander à Romuald d'aller jeter un coup d'oeil par le châssis d'en haut. De là, il va voir c'est quoi qu'il se passe. Moi itou, j'commence à être pas mal intriguée... Attends-moi su' la ligne, Dora, veux-tu ?

–Ah ben oué ! C'est bon de ta part, Georgette...

Peu de temps s'écoula et les deux voix féminines cancanières furent de retour sur la ligne téléphonique du rang :

–Tu peux pas t'imaginer, Dora. On dirait que les mêmes vont chez les Pépin. D'icitte, en haut de la maison, on peut voir la devanture de la maison à Francis. Les Morin avec les Roy ont l'air de s'en aller là. Là-bas, dans le chemin, les Martin pis les Paré ont l'air de les attendre.

–Seigneur, les mêmes que vendredi, tous les mêmes pis personne d'autre. C'est un peu... bizarre, tu penses pas, toi, Georgette ?

–Bizarre pas rien qu'un peu. C'est quoi qu'ils peuvent ben aller se conter tous ensemble ?

–Sais-tu, on devrait faire semblant de rien, pis dans une heure, aller faire un tour. Une visite amicale. On dira qu'on savait pas qu'il y avait de la visite là. Peut-être qu'ils vont nous dire c'est quoi qu'il se passe. Ou ben on va le voir de nos propres yeux. J'sais qu'Angélina joue de la musique à bouche pis Hilaire du violon, ils pourraient-ils se réunir pour danser ? C'est pourtant mal vu à part qu'aux noces...

–C'est justement pour ça que c'est peut-être ça qu'il se passe... Attends... y a Romuald qui veut te parler. Il avait l'oreille proche du téléphone : il a tout entendu ce qu'on vient de se dire.

–C'est bon.

Romuald prit le récepteur et le colla à son oreille :

–C'est moé... J'pense pas que ça serait une bonne idée d'aller là à plusieurs. Ils vont nous voir venir. Ça serait mieux une 'parsonne' tuseule... pis arriver su' l'boutte des pieds. Jeter d'abord un oeil par un châssis. Si ça danse, on va le voir tusuite. Peut-être que c'est pour la 'courvée' de diman-che prochain qu'ils se réunissent itou. C'est ça qu'on va voir.

–Ben moi, j'irais pas là tuseule.

–Je vas y aller, moé. Pis on va t'appeler par après, Dora. C'est que t'en penses ?

–Ben bon de vot' part, à tous les deux. Tu veux pas que mon mari aille avec toi ?

–Non, ça va être mieux rien qu'un. Ben mieux que ça, j'm'en vas passer par en arrière de l'école. Comme ça, ils me verront pas venir pantoute.

L'on n'avait entendu aucun déclic sur la ligne, signe de quelqu'un qui écoute, qui espionne, et c'est la raison pour laquelle on avait parlé clairement, sans sous-entendus. Et l'on raccrocha sur un sentiment de satisfaction.

Chaque couple avait apporté quelque chose à manger ou à boire. Du vin maison surtout, sachant à quel point l'alcool déconstipe l'esprit et réchauffe la substance charnelle.

–J'ai des souris-chaudes dans ma grange, annonça Francis Pépin quand tout le monde fut assis en rond dans la cuisine d'été.

Joseph Roy prit la parole :

–Grèye-toé d'une bonne chatte d'Espagne. Ça voit la nuitte autant que les chauves-souris, pis ça grimpe su' les entraits. Les souris-chaudes vont saprer leu' camp que ça sera pas long, tu sauras.

–J'en ai une, une bonne chatte, pis les souris-chaudes sont dans le faîte de la grange pareil.

–Dans ce cas-là, fais comme nous autres, change de chatte, mon Francis.

Le jeune homme obtint l'hilarité générale. Joseph était le dernier dont on se serait attendu qu'il fonce dans le sujet qui les réunissait là. Le propos suggéra une idée à Hilaire qui la retint le temps que l'on boive du vin pour se réchauffer le coeur. Ce que l'on fit en discutant sous l'enseigne de l'entente générale à propos de la future chapelle de la montagne.

Et quand il vit les femmes rire pour peu de chose, Hilaire y alla de sa suggestion :

–Vous savez ce qu'on devrait faire ? Se rendre tous les dix dans la grange. Il reste du foin de l'année passée dans tes tasseries, Francis ?

–J'en ai une de vide, mais il reste un ben bon fond dans l'autre.

–J'sus certain que vous avez tous accompli votre devoir conjugal une fois ou deux dans une tasserie de foin. Y en a-t-il qui ont jamais fait ça là ?

Personne ne se manifesta.

–Dans ce cas-là, allons-y !

Marie Roy s'inquiéta :

–Mais... quelqu'un pourrait nous voir aller là pis se demander...

Francis donna une réponse plus que satisfaisante :

–Les Poulin sont trop loin pour nous voir. La p'tite école nous cache des Rousseau. Les Fortier pis les Goulet sont trop loin de notre bout' du rang. Il reste les Nadeau, nos voisins du côté de la montagne. Y a pas long entre la maison pis la grange. Je vas sortir une waguine pour boucher la vue. Comme ça, y aura pas un chat qui va nous voir.

–Encore moins les chattes, blagua Joseph.

–Qui c'est qui vient m'aider à sortir la waguine ?

Albert parla :

–Allons-y, tous les gars. Les femmes, vous nous suivrez dans cinq, dix minutes. Ça marche ?

Elles acquiescèrent toutes. Et les hommes quittèrent la maison.

Quand il aperçut Francis sortir de chez lui, Romuald Rousseau, qui venait par les champs vers la maison Pépin, s'accroupit aussitôt dans le foin haut et, après un instant de disparition complète, il osa un oeil par-dessus les brins tranquilles que pas le moindre vent ne dérangeait par ce beau dimanche de grand soleil.

Et il épia...

Vit les gars sortir la waguine de la batterie de la grange. La disposer sur le chemin entre la maison et le gangway. Ne pas comprendre pourquoi on faisait cela sans cheval en vue pour l'atteler à la voiture. Encore moins comprendre quand les cinq hommes regagnèrent l'intérieur de la grange et refermèrent les grandes portes tout en laissant ouverte la petite percée dans une des grandes.

L'homme embusqué arracha une brindille de foin et commença de la mâchouiller quand il aperçut les femmes sortir à leur tour de la maison, longer la waguine et se rendre à la porte qui béait et semblait les attendre, puis la refermer derrière elles.

–Incomprenable ! Incomprenable ! marmonna Rousseau qui écrasait la tige de foin dans sa bouche et dut bientôt la recracher tant elle était maganée, réduite en bouillie entre ses dents jaunies par les effets du tabagisme.

Bien moulé par les us et coutumes, et la sainte religion, l'homme fut long avant de penser qu'il puisse se passer des choses interdites entre ces cinq couples du cinquième rang. C'est son ascendance indienne qui vint le lui suggérer, qui agit en sa tête comme une lanterne éclairante. Car les Sauvages avant l'arrivée des Blancs vivaient librement, sans le moindre carcan pour emprisonner leurs moeurs. Et puis, les premiers Blancs eux-mêmes, coureurs des bois voire agriculteurs, 'changeaient de poil' de temps à autre comme certaines chansons de folklore le relataient avec humour.

Rousseau, l'arrière-arrière-petit-Abénakis, savait ces choses. Il les avait enfouies sous une nouvelle culture, une autre morale bien plus stricte, mais voici que sonnaient bien des cloches en ce moment derrière sa tête, et que pas une ne se trouvait dans le clocher de l'église paroissiale.

Il marcha à l'indienne, furtivement, à moitié accroupi, en direction de la grange Pépin. S'arrêta à côté de la longue waguine pour être sûr qu'on ne l'avait pas aperçu...

Pendant ce temps, dans la tasserie de foin sec, les couples s'étaient assis en un beau cercle presque parfait, chacun avec sa chacune, tasses à la main et bouteilles aux pieds. Pour éteindre le gros de la gêne, il fallait prendre encore un petit coup et c'est ce que l'on faisait tout en placotant à bâtons rompus, sans sujet particulier à explorer. Du moins pour le moment.

–Qui c'est qui pourrait se douter qu'on est icitte, tous les dix ? interrogea Jean Paré.

–Tous les enfants sont ben gardés : y a pas de danger qu'il en vienne un, commenta Marie-Louise Martin.

–J'me sus fait demander si on a veillé tard vendredi, déclara Francis.

–Ah oui ? s'étonna Albert. Qui ça donc ?

–C'est Maurice... Maurice Nadeau qui m'a demandé ça à matin su' l'perron de l'église.

–Ah lui, la fouine du cinquième rang ! affirma en soupirant Hilaire Morin.

–C'est que tu lui as répondu ? demanda Sophia.

–Qu'on a joué une partie de cartes tout en jasant jusqu'aux alentours de minuit.

–Bonne réponse à faire ! commenta Angélina. On pourrait dire ça à l'avenir à ceux qui poseront des questions. Dire qu'on joue aux cartes...

–Y en a qui vont vouloir venir jouer, eux autres itou, songea Blanche tout haut.

–On dira qu'on est toujours les mêmes joueurs, lança Joseph Roy.

Dehors, Rousseau tendait l'oreille. Puis il se risqua à gravir la pente du gangway pour se rendre jusqu'aux portes fermées. Il était capable plus que tout autre de se déplacer sans le moindre bruit, à la manière d'un félin, pour mieux surprendre sa 'proie'. Mais à quoi bon se trouver là s'il ne pouvait entendre ni voir ? Il promena son regard sur les plan-

ches de la bâtisse afin d'y trouver un trou de noeud ou quelque interstice par où glisser son regard à la façon du vent
coulis. Mais il ne repéra aucune craque et, pour l'instant, se
contenta d'attendre sans bouger mais en gardant son oreille à
l'affût. Il avait beau avoir l'ouïe fine, tout ce qui lui parvenait
n'était que murmures et demi-voix enchevêtrés. Tout lui était
audible, mais rien ne lui était intelligible.

Le chien de la maison jusque là endormi vint se mettre à
une fenêtre et se mit à japper. Sa présence trahie, Rousseau
eut peur qu'on sorte de la grange pour voir de quoi il retournait et connaître la raison de l'énervement de la bête noire. Il
descendit du gangway et courut se réfugier dessous. Ce qu'il
avait craint se produisit : on ouvrit la petite porte au-dessus
de sa cachette. Au bout d'un moment, une voix féminine
lança pour le chien vers la maison :

–Couché, Niki, couché !

Angélina avait tout d'abord jeté un coup d'oeil panoramique afin de repérer une présence aux alentours puis, ne
voyant personne, ordonnait au chien de se taire et d'attendre
sans aboyer inutilement.

La bête se tut, sila fort au point où on l'entendit par la
moustiquaire de la fenêtre, posa ses pattes sur le bord du
châssis, branla la queue, puis retraita par obéissance. Et puis,
Rousseau ne lui était plus visible que par sa vague odeur...

–Y a personne pantoute ! fit Angélina en refermant la
porte puis en retournant au groupe dans le clair-obscur de la
tasserie.

Elle allait retourner à Francis, son époux, quand, à son
passage, un homme l'attrapa par jeu mais aussi pour donner
le signal à tous du départ d'un autre jeu, autrement plus excitant. C'était Hilaire, l'un des deux hommes qui n'avait pas
encore connu le rapport charnel avec elle. Après l'avoir attirée sur lui et enveloppée de ses bras, il suggéra à tous, le ton
joyeux, audacieux :

–C'est quoi que vous diriez, pour changer le mal de place, façon de dire, que ceux-là qui ont pas encore été avec ceuses-là, y soient aujourd'hui.

–C'est embrouillé, dit Jean. Tu veux dire que moé, par exemple, je passerais mon temps avec Marie ou Angélina. Mais d'abord que la belle Angélina se trouve déjà avec toé, Hilaire...

–C'est ça que j'veux dire. Pour que tous les hommes finissent par connaître toutes les femmes, pis que toutes les femmes finissent par connaître tous les hommes.

Angélina se laissa glisser sur les jambes d'Hilaire et resta un court moment à ses pieds. Puis s'étira au point de tomber couchée afin de récupérer son verre des mains de son mari. Et là, elle but, étendue sur le ventre tandis que tous ajoutaient une rasade de vin à l'échauffement vertigineux de leurs sens.

Romuald Rousseau se sentait coincé dans l'inutilité. Il ne voulait pas retourner sur le gangway puisque cet endroit n'apportait pas de réponse claire et nette à sa question : qu'est-ce que les cinq couples faisaient donc à l'intérieur de la grange ?

Contourner la bâtisse, il se retrouverait à la hauteur de l'étable et non des tasseries. Faute d'une échelle, il restait une seule alternative : ou bien déguerpir ou entrer dans l'étable et espionner de l'intérieur. La curiosité l'emporta sur la crainte de se faire chanter des bêtises. Il marcha en douce jusqu'à une porte entrouverte et se glissa à l'intérieur de l'étable. Là, il connaissait les airs, et dans la pénombre, il se rendit à l'allée qui menait à une échelle fixée au mur. Et grimpa jusqu'au trou de la trappe ouverte. Victoire : là, il pouvait tout entendre, tout imaginer sans toutefois voir pour ne pas se faire voir... Mais si quelqu'un d'aventure rejetait la trappe sur l'ouverture, le mauvais espion risquait de se faire assommer de la belle façon...

–Hilaire, tu vas décider. D'abord que tu le sais, qui c'est qui est allé avec qui...

Rousseau reconnut la voix de Joseph Roy, son proche voisin de terre.

–J'accepte. Bon... Blanche a 'frappé' avec Jean vendredi. Avec Joseph l'autre jour. Avec moé, ben on en parle pas. Reste qu'elle connaît pas Albert ni Francis. On va tirer à la courte paille... La plus courte, c'est Albert, la plus longue, Francis...

–Huhau ! protesta Albert pour blaguer. Qui c'est qui t'a dit que la plus courte, c'est moé ?

Ce furent des rires de tous côtés. L'homme reprit :

–Écoutez, ça sera vite fait. J'sus allé avec Sophia, avec Marie pis avec Angélina...

–Comment ça, avec Angélina ? questionna Hilaire.

–Faut dire que vendredi soir, nous autres, ma femme pis moé, on a passé la nuitte avec Angélina pis Francis.

–Ouais, vous vous êtes pas vantés de ça trop trop !

–Un adon comme ça... Ça choque personne toujours ?

–Ben non, ben non ! Pourvu que ça se passe en dedans du groupe des 'frappeurs'... tout est beau et bon...

Rousseau faillit tomber en bas de son échelle. *Frapper* : ce n'était pas la première fois qu'il entendait ce mot ces derniers temps. Il n'y avait guère porté attention. Ce qu'il avait deviné à l'extérieur plus tôt grâce à son sang indien puis rejeté à cause de sa culture canadienne-française revint en clarté dans son esprit : les couples du rang, à l'évidence changeaient de partenaire. Mais encore... était-ce pour des jeux anodins ou bien pour la bagatelle au complet ? Il essuya son front mouillé et son coeur poussiéreux du même coup.

–Dans ce cas-là, Blanche sera avec Albert.

Et la règle établie concernant la nouveauté des partenaires, combinée au hasard, fit que les quatre couples suivants furent : Sophia et Hilaire, Angélina et Jean, Marie-Louise et Joseph, Marie et Francis.

Hilaire nomma les couples une seconde fois et proposa :

–On change de partenaire, pis on va où c'est qu'on veut dans la grange. La tasserie est grande. De la place, y en manque pas...

Tout le monde était encore endimanché. Les femmes portaient toutes des robes pâles, à fleurs ou à pois, et même, dans le cas de Sophia, à motifs style tourbillons en couleurs. Et les hommes en manches de chemise...

Rousseau savait qu'au moins deux des cinq femmes portaient un enfant et que leur ventre le faisait avec éloquence depuis quelque temps. Voilà qui ajoutait à l'odeur de scandale qui commençait de lui remplir les narines. Par contre, sa chair s'élevait et même en était venue à toucher, à travers son pantalon, à un barreau de l'échelle.

"Calvènusse de calvènusse !" pensa-t-il en essayant de retenir son coeur de battre trop fort.

Une autre idée lui vint : il se disait qu'on les avait exclus, Georgette et lui, de ce jeu dont il n'aurait jamais soupçonné l'existence s'il n'en avait été un aussi proche témoin. Oui, mais s'il s'agissait d'un batifolage sans conséquences sérieuses ? Un divertissement qui ne mobilisait pas la substance charnelle dans toute sa profondeur ? Il fallait attendre. Attendre et tout voir dans l'ombre...

Un bruit de foin aux brindilles qui chuintent en se frottant les unes aux autres lui parvint. Et c'était tout près, à deux pas de sa tête. Un couple, sans aucun doute, venait de s'approcher de la trappe ouverte et de s'asseoir dans l'obscurité presque totale à ce bout de la bâtisse. De qui pouvait-il donc s'agir ? On parlerait sûrement. Il reconnaîtrait les voix si elles n'étaient pas que souffles et murmures. Il l'ignorait encore, mais venait de prendre place derrière la trappe levée en biais et retenue par une sangle de cuir les deux partenaires les mieux assortis, les plus capables d'atteindre les sommets les plus prodigieux du plaisir charnel : Marie-Louise Martin et Joseph Roy. Elle en mesure d'émettre un liquide plus abondant que celui du meilleur homme et lui d'une virilité et d'une vitalité à rendre jaloux tous ses collègues qui auraient nourri l'idée saugrenue de jouer le jeu de la compétition barbare. Elle des cinq femmes du groupe des frappeurs la plus ouverte à l'échangisme et lui, des cinq hommes en cause, le plus fermé.

Rousseau, dans son échelle, l'eau qui perlait à son front et roulait vers ses sourcils puis ses yeux tant les gouttes se pressaient les unes les autres, se faisait une idée puis une autre éloignée de la première. En fait, il n'arrivait pas encore à croire dur comme fer que cinq couples du cinquième rang en soient venus à se mélanger de cette manière en une époque et une société aussi prudes et si bien encadrées par la sainte religion catholique. Quelque chose de puissant, presque violent en lui, souhaitait qu'il en fût ainsi, mais autre part en son for intérieur, une voix moins naturelle mais tout aussi forte lui commandait de rejeter cette pratique et d'en concevoir un étonnement plus que scandalisé.

—Es-tu couchée ben comme il faut ? demanda Joseph à mi-voix.

Marie-Louise ne dit que deux mots en lesquels se trouvaient non pas que de l'acceptation mais aussi une irrésistible invitation :

—Ben... oué...

—Qui c'est qui aurait cru qu'on pourrait un jour, toé pis moé...

—Sus ben contente de t'avoir.

Mais qui étaient donc cet homme et cette femme? se demandait Rousseau avec une certaine impatience. Car il ne pouvait reconnaître des voix aussi peu sonores. Peut-être s'agissait-il simplement d'un couple normal, les Paré, les Morin, les Roy, les Martin ou les Pépin... Il put vite extraire une réponse claire des mots que la femme dit alors puis de l'échange qui suivit entre les deux amants dont les odeurs lui parvenaient avec plus d'intensité encore que celles venues des poussières en suspension dans l'air :

–D'abord que ta femme pis mon mari sont pas jaloux comme des pigeons...

–Marie est ben à son aise dans tout ça...

–Pis toi, Joseph ?

–Moé avec... Je dirai pas à cent pour cent, là, mais... Albert, lui ?

–Lui, il aime ça, changer de femme. Il dit que c'est comme la nourriture : il faut de la variété, du changement de temps en temps. J'pense que c'est pareil pour une femme. Un autre que son mari, ça stimule. Le plus important, c'est d'être propres, de se laver comme il faut, de sentir bon.

Par là, Marie-Louise voulait sonder l'hygiène de son compagnon du hasard. Il s'exprima avec conviction :

–Nous autres, à matin, tous les deux, Marie pis moé, on a plongé dans la cuve. Personne pourrait crier à la crasse avec nous autres. C'est pas comme d'aucuns dans le rang. Josaphat Poulin pis Romuald Rousseau, ça se lave pas trop trop, ces hommes-là.

–Non, j'voudrais pas qu'ils fassent partie de notre groupe, ces deux-là.

L'homme embusqué faillit décrocher de l'échelle pour tomber dans l'allée en bas. Son sang chaud refroidit quelque peu à entendre ces mots contre sa personne. Georgette lui poussait dans le dos pour qu'il se lave plus et mieux, mais il se faisait tirer la couette bien souvent. Il rougit dans l'ombre. De honte et d'excitation mélangées. Il se dit qu'il se montrerait plus fier de sa personne et ferait en sorte que son couple soit admis parmi les 'frappeurs'. Et qu'importe le péché mortel, et qu'importe l'enfer, au moins on irait à la douzaine, soit les cinq couples en train de pécher plus le sien. Et si on refusait de les laisser entrer dans le groupe, il le dénoncerait au presbytère... Mais son attention fut vite reprise par ce couple qu'il savait maintenant être composé de Marie-Louise Martin et de Joseph Roy.

Des soupirs furent émis. Marie-Louise commença de gémir, signe que son partenaire travaillait sur elle. Joseph laissa échapper des onomatopées, signe que sa partenaire travaillait sur lui. Rousseau devina ensuite qu'on se déshabillait mutuellement. Puis ce fut une symphonie de longs soupirs avec musique de fond à une seule note : celle du foin sec qui bouge. Problème pour l'espion : le foin ainsi agité soulevait des poussières neuves aux éléments aptes à chatouiller les narines et autres muqueuses risquant d'appeler l'éternuement. L'homme se pinça vigoureusement le nez. Mais comment échapper à l'irrésistible ?

–Viens sur moi ! murmura la voix féminine.

–Oui, oui...

Il fallut trois secondes et la femme souffla :

–Viens en moi, Joseph !

La réponse masculine fut un immense soupir.

À côté, Rousseau relâcha l'étreinte sur ses narines et l'air sortit de son corps dans une sorte de sifflement propre à révéler sa présence. Mais, accaparés par le plaisir atteint, les amants n'entendirent rien d'autre que les puissantes voix de leurs chairs imbriquées.

–Continue, continue, continue...

Les encouragements de Marie-Louise provoquèrent le sprint final pour lui. Et elle continua de dire 'continue', chaque mot signant en sa substance une jouissance nouvelle qui allait s'ajouter aux précédentes.

Rousseau ne put se retenir de bouger son corps dans

l'échelle pour frotter son sexe contre un barreau utile mais sans âme. Les deux hommes, qui non seulement s'ignoraient l'un l'autre mais oubliaient en ce moment tous les autres vivant sur cette terre, répandirent leurs gènes dans les mêmes quelques secondes, l'un dans les profondeurs d'une voisine du cinquième rang et l'autre dans celles de ses pantalons.

Puis il y eut un long répit silencieux. Pas même les autres ébats en cours ailleurs dans la grange ne parvenaient aux gens près de la trappe. Joseph brisa la pause de récupération :

–En tout cas, t'es bonne à plein, toé, Marie-Louise.

–On peut en dire autant pour toi, Jos.

Cette fois, les voix furent nettes et posées. Rousseau entendit tous les mots. Il décida de retraiter, de descendre et de partir. Puis il réfléchirait mieux à la situation. Se manifester maintenant risquait de créer un conflit. On dirait de lui qu'il était un chien renifleur, qu'il avait prémédité son intolérable indiscrétion. Il s'exécuta.

Alors qu'il posait le pied sur le bois de l'allée, un bruit aussitôt analysé le figea un moment sur place. Là-haut, on avait poussé et fait tomber la trappe. Ce devait être Joseph en bougeant, pensa Rousseau qui allait s'en aller quand une voix se fit entendre :

–C'est quoi que tu fais icitte, Romuald ?

On avait soulevé la trappe et l'oeil de Joseph Roy fusillait l'homme interdit qui ne savait quoi dire. Et qui finit par bredouiller :

–Ben... j'cherchais Francis. J'ai pensé qu'il était dans son étable. Ou ben dans sa grange...

–Tu lui veux quoi ? Il est pas loin, icitte, en haut.

–Ah, j'aurais besoin de quelques planches pour dimanche prochain. J'en ai pas, pis j'veux en apporter su' la montagne.

–Tu pourras toujours repasser. On est ensemble icitte, on est en train de manger un morceau.

–Ah ! C'est ça, j'vas r'passer.

Et Rousseau partit sans demander son reste.

Et là-haut, dans la tasserie que seul un oeil-de-boeuf situé dans le comble éclairait, quand les couples furent revenus ensemble à l'endroit de départ, Joseph prévint les autres :

–Y a le senteux à Romuald qui est venu faire son tour. J'sais pas c'est quoi qu'il a vu ou entendu par le trou de la trappe, mais une chose est sûre : il était là en bas quand je l'ai vu. Peut-être qu'il a monté pis entendu... Quoi c'est qu'on va faire avec ça ?

–On va attendre, fit aussitôt Hilaire. Attendre de voir ce qu'il aura à dire dans les jours à venir. C'est lui qui va donner les cartes, ensuite, on verra ce qu'il faut faire.

Blanche s'énerva :

–Tout d'un coup il nous a vus venir dans la grange ? Tout d'un coup il sait ce qui s'est passé ? Tout d'un coup il s'en va nous dénoncer au presbytère ?

Joseph rassura tout le monde :

–Ben non ! Tuseul contre dix, il ferait rire de lui. Il a pas intérêt à nous accuser. Il se mettrait trop de monde à dos. En plus qu'il serait pas cru par personne. Surtout qu'il a du sauvage dans le corps, tout le monde sait ça. Comme dit Hilaire, on va attendre pour voir c'est qu'il va faire. Qu'il agisse de contre nous autres, pis il va se faire mettre à part par tout le cinquième rang...

Malgré tout, il resta une certaine inquiétude dans certains regards que les rais de lumière venus d'en-haut faisaient luire dans cette atmosphère de sensualité rugueuse...

Et pourtant, personne n'avait aperçu la moindre chauve-souris depuis qu'on se trouvait là...

***

Chapitre 29

À qui Romuald Rousseau pouvait-il se confier ? Quoi dire à Georgette à son retour à la maison ? Quoi raconter à Dora Fortier qui voudrait tout savoir par le long, le large et le travers ? Il lui vint une idée : plutôt de retourner à la maison, il prendrait la direction opposée pour se rendre tout droit chez Bossu Couët.

Ils étaient les deux hommes les plus différents des autres de tout le cinquième rang voire de la paroisse entière de Saint-Léon. Et puis, c'est le bossu qui avait répandu la drôle de parole du vieux venimeux à Théodore Morin et répété à tous son conseil à propos des échanges de partenaires. À prime abord et de manière officielle, tous avaient ri de pareille idée impensable, indigne de gens civilisés et surtout si contraire à la morale chrétienne et catholique. Mais l'homme venait d'être le témoin, par écoute, d'une réalité qui se situait aux antipodes des dires publics pour au moins cinq couples du rang. Peut-être même plus ? Et puis non. S'il se trouvait plus de 'frappeurs', il y en aurait eu plus dans la grange des Pépin. Et plus dans leur maison le vendredi de l'avant-veille.

Marie-Jeanne Nadeau zigonnait sur un vieux violon quand il allait passer devant la maison. Assise sur la galerie, elle cessa de jouer pour lui parler :

–Romu, tu t'en vas où de ce train-là après-midi ?

–Je m'en vas voir le bossu. J'ai une commission à me faire faire pour quand il va retourner dans la Beauce.

–C'est l'homme pour ça. De tout le rang, c'est lui qui va le plus souvent du côté de la Beauce.

En raison de cette touche masculine imprimée dans sa gestuelle et sa voix, combinée à des roulements de hanches et de poitrine plus que lascifs, la Marie-Jeanne donnait des mauvaises pensées à la plupart des hommes qui la regardaient ou s'entretenaient avec elle. Cela n'avait guère paru le jour de la noce vu le nombre de personnes présentes dans et autour de la maison, et parce que l'attention était perpétuellement attirée vers quelqu'un d'autre, musiciens, chanteuse, danseurs, conteux d'histoires et même le bon vicaire Morin; mais quand elle se trouvait seule, comme en ce moment, devant un personnage de l'autre sexe, celui-ci ne tardait pas à parler autrement, et le trouble intérieur qu'il ressentait avait tôt fait de transparaître dans ses propres attitudes.

–Viens donc t'assire un peu pour jaser avec nous autres. Maurice va revenir de l'étable dans la minute.

–Bah ! c'est dimanche : j'sus pas pressé plus qu'il faut. Si le bossu part de chez eux, il va ben être obligé de passer par icitte, devant nous autres, hein !

–Il pourrait toujours passer par le haut de la terre à Martin pour se rendre pêcher su' la rivière *Noire*. Il y va souvent. Vendredi, il était là encore : d'aucuns l'ont vu. Jean pis Sophia, Albert pis Marie-Louise l'ont aperçu dans le haut de la terre quand ils sont allés prendre leur marche au milieu de la journée. Ah, on l'a pas invité aux noces, not' beau bossu : il serait pas venu, c'est certain, là. Où c'est qu'il y a trop de monde, il y va pas, lui. Excepté à la messe ben entendu.

La pensée de Rousseau traînait ailleurs. Après avoir entendu ce qui se passait dans la grange des Pépin, sachant que les Paré et les Martin s'y trouvaient avec trois autres couples, difficile de croire que cette randonnée du vendredi sur la terre des Nadeau n'ait pas donné lieu à plus que des pas et des paroles. Il décida de sonder Marie-Jeanne tandis qu'il prenait place sur une berçante mise là pour Maurice :

–Sont allés faire quoi, eux autres, dans le haut de vot' terre vendredi ?

–Marcher c't'affaire !

–Sont pas allés à pêche, là ?

–Ben non, ben non ! Sont souvent ensemble, ces quatre-là, depuis quelque temps.

–Ah oui ?

–Ben oué. Pis avec les Roy, pis les Pépin, pis les Morin itou. Ça doit veiller pis jouer aux cartes.

Rousseau mit sa tête en biais, signe d'incrédulité. La femme le remarqua :

–Tu penses pas, toi ?

–Ben... oué... Ça doit être ça... Ils ont dû se donner le mot le jour des noces pour veiller tard le soir.

–Ils pouvaient pas nous inviter, nous autres : on avait ben trop d'affaires à s'occuper. Comme ça, ils vous l'ont pas dit, à vous autres ?

–Pas entendu parler.

–Nous autres non plus : pantoute de pantoute !

Cette fois, c'était Maurice qui, rentré à la maison par l'arrière, s'exprimait par la moustiquaire de la porte avant.

–Viens jaser avec nous autres, Maurice. J'passais, pis j'ai entendu Mar'Jeanne jouer du violon.

–T'as pas Georgette avec toé, mon gars ?

–Ben non ! Elle avait de l'ouvrage plein les bras. Son ouvrage dans la cuisine était pas fini encore. Pis moé, je m'en vas voir le bossu pour une commission, comme je l'ai dit à ta femme tantôt.

Maurice sortit, une chaise droite à bout de bras, et vint

prendre place à la gauche de sa femme, et non pas entre elle et Rousseau qui reprit aussitôt la parole :

–Ben c'est ça, on parlait des Paré pis des Martin qui sont montés dans le haut de vot' terre vendredi dans la journée. Paraît que le bossu pêchait sur la rivière *Noire* à ce moment-là...

–On a su ça, oué, fit Maurice qui regarda au loin sans pouvoir y voir.

Romuald se rendait compte, à mesure qu'on échangeait, que les Nadeau n'avaient pas la moindre idée qu'il pût se passer des choses pas très catholiques dans le cinquième rang. Insister sur le sujet leur mettrait la puce à l'oreille. Pas question de s'ouvrir à eux quant à ce qu'il avait appris dans la grange des Pépin un peu plus tôt. Ce qui les intéressait bien davantage que les relations entre couples du rang, c'était la venue le soir de la noce de la possédée de Saint-Évariste. Toute la paroisse était au courant maintenant. On voulait en savoir plus. Le démon fascinait et on aimait le savoir quelque part (ou en quelqu'un d'autre) pour le mieux haïr et combattre par la prière et divers objets dont les rameaux, les crucifix et les images pieuses.

Maurice fit un coq-à-l'âne :

–T'essaieras d'en savoir plus sur la possédée... Le bossu est passé de bonne heure pour aller à la basse messe, pis on l'a pas revu de la journée.

–Je vas voir.

Et l'échange se poursuivit ainsi, à bâtons rompus. Marie-Jeanne ne s'inquiétait pas de montrer ses genoux et une partie de ses cuisses fortes. Et puis, sa robe d'un petit vert pomme, aux motifs blancs en forme de virgule, moulait sa personne pour le plus grand plaisir de Rousseau qui avait un penchant pour les femmes bien enveloppées. Elle ressentait cet intérêt et voulut qu'il augmente par la vertu de ses gestes justifiés : se levant, elle resta debout un moment et proposa du thé aux deux hommes qui acceptèrent. Puis entra dans la maison pour en revenir quelques minutes plus tard avec deux tasses de fer-blanc pleines de thé tiède.

–Pis auriez-vous le goût d'un chignon de pain ? J'en ai qu'il faudrait manger avant de le voir rassir.

–C'est pas de refus. C'est le temps de la crise : on laisse rien se gaspiller. C'est sûr qu'avec du pain rassis, on peut toujours faire de la poutine au pain.

–J'en ai en masse pour ma poutine.

–Calvènusse, j'sus pas arrêté icitte pour quêter à manger. J'm'en allais voir le quêteux Couët.

–Je r'viens, fit Marie-Jeanne qui se brimbala de nouveau devant les yeux de Rousseau avant de disparaître à l'intérieur de la maison.

–Ta femme, elle prend ben soin de toé, hein, mon Maurice ?

–J'ai pas à m'plaindre.

Chacun but quelques courtes gorgées, puis la femme revint à eux avec des soucoupes contenant un quignon de pain doré et une motte de beurre. Et elle présenta à chacun un couteau.

–Un peu de sirop d'érable avec ça ? demanda-t-elle à Romuald.

–Non, non, c'est assez de même, ben assez de même.

Elle se rassit.

–Pis toé, tu manges pas pis tu bois pas ? fit Rousseau qui s'apprêtait à beurrer son morceau de pain.

La réponse le laissa bouche bée :

–Tu trouves pas, mon Romuald, que j'ai assez de fesses comme ça ?

Maurice ricana tout en mordant dans son pain. L'autre homme jeta sur les formes féminines un coup d'oeil fuyant que l'embarras soudain emporta loin d'elle, accrochant au passage ses mots dirigés ailleurs, eux aussi :

–Pour en r'venir au bossu Couët pis la possédée du démon, j'vas tâcher de savoir quoi c'est qu'il s'est passé l'autre nuitte. Il s'est dit qu'elle avait pris les gros chars à Saint-Évariste pour débarquer à la gare de Saint-Léon, pis que de là, elle aurait marché jusque dans le fond du cinquième rang. C'est-il la montagne qui l'attirait ? Le temps était couvert, pis il faisait noir comme su' l'loup, c'te nuitte-là. C'est-il le démon qui y montrait le chemin ? Pourquoi c'est faire qu'elle s'est ramassée dans la cabane du bossu ? Il se serait-il passé des affaires pas... catholiques avec not' bon quêteux ?

–Dis pas des affaires de même, Romuald ! protesta Marie-Jeanne, le ton à la véhémence. Ça s'appelle des jugements téméraires.

–C'est ben vré : j'ferais mieux de faire parler Couët avant de parler moi-même. Le maudit placotage, c'est plus fort que nous autres, ça nous sort de la bouche malgré not' volonté. Ah, c'est pas drôle de v'nir au monde en tant que 'parsonne' humaine !...

Sur une pause gastronomique, les deux hommes déchiquetèrent avec leurs dents leur morceau de pain beurré et le noyèrent dans leur thé fort avant de l'avaler.

On reparla de la construction d'une chapelle sur la montagne. Cela ne suscita aucun débat. Les trois bénissaient l'initiative du presbytère. Et l'on dit comme d'autres aux quatre coins de la paroisse qu'il s'agirait là d'une sorte de monument souvenir propre à devenir le symbole des fêtes du cinquantenaire toutes proches. Dans vingt ans, cinquante, cent, on irait sur la montagne et on se souviendrait de 1930 comme de l'année du jubilé paroissial.

En partant pour aller chez le bossu, Rousseau salua et resalua les Nadeau. On lui demanda d'arrêter au retour pour prendre une autre tasse de thé. Cette invitation cachait la curiosité qui rongeait Marie-Jeanne tout autant que Maurice à propos de la Rose Lafontaine, cette jeune personne mystérieuse et inquiétante qui avait bien mal choisi son jour, en fait sa nuit, pour apparaître dans le cinquième rang.

–Je m'en vas tout vous dire de ce qui s'est passé avec la possédée, lança Rousseau parmi ses salutations qui prenaient leurs distances...

La marcheur passa devant la maison des Poulin. Personne ne se manifesta, à sa grande surprise. Josaphat avait pourtant la gueule comme un véritable moulin à farine et il parlait à tout venant, et ne laissait jamais quelqu'un de ses alentours s'en tirer sans subir ses assauts de paroles joyeuses et de ·phrases futiles. Peut-être que Josaphat et Joséphine faisaient un petit somme en ce bel après-midi d'un jour de repos, si propice à la sieste et à l'accomplissement de l'incontournable devoir conjugal...

Rien non plus chez les Martin, comme si la maison avait été frappée du même vent lénifiant que celle des Poulin. Certes, Marie-Louise et Albert se trouvaient en ce moment dans la grange des Pépin, mais les enfants, eux, dormaient-ils en plein coeur de jour ?

La voie se rétrécit et devint un sentier bordé d'aulnes chargées d'un feuillage qui jetait des ombres longues sur le visiteur au pas feutré. La forme brune de la cabane du bossu apparut par morceaux puis plus nettement, et quand l'homme parvint aux abords de l'humble demeure, il tomba face à face avec le maître des lieux qui revenait de la source, un joug accroché à sa bosse et deux seaux suspendus aux cordes de l'appareil de transport.

–Salut, Dilon !

–Salut, Romu !

–J'vois que t'es allé te chercher de l'eau.

–J'ai pas encore de pompe à l'eau : trop pauvre.

–C'est pas nécessaire quand on a une bonne 'r'source' pas loin de la maison.

–Mais l'hiver, dans la neige épaisse, c'est pas toujours

ben r'posant d'aller 'cri' de l'eau dehors au gros frette.

–J'te 'cré'. Ça doit ben.

–Moé, j'sus pas comme un homme normal. Les pattes courtes. Les bancs de neige aux fesses...

Rousseau sourit et pourtant, un peu mal à son aise, il chercha à faire dévier l'échange :

–C'est Marie-Jeanne Nadeau qui parlait de fesses tantôt. Elle disait que les siennes sont pas mal...

L'homme parla avec ses deux mains qui prirent des formes arrondies.

–J'vois... Viens, rentre...

Le visiteur suivit son hôte qui se délesta de son fardeau une fois près de l'évier de fortune servant à le débarrasser des eaux usées, lesquelles allaient se perdre dans un puisard à ciel ouvert dans le couvert des aulnes à cent pieds de la mansarde.

–Assis-toé ! Prends la berçante !

–J'te la laisse. J'prends une chaise droite.

–C'est comme tu voudras, mon gars. C'est ben sûr que j'ai moins de misère à m'assire dans une chaise berçante. C'est un peu comme un siège de selké. Anyway...

Et Rousseau prit place près de la table. Couët le retrouva bientôt. On se parlait du temps de la journée et de celui prévu que le bossu connaissait par ses articulations, particulièrement par les douleurs de sa colonne vertébrale.

–J'gagerais une terre en bois deboutte que t'es venu me parler de la possédée de Saint-Évariste qui s'est ramassée icitte l'autre nuitte.

–Ben... non... j'dirais non. C'est surtout que j'veux te parler d'une autre affaire. Mais... mais faudra que ça reste entre nos deux. Pas un mot su' la 'game' à 'parsonne'.

–J'sus capab' de tenir ma langue. J'sus pas une femme 'commére', moé.

Les deux hommes émirent un rire de complicité et Rousseau reprit vite la parole :

–J'te dirai que quand c'est important, les femmes itou
sont capables de se taire ben comme il faut...

–Ouais...

–Savais-tu, Dilon, que le même soir que la possédée est
venue icitte...

–Possédée : j'sus pas sûr de ça, moé.

–En tout cas... le même soir que la fille de Saint-Évariste
est venue dans le rang, y avait dix personnes qui... s'amusaient dans la maison à Francis Pépin ? Savais-tu ça, toé,
Dilon ?

–Non, mais... ben c'est quoi le rapport ?

–Supposons... admettons... disons que ces dix personnes-
là commettaient un péché mortel... pis que la fille serait une
possédée... Y aurait un lien... Le péché, le démon... tout ça.

Bossu soupira fort. Il hocha la tête. Parut impatient et
angoissé à la fois :

–D'abord, c'est pas parce que y avait du monde le soir
des noces pour veiller su' Pépin que...

–Huhau ! Huhau ! Si j'te dis que je les ai vus... pas vus,
mais entendus faire pas plus tard que v'là une heure, tout ce
monde-là... Des 'frappeurs' comme ils s'appellent. Pis si y a
pas de péché mortel là-dedans, j'me demande ben c'est quoi
qu'il faut faire pour trouver du péché mortel en quelque part.

De nouveau Couët soupira fort. Puis hocha sa grosse tête
globuleuse. La releva pour interroger :

–Y avait-il Jean pis Sophia Paré ?

–Oué.

–Y avait-il Marie-Louise pis Albert Martin ?

–'Cartain' ! Marie-Louise, j'aurais pu quasiment toucher à
son... à sa... à ses...

–Dis-moé ce qui s'est passé, pis j'te dirai tout ce que j'sais là-dessus.

–Pis su' la possédée ?

–Pis su' la possédée.

–Ben on va dire que c'est Dora Fortier qui nous a mis la puce à l'oreille à midi, au téléphone...

Et l'homme résuma les propos échangés alors, puis ses gestes d'approche des bâtiments chez Pépin. Dit ce qu'il avait vu. Puis ce qu'il avait entendu quand il avait mis son nez dans la trappe de l'étable. Couët écouta avec attention, regardant son interlocuteur avec ses yeux révulsés, gros et ronds. Rousseau finit en disant :

J'sais que tu me 'crèras' pas, mais...

–J'te 'cré' parce que j'ai vu quelq' chose de quasiment pareil dans le bois à Nadeau l'autre après-midi... J'étais en train de pêcher su' la rivière *Noire* quand c'est que j'ai entendu des bruits pas ordinaires...

Et Couët parla de la scène scabreuse dont il avait été le témoin à travers les branches. Rousseau, qui avait soigneusement évité de parler de ses propres impulsions devant le spectacle audio des échangistes ainsi que de son intention pas du tout réprimée de faire partie du groupe avec sa Georgette, fit une déclaration quasi solennelle :

–Ça veut dire que le cinquième rang est en état de péché mortel.

–On dirait ben.

–Pis que c'est pas pour rien que la possédée est venue dans le rang en même temps que le péché se faisait dans la maison Pépin.

–Ça ?

–T'es pas convaincu, Dilon ?

–Qu'il y a eu péché : oui. Mais que la fille de Saint-Évariste soit une possédée : non. Je vas te conter c'est qu'il s'est passé quand elle est venue icitte. Ça ressemblait à quelqu'un qui faisait une transe... Tu sais quoi c'est une transe, Romu ?

–Si je le sais ? Mes ancêtres sauvages en faisaient tant qu'ils voulaient. Pis moé, la nuitte, mon esprit sort de mon corps pour voyager quelq' part, j'sais pas où...

Le bossu se fit sceptique, sourcils rabattus sur un regard inquisiteur :

–Ça serait pas une joyeuseté que tu me dis là, là ?

–Écoute, Dilon, j'sus pas un coq de basse-cour qui chante su' son juc pour faire rire les poules. J'te dis que mon esprit sort de mon corps, pis c'est 'vré'. J'te dirai que Sitting Bull... tu sais qui c'est, Sitting Bull ?

–Pantoute.

–C'était un chef sioux... un chef indien... un chef 'mais surtout un homme-médecine. Il est mort en 1890, ça fait quarante ans déjà de ça. Ils l'ont assassiné. Les Blancs. Il avait des transes, lui. Il a vu d'avance la bataille du général Custer contre les Indiens. C'est arrivé quelq' mois avant. S'est fait prendre cinquante morceaux de chair su' l'corps. Ensuite a dansé durant 48 heures jusqu'à tomber sans connaissance. Par après, il a dit quoi c'est qu'il avait vu dans son rêve, pis c'est arrivé comme il l'avait dit, au mois de juin, en 1876.

–Pis toé, ben ça t'arrive de voir dans l'avenir comme lui, le chef indien ?

–En plein ça ! Une fois par semaine dans le p'tit moins.

–Ben dis-moé donc quand est-ce que j'vas mourir d'abord que tu sais l'avenir.

–Quand ton heure va être arrivée.

–En disant ça, n'importe qui peut prévoir l'avenir.

–Écoute, Dilon, j'ai jamais fait de rêve à ton sujet. J't'ai jamais vu dans le temps que j'étais en transe.

–Mais quand t'es dans une transe, serais-tu capab' de

marcher jusque dans le fond d'un rang de... ben disons Saint-Samuel ? Pis en pleine nuitte quand il fait noir comme su' l'loup ?

–'Cartain'. C'est ben 'cartain', ça !

–Tu serais pas possédé du démon pour autant.

–Non, mais un possédé du démon pourrait le faire d'une autre manière.

–Ben... bon... j'sus pas plus avancé.

Le bossu se mit debout et dit, mains sur les hanches :

–Tu boirais-tu une bonne tasse de thé ? J'vas faire chauffer de l'eau.

–J'viens d'en boire une couple de tasses su' Maurice Nadeau, là.

–Ça en fera une troisième.

–Ben correct, d'abord que tu y tiens comme il faut.

Couët se rendit à l'évier où il remplit la théière d'eau fraîche et de feuilles de thé, puis il alla à la truie et ôta la rondelle à l'aide de la bordiche. Là, il introduisit plusieurs éclats de cèdre sec dans le petit poêle, les posa sur un lit de papier, et y mit le feu. Et mit un grillage au-dessus. Et la théière sur le grillage.

–Ça va faire de la boucane dans la cabane ! commenta aussitôt Rousseau.

–Le temps de le dire, l'eau va bouillir. J'vas tenir la porte grande ouverte. Je rouvre la trappe du tuyau, pis une bonne part de la boucane va s'en aller par là...

–Bon, tu connais ton affaire.

Rousseau, pourtant un connaisseur en appareils de chauffage et de cuisson, fut surpris des résultats : rapidité, sécurité, presque pas d'incommodité.

Tout en faisant, le bossu ne cessa d'échanger avec son visiteur. Et quand il s'attabla avec lui pour boire le thé chaud, il voulut revenir sur le sujet de la voyance :

–Peux-tu me dire une fois où c'est que t'as prédit l'avenir, pis que c'est arrivé ?

Heureux de piquer la curiosité à propos de son don, Rousseau éluda pourtant la question de nouveau :

–J'm'en vas te dire que ce qui s'est passé dans la grange à Pépin tantôt, je le savais d'avance, je l'avais vu dans un rêve. L'idée du père Morin, tu le sais, tu l'as portée d'une maison à l'autre, ben j'ai vu en rêve que ça arrivait. Les hommes pis les femmes qui se mélangent. Pis c'est ça, au fond, qui m'a amené voir c'est quoi qu'il se passait dans les bâtiments à Francis Pépin aujourd'hui.

Le regard du bossu devint fixe, perdu dans un lointain rapproché :

–Dire que c'est moé qu'a fait arriver tout ça. Le bon Dieu va m'envoyer au fond des enfers pour ça.

–Ben non, ben non ! T'as pas répandu l'idée au vieux Thodore pour mal faire. T'as pas fait ça pour que ça arrive réellement. T'as fait rire le monde. Mais y en a qu'ont pris ça au sérieux.

Couët posa une question abrupte :

–Pis toé, t'as pas envie de faire comme eux autres... avec eux autres ?

Rousseau mentit de toutes les dents qui lui restaient :

–Ben non ! Jamais une idée de même me serait venue par la tête.

–Mais vu qu'asteur, c'est la réalité dans le cinquième rang, à deux portes de ta propre maison, tu pourrais changer ton fusil d'épaule ?

–Pas plus ! Pas plus ! Je l'dirai même pas à Georgette, c'est quoi que j'ai vu tantôt. Ça la scandaliserait ben trop, pis comme les femmes savent pas garder un secret...

Aucun des deux hommes, malgré la durée de leur conversation, n'obtint de réponse claire à ses interrogations les plus profondes. Au moins, il s'entendirent sur la nécessité de taire ce qu'ils savaient.

De retour chez lui, Romuald raconta à sa femme qu'il avait vu les couples réunis chez Pépin jouer aux cartes. Elle se demanda pourquoi leur couple n'avait pas été invité. Puis il appela Dora pour la prévenir de sa visite de bon voisinage dans la prochaine demi-heure. Georgette serait avec lui.

–Pis vous allez rester à souper avec nous autres, dit la femme Fortier avant de raccrocher.

Quant au bossu, il resta songeur tout l'après-midi, allongé sur son lit, regard cloué sur le plafond et brassant sans cesse une interrogation de Rousseau, ce descendant d'Indiens capable de faire des transes...

"En tout cas... le même soir que la fille de Saint-Évariste est venue dans le rang, y avait dix personnes qui... s'amusaient dans la maison à Francis Pépin ? Savais-tu ça, toé, Dilon ? "

"Non, mais... ben c'est quoi le rapport ?"

"Supposons... admettons... disons que ces dix personnes-là commettaient un péché mortel... pis que la fille serait une possédée... Y aurait un lien... Le péché, le démon... tout ça."

***

Chapitre 30

"Si la vie nous garde ensemble, la mort ne nous séparera pas."

C'est la phrase qui revenait le plus souvent dans la tête du bossu depuis avant la mort de Delphine, si proche et si éloignée à la fois.

Une phrase interdite à un bossu. Une phrase qui condamnait Odilon Couët à une solitude encore plus profonde que celle si affligeante à lui avoir été imposée par son corps depuis qu'il avait connaissance de la vie.

Lui et Delphine n'avaient été ensemble qu'une seule fois, que le temps pour elle de le traîner sur sa tabagane jusque chez lui ce jour où la cruauté des autres avait brisé sa jambe. Et sa confiance en deux soi-disant amis.

Avec qui avait-elle été vraiment durant sa vie écourtée ? Avec ses parents ? Avec cet ami qui l'avait fréquentée le temps des roses ? Par quel lien terrestre solide connaissait-elle une éternité bienheureuse au cours de laquelle sa main tenait la main d'un autre ? Et si lui devait mourir bientôt, viendrait-elle chercher son âme avec sa tabagane pour la conduire au paradis où toutes les souffrances deviennent brillances et bonheur ? Suffirait-il de l'appeler à son aide, elle qui n'avait pas même eu besoin de cet appel, ce jour d'accident pour lui tendre la main ?

Le pauvre homme écrasé sur le dos dans son lit sentit ses yeux se remplir de larmes qui commencèrent de couler de chaque côté de sa tête sur ses tempes...

À l'autre extrémité du rang, Juliette Goulet se berçait sur la galerie, heureuse et jolie. Sur elle, roulé en boule, un jeune chat roupillait, heureux et beau. C'était un animal à poils soyeux de trois couleurs, blanc, noir et orange. Il avait été pris en adoption par la jeune fille qui le dorlotait, le gâtait de lait chaud quand on faisait le train, le laissait dormir avec elle dans son lit la nuit et lui parlait comme à un enfant. La future maman se réveillait en sa jeune personne et Juliette, elle qui ressemblait de plus en plus à Désirée, entrait dans la première adolescence le coeur léger...

Une voiture automobile quitta le village en s'éloignant de la dernière maison de la rue principale pour rouler sur le chemin graveleux qui menait à la paroisse voisine. Mais c'est en fait vers le cinquième rang que se dirigeait le prêtre dans sa *Ford* rutilante presque neuve. C'est qu'il en prenait grand soin de son auto, le bon vicaire Morin. Chaque semaine, il trouvait le temps entre deux obligations pastorales de la laver comme il faut, de l'essuyer voire même de lui appliquer une cire d'abeille qui donnait à sa peinture un beau fini miroir aux mille éclats.

Et pourtant l'abbé oubliait tout à fait son véhicule en ce moment pour ne songer qu'à deux tâches lui incombant : l'une qui consistait à se rendre sur la montagne de la *Craque* pour y piquer en terre des pieux destinés à servir de cadre aux fondations de cette chapelle que l'on érigerait le dimanche suivant tel que convenu par toute la paroisse de Saint-Léon, et l'autre qui, à la demande du curé, le mènerait chez le bossu pour y faire une enquête plus approfondie et pour ça, plus mielleuse, sur l'affaire de la possédée visiteuse.

Oui, il questionnerait de nouveau son homme pour lui tirer les vers du nez au sujet de cette nuit d'orage, peut-être nuit d'enfer, qui avait fini par assombrir le jour des noces de la fille à Maurice et Marie-Jeanne Nadeau.

Bossu continuait de se ronger les sangs, étendu sur son lit dans une chaleur importante, tout en dégageant son nez de résidus écoulés depuis les sinus et qui avaient durci dans ses narines. Il roulait machinalement les crottes en boule et les jetait sur le plancher où des insectes bousiers en feraient peut-être leur repas.

Il y avait la tristesse de son passé pour affliger son âme, il y avait la dureté de son présent pour endolorir son coeur, il y avait surtout le remords lourd et constant pour traumatiser sa conscience. Car l'épidémie échangiste semblait en voie de se répandre par tout le rang comme la grippe espagnole de 1918. Et c'est lui qui s'était fait le porteur de ce virus du péché mortel de la chair. Et voici qu'à travers ce vif remords émergeait la tête hideuse du désir violent auquel il ne pouvait pas céder, auquel il devait faire barrage à tout prix... Car les plaisirs de la chair lui seraient toujours défendus ou bien il devrait choisir l'enfer comme lot d'éternité. Le moindre toucher sur son corps commandait auto-accusation au confessionnal, regret et expiation. Sans compter le ferme propos de ne plus jamais recommencer.

Que ferait-il donc du restant de sa journée ?

Peut-être essayer d'escalader la montagne pour dompter ses sens ? Mais il risquait gros à entreprendre pareille démarche aussi risquée pour lui...

–Juliette, viens aider maman pour laver de la vaisselle.

–On l'a lavée tantôt.

–J'ai fait des tartes aux fraises, pis j'en ai sali d'autre vaisselle. Viens !

–O.K. d'abord !

Et la fillette dut sacrifier son confort et celui de son chat pour aller travailler. Une odeur de fraises en train de cuire dans de la bonne pâte l'accueillit quand elle ouvrit la porte pour entrer après avoir délaissé *Moussue* qui protestait de quelques miaulements tout en cherchant une autre chaleur douillette dans le voisinage.

Le prêtre se demandait s'il ne devait pas faire un arrêt chez les Goulet, histoire de saluer Désirée et Pierre, puis il s'y refusa par crainte de sa propre chair qui relevait chaque fois la tête en présence de la jeune femme trop belle. D'un autre côté, ce n'était pas en fuyant la tentation qu'il la sur-monterait. Comme s'il pouvait se rendre sur la montagne sans faire les efforts pour la gravir...

Une bonne façon pour le bossu de faire taire ses sens exacerbés, c'était de marcher autour de son campe, d'en faire le tour à dix reprises tout en récitant son chapelet. Il sortit et commença de le faire, mais les appels de sa nature ne s'étei-gnaient pas pour autant. Encore moins les remords qui conti-nuaient de le ronger comme des vers voraces et insatiables.

Juliette était à essuyer des assiettes de fer-blanc quand sa mère dit, tout en regardant au loin par la fenêtre :

–Y a une machine qui tourne dans le rang. On dirait que c'est monsieur le vicaire. J'me demande c'est quoi qu'il vien-drait faire dans le cinquième rang aujourd'hui, lui ? C'est pas le temps de la visite de paroisse. Peut-être qu'il s'en va faire un tour su' la montagne... En tout cas, on va ben voir si c'est à nous autres qu'il va rendre visite...

Non, même s'il avait su que Pierre était parti à la pêche, le vicaire ne s'arrêterait pas chez les Goulet, pas plus que

chez les Fortier, les Rousseau et les autres des dix cultivateurs du rang. Son but resterait de se rendre sur la montagne
puis de voir le bossu et rien ne saurait l'en détourner. C'est la
raison pour laquelle à l'entrée du rang, il accéléra, quitte à
empoussiérer les demeures et sa voiture.

Couët continuait de marcher en se bringuebalant. À chaque pas, il jetait au ciel un morceau d'Avé; et entre deux
dizaines, il concoctait des invocations qu'il beurrait de bonnes intentions et présentait à la Sainte Vierge pour qu'elle
s'en nourrisse et le paye de retour en le libérant des chaleurs
irrésistibles que le démon injectait dans ses veines.

On entendit le bruit de pneus qui glissent sur le gravois.
Juliette courut à une fenêtre d'en avant et vit l'auto du prêtre
s'arrêter un peu plus loin, comme si le vicaire avait soudain
changé d'idée et décidé de s'arrêter.

–C'est quoi qu'il arrive ? demanda Désirée à sa fille.

–Monsieur le vicaire... il débarque de sa machine...

Et l'homme en noir parut un moment interdit, puis aligna
des pas longs et pressés vers la maison des Goulet.

–S'en vient icitte ! clama Juliette qui retourna à l'évier
auprès de sa mère.

L'abbé Morin se mit le nez dans la moustiquaire et dit
quelques mots en attendant que ses pupilles s'adaptent à un
éclairage moins violent que celui du plein soleil de cet
après-midi-là.

–Monsieur Pierre, madame Désirée ? Ah, tiens, madame
Goulet... Suis un peu embêté de vous dire ça, mais...

Il ne poursuivit pas et attendit que la femme s'approche
pour reprendre la parole :

–... sans le faire exprès, je viens d'écraser un de vos chats
avec mon automobile. Il a passé devant moi sans crier gare,
vous imaginez bien.

—Ah, mon Dieu, les chats, c'est pas ça qui manque icitte. On en a sept ou huit dans les bâtiments tout partout.

Derrière elle, Juliette fut saisie de stupeur. Elle songea aussitôt à *Moussue*, son chat à elle. En fait, il s'agissait d'une jeune chatte qu'elle considérait comme sa soeur en miniature et chérissait comme un enfant.

—Maman, tassez-vous un peu, j'veux aller voir.

Et l'enfant sortit malgré le prêtre qui dut reculer sa bedaine afin de laisser la porte s'ouvrir. Et elle sauta en bas de la galerie, puis courut vers le milieu du chemin où gisait le cadavre allongé, étripé de *Moussue*. Son coeur fut écrasé plus encore que le corps de l'animal.

—C'est son chat, confia la mère au prêtre.

—Je vous dis que je l'ai pas fait exprès. Vraiment ! L'avoir vu sauter dans le chemin... En fait, je l'ai vu et j'ai freiné, mais il était déjà trop tard.

—Un accident, c'est un accident ! Pourvu que ça soit pas un enfant...

—Une chance, oui.

Juliette se pencha et ramassa le corps en le prenant par les pattes avant. Du sang et des humeurs coulaient par terre et les deux yeux pendaient de chaque côté du museau. Elle revint vers la maison. Désirée sortit alors que le vicaire regardait venir le fillette au visage figé dans une grimace douloureuse.

—Monsieur le vicaire l'a pas fait exprès, tu sais. Et puis, ton chat, tu peux être sûre qu'il est rendu au paradis des chats. C'est que vous en dites, monsieur le vicaire, vous ?

—Tiens, je vais bénir son corps.

Juliette déposa la carcasse massacrée au pied de la galerie et demeura interdite à le regarder.

—Tu vois, monsieur le vicaire bénit *Moussue*. Pis il te bénit, toi itou, Juliette. Tu peux faire ton signe de croix. Une bénédiction rien que pour toi pis son chat, c'est pas tous les jours que ça arrive.

Un peu et Désirée aurait demandé à sa fille de remercier le prêtre d'avoir écrabouillé sa petite bête adorée. Juliette en aurait le coeur gros toute la journée et le lendemain alors qu'on enterrerait le cadavre de *Moussue* au pied du tas de fumier derrière la grange.

Le prêtre s'excusa encore auprès de la femme. Et avant de partir, il s'adressa à Juliette qui ruminait sa peine, assise au bout de la galerie, accrochée aux planches avec ses mains, la tête basse et les pieds angoissés qui gambillaient au-dessus de zinnias qu'on appelait vieux-garçons chez les Goulet et autres cultivateurs du rang :

–Ta mère a dit que vous en avez six ou sept encore, des chats. Tu n'auras qu'à t'en choisir un et quand je vais repasser par ici, je vais m'arrêter pour le bénir. Qu'est-ce que t'en penses ?

–Merci, monsieur le vicaire.

Témoin de la scène, Désirée intervint :

–J'te jure que c'est pas tous les enfants de la paroisse qui auront la chance d'avoir un chat béni. Dis merci encore une fois à monsieur le vicaire !

–Merci, monsieur le vicaire !

En raison du petit incident triste survenu chez les Goulet, le vicaire ne fut pas, ce jour-là, interpellé par l'étrange beauté de la jeune femme, par ce mystère qu'il décelait en son âme et ne parvenait pas à percer. Il remonta dans sa voiture et redémarra après des salutations bien appuyées.

Le bossu achevait son dixième tour de la cabane quand il perçut le moteur d'une automobile puis la terminaison du bruit entendu. Quelqu'un venait au fond du rang. Et puisque c'était en auto, il devait s'agir de quelqu'un du village, peut-être un prêtre, peut-être le docteur Arsenault ou bien l'un des frères Bussières, eux parmi les rares à posséder un véhicule à moteur dans la paroisse.

Couët ne fut donc guère surpris d'apercevoir entre les branches d'aulnes sur le sentier menant à son campe une soutane noire qui battait sur les jambes du visiteur et ne tarda pas à révéler son identité.

–D'la belle visite dans le fond du rang ! s'exclama-t-il de sa grosse voix quand le prêtre fut à portée d'écoute.

–Je voulais voir si vous étiez à la maison, Odilon. Pour l'heure, je dois aller sur la montagne.

–Je gage que vous allez clôturer le carré de la future chapelle.

Bossu posait son regard sur la douzaine de petits pieux que le prêtre transportait dans ses bras.

–En plein ça ! Pis ensuite, j'aimerais qu'on se parle.

–Moé, j'vous dirai que j'sus pas capable de monter su' la montagne. Au mieux, je peux me rendre là, dans la craque : y a un p'tit chemin pas à pic pour arriver là. Mais su' l'faîte, pas capab'...

–C'est beau de même. Moi, je vais aller faire ma besogne en haut et ensuite redescendre pour venir jaser un peu avec vous.

–Je m'en vas vous attendre avec impatience.

Le vicaire leva la tête et regarda en plein dans la craque qu'il examina. S'il avait déjà vu le sexe féminin quand la femme tient ses jambes ouvertes, il aurait compris pourquoi on désignait la montagne par ce substantif pas très élégant et surtout bien peu chrétien. Il avait devant son regard une sorte d'orifice pratiqué dans le roc par quelque rocher de l'époque glaciaire et adouci, peut-être approfondi, par l'érosion. Tout autour, au bas comme en haut et de chaque côté sur les parois inégales, des arbres s'étaient enracinés tandis que de l'eau venue de l'intérieur de la montagne mouillait les rebords de la puissante crevasse là où le roc pur était visible.

L'ensemble était sombre, jamais directement éclairé par les rayons solaires et quiconque s'y rendait y trouvait la fraîcheur et des odeurs enivrantes de plantes sauvages comme celles des sous-bois humides.

–Comme ça, vous pouvez vous rendre là, dit l'abbé avec un signe de tête en direction de la fente millénaire et pourtant fraîche comme le printemps.

–J'y vas des fois. De là, on peut voir au loin pas mal. Ça change les idées.

–Bien sûr, on doit y voir la flèche de l'église en premier ?

–Ben oui, ben oui !

–Depuis le presbytère, on peut voir la... J'irai une bonne fois. Vous m'y conduirez.

–Ça m'fera plaisir, grand plaisir.

–En attendant... attendez mon retour de là-haut.

Bossu adressa un sourire et une supplique au vicaire :

–Vous allez être plus proche du bon Dieu là, su' la montagne : vous y demanderez de laisser tomber su' moé sa bénédiction.

–Avec la mienne ! s'exclama le prêtre qui fit vers le bossu le signe de la croix auquel l'infirme répondit par un autre signe de croix.

–Vous devez savoir que le chemin qui mène su' la montagne, c'est de c'te bord-là ?

–Bien sûr, bien sûr !

Et le prêtre se remit en marche en prenant par la gauche de la masure. Il jeta un ultime coup d'oeil à la cavité qui faisait bien les deux tiers de la hauteur totale de la montagne et lui trouva une allure d'entrée de caverne. Quelque chose le fascinait dans cette mystérieuse anfractuosité encerclée de sombres végétaux, et il faudrait bien qu'il y trouve un heureux refuge un jour ou l'autre.

Puis une idée bizarre lui traversa l'esprit. "Et si c'était là que désirait se rendre la possédée de Saint-Évariste et non point chez le bossu qui demeurait tout près ? Et si quelque démon avait établi ses pénates en ce lieu peu fréquenté d'où quand même, il pouvait surveiller la région entière ?"

Le bossu n'avait rien d'un ivrogne, sauf qu'il fabriquait son propre vin à base de pissenlit ou de cerise. Cela donnait une boisson au goût verjuté. Rien d'excessif et on vantait sa mixture, les hommes surtout qui n'avaient pas peur des petits boires bien plus poignants que le sien. Une bouteille neuve et des verres attendaient déjà sur la table. Et le prêtre accepterait sûrement de partager ce liquide rosé qui semblait posséder le pouvoir de faire briller le cristal qui le contenait quand il en servait à la visite rare.

Le vicaire parvenait au faîte de la montagne. Il fut surpris d'y trouver une multitude d'arbres rabougris. Tout en figurant la tâche qu'il faudrait accomplir aux hommes de la corvée le dimanche suivant, il reprit son souffle. Et prenait conscience que sa forme physique n'était pas des meilleures. Et se promettait d'agir, de maigrir, de marcher plus, de bâtir, de faire, de ne pas travailler que de la tête mais aussi de tout le corps, de moins réfléchir pour mieux fléchir les genoux, et de les fléchir moins pour prier que pour faire de l'exercice physique. Ou bien, préférablement, les deux...

Puis son regard prit son envol. Ce fut tout d'abord la puissante flèche de l'église de Saint-Léon qui s'empara de toute son attention et suscita sa réflexion. Quelle belle paroisse catholique ! Des pécheurs par tous les rangs mais qui péchaient bien peu somme toute. Du bon monde. Du monde pauvre. Mais du monde riche de coeur.

Il y avait tant à voir qu'il voulut tout voir d'un coup. De là-haut, l'on pouvait apercevoir quatre autres flèches d'église: quel beau pays que ce pays ainsi parsemé d'églises érigées à la gloire du Seigneur Dieu ! Et cette nature grandiose offerte à l'homme pour sa survivance par un bienfaiteur à l'incomparable générosité, à l'incommensurable mansuétude. Dans le lointain, d'autres sommets, aux formes bleues, aux irrégulières harmonies et parmi eux le mont Saint-Joseph qui deviendrait une sorte de frère jumeau de la montagne de Saint-Léon quand serait élevée la petite chapelle projetée.

Bon... il fallait maintenant repérer et délimiter le périmètre le plus souhaitable pour que la bâtisse ne soit pas trop exposée aux quatre vents tout en se faisant visible au loin à la ronde. Cela fut fait. Le prêtre déposa ses pieux au beau milieu, puis trouva une pierre ronde qui lui servirait de marteau. Et bientôt, une ficelle tendue devint l'enclos choisi. Pas certain que le rectangle soit formé de quatre angles droits, mais cela incomberait au forgeron Maheux et ses hommes qui seraient sur place avec leurs outils et matériaux dans quelques jours.

Alors qu'il venait de terminer sa tâche et s'apprêtait à redescendre, l'abbé sursauta quand une voix s'exprima derrière son dos :

–Si c'est pas monsieur le vicaire qui vient préparer le terrain pour les hommes de la corvée !

Le prêtre se retourna et reconnut aussitôt Romuald Rousseau qui se tenait les mains sur les hanches et dont des mèches de cheveux se balançaient au gré du petit vent venu de l'ouest.

–Que vous m'avez fait peur, vous. Je ne vous ai pas entendu venir. Vous marchez comme un loup... ou peut-être un ours.

–Ni loup ni ours : rien que moé !

–Je m'attendais pas à voir quiconque ici cet après-midi.

–Sus là. J'vous ai vu passer dans vot' machine. Vous avez arrêté su' Pierre Goulet. Ensuite, vous avez continué jusque su' l'bossu. Suis venu voir le bossu qui m'a dit que vous étiez parti pour le haut de la montagne. Me v'là pour vous aider, mais on dirait que j'arrive en retard. Les piquets sont plantés pis les cordes posées.

–Vous voyez, Romuald, j'ai fait ici le même travail qu'auprès des âmes : je prépare le terrain et ensuite, ce sont les âmes –ou les ouailles si vous préférez– elles-mêmes qui exécutent le travail, comme ça se fera dimanche prochain. Vous serez ici, j'espère ?

–J'voudrais ben que quelqu'un essaye de m'en empêcher. Je vas avoir mon marteau, du clou, des planches. Ma femme va venir elle itou. C'est une grosse 'courvée' qui s'annonce : tout le monde du rang sera là. Ça va lever, c'te bâtisse-là que ça niaisera pas.

Le prêtre soupira :

–Y a tellement de braves gens dans la paroisse de Saint-Léon, et particulièrement dans le cinquième rang... Non, mais quelle belle noce ce fut vendredi chez madame et monsieur Nadeau !

L'oeil de Rousseau se remplit d'ironie et sa bouche livra une approbation fallacieuse, non fondée :

–Des bons chrétiens, c'est rien que ça qu'on a dans le cinquième rang. Du monde à leurs 'afféres'. Ça se dérange pas avec la boisson. Ça blasphème pas. Pis j'pense que vous avez jamais dû entendre un péché mortel contre les bonnes moeurs à votre confessionnal.

–Ce qui se dit au confessionnal est sous le coup du secret inviolable de la confession, vous le savez bien, Romuald.

–Je le sais, pis j'vous demandais pas de me répondre non plus. Ça serait fantasque de ma part...

Plusieurs pieds en contrebas, le bossu suivait à son rythme le sentier qui menait à la grande cicatrice que la nature avait faite à l'avant de la montagne. Il s'y rendait seul deux à trois fois par été pour admirer les environs et se donner l'illusion qu'il se trouvait au faîte de la montagne d'où il pouvait non seulement jouir du panorama mais aussi le modeler aux cent façons de son imagination.

Les vaches avaient tracé le sentier bien des lunes auparavant; elles l'entretenaient de leurs sabots patients. Plus elles s'élevaient vers le ciel, moins il se trouvait d'insectes piqueurs, pondeurs de parasites et buveurs de leur sang pour les achaler, les tourmenter. Sans doute un effet du vent plus présent là qu'en bas.

Les bêtes domestiques ne pouvaient toutefois atteindre le pied de la grande craque vu que le sentier devenait abrupt sur une trentaine de pas vers sa fin. Alors, le bossu s'aidait des petits arbres qui poussaient de chaque côté de la piste pour amener son corps malhabile et disgracieux jusque dans l'antre du rêve évcillé.

Mais alors qu'il y trouvait refuge, évasion et répit dans une vie dure, pleine d'embûches et douloureuse, Couët, ce jour-là, était plongé dans le remords et l'inquiétude. Car ce n'était pas Rose Lafontaine qui avait amené le diable dans le cinquième rang, c'était lui, par son colportage des propos malsains du père Morin. Cent fois, il se l'était dit depuis quelques jours, mais voici que la première visite de Rousseau et ses confidences l'avaient complètement viré à l'envers, bouleversé, transi de la crainte de Dieu.

Il parvint un premier moment à se distraire en examinant les clos de foin des terres à Josaphat Poulin et Albert Martin, pensant que la récolte ne serait pas 'vargeuse' cette année-là, ce qui n'aiderait pas à une difficile survie de temps de crise. Puis il laissa son regard voler vers des lointains vaporeux, bleus, gris, inaccessibles. Et son imagination dessina dans une formation nuageuse au fond de l'horizon le si beau visage de Delphine...

Des voix distantes le ramenèrent abruptement à son regret montant. Le silence environnant et le vent aidant, il put même distinguer les mots et les phrases que s'échangeaient là-bas, au-dessus, le vicaire et Romuald Rousseau.

–Les bonnes moeurs, c'est la plus grande fierté de cette

belle paroisse ! s'exclamait le clerc.

—Vous voulez dire quoi, au juste, avec ça, monsieur le vicaire ?

—Avec quoi ?

—Les bonnes moeurs, ça veut dire quoi ?

—Ça veut dire le respect des sixième et neuvième commandements. Vous savez, Romuald, ce péché-là, celui de la chair, est si dangereux qu'il aura fallu deux commandements sur dix pour le contrer, le prévenir, lui faire échec. "*Impudique point ne seras de corps ni de consentement.*" Voilà le sixième commandement. "*L'oeuvre de chair ne désireras qu'en mariage seulement.*" Et cela veut dire que la seule chose permise à ce chapitre, c'est le rapprochement entre un homme et une femme mariés devant l'Église, rapprochement ou si vous voulez devoir conjugal, qui a pour seul et unique but la procréation.

—Mais...

—Y a pas de mais, c'est ainsi, Romuald.

—J'veux dire... c'est quoi qu'il arrive pour des couples mariés qui sont stériles. Pas capables d'avoir des enfants. On dirait que c'est le cas pour... les Pépin, icitte dans le rang, pis Josaphat pis Joséphine Poulin.

—Stérile depuis le mariage ne veut pas dire stérile pour toujours. Donc leurs rapprochements sont licites.

—Mais quelqu'un qui peut pas avoir 'parsonne' dans sa vie... quen, j'pense au bossu Couët... ça voudrait dire que tout ce qu'il pourrait faire pour... disons se délivrer de la tentation, ça serait un péché mortel.

—Certainement !

—C'est injuste en calvènusse, trouvez pas ? Il pourra jamais avoir une créature avec lui chez eux... J'veux dire...

—Une épouse légitime : non. Sans doute pas. C'est une épreuve de plus qu'il lui faut traverser. Ce n'est pas parce qu'on est né bossu ou avec une autre infirmité qu'on est exempté de l'observance des commandements, et qu'on est exempté de l'enfer si on manque à telle observance.

Jamais l'on n'avait énoncé aussi clairement devant lui ces principes stricts, et le bossu sentit le remords en lui atteindre de nouveaux sommets, dépasser le faîte de la montagne pour foncer vers la nuit profonde de l'incompréhension des vues du bon Dieu. Pourquoi lui avait-on refusé un corps normal, une vie normale, une famille normale, un bonheur de vivre normal, une santé viable, un droit à l'amour charnel et pourquoi, s'il avait le malheur de céder à la tentation, de déroger aux lignes de conduite pour lui rendues intolérables par le temps, serait-il condamné à la damnation, au feu éternel ? Non, tout cela ne pouvait pas avoir de sens. Et il se devait de questionner ces choses-là... Mais questionner les vues de Dieu, c'était déjà aller contre sa volonté...

–Pis si un homme à grosse santé regarde un peu trop longtemps la femme de son voisin ?

–Manquement au neuvième commandement. C'est clair et net. Ça ne se fait pas. C'est un péché. Et le péché est odieux à la vue du bon Dieu.

–En tout cas, c'est pas moé qui vas commencer ça... C'est la première fois que j'parle de ça avec un prêtre en dehors du confessionnal.

–Le confessionnal, c'est pas forcément à l'intérieur d'une église, vous savez, Romuald. J'ai entendu des confessions en bien d'autres lieux. Même dans une grange une fois alors qu'un homme dans la paroisse de mon premier ministère s'était fait arracher un bras par une batteuse et que, pour ainsi dire, sa vie s'écoulait hors de son corps. Immense grâce pour lui, je me trouvais chez le voisin quand l'accident s'est produit. C'est le bon Dieu qui m'avait conduit là au bon moment. Il m'a confessé tous les péchés de sa vie, je lui ai donné l'absolution puis il a expiré sous mes yeux là même, dans la batterie de la grange. Pauvre homme ! Pas cinquante ans encore.

–Ça arrive, des accidents de même. C'est ben de valeur pareil. Mais quoi voulez-vous ?...

Une trentaine de pieds plus bas, Bossu Couët s'était accroché le postérieur à une arête rocheuse qu'il utilisait comme banc pour prendre un peu de repos. Et cette manière de faire lui permettait de mieux tendre l'oreille aux propos culpabilisants tenus là-haut. Devant lui se trouvait un cèdre penché au tronc tordu et qui trouvait son alimentation en nutriments dans l'impossible de son environnement. En ce végétal peu choyé, Couët voyait sa propre image. Lui aussi devait se contenter de moins que rien. Lui aussi devait croître dans l'anormalité. Lui aussi était ignoré du monde entier mais aurait été arrosé de quolibets ou de pitié s'il avait pris racine en un lieu fréquenté et pas dans cet isolement protecteur.

L'esprit vacillant de l'homme infirme parvint à se reprendre d'attention pour l'échange entre les deux hommes sur la montagne.

–Là-dessus, je vais redescendre. Monsieur Couët m'attend en bas. Je lui ai dit que je le visiterais sur le chemin de retour.

–Je m'en retourne avec vous.

Le prêtre fit un signe négatif :

–Je dois voir seul monsieur Couët.

–Ben j'comprends ça. Mais faut que j'passe par le même chemin pour retourner dans le rang pis à la maison.

–J'ai eu l'impression que vous aviez quelque chose à me dire tout à l'heure... Je ne sais pas, quelque chose que vous ne comprenez pas très bien.

–Ça se pourrait ben.

–Venez, on va jaser de ça en descendant.

Cette dernière partie de l'échange ajouta considérablement au trouble que ressentait le bossu, embusqué malgré lui
dans la grande craque de la montagne, et en train de reprendre son souffle devant un arbre aussi malbâti que lui. Que
dirait Romuald Rousseau au prêtre ? Lui révélerait-il ce qui
s'était passé ces derniers jours dans le cinquième rang, et qui
offensait tant les bonnes moeurs en plus d'attirer sur la paroisse la colère du ciel ? Lui apprendrait-il que celui par qui
le scandale arrive avait pour nom Odilon Couët ? Il le sentait, le presbytère lui lançait déjà la pierre à cause de la malheureuse qui avait échoué chez lui et passé l'autre nuit dans
sa maisonnette. Et dire qu'il ne pourrait même pas se rendre
lui aussi sur la montagne pour la corvée du dimanche suivant. Encore exclu. Encore à part. Encore en marge de tout.
N'était-il pas déjà assez mal-en-point et ensanglanté par le
mauvais sort ?...

***

Chapitre 31

–On a décidé de venir veiller avec vous autres si ça vous dérange pas trop.

–Ben non ! Pantoute ! Rentrez !

Romuald Rousseau ouvrit aussitôt la porte à moustiquaire devant les visiteurs, les Fortier, voisins de biais.

Dora était mue par la curiosité. Ce que leur voisin avait rapporté ce jour-là de sa recherche du côté des Pépin ne la satisfaisait guère, et elle devinait qu'il se trouvait anguille sous roche.

"*On nous cache quelque chose de ce qui se passe dans le rang,*" avait-elle confié à Jean-Pierre pour l'inciter à l'accompagner chez les Rousseau en ce début de soirée dominicale.

Le couple était resté endimanché toute la journée. La chaleur avait baissé. Une brise de soir asséchait l'air ambiant. Un gros soleil rouge baissait sur l'horizon, bien au-delà de la montagne. On ne pouvait de là apercevoir son reflet sur l'eau du lac puisque le plan d'eau n'était pas visible depuis la demeure des Rousseau.

–Ma femme achève de laver la vaisselle. On a soupé pas mal tard à soir.

–Je m'en vas l'aider à finir son barda, fit Dora qui, sans

attendre, entra et aligna des petits pas vifs vers l'évier et Georgette qui l'accueillit avec maints gestes approbatifs et mots de bienvenue.

Jean-Pierre, qui n'avait pas endossé sa veste et l'avait gardée sur son bras, fut invité à l'accrocher à une patère près de la porte. Et il suivit son hôte dans la cuisine.

–Quen, assis-toé, on va piquer une jase.

–Ça fait longtemps qu'on a pas veillé ensemble. On s'est dit que vu que vous avez pas d'enfants à la maison, vous deviez vous ennuyer un peu le dimanche au soir.

–Y a Arthurette qui nous a téléphoné de Sherbrooke après-midi. Mais j'étais pas là. C'est ma femme qu'a répondu. Après être revenu de voir Francis Pépin, j'sus r'parti aussi vite pour aller su' l'bossu Couët. Finalement, j'sus monté su' la montagne, pis là, j'ai parlé à monsieur le vicaire qui venait de dessiner le carré de la chapelle avec des piquets pis des cordes.

Et l'on parla abondamment de la corvée du dimanche à venir et de la pertinence de construire pareille bâtisse par temps de crise alors que le quotidien de chacun ployait sous le joug de la nécessité et de la rareté. Fortier parla pesamment pour conclure :

–J'ai pour mon dire qu'on aurait pu attendre un an ou deux avant de lever une chapelle su' la montagne. Mais, ça m'empêchera pas de faire ma part. J'ai pas envie de faire autrement des autres.

–C'est ben ça que j'me dis, moé itou.

Georgette, qui prêtait oreille depuis son ouvrage, prit la parole :

–Ben moé, j'pense que c'est pareil pour tout le monde. Ça se suit comme des moutons.

Jean-Pierre se sentit piqué au vif :

–Mouton, mouton, j'veux pas me mettre la paroisse à dos. On dirait que Jean-Pierre Fortier est rien qu'une maudite tête croche. Qui c'est qui voudrait marcher autrement qu'au pas, hein ?

–T'as ben raison ! J'te critique pas pantoute, fit Georgette. On est pris dans l'enchaînement... dans le grand engrenage... les alluchons comme dirait mon mari. On fait jamais ce qu'on veut, on fait ce que monsieur le curé veut pis ce que monsieur le vicaire veut, pis ce que le pape veut, pis sinon, on se fait excommunier pis quasiment damner avant même de passer l'arme à gauche.

–C'est pas vrai pour tout le monde, moé, j'peux vous le dire, vous le garantir.

Le ton pris par Romuald pour dire cela ne laissait aucun doute sur le fait qu'il savait des choses que les trois autres ignoraient. Dora sentit le bon moment venu de lui tirer les vers du nez. Elle devinait qu'il se passait des choses bizarres dans le cinquième rang et croyait encore plus fort que Rousseau, lors de sa visite chez les Pépin cet après-midi-là, en avait appris bien plus qu'il n'en avait dit plus tard au téléphone. Il fallait le provoquer davantage et insister pour tout savoir, de ce qu'il cachait.

Elle parla en s'adressant à lui, assiette dans une main et linge à vaisselle dans l'autre :

–Si tu veux nous faire croire, faut pas juste dire qu'on doit te croire. T'es pas un curé, toi. On croira c'est que tu dis si tu donnes un exemple, un vrai exemple.

–J'en ai un, j'en ai un.

–On aimerait ben entendre ça, enchérit Jean-Pierre qui se pencha vers l'avant sur sa chaise berçante et croisa ses mains épaisses.

–J'vous l'dirais, pis c'est pas sûr que vous allez me 'crère'. Pas sûr pantoute.

–Dis toujours ! lança Georgette qui, à son tour, s'était mise à redouter son mari.

–Ben après-midi, j'ai vu de quoi qui est pas contable.

Les deux femmes s'accrochèrent le postérieur au rebord du comptoir de l'évier pour mieux montrer leur attention et leur intérêt. Georgette lança aussitôt sur le ton de l'ironie provocante :

–Parce que tu penses qu'on n'est pas capables, nous autres, les femmes, d'entendre ça ?

Dora y alla de sa supputation :

–Ben moi, j'pense que ça aura rapport avec les propos du père Morin pis colportés par le bossu Couët, lui, là, pis sa babine dépendue.

–D'abord que vous devinez tout', j'aurai pas besoin de vous l'dire.

–Envoye, parle, ou ben on te tire des assiettes par la tête, Romuald Rousseau.

On était accroché à ses lèvres. Il se recula sur sa chaise et entama :

–J'vas vous dire c'est quoi que j'ai vu pis entendu su' Pépin après-midi... Écoutez ben ça...

Pendant ce temps, il se disait des choses sur la ligne téléphonique. Les cinq couples échangistes savaient que Rousseau avait ravaudé par tout le cinquième rang durant la journée. D'abord, il était venu chez les Pépin, s'était rendu dans l'étable, avait probablement entendu des paroles révélatrices. Et peut-être avait-il transporté ces indiscrétions d'un bout à l'autre du rang, surtout chez le bossu, et encore plus aux quatre vents sur la montagne où on savait qu'il avait rejoint le vicaire Morin.

À mots couverts, on se dit qu'il faudrait tenter d'intégrer les Rousseau au groupe des cinq. Que les femmes devraient l'accepter même si un sacrifice leur serait demandé vu la mauvaise hygiène de Romuald. Et puis, on lui glisserait en mots pesés qu'il devrait prendre un bain dans la cuve un jour d'échange prévu. Tiens, on en ferait une règle.

Mais déjà le message était passé, clair et net. Et il portait. Alors qu'il racontait ce dont il avait été témoin chez les Pépin, Rousseau songeait à ce constat de malpropreté qu'on avait fait sur sa personne et il prit garde de ne pas révéler la chose même si elle planait comme une ombre au-dessus de sa journée.

Il conclut :

—Comme vous pouvez voir, c'est pas tout le monde qui fait comme les curés veulent. Eux autres, les 'frappeurs', ils doivent penser que... ben y a pas de péché là-dedans. Vous en dites quoi, vous autres ?

Georgette prit aussitôt la parole pour faire une opposition qui n'en était pas vraiment une, en tout cas pour elle :

—Moi, ce qui me tracasse là-dedans, c'est qu'une femme pourrait se retrouver enceinte du voisin.

—Ça pas d'lair de peser ben fort dans la balance, ça.

Dora prit la parole à son tour :

—Je les condamne pas, moi... même si j'serais probablement pas prête à embarquer là-dedans.

Le 'probablement' avait tout un poids dans son dire et laissait entendre que la porte était à tout le moins légèrement entrouverte.

L'idée du vieux Morin avait fait du chemin, semblait-il, dans toutes les consciences et même qu'elle avait fait un gros millage en peu de temps. On se sentait en arrière et en retard chez les deux couples en présence. Il y avait urgence de rattraper, de reprendre le temps perdu.

Romuald, que les scènes et propos du jour avaient survolté, donna un coup de pied dans la porte, lui :

—Ben moé, écoutez, j'me gênerai pas pour dire que si toé, Georgette, ça te ferait pas fâcher, j'dirais pas non à essayer ça pourvu... pourvu, je dis ben, que ça se passe entre nous quatre icitte présents. Jean-Pierre, t'es un bon voisin, j'sus pas jaloux de toé. Pis toé, Dora, ben t'es pas déplaisante à r'garder pantoute, là...

La jeune femme dit placidement avec un sourire à peine esquissé :

–D'abord qu'ils veulent nous mettre de côté, on est capab' de s'débrouiller nous autres itou.

Peu loquace mais femme qui n'avait pas froid aux yeux, Georgette mit sur la table une phrase décisionnelle :

–D'abord que c'est de même, moi pis Jean-Pierre, on va s'en aller en haut; pis vous autres, prenez ma chambre en bas. On va leu' montrer...

On était entre chien et loup. Le soleil avait encore baissé au fond de l'horizon. L'éclairage ayant faibli, il aurait fallu allumer une lampe ou plus d'une. Personne n'en suggéra l'idée.

–Avant, j'aurais rien qu'une question, moé, Romuald. En as-tu parlé au vicaire, de ce que t'as vu dans la grange à Pépin ?

–Pantoute ! J'dénoncerai jamais 'parsonne' pour ça.

Sa femme l'approuva :

–C'est ben correct, ça. Bon, ben viens, Jean-Pierre, on s'en va en haut, nous autres, toi et moi.

L'homme au coffre de bison, presque muet jusque là, suivit docilement sa nouvelle partenaire après un dernier coup d'oeil de connivence échangé avec son épouse. Déjà, il avait surgi un important consentement entre ses jambes. Entre-temps, Romuald s'était rendu à l'évier et il pompait de l'eau dans un plat. Georgette, qui avait gravi trois marches, s'arrêta pour s'étonner :

–Veux-tu ben m'dire c'est quoi que tu fais avec ton plat d'eau ?

Il rougit sous sa peau brune :

–Ben... tu comprends...

Elle vint à sa rescousse :

–Ah oui, c'est pour te laver ! C'est ben sûr que c'est une bonne idée.

–J'ferais pareil, moé, fit Jean-Pierre. Auriez-vous un autre plat des mains pour moé ?

–J'vas t'en trouver un que ça sera pas long.

Cette fois, les deux femmes s'échangèrent un regard entendu. Comme pour se dire : "*Si faut une autre femme dans leur lit pour rendre les hommes propres, on va changer de partenaire chaque fois.*"

Et c'est dans le clair-obscur que les deux couples se séparèrent. Là-haut, Jean-Pierre s'arrêta dans la première chambre à la demande de Georgette afin qu'il puisse s'y adonner en toute intimité à ses ablutions appelées à le rendre plus désirable ensuite.

En bas, Romuald posa le plat sur la commode de la chambre et trouva une serviette dans un tiroir. Puis il retourna à la cuisine chercher une brique de savon. Au retour, il trouva Dora assise sur le lit, en attente.

–Comment c'est que tu te sens ?

–J'ai le coeur qui vire vite à plein.

–Pis le mien, tu penses. Mais là, j'me lave ben comme il faut. C'est essentiel.

–Moi, j'ai pris un bon bain dans la cuve à matin, de bonne heure, avant que les enfants se lèvent.

–Les enfants, ils sont capab' de s'garder tuseu ? Ton plus vieux est pas ben vieux encore.

–Roland, il a sept ans ben comme il faut, lui. Il est jeune, mais fiable. J'ai pas peur : il sait qu'il faut pas jouer avec le feu. En plus qu'on a le chien *Médard*.

–Un saint-bernard, ça prend bon soin des enfants.

Romuald avait parlé tout en se dénudant jusqu'à la taille,

puis commença de se frotter vigoureusement avec l'eau savonneuse dont la serviette était imbibée.

–Pis ça fait du bien en plus, d'abord que la journée a été pas mal chaude.

–Pour en revenir à la grange à Francis, comme ça, t'as rien vu de tes yeux comme on dit ?

–Non, mais tout entendu. Pis la Marie-Louise avec Joseph, là, j'pouvais leu' sentir l'odeur tellement ils étaient proches de moé. J'ai pas perdu un mot de c'est qu'ils ont dit.

Il se fit une pause. L'homme demanda ensuite :

–T'as pas peur, toujours, ma belle Dora ?

–J'sais pas comment que tu vas m'trouver. J'sus maigrichonne pas mal.

–Ça, ça m'attire. En plus que c'qui compte, c'est ton envie de faire ça avec moé. Si t'en as envie, pis que j'en ai envie – t'as pas besoin d'avoir peur, moé, j'en ai envie– ben ça va marcher comme su' des roulettes, tu penses pas ?

–Y a des femmes qui aiment pas ça, le devoir conjugal, mais moi, j'aime ça, de coutume. Je fafine jamais quand Jean-Pierre ressent des besoins. Pis ça, c'est quasiment à tous les jours.

–Nous autres, c'est pareil. Cinq, six fois par semaine...

Romuald mentait. Mais il ne voulait pas être en reste par rapport à son voisin. Tout homme vantard est forcément compétitif. Tout homme humble est forcément mieux doué.

Georgette n'avait gardé sur elle que son jupon. Et s'était enfouie sous un drap alors que son partenaire procédait au lavage de certaines parties de son corps. Délivré jusqu'à la taille de sa combinaison, l'homme au corps velu se rendit ainsi dans la chambre sans songer à rien d'autre qu'au plaisir anticipé. Son énergie n'avait pour égal que son désir érigé. Et il ne parvint pas à camoufler son émoi à l'arrière de sa voix ni même sous le coton de son vêtement :

–J'aurais jamais cru qu'une affaire de même arriverait en v'nant icitte à soir.

–Faut croire que ça se préparait de longue main en dedans de nous autres sans qu'on s'en aperçoive.

–Tu sauras que même si un commandement le défend, j'ai souvent pensé à toé en faisant mon devoir avec Dora. C'était plus fort que mon vouloir. Pis dire que ça se pouvait, c'que moé, j'pensais impossible.

–C'est peut-être ces pensées-là qui ont aidé à faire arriver ce qui arrive à soir.

L'homme prit place au bord du lit et poussa la suite de sa combinaison à ses pieds. Puis s'en délesta tout à fait tout en parlant :

–Pis toé, avais-tu déjà pensé que ça se pourrait entre nos deux ?

–Souvent.

–Ça me fait un p'tit velours.

–Attention, y a pas rien qu'à toi, Jean-Pierre. Y a d'autres hommes dans le rang qu'une femme comme moi accepterait de...

–Comme qui ?

–Toi, t'as toujours eu rien que ta femme pis moi en tête en faisant ça ?

–Ben...

–Conte-moi pas de menteries, là. Tous les hommes pensent aux autres femmes un jour ou l'autre, pis peut-être même à tous les jours. Romuald, quand il voit Désirée, les yeux y changent complètement. J'te jure qu'il déteste pas la Marie-Jeanne non plus. Sans compter Marie-Louise Martin ou ben Marie Roy.

–Pis Dora ?

–Dora ? Tu peux en être certain. Lui, maigre, grassette, rondelette, sont toutes attrayantes à ses yeux. Mais t'as pas répondu à ma question. Y en a-t-il d'autres qui...

Jean-Pierre souleva le drap et se glissa dessous. L'on pouvait encore distinguer les silhouettes; et l'espace d'un moment, il lui fut donné d'apprécier les rondeurs de la bien dodue Georgette. Après avoir, toutes ces années, couvert le corps émacié de Dora, voici que celui bien en chair de la voisine chargeait son énergie débordante d'une nouvelle et puissante énergie.

Il resta un moment couché sur le dos, trop ému pour faire le moindre geste. Elle reprit la parole :

—Tu veux pas me répondre, on dirait.

—Ben sûr que j'ai pensé à d'autres... à plusieurs.

—Comme ?

—Un peu les mêmes que Romuald. Plus la Joséphine Poulin. Une femme fière. En santé.

—Oui, Joséphine, c'est pas n'importe qui. Mais Josaphat, lui...

Elle soupira sans ajouter quoi que ce soit.

Là s'arrêtèrent les mots. La grosse main de l'homme toucha l'épaule de la femme, tournoya, se rendit dans le cou, les cheveux, tournoya, poursuivit sa quête en descendant sur l'avant-bras. Elle savait se faire désirer aux endroits les plus réceptifs. Que de chair à pétrir ! Que de feux à faire naître ! Que de plaisir à fabriquer !

Toutefois, Georgette s'avérait moins active, moins sensuelle peut-être que sa Dora, et Jean-Pierre se dit qu'il aurait à travailler plus fort pour gagner ses galons et répandre ses fluides corporels.

En bas, Rousseau goûtait à la formidable médecine de sa partenaire du soir. Après des attouchements sur sa chair de femme déjà à moitié offerte et l'éveil profond de son désir ardent, voici qu'elle s'emparait du corps de l'homme et du coup, de son esprit aussi, tous deux réunis dans cet organe situé au coeur de toutes les générations, ce bras droit du Créateur lui-même, l'alpha et l'oméga des races humaines.

Il y avait de l'Indien en abondance dans le sexe de Romuald; or, l'Indien est prompt, et sa chair bien moins tenace que son courage.

Avant même que les caresses mutuelles ne se transforment pour de vrai en relation bien engagée et profonde, Romuald se mit à gémir, et sa chair entraîna sa pensée et surtout sa volonté. Dora reçut sur la cuisse et la main l'hommage prématuré et abondant.

Elle ne dit rien pour un moment. Lui non plus. Une fin trop rapide a goût d'échec et d'impuissance. Elle crut en avoir trop fait. Il crut manquer de contrôle. Dora tourna la situation en leur faveur à tous deux :

–C'est rien que le commencement. On sera encore plus prêts pour...

–Pour une autre fois, c'est sûr.

Puis il mentit :

–Ça se fait tout le temps de même avec Georgette.

Elle mentit :

–Moi itou avec Jean-Pierre. Les hommes du rang sont vites sur leurs patins...

–J'sais pas pour les autres, mais...

Georgette goûtait aux mains immenses qui pétrissaient sa poitrine sans la moindre brutalité et, a contrario, avec une patience et une passion qui contrastaient avec la sécheresse empressée imprégnant les préliminaires menés par son mari chaque fois.

Elle soupirait fort et espérait qu'il la touche droit entre les jambes, mais n'osait, elle, approcher ses mains de l'homme. Elle gardait son bras gauche le long de son corps et le droit replié sur son ventre. Ce qu'elle appréciait le plus en ce moment, c'était l'odeur de propreté dégagée par le corps masculin. Voilà qui s'avérait d'une rareté avec Romuald...

Jean-Pierre, qui ne voulait pas jeter de l'eau froide sur la situation présente, regrettait toutefois que sa partenaire manquât de chaleur dans ses gestes. Dora effleurait son sexe, puis l'empoignait et alors, lui s'embrasait encore plus et toute sa vigueur allait à des attentions plus marquées, plus enivrantes. En fait, il n'avait pas du bison que l'apparence mais aussi l'extrême patience; or en cette matière, le plus souvent, cette caractéristique couronne l'amant et fait des roturiers les plus modestes les rois les plus flamboyants.

Par contre, Georgette au lit procédait par coups subits, par revirements inattendus, par surprise. D'une manière aussi soudaine qu'imprévue tant pour lui que pour elle, voici qu'elle s'empara de la verge en soupirant des mots :

–Envoye, Jean-Pierre, viens me voir.

Il suivit cette main qui dirigeait son corps d'homme vers et dans le corps de femme. Plongea sans retenue comme il savait qu'elle voulait.

Elle savait déjà, par un regard plus tôt et par sa main, que le voisin n'avait pas du bison que le coffre et, par conséquent, se sentit plutôt comblée par sa nature imposante.

Elle trouva d'autres mots, les derniers avant la fin du rapport :

–Va comme tu veux, comme tu veux...

***

Chapitre 32

Cette année-là, la dernière semaine de juin traversait la frontière de juillet un mardi, autre jour de canicule après les deux précédents. L'orage de la nuit du vendredi avait été bu par une terre avide, et les cultivateurs souhaitaient de nouvelles pluies pour que la pousse du foin atteigne son maximum.

Les caprices du ciel intéressaient bien moins les gens du village que ceux des rangs. Dans les demeures des gens ordinaires, on s'inquiétait du jour présent et advienne que pourra le jour suivant. Les légumes croissaient dans les jardins potagers mais pas un, sauf la petite salade frisée, n'était à point si tôt dans la belle saison pour consommation domestique, tout au plus leurs embryons aiguisaient-ils l'appétit de marmottes qui fouissaient à leurs risques et périls.

Il y avait des retraités dans des maisons, des chômeurs dans d'autres, des pauvres dans la plupart, mais d'aucuns comme le marchand général, le docteur, le forgeron, le notaire et les occupants du presbytère parvenaient à éviter les contrecoups de la grande crise économique. Mais si le paupérisme les exemptait, ils n'en subissaient pas moins la morosité générale, et c'est la raison pour laquelle un projet rassembleur avait été déposé sur la table du grand Saint-

Léon par le curé Magloire Lachance, ce prêtre de la mi-cinquantaine vu comme un modèle d'autorité, de rectitude, de sévérité et d'austérité. On en parlait moins que la veille et l'avant-veille, de cette érection prévue, mais l'on s'y préparait intérieurement, et rares seraient les absents sur la montagne dans l'après-midi du dimanche prochain.

Depuis qu'on avait électrifié le village au milieu des années folles, nombreux avaient été ceux qui, durant cette ère de prospérité, avaient fait l'acquisition d'appareils mus par l'électricité. Et ces nouveautés du modernisme faisaient généralement leur apparition au presbytère d'abord, chez le marchand ou le docteur ensuite.

Non seulement le curé se voulait-il bon bricoleur mais acceptait-il de se faire déclarer artiste voire expert en menuiserie légère. Il fabriquait des petits meubles, tournait des cordons décoratifs pour orner des tablettes, réparait des chaises et exécutait mille autre tâches divertissantes dans un atelier qu'il avait ouvert au dernier étage du presbytère, vaste demeure blanche qui en comptait trois au-dessus du sous-sol.

Et il fallait qu'au moins une fois la semaine, Cécile, la femme de ménage, s'y rende pour nettoyer le bran de scie, les copeaux et les résidus métalliques spiralés que produisait l'habile homme par ses rares temps de liberté à lui être consentis par son ministère paroissial.

"Un prêtre qui fait tout de ses mains, ça coûte moins cher à la fabrique !"

C'est aussi par cette phrase que s'exprimait l'admiration des ouailles pour leur pasteur de tête, eux qui ne manquaient pas non plus de s'enthousiasmer devant les qualités, réelles ou surfaites, du bon vicaire Moïse Morin.

L'abbé Lachance avait souvent épié Cécile quand elle s'adonnait à ses travaux et lui tournait le dos. Il prenait toujours pour prétexte de jauger son travail alors qu'une involontaire distraction amenait son regard à balayer la balayeuse dans ce que sa personne physique avait de plus charnel.

Ce jour-là, l'entendant vernousser dans le couloir, il lança sa voix vers la porte de son bureau laissée entrouverte :

–Madame Cécile, venez donc ici un moment !

–C'est correct...

Et la petite femme au corps d'adolescente fit son entrée sur le bout des pieds, d'un pas prudent et gauche.

–Faites pas de cérémonie, voyons, madame Cécile. Nous nous connaissons depuis des lunes et nous nous côtoyons depuis des années.

La pauvre Cécile était fortement impressionnée par ce prêtre collet monté bien haut. Et puis, elle le craignait. Elle se savait détaillée, surveillée, mais n'aurait pourtant pas cu besoin de ces regards à la dérobée pour accomplir sa tâche avec toute sa conscience. Elle restait donc sur ses gardes. Il y avait toutes ces bouches à nourrir à la maison et un mari que le travail n'appelait pas souvent. Personne n'avait d'argent pour payer des gages, et un journalier comme Arthur était le plus souvent confiné à l'oisiveté, à l'ennui et à la mauvaise humeur.

La femme fit quelques pas vers le bureau du prêtre et s'arrêta au milieu de la pièce, faisant porter le poids de son corps sur une seule jambe, et sans avoir délaissé son balai, marque de son labeur incessant.

Elle interrogea du regard l'abbé Lachance qui s'était reculé sur sa chaise à bascule dont le ressort craquait malgré le poids peu accusé de l'occupant.

–Avez-vous pensé d'aller faire l'atelier de menuiserie cette semaine ?

–Oui, mais j'y suis pas allée... encore.

–Ah ?

–J'vous ai pas vu une seule fois aller travailler là...

–Mais, ma bonne Cécile, vous n'êtes pas toujours au presbytère. En femme vaillante que vous êtes, vous voyez à deux maisons chaque jour : la nôtre, ici, et la vôtre. Et ceci n'est pas pour vous en faire blâme. Vous devez gagner la vie de la famille en ce temps de crise où la rareté de l'argent affame bien des gens dans les villes et villages de notre chère province de Québec. Et non seulement les habitants du Canada mais aussi ceux du monde entier. Vous savez, la crise est mondiale. Aux États-Unis, c'est la misère noire dans toutes les grandes villes. Et tout autant dans les petites. Les usines sont fermées. Tout tourne au ralenti. Quand ça tourne.

–Suis chanceuse de travailler pour vous, je l'sais.

Cette phrase n'aurait pas pu tomber plus à point. L'abbé commenta :

–Cécile, vous devriez garder le front haut. Gagner la vie de... combien d'enfants avez-vous déjà ?

–Six.

–Ah oui, six. Et plusieurs petites filles, je pense ?

–Cinq.

–Et... pardonnez-moi de vous le demander, mais vous n'en auriez pas un autre... en route ?

La jeune femme rit sur trois notes :

–J'croirais pas. Mais... ça, c'est le bon Dieu qui décide, pas nous autres.

Le prêtre acquiesça d'un profond signe de tête et d'une moue bienveillante :

–Que voilà une parole de grande chrétienne !

–J'essaie de tout faire pour plaire au bon Dieu.

–Et comme je vous en félicite !... Pour en revenir à l'atelier, je dois vous dire que j'y ai travaillé un soir ou deux ces derniers temps. Vous devriez peut-être y passer un petit coup de balai sans trop tarder.

–J'y vais tusuite.

–J'aimerais mieux vous entendre dire 'tout de suite' que 'tusuite', mais ceci n'est pas un reproche, tout au plus une simple remarque.

–J'y vas.

–Merci de votre diligence.

La petite femme tourna les talons et partit. Le curé l'entendit gravir les premières marches de l'escalier situé au milieu de la bâtisse; et il perdit le bruit dans la distance. Puis il se leva et entrouvrit les rideaux afin de savoir si le vicaire se trouvait toujours dehors à se bercer sur la galerie en la compagnie de trois personnes qui travaillaient avec lui dans les préparatifs des fêtes du cinquantenaire de la paroisse.

Nul doute qu'il resterait seul avec la servante dans la bâtisse pour un certain temps. Et puis, si l'abbé Morin devait entrer pour prendre de l'eau ou un avis de son curé, il croirait que celui-ci faisait la sieste dans sa chambre du second étage et n'oserait pas le déranger en pareil moment.

L'homme se rassit. Il semblait qu'une souffrance s'inscrivait profondément dans les rides de son front. Puis de la sueur perla. Il sortit un mouchoir, l'essuya. Le démon de la chair le tiraillait dans tous les sens, déchirait sa conscience, heurtait sa volonté. Devait-il céder à la tentation et se rendre à son tour à l'atelier y retrouver la belle Cécile pour... l'approcher ? L'endroit ne saurait être mieux choisi. Le moment non plus. C'était jour de canicule et il coulait de la lave dans les veines du prêtre cinquantenaire. Et s'il se laissait aller une fois, une seule fois... Cécile n'aurait pas le choix de lui concéder quelque chose, une caresse, une acceptation résignée, un rien. Jamais elle ne voudrait risquer de perdre son petit emploi. Qui mettrait du pain dans la bouche de ses enfants ? Seul soutien de famille, elle n'aurait pas le choix de se laisser toucher. Car il n'irait pas plus loin. Il la toucherait aux épaules par-dessus sa robe. Il la toucherait aux seins avec l'impression de toucher une fillette de treize ans. Il la toucherait aux fesses... Et peut-être la toucherait-il entre les jambes afin de découvrir pour la première fois en cinquante-cinq ans le sexe de la femme. Ce sexe si fécond à Saint-Léon et tout partout au pays du Québec.

Le regard fixe et ras d'eau, il se leva, sortit et prit l'escalier. Au second étage, il s'arrêta un moment. Quelqu'un du ciel tenta peut-être à ce moment de venir à son aide : il lui vint en tête l'idée de prier. Mais ce n'était pas le désir de prier. Un seul désir animait sa personne, un seul désir dirigeait sa personne, un seul désir embrasait son être profond aussi bien que sa chair de surface : celui de tripoter la femme à son service.

Il reprit lentement le second escalier, celui qui menait au troisième étage et débouchait juste devant la porte de l'atelier qu'il ne tarda pas à voir dans l'ombre où elle se trouvait à demi ouverte. Il en surgissait de la lumière vu les nombreuses fenêtres éclairant l'atelier, percées dans deux lucarnes.

Les pas qu'il fit avant d'atteindre l'embrasure furent d'un silence à l'indienne, feutrés, portés par le démon de la chair qui voyait à tout en ce moment pour lui.

L'homme s'introduisit à l'intérieur. Il demeura un moment adossé au mur à côté de la porte. Il surprenait Cécile en plein travail, mais comme elle lui faisait dos et qu'il avait pris toutes précautions, elle ignorait sa présence. Le diable aidant encore, quelque chose la picota à la cuisse; elle s'arrêta de balayer et souleva sa robe pour soulager la démangeaison. Le regard du prêtre souleva aussi la robe de coton pâle à petits carreaux couleur de ciel, et même plus haut que la main féminine. Et puis, quelque chose d'important soulevait sa propre soutane par-devant. L'abbé ne put retenir bien longtemps une profonde expiration qui fit sursauter la travailleuse.

–J'aime vous voir oeuvrer ainsi, Cécile. Approchez-vous de moi, je vous prie.

–Ben... pourquoi c'est faire donc ?

–Mais... tout simplement parce que je vous le demande.

Elle baissa la tête, mit le balai en travers devant sa personne et s'approcha à quelques pas de son interlocuteur aux yeux étranges.

–Approchez-vous encore, Cécile, je ne vous mangerai pas, vous savez.

La femme fit deux petits pas additionnels en prenant soin de garder au moins une distance de bras allongés entre sa personne et la soutane noire. Et comme une enfant craintive qui sent qu'on va l'accuser, elle dit à mi-voix :

–C'était pas ben sale, mais ça va être propre comme une cenne neuve.

–Je n'en doute pas, je n'en doute pas.

Tout ce temps, le prêtre détaillait la jeune femme de pied en cap, ses yeux, tels des serpents, s'enroulant autour de ses formes aux hanches, à la taille, à la poitrine. Le corps le fascinait mille fois plus que la tête ou les mots. À l'évidence l'accueil de Cécile n'était pas là ni ne viendrait, mais quelle importance quand on dispose d'une autorité à toute épreuve provenant de son tempérament, des usages, de sa condition d'employeur et pour couronner le tout quand on a sur soi le prestige de la soutane et pour puissance alliée celle de la sainte religion !

Alors, sans crier gare, il s'approcha d'elle et l'entoura de ses bras. Cécile tourna la tête et parut se renfrogner dans son corps qui ratatina comme celui d'une petite fille ou d'une petite vieille.

–Vous voulez quoi, monsieur le curé ?

–Rien que vous ne sauriez m'offrir, Cécile. Collez-vous contre moi. Allez... Collez-vous...

–Ben... j'peux quasiment pas là...

–Ah oui, ah oui, vous le pouvez.

Et l'abbé la serra contre lui. Elle se sentit prisonnière dans un étau ou peut-être entre les mâchoires d'une bête fauve. Coupée en partie, la respiration raccourcit, devint haletante. Le prêtre exalté le prit pour une réponse d'une chair à l'autre. Il relâcha son étreinte de la main droite en gardant son bras gauche bien en place et en force, et fut capable de toucher enfin à cette poitrine légère et si peu révélée sous cette robe à tissu lâche.

–C'est quoi que vous faites donc, là, vous ?

–J'veux savoir si t'es en santé, ma petite 'mosus'.

Les mots eurent encore plus d'effet sur elle que les gestes. Elle comprit que pour lancer pareille phrase, le curé n'en était plus un. Qu'il n'était même plus un homme, mais une bête affamée. Et sa peur décupla.

Mais comment se libérer sans se faire cruellement écorcher ? Elle perdrait son salaire. Ce serait la misère noire pour ses enfants. Et puis, accuser le prêtre se retournerait contre elle. Personne ne la croirait. De quelque côté qu'elle se tournât, aucune lueur n'apparaissait. En fait, il lui fallait choisir l'entrée d'un tunnel ou d'un autre et pas un ne lui dispensait la moindre lueur d'espoir au loin là-bas. Que le noir absolu !

Seul le bon Dieu pouvait encore la sauver ? Mais qui écouterait-Il ? Son proche serviteur en robe noire ou une femme de peine qui, comme toutes les femmes depuis Adam et Ève, transportait le péché dans sa condition féminine ?

Peut-être valait-il mieux se tourner vers la Vierge Marie. Mais la Vierge oserait-elle retenir le bras d'un prêtre, même en train de pécher gravement ?

Et la main droite de l'abbé descendit fermement sur les hanches de la femme et souleva le bas de la robe tandis que Cécile faisait des efforts inouïs pour se libérer de cette emprise maléfique. Elle se mit à pleurer. Les larmes tranquilles d'un être affligé recèlent un grand pouvoir parfois. Elles attendrissent certains agresseurs, font appel à leur humanité. Là, rien ne toucha l'abbé Lachance. Tout lui était dû. Il était le pourvoyeur de Cécile et des siens. On lui devait reconnaissance à sa façon à lui. Il n'en demandait pas tant. Cécile n'aurait qu'à garder le secret éternellement. Qui s'offusquerait d'une scène ignorée ? Qui serait blessé par une situation inconnue ? Pour faire diminuer la résistance, il dit néanmoins :

–Une petite augmentation de salaire de trente sous par jour, ça t'intéresse ? Ça fera une piastre et demie par semaine. C'est pas rien comme surplus sur ton salaire.

–Je le sais ben, mais j'aimerais mieux pas en avoir pis que tout se continue comme avant, si vous voulez, là.

–Justement, je ne veux pas. Il faut que soit apaisé le feu qui brûle en moi. Tu peux le faire. Tu vas le faire. Tu n'as qu'à me laisser faire sur toi. Je ne vais pas me substituer à ton mari pour le devoir conjugal, je vais seulement toucher ton corps. Comme quelqu'un qui s'approche du feu pour se réchauffer mais ne veut pas se brûler. Tu comprends cela ?

–J'sais pas trop...

Durant l'échange, Cécile lançait au ciel des suppliques. Céder au curé, ce serait péché mortel, ce serait pécher contre son mari, sa famille, ce serait offenser la morale chrétienne et les bonnes moeurs. Ça ne pouvait pas se faire et elle ne savait comment l'empêcher à part prier encore et encore avec toute l'intensité possible.

Dieu l'entendit.

Il lui envoya une aide inespérée en la personne du vicaire qui, ayant frappé à la porte du bureau du curé, l'ayant ouverte, ayant frappé à la porte de sa chambre, l'ayant ouverte, ne trouvant nulle part son collègue en avait déduit qu'il devait se trouver à l'atelier à effectuer un travail qui n'exigeait pas qu'un moteur soit mis en marche et que son bruit se fasse entendre.

Près de la porte, alors que le curé disait la fameuse phrase "j'veux voir si t'es en santé, ma p'tite mosus", le vicaire s'arrêta, estomaqué, pétrifié dans l'impossible. Il devina la scène sans la voir : le curé cherchait à prendre avantage de la personne de la servante. Comment une telle chose abominable pouvait-elle se produire ? Lui fallait-il tourner les talons et repartir comme il était venu, dans la plus totale discrétion ? Non, il devait manifester sa présence afin que cesse pareille situation intolérable. Oui, mais quelle était l'attitude de Cécile en cette matière ? Se montrait-elle consentante ? Peut-être que la grande pécheresse, c'était elle, et qu'elle avait tout fait pour entraîner le curé dans le sillage du péché de la chair... Il ne pouvait bouger. Il ne pouvait qu'attendre encore un moment...

Et il entendit *"je le sais ben, mais j'aimerais mieux pas en avoir pis que tout se continue comme avant, si vous voulez, là."*

Le ton de la bête peureuse et, en même temps, écrasée n'aurait pas pu échapper à l'abbé Morin. Cécile se débattait dans un piège et elle n'avait rien eu à voir avec ce qui arrivait en ce moment. En ce cas, il ne pouvait laisser faire le curé. Mais il ne voulait pas le confronter non plus. Il fallait à tout prix enterrer cette scène navrante avec un gros tas de bran de scie. Et l'abbé leva le bras et allait s'introduire dans l'atelier quand, soudain, il se ravisa et tourna les talons. Il fit cinq ou six pas dans la direction contraire, puis eut l'air de se raviser une fois encore. En fait, il voulait prévenir de son arrivée les deux personnes en cause de l'autre côté de la porte et pour mieux le faire, il se racla la gorge et fredonna à voix portante un air de la Bolduc entendu à la noce de la fille à Maurice Nadeau.

Même qu'avant de pénétrer par la porte entrouverte, il lança à pleine voix :

–Vous êtes là, monsieur le curé ? J'ai besoin de vous parler au sujet des fêtes...

–Oué, oué, fit l'abbé Lachance sur le ton de l'impatience.

Et quand le vicaire entra, Cécile, penchée en avant, balayait en tournant le dos à la porte et à l'arrivant.

–Ah bon, y a madame Cécile qui se trouve ici aussi. Faut que j'vous parle avant votre départ pour chez vous. Bon... monsieur le curé, c'que j'avais à vous demander...

*

Ce soir-là, les prêtres regagnèrent leur chambre.

Convaincu que son vicaire ne savait rien de ce qui s'était passé dans l'atelier avec la servante, le curé cherchait à dormir tranquille. Le vicaire, lui, se promettait de garder à jamais enfouie au fond de son coeur cette scène qu'il n'avait pas eu à voir pour l'imaginer dans sa contrariante réalité.

Et l'abbé Morin s'agenouilla au prie-Dieu afin d'implorer le ciel de ramener le curé dans le droit chemin et de lui pardonner sa faute majeure. Aussi, le prêtre se promit de ne jamais perdre de vue à la fois son collègue et la servante quand celle-ci vaquerait à ses occupations du presbytère. Il en aurait toujours un à l'oeil et ainsi pourrait protéger la dignité et la vertu de l'une tout autant que la droiture de l'autre.

En ce même moment, dans un lit de braises, sous le drap de la torture, l'abbé Lachance ne parvenait pas à empêcher sa main brûlante de toucher à sa chair érigée alors que la scène de l'atelier, quand il avait palpé les seins de Cécile, restait fixe dans le projecteur de son imagination.

Il imprima trois légères secousses et le trop-plein de sa substance se répandit par puissants jets hors de sa personne. À la place de ce fluide aspiré hors de lui par le démon de la chair, un douloureux remords remplit le vide. L'homme ne savait que trop que ce serait temporaire. Car le sperme indésirable reviendrait diluer le remords jusqu'à l'éliminer...

Le beau de l'histoire, c'est que l'abbé Lachance se promit de surveiller son vicaire désormais. L'esprit est fort, mais la chair est faible, songeait-il en tâchant de s'endormir, l'être profond chamboulé par le remords et par le doute...

Un prêtre ébranlé dans une chambre, un prêtre en train de se branler dans l'autre : heureusement pour le bon peuple canadien-français que la chose ne saurait se produire qu'à Saint-Léon, ce lieu de rendez-vous, apparaissait-il de plus en plus, de tous les démons de la concupiscence en cet été trop chaud de 1930...

***

Chapitre 33

Cette semaine-là, il vint à la connaissance de l'apprenti forgeron une rumeur naissante à propos d'événements insolites à se produire dans le cinquième rang. Pas des révélations brutales et troublantes, mais le petit bourdonnement d'une puce à l'oreille. Et ce fut Romuald Rousseau qui lui glissa quelques phrases à l'abri des bruits entendus aux alentours du feu de forge, le souffle du soufflet, le gong du marteau sur l'enclume, le sifflement d'un fer rouge qu'on plonge dans l'eau, et le ronronnement du feu lui-même.

–J'ai su que des veillées de cartes, ça arrive pas mal souvent dans le rang.

–Des veillées de cartes ?

–Me semble que jouer aux cartes l'été... C'est le temps des frappe-à-bord, pas des 'frappeurs'.

–C'est que tu veux dire avec ça, mon Rousseau ?

–Ben... quand c'est qu'ils veulent jouer aux cartes, ils se téléphonent, pis pour pas que les autres sur la ligne écorniflent, ils se donnent rendez-vous pour 'frapper'... Ils s'appellent entre eux autres des 'frappeurs'...

–Tu parles de qui au juste ? Les Goulet seraient-ils là-dedans, eux autres ?

–Ah, calvènusse, pas pantoute ! Non, y a Jos Roy, Hilaire Morin, Francis Pépin, Jean Paré pis Albert Martin. Avec les femmes ben entendu.

Les yeux d'Arthur devinrent brillants, et, dans son imagination, des scènes osées se dessinaient. Il se planta devant son interlocuteur pour ainsi faire dos à un client resté en attente dans l'embrasure de la porte et aussi pour que ses mots ne soient perçus que par Romuald :

–Tu penses pas que ça joue pas rien qu'aux cartes quand ça se réunit, tout ce beau monde-là ?

Romuald prit de grands airs :

–Huhau ! Huhau ! Arthur, j'ai jamais dit ça, là, moé.

–J'te dis pas que t'as dit ça, j'te demande si ça se pourrait que ça arrive.

–Tout se peut, c'est sûr, ça, mais...

–M'en vas t'expliquer une 'afféré', mon Rousseau. On est au vingtième siècle, là, pas en 1890, là. 1930, c'est pas rien. 1930 que j'te dis. Là, c'est la crise, mais ça faisait dix ans que tout le monde avait du plaisir. Pis comme asteur, on n'a pas d'argent pour se donner du plaisir, peut-être... j'dis ben peut-être que d'aucuns se servent d'autre chose pour se donner du plaisir. Pis entre nos deux, c'est pas moé qui vas leu' jeter la pierre le premier. Tu peux pas faire transpirer une roche, mais tu peux faire transpirer un homme... pis une femme.

–Mais, mais Arthur, c'est un discours de païen que tu m'tiens là, toé.

–C'est pas un discours de païen, c'est un discours de 'parsonne' humaine qui se sent une 'parsonne' humaine. Pis si jamais les 'frappeurs', ils jouent plus qu'aux cartes, ben tant mieux pour eux autres !

–On crèrait que c'est le pére Thodore Morin qui parle.

–Le vieux Thodore est moins fou qu'on pense, tu sauras, mon gars, fit Arthur en attrapant la pôle du soufflet au-dessus de sa tête.

À ce moment, il y eut quelques éclats dans le feu et des escarbilles furent projetées dans l'air ambiant chargé de fumée âcre et de clarté sombre.

–En tout cas, pense c'que tu voudras, Arthur, c'est pas moé qui vas aller jouer aux cartes avec...

Arthur lui coupa la parole en même temps qu'il tournait un fer à cheval dans les braises :

–Ben moé, à ta place, j'manquerais pas le bateau si le bateau arrête en face de ta porte.

Rousseau demeura songeur un moment. En soulevant le voile du doute sur les agirs des 'trappeurs' il appesantissait celui du camouflage par-dessus leur relation, à lui et sa femme, avec les Fortier. Car on avait retiré un immense plaisir du premier échange entre couples et on s'était promis de recommencer quand l'occasion s'y prêterait. En prime, Romuald obtenait quant à cet exaltant péché tenu secret une forte approbation d'un honnête citoyen du village, si bien considéré que le presbytère lui avait confié la direction des travaux lors de l'érection de la chapelle par la corvée du dimanche suivant.

À l'heure du repas, Arthur ferma la porte de la boutique de forge et s'en alla à la maison. Son seul fils vivant, le dernier-né de la famille, Vincent, un an et quelques mois, s'agita dans sa chaise haute mise sur la galerie par sa mère, mais son père l'ignora au point de ne pas même jeter un coup d'oeil sur lui. Le jeune homme n'avait qu'une seule chose en tête : parler à sa femme des propos qui lui avaient été confiés au coeur de l'avant-midi par le cultivateur Rousseau du cinquième rang.

À table, devant une assiette bien garnie de petit lard et de patates rôties, il dit à Rose-Anna qui trottinait pour servir son monde :

–Romuald Rousseau est venu faire ferrer un de ses ch'faux avant-midi.

–Oué, je l'ai vu, le Sauvage...

–Minute, il est pas si sauvage que ça.

–J'dis ça parce que ça se dit.

–Faut pas toujours écouter c'est qu'il se dit, tu sauras.

Les trois fillettes, Jeanne, Rolande et Candide, mangeaient sans rien dire. Elle savaient qu'elles devaient rester silencieuses à table quand leur père s'y trouvait. Et quand il s'en allait, voici qu'elles redevenaient les petites pies qu'elles voulaient être.

L'aînée prêtait attention aux propos de ses parents, et le père, qui s'en rendait compte, choisit ses mots :

–Pis le Rousseau, il m'en a appris des bonnes su' l'monde de son rang. Ouais... ouais... ben ça joue aux cartes à plein dans le cinquième rang. J'ai ben hâte de voir si ça va trouver du temps pour la 'courvée' de dimanche qui vient.

–C'est quoi le mal à jouer aux cartes ?

–Des veillées de cartes en plein coeur d'été, tu penses que ça fait rien que jouer aux cartes, toé ?

–À quoi que tu veux que j'pense d'autre ?

–Pense comme il faut, là...

La femme dit à sa fille :

–Jeanne, va donc chercher le bébé su' la galerie, toi ?

–Mais il pleure pas, maman.

–Ça fait rien, va falloir le faire manger lui itou.

–Bon d'abord...

Et Arthur reprit la parole :

–Ils s'appellent les 'frappeurs', ces cultivateurs-là. Ça se dit pas, ça, quelqu'un qui 'frappe'; on dit quelqu'un qui 'fesse'. Tout est là, dans le mot qui sert à en cacher un autre... pis celui-là dit tout.

–C'est des imaginations, Arthur, que t'as là.

–Comment ça, des imaginations ? C'est Rousseau qui me l'a dit.

–Il t'a dit quoi au juste ?

–Que ça 'fesse' dans le cinquième rang... ben que ça 'frappe' si tu veux.

–Il a-t-il vu de quoi de ses yeux, lui ?

–Ben non, mais... ben ça joue aux cartes en plein été deux pis trois fois par semaine. C'est pas normal, ça.

Femme naïve et de ce fait, spontanée, Rose-Anna s'arrêta de marcher du poêle à la table et empoigna le dossier de sa chaise pour sermonner son homme :

–Non, mais pourquoi c'est faire que tu dis des affaires de même ? Tu fais des jugements téméraires... le bon Dieu aime pas ceux-là qui disent du mal des autres, surtout sans savoir ce qui est vrai pis ce qui est faux... Au lieu de t'occuper de la conscience des autres, tu f'rais mieux de t'occuper de la tienne.

–C'est qu'il te prend, maudit torrieu, de me parler de même, toé, à midi ?

–Parce que tu dis n'importe quoi. Tu dis que c'est Rousseau qui l'a dit, mais tu finis par avouer que c'est pas ça qu'il a dit. Tu dis ben c'que t'as envie de dire. Pire que ça, tantôt, tu m'as toi-même dit qu'il faut pas toujours écouter ce qui se dit... quand j't'ai parlé du Sauvage en parlant de Rousseau...

Arthur se tut net. Elle avait donné en plein dans le mille. Il avait voulu que des images scabreuses émergent des propos de Rousseau qu'il répétait à sa manière, pour ensuite faire semblant d'en rire, tandis qu'en fait, il en aurait joui; et voici que sa casseuse de veillées de femme le remettait vertement à sa place.

Le jeune homme ne demanda même pas qu'elle lui verse du thé et se leva pour aller en quérir lui-même. Jeanne revint avec bébé Vincent qu'elle apporta à sa mère. Rose-Anna quitta la cuisine pour la chambre sans dire un mot.

Les deux silences qui alors se heurtèrent firent du bruit dans la tête de Jeanne. Toujours, elle se souviendrait de cette scène de ses huit ans et demi et jamais elle n'oublierait les mots sibyllins entendus ce midi-là à la table familiale, surtout le mot 'frappeurs'.

***

Chapitre 34

Un observateur imaginatif aurait pu croire que la vieille Acadie franchissait ce jour-là le grand fleuve du temps pour se retrouver tout entière dans le cinquième rang de Saint-Léon de la province de Québec.

Car le convoi d'attelages, d'hommes et de femmes, de matériaux transportés dans des charrettes, des waguines ou à l'épaule, qui s'étendait depuis les Goulet au bord du rang jusque chez Bossu Couët au fond, ressemblait à une marche de déportés. Beaucoup d'enfants se retrouvaient par petits groupes pour rire, piailler et courailler d'un bord et de l'autre. Du monde désireux de participer à la corvée, il en venait de toute la paroisse. Se joignaient au défilé, les uns après les autres, les cultivateurs du rang même, les plus sensibilisés au projet de la chapelle par leur proximité de la montagne.

Les Goulet emportèrent de la mangeaille.

Les Fortier un crow-bar porté par l'homme et un arrache-clous par Dora.

Les Rousseau emportèrent trois planches de sapin avec eux et marchèrent.

On s'était donné le mot dans le rang pour ne pas utiliser de voitures à chevaux afin de ne pas encombrer le chemin. Sur les lieux du chantier, on se servirait de la *Brune* du bossu qui se trouvait déjà là-haut par les soins du forgeron Maheux, premier rendu sur la montagne pour y prendre possession momentanée du territoire que le vicaire Morin avait délimité et ceinturé durant la semaine.

Hilaire Morin n'avait rien entre les mains quand il se joignit à Joseph Roy pour se rendre à la corvée de ce premier dimanche de juillet, jour de plein soleil, au ciel intensément bleu, comme si la Vierge Marie, pour bénir le beau projet, avait dispensé à Saint-Léon la plus pure clarté qu'il soit possible d'espérer. Les deux femmes restaient à la maison.

–Moé, j'vas faire un p'tit don en argent, confia Hilaire à son collègue quand ils se mirent en marche.

Ce fut la même idée que firent valoir Francis Pépin et Jean Paré quand ils s'intégrèrent à la troupe des 'corvéistes'.

Chez les Nadeau, au contraire d'ailleurs, ce fut elle qui se joignit au convoi. Maurice resta à la maison par décision de Marie-Jeanne qui se fit accompagner de leur fils Lorenzo.

Josaphat et Joséphine Poulin avaient été les premiers, tout de suite après Arthur Maheux, à grimper là-haut. Ils avaient des paniers de nourriture, un marteau et une égoïne.

Enfin, Marie-Louise Martin, trop enceinte pour accomplir une escalade aussi abrupte et ardue, délégua à sa place sa fille Cécile. Quant à tit-Pat, rien au monde ne l'aurait empêché de se rendre là-haut. Le sentier y menant aussi bien que le dessus de la montagne lui étaient familiers, tout autant que le bord du lac ou les méandres de la rivière *Noire*. Albert savait que des femmes de leur regroupement de 'frappeurs' ne seraient de la corvée, ni la sienne, ni Sophia, ni Blanche, ni Marie et peut-être même Angélina. Qu'à cela ne tienne, il s'offrirait quelques oeillades du côté de Marie-Jeanne Nadeau, Joséphine Poulin, Georgette Rousseau et surtout Désirée Goulet. Quant à Dora Fortier, il n'y avait pas de quoi se rincer l'oeil trop longtemps ni trop intensément...

Le seul homme du rang qui brillerait par son absence sur la montagne serait le bossu. Incapable de gravir le sentier, il assisterait à la prestation de travail collectif via sa petite jument qu'il avait prêtée comme convenu et, d'une autre façon, en se rendant dans la craque de la montagne d'où il serait à même d'entendre les scies scier et les marteaux marteler.

Afin de ne pas risquer que des bêtes s'emballent, les prêtres avaient pris la décision de se rendre au fond du rang en voiture à chevaux. La fabrique possédait une grande voiture fine à deux banquettes et un cheval noir de bonne qualité, pas nerveux et bon routeur. Arthur Bilodeau avait accepté d'agir comme cocher. Ce serait sa participation à la corvée. Toutefois, il n'aurait pas voulu partir sans un objet qu'il croyait apte à lui rendre service : un fusil de chasse. Les bois aux alentours de la montagne étaient giboyeux; peut-être lui serait-il donné d'abattre un chevreuil ou autre bête sauvage. Autant joindre l'utile à l'agréable. Au plaisir de tuer une bête s'ajouterait la viande de la carcasse apte à nourrir la famille pendant une semaine au moins si le marchand Boulanger devait être en mesure de lui fournir une glace de conservation.

Et le cocher d'occasion cartayait du mieux qu'il pouvait pour un plus grand confort des fesses en soutane qui prenaient place sur la banquette arrière.

–Madame Cécile n'a pas pu venir avec toi, Arthur ? demanda hypocritement le curé quand on entra dans le rang.

–Trop d'ouvrage à la maison.

–Ça se comprend, ça se comprend !

Le vicaire, lui, songeait aux tartes que Désirée Goulet avait eu pour tâche de confectionner et d'apporter sur la montagne pour servir de goûter au coeur de l'après-midi. L'eau lui venait déjà à la bouche et jamais il n'aurait pensé que c'était à cause d'autre chose que les fraises, surtout pas à cause de l'image physique de la trop appétissante Désirée.

Le docteur Arsenault et le marchand Boulanger avaient convenu de voyager ensemble. Ils suivaient l'attelage du presbytère dans le boghei du médecin, rarement utilisé et rien que dans des cas particuliers comme celui de ce jour. Le

médecin ne voyageait en voiture à chevaux que l'hiver puisque les rangs n'étaient pas assez bien entretenus pour permettre aux véhicules automobiles d'y circuler.

Quand le docteur Paul, comme on appelait le médecin
dans la paroisse, lui demanda quelle serait sa contribution au
projet de la chapelle, Boulanger répondit :

–J'ai ouvert un compte avec un crédit de vingt piastres
que Maheux pourra utiliser en matériaux ou ce qu'il veut
pour la corvée pis ce qui va suivre. Tout sera pas fini à soir.
Va falloir aménager la piste de la montagne ou ben pas
grand-monde va aller en haut, surtout les femmes...

–Surtout, surtout les femmes enceintes.

–J'pense pas qu'on va voir Marie-Louise Martin ou ben
Sophia Paré su' la montagne aujourd'hui.

–Ah, pas besoin de femmes en haut non plus. C'est de
l'ouvrage d'homme qui nous attend.

–J'sais que d'aucunes vont y aller. Comme la femme à
Pierre Goulet, Désirée. Elle l'a dit au vicaire devant moé.

Et le blablabla badin se poursuivit ainsi jusque dans le
chemin du bossu où l'attelage fut parqué et le cheval attaché
à un petit arbre. La bête blonde, tranquille et docile, ne risquait pas de causer le moindre grabuge parmi toutes les
autres laissées aux alentours à ce pied de la montagne.

Des hommes et quelques femmes se trouvaient déjà là-
haut. D'autres gravissaient le sentier abrupt. D'autres enfin
suivaient dans le cinquième rang.

Les deux prêtres précédaient immédiatement le docteur et
le marchand. Le vicaire, qui avait bien plus de poids à porter
que le curé, dut s'arrêter au tiers du chemin. Il fut rattrapé
par les deux hommes qui suivaient et attendu par son collègue du presbytère.

–Vous devriez maigrir un peu, monsieur le vicaire, ça serait plus facile à grimper dans la montagne, fit le marchand.

–Je mange bien peu, monsieur le curé vous le dira.

–C'est exact ! approuva l'abbé Lachance.

–Dans ce cas-là, ça serait au docteur de vous donner un pilule pour maigrir.

Le médecin s'exclama :

–Si je disposais de cette pilule-là, je serais le premier à m'en servir, vous pensez bien. Mais... je te regarde, Georges, t'as un p'tit peu du bedon toi-même.

–Ah, mais durant l'hiver, je perds mes surplus.

Et les deux hommes qui s'étaient fait examiner par les prêtres sentirent le besoin de dire chacun qu'ils feraient un don en espèces ou services pour la chapelle. L'on reprit la marche lente et difficile sans rien se dire avant le sommet.

Quand il aperçut les soutanes, le maître d'oeuvre lança un appel à tous de sa voix la plus tonitruante :

–Approchez, approchez, j'm'en vas vous dire comment c'est que ça va marcher icitte après-midi.

Il fit des signes d'appel et les hommes l'entourèrent bientôt. Quant aux rares femmes se trouvant sur place, elles se regroupèrent en retrait en attendant de voir... Le forgeron reprit la parole, le visage rougi, ivre de bonheur :

–D'abord 'marci' d'être venus nombreux à la 'courvée'. De ce que j'peux voir, on a des matériaux en masse. Le petit ch'fal va redescendre en bas pour en ramener encore que plusieurs ont pas pu monter du premier coup. On va l'atteler su' une traîne en branches de sapin. La première affaire, on va raser la terre pis pour ça abattre tous les p'tits arbres, 'swomper' les pousses de fardoches, raser ben net. Ça va se faire en dedans des piquets plantés pour clôturer l'espace du carré de la chapelle pis à vingt pieds autour. Blanc-étoc comme on dit. Les hommes de hache vont faire ça. D'autres vont faire une table qui va servir à du sciage aujourd'hui pis qui sera pour ceuses pis celles qui viendront en pèlerinage par icitte dans le futur. Même qu'on va en faire trois tables comme ça. Pis les hommes de pelle, eux autres, ils vont creuser une rigole qu'on va bourrer de p'tites roches pour faire le solage. Tantôt, la p'tite jument du bossu Couët va nous ramener d'en bas des quartiers de bois sec pis on va demander aux femmes qui sont icitte avec nous autres de faire du feu pis du bon thé chaud ensuite. C'est une belle journée. Fait chaud en bas, mais icitte, en haut, c'est parfait pour travailler. Avant de commencer, je voudrais ben, pis vous autres itou, j'en sus 'cartain', que monsieur le curé nous dise quelque chose. Pis qu'il bénisse ben entendu le chantier qu'on rouvre icitte, ah oué, là...

L'abbé Lachance fit quelques pas pour rejoindre son présentateur et s'adressa à tous après un long et sérieux regard panoramique sur tous les environs puis un regard haut vers le ciel comme s'il venait, par la pensée, de dire quelque chose à quelqu'un de l'autre monde :

–Notre chapelle sera vue trente-cinq milles à la ronde. Sa croix va témoigner de notre foi en Dieu. Cette bâtisse érigée à la gloire du Seigneur protégera les récoltes des intempéries, les maisons de la foudre et du feu, les familles de la maladie et de la mort. Mais avant d'en dire davantage, je déclare que je bénis cette montagne et la mets sous le vocable de Sainte-Cécile. Je vous prie tous d'oublier l'ancien nom qui ne convenait aucunement à un lieu aussi grandiose qui nous fut donné en héritage par le Créateur. Et vous qui vivez à l'ombre de cette montagne, et désormais de cette chapelle, serez constamment exposés aux magnifiques retombées en bénédictions de toutes sortes livrées par le ciel et qui transiteront par ici, par ce lieu béni, par cette construction érigée par la foi d'un peuple, celui de Saint-Léon, l'une des paroisses les plus pures, les plus propres de toute la province...

Au premier rang, Hilaire Morin se demandait ce que dirait le prêtre s'il était mis au parfum de ce qui se passait entre couples du cinquième rang, dont le sien depuis quelque temps.

Venue là-haut en fin de compte, Angélina adressa un clin d'oeil à son époux qui lui répondit par un sourire. Le curé en fut témoin et crut qu'on approuvait de cette façon son dire sur la santé morale de la paroisse.

Quant à Dora Fortier, elle se sentait tiraillée entre l'exaltation que lui avaient valu les plaisirs de la chair dans l'échange des partenaires avec les Rousseau et l'exaltation mystique suscitée en son for intérieur par les propos édifiants du curé.

–Les retombées en protection du territoire vaudront dix, cent fois les coûts de la chapelle. Des pèlerins viendront comme ceux qui se rendent au mont Saint-Joseph, à l'oratoire Saint-Joseph ou à Sainte-Anne-de-Beaupré. Je serai terre-à-terre et je vous dirai qu'en érigeant cette chapelle, Saint-Léon fera une bonne affaire. Car, ainsi que je viens de vous le démontrer, Saint-Léon en tirera autrement plus qu'il ne lui en coûtera. Voilà pourquoi, malgré ce temps de crise économique, vos dons en temps, en argent, en matériaux doivent être plutôt considérés comme un investissement, même si ces dons, je le sais bien, viennent du fond de votre coeur à tous.

Marie-Jeanne Nadeau avait la larme à l'oeil. Comme c'était bien pensé et bien dit, ce que livrait le curé en ce moment ! Mais le vicaire, lui, qui se tenait debout près d'elle, était tenaillé par le doute. L'abbé Lachance avait souillé son sacerdoce en cherchant à abuser d'une pauvre femme qui trimait dur pour gagner la vie de sa famille et cela, aux yeux de l'abbé Morin, jetait une ombre lourde sur tout ce que faisait ou décidait le curé ces jours-là, y compris le projet de la chapelle que le ciel n'agréerait peut-être pas autant que tout le monde aurait pu le croire. Oui, mais comment éradiquer le péché du presbytère autrement qu'en priant dans le plus complet des silences ?

De but en blanc, Josaphat Poulin lança d'une voix qui devait sûrement mettre en alerte tout le canton :

–Oui, monsieur le curé, la chapelle, c'est la meilleure idée depuis la construction de l'église. Bravo ! Bravo !

Il était le seul de la paroisse à pouvoir interrompre un prêtre aussi brusquement sans encourir ses reproches. Tout le monde le savait. Tout le monde applaudit. Et l'homme reprit la parole en utilisant une manière de parler qui ajouta aux doutes du vicaire :

–En tout cas, même si on a pas une cenne qui nous adore, c'est pas moé qui vas vous blâmer pour la chapelle, ah non, ah non !

L'abbé Morin, qui avait pour sûr fait ses lettres comme tous les prêtres, connaissait bien ce procédé de la prétérition qui consiste à dire quelque chose en affirmant le contraire à l'aide d'une phrase négative. Si un joyeux luron comme ce Josaphat Poulin se plaignait sans en avoir l'air des coûts de la chapelle versus la pauvreté générale, nul doute que bien des paroissiens au fond d'eux-mêmes désapprouvaient la dite érection à ce moment-ci.

Les applaudissements accentués qui suivirent eurent pour effet d'avérer l'idée contrariée du vicaire. Il faudrait donc qu'il dise haut et fort, malgré ses inquiétudes, que le projet était favorable à tous et pas seulement fonction du bien-être spirituel de la paroisse. La promesse d'un gain que venait de soulever le curé devait pouvoir convaincre tout le monde de la valeur du projet. Mais son collègue et supérieur l'invite-rait-il à prendre la parole ? Sinon lui, le forgeron le ferait-il après que l'abbé Lachance aurait béni la montagne officielle-ment dans quelques instants comme il l'avait annoncé ?

–Mes bien chers frères et chères soeurs, grâce à cette montagne et à cette chapelle, nous serons tous, nous de Saint-Léon, un peu plus près du bon Dieu que les gens d'ailleurs. Ceux qui n'oublient pas Dieu et s'en rapprochent ne sont pas oubliés de Dieu qui se rapproche d'eux. Eh bien, je n'en ai pas davantage à vous dire pour aujourd'hui, car je me dois d'en garder pour dimanche prochain, jour de la bénédiction de la chapelle et de son inauguration officielle. J'ai vu en bas, avant de monter ici, que nous avons en réserve tous les matériaux requis pour lever la bâtisse et je vous en remercie au nom de tous ceux que ce nouveau lieu de prière protégera dans l'avenir. Bonne journée ! Bonne corvée ! Vous êtes des paroissiens généreux. Amen.

On applaudit copieusement. Puis Arthur Maheux leva les deux mains pour obtenir silence et il reprit la parole laissée au curé plus tôt :

–Avant de se mettre à l'ouvrage, ça serait-il une bonne idée, d'mander à notre bon vicaire Morin de nous dire un p'tit mot itou ? Au fond, c'est lui, le grand 'boss' des travaux. Peut-être qu'il a des 'afféres' qu'il voudrait qu'on fasse...

On applaudit. Le vicaire quitta le rang de personnes pour se rendre entre le curé et le forgeron :

–Ce que j'ai à dire est fort simple, mes bien chers frères. Vu qu'on se trouve sur un pareille élévation, je vais vous rappeler quelques passages du sermon sur la montagne de Jésus. Les tout premiers mots de ce sermon furent vous savez quoi ? Je vais vous le dire. Jésus, levant les yeux sur ses disciples, dit : *"Heureux vous qui êtes pauvres, car le royaume de Dieu est à vous !"*

Le vicaire fit une pause qui resta silencieuse, puis reprit :

–*"Heureux vous qui avez faim maintenant, car vous serez rassasiés ! Heureux vous qui pleurez maintenant, car vous serez dans la joie !"*

Le prêtre s'arrêta de nouveau, puis scruta l'audience :

–Je vais glisser sur certains passages pour citer le suivant. *"Mais, malheur à vous, riches, car vous avez votre consolation !"*

L'abbé promena un regard silencieux sur les vagues lointains que le bleu rendait plus purs, avant de reprendre :

–*"Ne jugez point et vous ne serez point jugés; ne condamnez point, et vous ne serez point condamnés."*

Romuald Rousseau songeait à ce qu'il avait entendu dans la grange à Pépin et se dit qu'au fond de lui-même, il condamnait cette pratique illicite. D'un autre côté, il avait foncé tête baissée dans ce même jeu inavouable...

L'abbé Morin poursuivait :

–*"Pourquoi vois-tu la paille qui est dans l'oeil de ton frère, et n'aperçois-tu pas la poutre qui est dans ton oeil ?"*

La belle Désirée Goulet avait attaché ses cheveux pour en faire une sorte de panier que le vent léger faisait onduler dans un sens et dans l'autre, ce qui plaisait fort à l'oeil du prêtre qui offrait son regard à tous et chacun pour donner l'impression qu'il n'oubliait personne et s'adressait personnellement à ceux qui étaient devant lui. Et il l'appuyait un tantinet plus sur cette personne unique, plus belle qu'une légende. Elle gardait rivés au loin des yeux sobres et pudiques. Ses tartes et son thé se trouvaient dans un grand panier qu'elle avait eu du mal à transporter là-haut. Mais il y en avait tant que tous les hommes seraient rassasiés le moment venu...

Grossièrement assis sur la pierre familière de la craque de la montagne, Bossu Couët tendait l'oreille, et si les paroles des gens ne se rendaient pas jusqu'à lui, par contre celles des orateurs l'atteignaient et il était en mesure de les emmagasiner toutes.

–*"L'homme bon tire de bonnes choses du bon trésor de son coeur, et le méchant tire de mauvaises choses de son mauvais trésor; car c'est de l'abondance du coeur que la bouche parle."*

Marie-Jeanne les attrapait au vol, ces beaux regards du vicaire, et les faisait glisser dans les profondeurs de son imagination. Une fois encore, des pensées lubriques l'assaillaient, qui mettaient en scène elle-même et ce prêtre charismatique à la voix chantante et persuasive, et dont il se dégageait des attraits mystérieux et puissants.

La dernière fois où elle s'était laissée aller à une rêverie impliquant l'abbé Morin, c'était le soir du chapelet à la croix du chemin. Il venait vers elle dans la tasserie de foin et c'était pour la couvrir et la combler. "*Heureux vous qui avez faim maintenant, car vous serez rassasiés.*" Quand il avait dit cet mots, c'était comme s'il les avait adressés exclusivement à elle. Mais il s'agissait de la faim charnelle, une faim qui ne serait jamais rassasiée en raison de deux barrières infranchissables posées l'une au-dessus de l'autre : son mariage à elle et son sacerdoce à lui.

–Une chapelle ici constituera le plus beau témoignage de la foi des paroissiens de Saint-Léon. Et vous aurez bien raison d'en être fiers. On vous enviera pour avoir pris pareille initiative. Toutes les paroisses des environs ont une belle église, mais rares sont celles qui possèdent une chapelle.

Josaphat lança nerveusement :

–À condition qu'on se dépêche de la bâtir. Su' ce train-là, on finira pas à soir si on fait rien que parler.

Il obtint les rires quelque peu embarrassés de plusieurs. Joséphine lui serra le bras pour qu'il se taise. Le vicaire reprit :

–Monsieur Poulin a bien raison. Retroussons-nous les manches et à l'ouvrage. Ne venez pas à moi pour recevoir des ordres, c'est monsieur Maheux qui les donne. Bonne journée ! Bonne tâche ! Et, de temps en temps, faites une petite prière au bon Dieu et il vous bénira, et nous bénira tous. Quand on est plusieurs à célébrer sa gloire, le Créateur de toutes choses nous porte une bien plus grande attention. Ainsi soit-il.

Arthur prit aussitôt la place dans l'attention de tous :

–Les hommes de hache, v'nez icittte à ma droite. Les hommes d'égoïne, à ma gauche. Les hommes de marteau, devant... Je m'en vas vous donner à chacun son ouvrage...

Rousseau et Morin reçurent pour tâche de reconduire la *Brune* en bas afin de ramener des matériaux sur le dessus. Il leur faudrait d'abord fabriquer une traîne, ce qui fut fait rapidement, comme par seconde nature, par le métis.

Quand il les vit descendre avec son poney, Couët quitta son tertre et les rejoignit quelques moments plus tard, alors qu'ils assujettissaient sur la traîne madriers et planches.

Hilaire parla le premier quand les trois hommes furent réunis près de la *Brune* :

–Sais-tu que ça pourrait transporter du monde, une traîne de même. Comme... les femmes qui peuvent pas monter en haut par leurs propres moyens.

–Pis moé itou ! dit le bossu. J'avais jamais pensé à ça.

–C'est comme un selké sans roues, pis qui traîne à terre, enchérit Romuald.

La scène constituait un ferment d'idées. Hilaire pensa que le groupe des 'frappeurs' pourrait bien se trouver réuni là-haut quelque part durant la semaine. Suffirait d'emprunter la *Brune* au bossu pour les femmes incapables de gravir le sentier abrupt. Couët, lui, se voyait là-haut, sorti de son exclusion, marteau à la main en train de clouer une planche bénie à une bâtisse qui le serait dans une semaine. Et Rousseau se disait que la prière, plus présente dans le cinquième rang grâce à l'érection de cette chapelle, compenserait pour ce que le péché des 'frappeurs' et le leur, à son couple et aux Fortier, risquaient de provoquer comme mauvaise humeur du ciel assombri.

Couët se mit sur les planches et s'agrippa. Romuald fit avancer le poney en lui donnant des ordres par les guides tandis que Morin prenait l'animal par sa bride et le précédait dans le sentier.

Ce fut la surprise générale là-haut quand on aperçut l'attelage et que parut Bossu Couët dans toute son originalité, marteau entre les dents, sourire aux lèvres. Il fut accueilli par le vicaire :

–J'pensais que vous pouviez pas monter.

–On a trouvé une idée.

–Fallait y penser.

Hilaire dit :

–Fallait pas un génie pour y penser, mais quand on y pense pas, on y pense pas.

–Anyway, j'sus là pis prêt à travailler, fit le bossu qui promena son regard sur les gens de la corvée.

Arthur s'approcha pour compter les matériaux. Il confia aussitôt une tâche à Couët qui gonfla la poitrine et se sentit une nouvelle valeur, en tout cas pour l'heure.

À trois heures de l'après-midi, les fondations et les quatre murs étaient en place pour la plus grande joie du forgeron et de tous. On s'apprêtait à installer les chevrons sur lesquels reposeraient la couverture et le clocher. Le fait de participer ainsi à la levée de la bâtisse en faisait bien mieux accepter le projet en le personnalisant; et le curé savait cela qui distribuait les félicitations et quelques médailles aussi avant de quitter les lieux après le goûter offert par Désirée Goulet que les autres femmes aidèrent.

Le curé ensuite salua tout le monde de la main, puis redescendit au pied de la montagne. Arthur Bilodeau l'accompagna pour le reconduire au village.

Le vicaire fronça les sourcils quand il les vit partir ensemble. L'abbé Lachance profiterait-il de l'occasion pour intervenir, sans en avoir l'air, dans le ménage de cet homme, de manière qu'il puisse utiliser à sa guise sa femme Cécile et répondre à ses besoins devenus incontrôlés ? Tout était si facile, si bien tracé dans sa vie, dans ses travaux, que le vicaire, maintenant désarçonné par la conduite du pasteur de Saint-Léon, ne savait plus à quel saint se vouer pour que la vie du presbytère redevienne normale tout comme auparavant. À tout péché miséricorde ! Mais encore fallait-il que le pécheur ait le ferme propos de ne plus recommencer...

Quand on fut sur l'étroit chemin bordé d'aulnes menant de la cabane du bossu au cinquième rang proprement dit, après les propos anodins du parcours de descente, le curé et Arthur Bilodeau abordèrent un sujet plus sérieux. En fait, le prêtre chercha à savoir si la servante avait informé son mari de la tentative d'approche par le curé dans l'atelier du presbytère.

–Comment que ça va chez vous, dans la maison... les enfants, ta femme ? Tu vas trouver ça curieux que je te demande ça, mais tu vois, madame Cécile, c'est rare que je lui parle. Je l'entrevois comme ça dans le presbytère quand elle vient y travailler. C'est pas trop dur pour elle, de voir à deux maisons ?

–D'abord que vous en parlez, j'ai quelque chose à vous dire justement, monsieur le curé.

Le ton fit craindre le pire au prêtre. Puis, sans crier gare, Arthur fit s'arrêter le cheval, sauta à terre, sortit son fusil de chasse du compartiment derrière la banquette arrière où prenait place le curé.

–Qu'arrive-t-il donc, mon brave ? lui demanda timidement l'abbé Lachance, un trémolo dans la voix.

Mais Arthur ne répondit pas et courut hors du chemin pour disparaître presque aussitôt derrière les feuilles des petits arbres. En un clin d'oeil, le curé construisit en sa tête tout un scénario catastrophe. Arthur savait ce qui s'était passé dans l'atelier. Il avait apporté son fusil avec de mauvaises intentions. Mais comme il désirait camoufler son dessein funeste, il l'accomplirait sous le couvert d'un accident de chasse... Quelle imprudence, quelle imprévoyance de sa part que de se retrouver seul dans la nature aux côtés d'un homme armé dont on disait qu'il tirait sur tout ce qui bouge et qui avait toutes les raisons de vous en vouloir terriblement, de vous en vouloir à mort peut-être !

–Voyons, Arthur, soyez raisonnable... où êtes-vous donc ?

Bilodeau marcha dans un demi-cercle qui le mena en un

lieu d'où il pouvait voir le prêtre qui, lui, regardait toujours dans la même direction et ne l'apercevait donc pas à travers le feuillage. Arthur épaula son arme, visa le cheval puis le curé. D'un mouvement rapide ensuite, il visa autre chose et tira. Le cheval hennit, bougea, faillit se cabrer, puis se calma. Et le braconnier reparut sur le sentier, fusil tenu haut en signe de victoire, sourire large aux lèvres. Il lança :

–J'ai abattu un p'tit 'buck', monsieur le curé. Ça va nous faire de la viande pour une semaine ou deux.

L'abbé lui fit reproche :

–T'aurais dû me dire ce que tu voulais faire, mon ami Arthur, t'aurais dû !

–Quand un chevreux nous passe devant le nez, on a pas le temps de faire des discours.

–J'comprends, j'comprends ! Il va se passer quoi maintenant ? Que feras-tu de la carcasse ?

–J'vous r'conduis au village, pis je r'viens la chercher. Vous êtes pas fâché après moé toujours ?

–Mais non, mais non ! C'est la crise : chacun doit user de toutes les ressources dont il dispose. Toi, tu es bon chasseur, bon tireur, en voilà une aptitude à la survie et, devrais-je dire, à la survie familiale. Quant au gibier, il est une ressource abondante que le bon Dieu nous offre.

Sur ces mots, Arthur remit l'arme dans le compartiment et remonta dans la voiture. Il clappa. Le cheval se mit en marche. Le curé poussa un grand soupir de soulagement...

–Je devais vous dire quelq' chose tantôt, monsieur le curé, mais j'ai mis ça en complet oubli...

Le curé poussa un second et très profond soupir de soulagement...

***

Chapitre 35

Pendant que les hommes s'affairaient autour de la bâtisse qui, à part le clocher, avait pris sa forme définitive puisqu'on en était à l'étape de la réalisation de sa couverture, les six femmes présentes sur la montagne sirotaient une tasse de thé chaud, assises à une table fabriquée sur place au début de l'après-midi.

S'y trouvaient, d'un côté, Angélina, Dora et Marie-Jeanne, et, de l'autre, Désirée, Georgette et Joséphine. L'échange était linéaire, et une seule personne parlait à la fois. Parmi les bruits mélangés des voix humaines, des marteaux, haches, égoïnes, on s'entretenait du succès de la corvée, des difficultés du sentier montant, des mots des prêtres un peu plus tôt.

Le vicaire, qui avait remarqué cette tablée, fut tenté de s'en approcher, puis se dit que sa place était au milieu des travailleurs, lui qui, occasionnellement, donnait un coup de marteau ou de hache, ou se servait de son arrière-main comme niveau improvisé. Et fort peu précis d'ailleurs.

En la tête de trois des six femmes rôdait le souvenir des échanges de partenaire tout récents auxquels chacune avait participé. Georgette, Dora et Angélina avaient en quelque sorte été contaminées par le virus du plaisir excessif et elles sentaient le besoin de s'échanger des confidences sur le sujet, ce qui n'était pas possible vu la présence des autres, Marie-Jeanne, Joséphine et Désirée, toutes les trois femmes de devoir, de haute morale chrétienne, de soumission à l'autorité de l'Église et de son clergé. Du moins, chacune aurait-elle voulu se définir ainsi... Mais pourtant, chacune d'elles possédait sur son mari un ascendant plus grand que leurs consœurs. Cela aurait pu les empêcher d'embarquer dans le nouveau jeu interdit par crainte du scandale et du péché. Mais peut-être pas non plus...

Angélina ignorait que Dora et Georgette connaissaient l'existence du groupe des 'frappeurs', mais elle s'en doutait passablement, surtout dans le cas de Georgette. Les hommes avaient sondé Romuald et le craignaient au point de vouloir l'intégrer, si possible, lui et sa femme, dans la petite société originale de couples très libérés et trop libertins.

C'est ainsi que, derrière les propos bénins déposés sur la table, virevoltaient des émotions, des peurs et des joies amalgamées en idées cachées exprimées en mots et tons que chacune percevait suivant ses propres valeurs. En somme, il y avait un non-dit circulant autour d'elles que Marie-Jeanne, Joséphine et Désirée sentaient sans le saisir clairement.

—On a su au travers des branches que ton Lorenzo pis la maîtresse d'école, c'est plus sérieux qu'on pense, dit Georgette quand une pause commanda que l'on trouve un nouveau sujet de conversation.

Marie-Jeanne haussa une épaule :

—Pas tant que ça, tu sauras, pas tant que ça.

—Ça lui ferait une bonne femme à plein ! s'exclama Angélina que des signes de tête approuvèrent.

Dora frotta son nez allongé et enchérit :

—Pis elle pourrait continuer à faire l'école une fois mariée. Ça se fait ça, pourvu...

—Qu'elle parte pas pour la famille, coupa Désirée.

–Angélina, t'as pas d'enfants, tu devrais faire l'école, toi, dit Joséphine.

–Pis toi, t'as pas d'enfants non plus.

–J'ai pas de diplôme pour faire l'école.

–J'en ai pas plus.

Survint une autre pause. Chacune cherchait quoi dire. Les pensées de l'une se trouvaient au fond de l'horizon, bien loin, par rapport aux pensées de l'autre. Il eût fallu une idée rassembleuse, un sujet qui intéressât tout le monde. Désirée le trouva, qui héla le bossu, lui qui passait tout près en traînant un paquet de bardeaux vers la construction.

–Monsieur Couët, monsieur Couët, vous avez pas goûté à mes tartes tout à l'heure. Pis au bon thé qu'on a fait infuser. Vous avez pas faim ?

Le petit homme s'arrêta :

–Ben...

–Venez vous assire au boutte de la table ! ordonna Marie-Jeanne tandis que Joséphine se glissait pour laisser de l'espace.

–Non, j'vas rester 'deboutte', dit le bossu qui aurait eu du mal à se hisser sur le banc incorporé à la table.

Angélina prit la parole :

–Tous les hommes sont venus manger au milieu de l'après-midi. Vous : pas.

–Faut 'crère' que j'avais pas faim. J'travaillais en dedans de la bâtisse...

Venu à la table, seule sa tête dépassant, Couët eut bientôt le nez quasiment dans une assiette de tôle contenant un bon tiers de tarte.

–C'est pas des restes, c'est un morceau de tarte flambant neuf, déclara Georgette, sourire en coin.

–Pis fait par madame Désirée, c'est 'cartain' que ça va être ben bon.

Il restait du thé tiède dans une théière au milieu de la table. Dora Fortier en remplit une tasse qui passa de main en main jusqu'au personnage dont le regard s'agrandissait encore devant la nourriture mais dont les yeux de l'âme se fermaient sous le poids de la honte.

Car c'est elle, cette vieille honte, qui l'avait empêché de venir manger plus tôt, à l'appel des femmes, au beau milieu des travaux.

Joséphine repoussa ses lunettes vers ses yeux et voulut confier une petite tâche au bossu, histoire de montrer qu'on le traitait comme un autre, et lui dit :

–Vous allez nous dire comment c'est que vous les trouvez, les tartes à Désirée.

–Trouvez-moé une fourchette pour en manger, pis j'm'en vas vous l'dire.

Les femmes rirent. Personne n'avait songé à présenter au bossu un ustensile; et lui n'aurait jamais osé manger avec ses mains, ce qu'il eût fait volontiers, seul, à la maison.

Georgette prit une fourchette plus loin et la mit à côté de l'assiette de la tarte. Et Bossu s'en empara qui mangea en ayant l'air de réfléchir au goût. On le regardait en donnant de l'importance à ce qui n'en avait guère mais qui en prenait parce que l'expérience impliquait un homme de cette infirmité et qui, pour cette raison, souffrait d'exclusion autant morale que physique.

Mais en ce moment, Couët, à travers les lunettes de son esprit aux verres tant égratignés, voyait chacune de ces femmes du cinquième rang à sa façon. Tout près, à sa gauche, Joséphine n'osait trop le regarder et portait son attention à Marie-Jeanne, sa vis-à-vis de table. Ah, la Joséphine qui possédait un corps de vedette hollywoodienne, une poitrine à la Jean Harlow, des hanches à la Joan Crawford et des yeux à la Greta Garbo. Quand il se rendait dans une salle de cinéma dans la Beauce ou bien à Mégantic, Couët trouvait toujours à penser à cette voisine du rang qui le fascinait un peu plus que les autres. Et puis, c'était un coeur pur. Elle et Josaphat ne savaient rien du groupe des 'frappeurs' et il serait étonnant qu'ils y adhèrent un jour prochain. Deux grands chrétiens comme eux ne donneraient jamais dans les desseins du diable de la chair...

Plus loin se trouvait Georgette, encadrée par Joséphine et Désirée. Georgette, une des aînées du rang avec ses quarante ans bien sonnés en avril. Georgette l'imprévisible qui pouvait tout à coup lancer des imprécations au ciel dans une saute d'humeur aussi soudaine que brève. Georgette la docile qui obéissait à son mari comme un chien à son maître, mais qui, à l'occasion, lui mordait la main pour lui faire comprendre qu'elle n'avait rien d'un objet.

Et puis, Désirée, la douce, la belle, l'inaccessible, la discrète et mystérieuse Désirée. Non, les vedettes de l'écran ne ressemblaient en rien à Désirée. Car Désirée était unique en son genre. Il aurait suffi qu'elle se montrât devant Howard Hugues ou Joseph Kennedy pour qu'on la sélectionne sur l'heure et qu'on la classe parmi les futures grandes étoiles du cinéma. Un mot habillait ses lèvres. Le plus humble vêtement parlait avec éclat pour elle. Et sa tarte aux fraises était divine, il le savait maintenant, le bossu oublié qui ne suscitait l'intérêt que par sa présence rassurante, non pas qu'il pût protéger mais parce qu'on se félicitait en souriant de plaisir de ne pas lui ressembler...

Au fond, de l'autre côté de la table, Angélina gardait sa tête tournée vers lui. Elle était la plus osée, la plus fantasque des occupantes de cette table. Et c'est elle qui demanda le plus fort :

–Pis, la tarte, comment c'est qu'elle est ?

–Pas pire, pas pire, pas pire, fit le bossu qui n'aurait pas pu s'en tenir à des mots excessifs comme 'excellente' ou 'succulente', lesquels, de toute manière, ne faisaient pas partie de son vocabulaire quotidien.

Il savait que cette femme au visage d'adolescente était

l'une des protagonistes principales du groupe des 'frappeurs'. Car c'est chez les Pépin que cette confrérie pécheresse se réunissait pour s'adonner à du 'pognassage' et même à bien plus d'après Romuald Rousseau qui les avait surpris en pleine action. Et pourtant, elle le regardait droit dans les yeux, sans la moindre gêne, dépourvue de tout sentiment de culpabilité. Voilà qui lui parut troublant. Il reprit un morceau de tarte...

Dora, la sobre Dora, gardait les bras croisés entre ceux d'Angélina posés sur la table et ceux de Marie-Jeanne qui soutenaient sa poitrine généreuse. Bossu ignorait qu'elle et Georgette avaient changé de mari, sinon son sentiment de culpabilité pour avoir colporté la matière à scandale du père Théodore aurait triplé voire décuplé. Bien loin de penser que cette femme pas des plus attrayantes pouvait commettre aisément le péché mortel, Couët la pensait la plus chrétienne, la plus catholique de cette paroisse. Dans un sens, il avait raison...

Et pour finir, l'impayable Marie-Jeanne, la Mae West de Saint-Léon, la femme forte de l'Évangile, celle qui mettait son fort penchant masculin au service de sa féminité, ce qui faisait parler les hommes et leur inspirait des insanités parfois à son sujet. Personne n'aurait voulu d'elle pour femme; tous auraient voulu d'elle pour maîtresse. Mais, dans l'entendement du bossu, ce n'était pas demain la veille du jour où cette blonde flamboyante se ferait couvrir par un autre mâle que son petit et chétif Maurice de mari. Les 'frappeurs' pourraient toujours attendre s'ils désiraient la recruter, elle et son homme, pour faire partie de leur petite société secrète aux pratiques si déplorables.

Ce jour-là, Marie-Jeanne portait une robe pâle des années folles au décolleté provocant qui laissait entrevoir la naissance de sa poitrine. Cela n'excita en rien l'infirme qu'un balayage rapide de ce lieu charnu entraîna plutôt dans son refuge de la montagne, la craque où il était sans doute le seul humain à se rendre les jours de tristesse et de réflexion profonde. Il devinait en Marie-Jeanne un côté sombre situé quelque part dans les basses-fosses de son âme. Saurait-il un jour, le bossu Couët, que cette femme si fière avait eu pour père un être abusif ? Et qu'elle en avait choisi l'antithèse pour mari ?

Le tiers de tarte fut en entier trituré, avalé, et le thé fut bu. Puis Bossu soupira d'aise. Il savait qu'il venait d'apporter une sorte de petit bonheur à cette table. Mais il ne devait pas s'attarder pour ne pas importuner et parce qu'un travail valorisant l'attendait parmi les autres hommes de la corvée.

–Ben 'marci' à plein ! s'exclama t-il en se tournant pour s'en aller.

–Y en a d'autre, fit Désirée de sa voix la plus aimable.

–J'ai eu ma part.

–Si vous en voulez plus, dit Joséphine, y en a en masse.

–J'ai eu ma part, répéta Couët qui s'en alla, la démarche bringuebalante.

Joséphine fut une moue du visage voulant dire : pauvre homme !

Marie-Jeanne dit à mi-voix pour que l'infirme n'entende pas, même à distance maintenant :

–De la manière qu'il nous regarde des fois, on dirait qu'il nous déshabille le coeur, cet homme-là.

Angélina affirma :

–Les bossus ont un don pour savoir qui vous êtes.

Georgette s'inquiéta :

–Tu penses, toi ?

Dora intervint :

–C'est vrai, ce que dit Angélina. Ils ont un don... disons de voyance. Ils voient tout de suite si on cache quelque chose pis c'est quoi qu'on cache dans le fond de nous autres.

Georgette s'objecta :

–Tu crois à ça, toi ?

–Dur comme fer.

–Toi, Désirée, tu y crois ?

–Y a que le bon Dieu qui voit dans le coeur du monde.

–Moi, j'pense de même, approuva Joséphine.

Et les idées disparates, souvent contraires, revinrent en masse joncher la table pour s'y ajouter aux restes de nourriture, aux contenants et autres objets devenus inutiles pour le moment...

***

Chapitre 36

Les cinq hommes du groupe des 'frappeurs' se réunirent chez Pit Roy, devant le hangar à instruments aratoires et à glace. Le père interdit aux enfants de venir. On parlementa.

On se savait devant un chemin en Y. D'un côté, il faudrait cesser cette pratique encore toute nouvelle qui avait plu à tout le monde, par crainte que la chose ne s'ébruite à partir de Romuald Rousseau, l'écornifleur du dimanche. De l'autre, on pouvait chercher à intégrer le couple Rousseau aux exercices ludiques et lubriques du groupe secret. Il fallait évaluer les risques. À gauche, on revenait à l'ancienne vie de labeur et de misère, plafond gris et bas au-dessus des têtes, vie entièrement axée sur les nécessités du quotidien, ne trouvant de joie que dans les rares événements heureux et de plaisir que dans le désir lui-même muselé par mille contraires. À droite, il y avait la continuation d'une pratique jugée enrichissante et surtout terriblement agréable à l'intérieur d'un groupe fermé mais agrandi de deux personnes.

La grande objection à intégrer les Rousseau aurait pu venir des femmes vu la mauvaise hygiène de l'homme. Mais on avait pu constater à la corvée que Romuald était, de tous les participants, le plus propre, le mieux lavé, au point que la remarque en avait été faite par Angélina Pépin, la seule du groupe des 'frappeurs' à se trouver sur la montagne le jour de la corvée.

C'est à elle qu'il fut décidé de confier le soin de persuader les quatre autres femmes de la pertinence d'un élargissement du cercle par l'ajout des Rousseau. Oui, mais les Rousseau seraient-ils ouverts à pareille liberté de moeurs ? On en vint à penser que oui et qu'il fallait approcher le couple sans plus tarder.

"La parole ébranle, l'exemple entraîne," déclara encore Hilaire Morin qui suggéra une rencontre du groupe sur la montagne dans le courant de la semaine. On étrennerait en quelque sorte la nouvelle chapelle. Les cinq couples s'y rendraient après avoir, au préalable, invité les Rousseau à cette réunion dite 'spéciale'.

Sans qu'on ait à leur en dire plus que de les inviter là-haut, les Rousseau comprirent, sachant qui s'y trouverait, qu'on leur ferait des avances. Ils acceptèrent l'invitation. Mais, par une sorte de loyauté ou de fidélité, ils prirent la décision de se faire accompagner par le couple Fortier, pensant qu'on ne pourrait pas adhérer au groupe des 'frappeurs' et délaisser ces voisins avec lesquels on s'était adonné à un échange des partenaires.

Georgette se rendit en parler à Dora qui en parla à Jean-Pierre, et l'on convint de choses. On irait ensemble rejoindre les cinq autres couples ce mercredi soir et l'on n'accepterait rien autrement qu'ensemble. Et pas besoin de prévenir : on devrait les prendre comme un quatuor à une seule voix.

C'est ainsi que trois jours plus tard, dès après le repas du soir, les 'frappeurs' se regroupèrent tout près de la cabane du bossu qui sortit pour savoir ce qui se passait. On l'informa qu'on se rendait sur la montagne pour une première prière collective. Mais le petit personnage n'était pas dupe. Facile, quand on détient les informations qu'il avait sur ces gens, de subodorer leurs intentions véritables.

Hilaire lui fit une demande :

–On aurait besoin de ta petite jument, Odilon. Ça serait-il trop te demander de nous la prêter pour à soir ? On va redescendre à la brunante. Ça serait pour Marie-Louise pis Sophia. Vu leur état, sont pas en mesure de grimper dans le sentier par leurs propres moyens.

Le bossu était confronté à un terrible dilemme. Acquiescer à cette demande, c'était prendre part, en quelque sorte, à la pratique de l'échangisme et donc participer du péché mortel qui s'y rattachait. Refuser pareil service à la moitié du rang, c'était se le mettre à dos à coup sûr. Inventer un mal à la patte à la *Brune* n'était même plus possible puisqu'elle paissait en paix autour de la masure. Quant à la traîne bricolée le dimanche d'avant, elle était mâtée contre le mur de la cabane, et dans le même bon état.

Mais il y avait encore bien pire qui suscitait la tempête dans le for intérieur du petit homme : aider les 'frappeurs' à se rendre sur la montagne, plus grave qu'un péché mortel, ce serait un sacrilège. Car s'ils devaient se réunir dans la chapelle à peine levée comme cela s'annonçait de façon assez nette, y changer de partenaire deviendrait la plus terrible profanation qui soit. Et tout ça, et tout ça, songeait-il, parce qu'il avait colporté les propos malsains du père Morin dans tout le cinquième rang.

Comme personne ne s'attendait à un refus de sa part, Joseph Roy se dirigea vers le poney afin de l'atteler à la traîne sans même avoir obtenu la permission de son propriétaire. Le bossu resta sans voix. Et bientôt, deux hommes, Joseph et Albert, précédèrent l'animal qui tirait le traîneau sur lequel avaient pris place, assises, les deux femmes enceintes qui se tenaient agrippées aux ambines.

Le reste du groupe suivit.

En chemin vers le sommet, on s'arrêta pour chercher du regard le couple Rousseau qui retardait ou bien qui ne se présenterait pas. On vit venir deux couples plutôt qu'un et, malgré la distance, l'on reconnut les Rousseau et les Fortier. Il fut décidé d'en discuter dans la chapelle le temps qu'ils arriveraient...

Cette excursion en montagne n'aurait pas pu échapper à Marie-Jeanne Nadeau puisque tous les couples à part les Martin devaient passer devant sa porte pour accéder à la cabane du bossu puis au sentier menant là-haut. Elle n'osa sortir pour questionner qui que ce soit, mais les interrogations grommelaient derrière ses lèvres closes à mesure que les gens passaient. Pourquoi étaient-ils exclus, eux et, à observer, elle le sut, les Poulin, leurs voisins de biais ?

Josaphat lui répondit quand elle téléphona. Il ignorait la raison pour laquelle d'aucuns allaient sur la montagne et pas d'autres du rang. Peut-être que le forgeron Maheux sait, lui, suggéra-t-il. Mais une autre idée eut le meilleur : téléphoner au presbytère pour savoir ce qui se passait.

Ce que fit Marie-Jeanne. Le vicaire reçut l'appel. En l'absence du curé, il prit la décision de se rendre lui-même au fond du cinquième rang. Et se mit en route dans sa 'machine' fraîchement lavée...

Seule la croix manquait encore sur la flèche de la chapelle supportée par le petit clocher. La chaleur du jour en déclin se faisait moins intense là-haut. Après la queue leu leu du sentier, le groupe se reforma sur le platin. Et de surcroît, le soleil fut noyé par une couche nuageuse venue de l'ouest, et qui générait des éclairs dits de chaleur. À moins qu'elle ne transporte avec elle, au bout de cette semaine de canicule, des pluies bienfaisantes appelées à tomber au cours de la nuit.

En bas, Romuald apaisa la conscience du bossu. Pas entièrement mais d'une certaine façon. Les deux hommes se dirent des choses à l'écart des trois autres personnes sur place, soit Georgette et le couple Fortier.

–As-tu pensé, Dilon, qu'il pourrait se passer à soir la même histoire que l'autre dimanche dans la grange à Francis Pépin ?

–Ben... oué... disons...

–D'après moé non, vu que, ben ils nous ont invités à monter avec eux autres.

–Ah !

–Pis... y en a-t-il qui avaient des fanals avec eux autres ?

–J'penserais pas. Ils ont dit qu'ils vont redescendre avant la noirceur.

–En tout cas, nous autres, on n'a pas pris de chance. Jean-Pierre pis moé, on a un chacun un fanal plein d'huile à charbon. Comme ça, on risquera pas de se faire pogner à grosse noirceur.

–C'est plus prudent de même.

Romuald cachait son intention profonde qui était de couvrir le groupe des 'frappeurs', dont son couple et celui des Fortier feraient peut-être partie au retour. Qu'il se passe quelque chose ou non là-haut, Bossu croirait que rien ne s'était produit vu la présence de quatre personnes extérieures au groupe.

Et le quatuor se mit en marche vers la piste menant sur la montagne.

Et dans le rang, l'auto du vicaire venait à fière allure. Le prêtre se demandait bien pourquoi des gens allaient sur le mont *Sainte-Cécile* en plein coeur de semaine, trois jours après l'érection de la chapelle. Voulait-on exécuter des travaux supplémentaires après la corvée réussie du dimanche ? Le cas échéant, qui en avait donné l'ordre puisque le forgeron Maheux n'avait pas été signalé par Marie-Jeanne Nadeau parmi les randonneurs ? Les interrogations virevoltaient dans la tête de l'abbé Morin pour ensuite rouler sous l'auto et s'échapper à l'arrière dans le nuage de poussière, poussées par de nouvelles inquiétudes. On avait su que cinq couples du rang jouaient aux cartes jusque tard la nuit, aurait-on l'audace de se réunir dans la chapelle pour une raison aussi frivole, et ainsi manquer sérieusement de respect envers le sacré ? Le presbytère devait savoir à tout prix de quoi il retournait sur la montagne ce soir-là...

Le prêtre dut garer son auto à une certaine distance de la cabane du bossu vu les roulières et ornières profondes qu'il savait exister dans la seconde portion du sentier, et pour ainsi en protéger la panne à l'huile et autres parties vulnérables du dessous de la voiture. Et il marcha de son pas mesuré pour ne pas trop s'essouffler. Son arrivée avait été annoncée par le chien qui accourut et renifla l'homme de Dieu, puis secoua la tête avant d'éternuer en signe de contentement. Couët sortit pour bienvenir le visiteur :

–De coutume, il passe jamais 'parsonne' par icitte. Asteur, avec la chapelle su' la montagne de la *Craque*...

–Le mont *Sainte-Cécile*, coupa le vicaire.

–En tout cas...

–S'il vous plaît, monsieur Couët, dites 'mont *Sainte-Cécile*'. Je veux l'entendre de votre bouche. De cette façon, vous allez mieux vous adapter au changement.

–Ben correct ! Le mont *Sainte-Cécile*... c'est 'vré' que ça se dit ben comme il faut. En tout cas, asteur, il en passe tout le temps.

–Quoi, des gens sont passés par ici depuis la corvée ?

–Ben... pas lundi ni mardi, mais à soir, ça dérougit pas. Y a sept cultivateurs qui sont montés en haut avec leu' femme. Même que j'leu-z-ai prêté mon poney.

–Sept ?

–Oué...

Et Bossu les nomma tous. Puis son front s'assombrit en même temps que le ciel du fond de l'ouest. Et pire encore quand le prêtre lui demanda :

–D'après vous, ils sont allés là pour quelle raison ?

–Ah, faites-moé donc pas parler !

Et Couët baissa la tête.

–Je vais certainement vous faire parler au contraire. Pourquoi sont-ils montés sur la montagne, tous ces couples, dites-moi, monsieur Couët ?

Son sentiment de culpabilité monta de plusieurs crans en l'âme du bossu. Il refusait de dénoncer. Il ne voulait pas se faire complice en se taisant. Encore le dilemme insoluble. Lui vint une lumineuse idée de compromis. Il dirait la vérité au prêtre tout en le bâillonnant par le secret de la confession.

–J'voudrais me confesser. Ça serait-il possible ?

–Mais... bien sûr ! Faites, faites...

Le pauvre petit homme vida sa besace de tous ses péchés et remords... Les cheveux du prêtre se dressèrent comme s'ils avaient été traités à une puissante électricité statique...

Pendant ce temps, là-haut, le groupe des 'frappeurs' avait formé un cercle à l'intérieur de la chapelle, sur des bancs improvisés puisque de vrais bancs d'église ou de sacristie restaient encore à être achetés par la fabrique pour meubler la nouvelle bâtisse pieuse.

Il fallait voir si on élargirait le clan au point d'y faire (ou laisser) entrer et les Rousseau et les Fortier. On avait déjà discuté au sujet du premier couple et on s'était entendu sur la nécessité de lui ouvrir la porte, mais rien n'avait été vraiment établi par rapport aux autres cultivateurs du rang, y compris les Fortier.

Plus de monde, plus de 'fun', soutenaient les uns.

Plus de monde, plus de risques, soutenaient les autres.

Peut-être moins de risques, arguaient les plus sages.

Il fut décidé de voir quand les deux autres couples seraient sur place, et on les attendait d'une minute à l'autre. On avait d'ailleurs laissé la porte clairement entrouverte pour si-gnifier qu'on se trouvait à l'intérieur et qu'on se préparait à la venue de visiteurs. Le geste parlait de bien plus même que du joyeux et généreux sens d'accueil des campagnards.

–Vous nous avez invités à venir avec vous autres : on est là. Pis on a amené nos amis, les Fortier. On peut-il entrer ?

Tous reconnurent la voix de Romuald. Albert répondit au nom du groupe :

–On vous attendait en bas. Pis on a décidé de vous atten-dre en haut. V'nez donc. Rentrez avec nous autres...

Et le cercle d'amis cultivateurs fut agrandi en attendant que celui des 'frappeurs' le soit selon ce que le destin leur réservait. Car d'autres composantes risquaient de modifier la donne, et elles s'appelaient le vicaire et l'orage.

Surtout que l'orage grondait déjà dans le coeur du prêtre. Les éclairs du scandale zébraient son âme par le milieu et par tous les sens. Les éclats du tonnerre brutalisaient sa pen-sée. Au sortir de la maison du bossu, il prit la direction du sentier à pic alors que le suivait à distance Couët qui, lui, trouverait refuge une fois encore dans la craque de la monta-gne pour y réfléchir sur le monde et sur lui-même...

Hilaire Morin prit la parole :

–Nous autres, si on vous a invités à vous joindre à nous, c'est pour... comment j'dirais ça...

–Se connaître mieux, lança Angélina avec un sourire qui se voulait énigmatique mais que tous comprenaient dans son sens profond.

–Ben... disons...

Romuald intervint :

–Écoutez, on va pas tourner ben longtemps autour du pot. Laissez-moé parler, pis tout' va s'ajuster le temps de le dire.

Ça marche ?

Tous acquiescèrent de mots marmonnés ou signes esquissés. On entendit alors le tonnerre au loin.

–Parce qui si on perd du temps, on va se faire prendre par l'orage. Tantôt, j'pensais que c'étaient des éclairs de chaleur qu'on voyait au loin, mais on dirait que c'est ben l'orage qui s'en vient. Bon... Regardez, vous savez que l'autre dimanche, sus allé pour voir Francis dans sa grange. Pis là, ben, j'ai entendu c'est qu'il se passait dans la tasserie. J'vous ai pas condamnés pour ça, ben au contraire. J'voulais pas faire de bavassage non plus, mais j'en ai parlé avec ma femme Georgette pis nos amis Dora pis Jean-Pierre. Ça nous a donné l'idée de faire la même chose que vous autres. Pis comme vous nous avez invités à venir, on a pensé que c'était pour nous ouvrir la porte... on a pas voulu laisser de côté nos amis, les Fortier. Pas besoin d'avoir peur de nous autres, de marcher su' l'bout des pieds pour nous approcher. On sait ce qu'on veut. En deux mots, on aimerait ça, nous autres itou, être... des 'frappeurs'...

Ce fut le rire général.

Hilaire reprit la parole :

–J'pensais jamais que ça serait aussi simple que ça.

–Vous avez ben fait de vous ouvrir à nous autres; pis nous autres, on s'ouvre à vous autres de la même manière.

–Faut dire que c'est un peu par hasard que le groupe s'est formé. On a pas voulu mettre personne de côté.

–Ça, on le sait...

Le mauvais temps s'approchait plus vite qu'anticipé. Trop vite. En tout cas pour ceux qui, comme le vicaire, ne se trouvaient pas à l'abri. Car le prêtre devait souvent s'arrêter pour reprendre son souffle. Il fallait qu'il se dépêche non pas que pour éviter de se faire surprendre par la pluie mais aussi pour empêcher peut-être un péché mortel de groupe voire un sacrilège honteux et extrêmement dangereux...

Quant à lui, le bossu se trouvait déjà dans son repaire secret. Et malgré le temps fort sombre, il pouvait apercevoir des clochers au loin, y compris le plus éloigné de tous, celui de l'église de Saint-Évariste, temple paroissial juché sur le point le plus élevé des environs au sens large.

–C'est sûr qu'à soir, on pourrait pas faire des échanges comme dans une maison privée ou une grange, mais on peut se donner une demi-heure de bon temps.

Hilaire, le meneur de jeu, recueillit l'approbation générale et poursuivit :

–On va former des couples comme pour aller au bout', mais ça sera rien que pour se connaître mieux, comme disait tantôt Angélina.

Albert lança :

–On fera ben c'est qu'on voudra. Ça sera la liberté de chacun.

–Ah, ben oui ! Ah, ben oui ! C'est une des règles du groupe : la liberté individuelle. On va pas déroger à ça. Mais vu qu'on est dans une chapelle, j'me disais...

–Elle est pas bénie encore, Hilaire.

–T'as raison, Albert, elle sera pas consacrée avant dimanche qui vient. O.K. j'ai un jeu de cartes. J'en donne une à tout le monde. La meilleure carte du côté masculin ira avec la meilleure du côté féminin. À moins que ça s'adonne être le mari pis la femme. Pis là, on recommence. Tout le monde est d'accord ?

–Mais avant, dit Marie Roy, il faudrait faire connaître nos règlements aux nouveaux couples.

Ce fut une autre approbation générale. Et Hilaire énuméra les règles en insistant sur celle portant sur l'hygiène personnelle. Rousseau approuva de sa voix la plus convaincante :

–C'est 'vré'... Quand on fête quelque chose, on s'endiman-che... d'abord on se lave ben comme il faut pis on se met su' not' trente-six...

Ainsi rassura-t-il toutes les femmes présentes, y compris la sienne...

Et les couples du soir furent formés à partir du hasard commandé par les cartes. Il fallut se reprendre à deux repri-ses afin de dépareiller les couples formés par Dieu et les hommes dans le cadre du mariage traditionnel. Et les paires furent les suivantes : Jean-Pierre/Blanche, Romuald/Angé-lina, Hilaire/Georgette, Joseph/Sophia, Francis/Marie-Louise, Jean/Marie, Albert/Dora.

Il y avait nouveauté de partenaire pour douze des qua-torze personnes impliquées. Seuls Francis et Marie-Louise s'étaient intimement connus dans un échange à quatre à la maison Pépin un soir de noce voilà peu de temps. Chacun des autres connaîtrait l'exaltation de l'inédit, la découverte d'un corps neuf, de l'inconnu et par conséquent une grande intensité du désir. Comment ne pas aller plus loin que les lieux n'inclinaient à se rendre : plancher de bois dur, aucun lit, aucun meuble et lieu dédié à la gloire du Seigneur Dieu ?

Hilaire se rendit refermer la porte. Il fut reçu par les pre-miers grains de pluie. Le dessus de la montagne et tous les horizons étaient maintenant sérieusement dans l'ombre. Tout était gris, y compris la *Brune* qui gardait sa tête basse, comme honteuse, sûrement piteuse et probablement peu-reuse. Comprenait-elle dans sa nature animale que le péché se peut et qu'il fut de tout temps bien plus rattaché aux excès sexuels qu'à bien d'autres 'crimes' autrement plus importants et dommageables ? Comment l'humain, dans son esprit tor-tueux, avait-il pu un jour réunir deux concepts diamétrale-ment opposés comme 'péché' et 'chair' ? Ou bien la *Brune* n'était-elle rien d'autre qu'un paquet de tissus amalgamés et réunis les uns aux autres par le puissant liant de la docilité ?

Aux deux tiers de la piste montante, le vicaire s'arrêta et s'essuya le front avec la manche de sa soutane qu'il mouilla passablement. Peut-être valait-il mieux attendre et surprendre tout ce beau monde en flagrant délit plutôt que d'essayer d'empêcher un péché de se produire alors qu'il était de toute façon déjà commis dans le coeur de ces quatorze personnes envahie par l'esprit du mal ? Il pria pour que le bon Dieu lui permette quand même d'atteindre le sommet et la chapelle avant l'éclatement d'un orage certain qui s'approchait à grands coups de tonnerre, en éclats et en ciels brisés.

Bossu ne se sentait pas tout à fait lavé par la confession qu'il avait livrée aux oreilles de l'abbé Morin. Comme si le créateur de toutes choses, qui lui avait donné un corps d'infirme et une vie malheureuse, pouvait, grâce à un simple aveu de faute, lui accorder son plein pardon avec de surcroît sa bénédiction. Non, il lui restait sûrement à expier une forte peine due au péché. Peut-être que cet orage lui donnerait l'occasion de le faire ? Et si le scandale dont il s'était fait le porteur s'avérait une faute inexpiable ?

À plusieurs milles de là, Rose Lafontaine dite la possédée de Saint-Évariste, ouvrit les yeux. Plus tôt, elle s'était cachée dans sa chambre comme tous les soirs, enfouie sous une jaquette blanche et ensevelie sous plusieurs draps lourds. Mais le grondement du ciel lui lançait un message. Un message d'appel...

Un premier couple alla s'asseoir en face de la porte et s'adossa au mur, pieds allongés sur les madriers du plancher. Puis un suivant s'installa à son tour. On s'échangeait des paroles de tous côtés, et la rumeur unique était faite d'un amas de mots entremêlés. Mais à travers ceux-là, il fut convenu d'allumer les fanaux apportés par Romuald et Jean-Pierre vu l'invasion rapide des lieux par les ténèbres extérieures autant que par celles de l'intérieur.

Et bientôt, les sept couples déterminés par les cartes à jouer, furent alignés, adossés au même mur tandis que dehors, le temps continuait de se mettre à la colère.

—Y va ben falloir attendre que l'orage passe pour retourner en bas ! déclara Romuald après avoir déposé sa lanterne au milieu de la place et retrouvé Angélina, sa compagne d'un soir.

Il lui avait été demandé ainsi qu'à Jean-Pierre Fortier de maintenir la mèche au minimum afin de ne pas alerter tous les environs en allumant trop les fenêtres, même rares, qui perçaient les murs de la jeune bâtisse. C'est dans un profond clair-obscur que les partenaires entrèrent en relation. On s'en tenait aux mots seulement. Les gestes attendaient l'orage, surtout la fin du pire de l'orage. Chacun se doutait bien que le tonnerre bardassait plus fort en montagne, et personne ne songeait que la flèche de la chapelle, encore dépourvue de paratonnerre, risquait gros d'attirer la foudre et de mettre en péril les occupants de l'intérieur.

Bossu délaissa son banc de pierre et se recula au fond de la crevasse pour éviter la pluie qui venait de commencer par gros grains, quasiment des clous. Il lui était quand même donné de voir sa cabane en bas que révélaient ces éclairs de plus en plus fréquents. Il pouvait voir aussi les fenêtres éclairées des maisons du rang. Seule l'école parmi elles donnait à penser à une lettre morte puisque, par temps de congé, elle perdait couleur, saveur et valeur. Et que par cette nuit précoce, elle ne se dessinait plus sur l'horizon que sporadiquement et dans sa seule ombre chinoise...

De là, il lui serait aussi donné de voir revenir les visiteurs du soir quand l'envie leur en prendrait. Alors, à la lumière d'un fanal, il effectuerait sa propre descente afin que son sentier en vienne à croiser celui des 'frappeurs', surpris et délogés par le saint prêtre.

Maintenant que licence lui avait été dévolue pour jouir de la nouvelle pratique en vogue dans le cinquième rang, Rousseau subissait une faim vorace de nourriture charnelle. Mais il ne voulait pas non plus dérouter Angélina par trop d'empressement, par des gestes non annoncés, par des caresses trop directes. Il s'approcha donc à pas feutrés, à la manière indienne, en utilisant la ruse mais pas la surprise. Même que sa partenaire, qui n'avait jamais eu froid aux yeux, trouvait qu'il manquait d'enthousiasme...

Le tonnerre claqua très proche.

Les voix baissèrent.

La pluie drue se mit à frapper la toiture.

—Une bonne occasion pour voir si la couverture a été ben faite ! lança à tous Joseph Roy qui y ajouta un rire surfait.

—Avec Arthur Maheux pour voir à tout, pas de danger que le toit coule ! commenta Hilaire Morin.

—Pas si vite ! objecta Georgette Rousseau. J'ai souvent entendu dire à sa femme Rose-Anna que leur maison coule comme un panier percé.

On rit un peu partout, mais pas fort.

Un violent coup de tonnerre serra de près l'éclair qui le précédait.

—Pour moé, il vient de tomber pas loin, dit Jean Paré qui relâcha l'étreinte par laquelle il tenait Marie Roy sur lui.

Le désir de faire l'amour déserta la plupart des personnes présentes, car c'est de se rassurer mutuellement dont on avait le plus besoin. Mus par un sentiment inhibitoire, les couples se resserrèrent donc, et chaque partenaire se comporta plutôt comme un enfant dans les bras de sa mère ou de son père, que comme un amant ou une maîtresse.

Le prochain éclat du ciel s'avéra bien plus puissant encore que le précédent. Le fracas donna à penser que l'éclair avait frappé la bâtisse. Alors seulement, il vint à l'esprit de certains que la flèche de la chapelle constituait un véritable pôle d'attraction pour la foudre. Au même moment, pour ajouter à la tétanisation générale, la porte s'ouvrit brusquement et le vent la fit claquer contre le mur extérieur.

Vision dantesque pour les uns, apparition inquiétante pour les autres, fort désagréable moment pour tous, voici qu'une silhouette humaine se trouvait dans l'embrasure. Noire. Battue par le vent et la pluie, enflammée par les éclairs successifs mais semblant impassible. Personne n'était en mesure de savoir qui se trouvait là : être humain ou démon. Les femmes étaient sidérées, les hommes interdits.

Entre deux formidables coups de foudre, on put entendre un hennissement qui exprimait de la peur. La pauvre *Brune*, laissée dehors sans protection, énervée malgré son calme habituel, donnait des coups de tête, tirait sur sa longe, cherchait à se libérer de son esclavage qui la condamnait aux intempéries... Un peu encore et elle arracherait le crochet-tige fixé au montant d'un châssis et qui servait d'ancre à cette lanière de cuir dont elle était prisonnière.

–Qui va là ? lança Hilaire de sa voix la plus puissante.

Il fallait une voix qui rassure tout le monde et soi-même. Mais voilà qui plutôt renforça l'incognito dont jouissait le personnage pourtant bien dessiné par le chambranle et par les rages du ciel.

–Qui va là ? rétorqua sur le même ton extrême l'étrange visiteur.

–On est venu, du monde du rang, prier dans la nouvelle chapelle, reprit Hilaire qu'un certain sang-froid animait du côté gauche de son cerveau.

La voix mystérieuse tonna plus fort encore :

–Prier ou pécher ?

Et le personnage s'avança dans la faible lueur sombre des deux sources de lumière artificielle. On reconnut un prêtre. Mais il fallut une seconde de plus pour savoir que derrière cette soutane noyée et cette chevelure dégoulinante sur un visage inondé par les pans de pluie qui l'avaient frappé de plein fouet dès son accès sur la montagne et jusqu'à la porte de la chapelle se cachait sans le vouloir le vicaire Morin.

–Si c'est pas monsieur le vicaire ! s'exclama Romuald Rousseau qui aussitôt se leva et fit des pas vers l'arrivant.

Le prêtre dit à voix longue, mesurée, terrible :

–Le feu du ciel risque de tomber sur cette bâtisse.

Et le ciel dut comprendre son demi-souhait puisque la foudre claqua de nouveau et qu'un nouvel éclair, bien plus fulgurant que les autres avant lui, s'abattit tout autour. Des cris de femme furent échappés. Les partenaires des couples se quittaient pour retrouver le partenaire de vie coutumier. On craignait le vicaire. On craignait l'orage. On craignait le ciel. On craignait l'enfer. Il faudrait du recul pour ajuster les pensées et surtout les sentiments qui les suivent. On entendit une sorte de hennissement rauque venir de l'extérieur. Puis le grondement sourd et moins violent du tonnerre s'allongea pendant un moment...

Il venait de se produire une tragédie.

Le seul être véritablement innocent à la surface de cette montagne venait d'être foudroyé. L'éclair avait frappé la *Brune* au museau, parcouru tout son corps pour ressortir par une patte. Paratonnerre vivant qui avait sauvé la vie des 'frappeurs' et du vicaire, le petit cheval survolté avait pu faire quelques sauts commandés par son cerveau intact et les trois pattes musculeuses capables de le porter encore. Mais l'animal, privé de tout contrôle, avait chuté dans l'abîme que la falaise abrupte créait en cet endroit, une dizaine de mètres au-dessus du refuge du bossu.

Couët fut à même d'apercevoir une masse sombre passer devant son regard et s'écraser au sol trente pieds plus bas. Il s'avança pour voir, mais dut attendre un autre éclat du ciel pour comprendre qu'il s'agissait de sa chère petite jument. Elle était tombée, tuée par la foudre ou bien le péché... Elle échappa un dernier hennissement...

Atterré, Bossu se mit en marche pour la retrouver...

Rose Lafontaine sortit de sa chambre par une fenêtre. Dehors, la pluie, qui battait toutes choses, l'attaqua de pleine face. L'orage l'appelait de toutes ses puissances. Et entre deux coups de tonnerre, elle put entendre siffler le train. Mais l'orage, ce soir-là, était-il un phénomène naturel ou surnaturel ? Ou peut-être un phénomène naturel commandé par le surnaturel ?

Il s'allumait des braises dans son regard noir chaque fois qu'un éclair déchirait le ciel...

Personne dans la chapelle ne sut à ce moment que la *Brune* venait d'être foudroyée et qu'elle avait couru à une fin plus que certaine puisque le ciel avait déjà signé son certificat de mort.

Le temps était à la rédemption des péchés.

Le vicaire se fit plus calme. L'orage aussi.

–Il serait convenable qu'on me dise à quel jeu vous êtes venus jouer ici, dans la chapelle, demanda-t-il sur un ton bien moins théâtral que le précédent. Je vois ce que je vois. Des dames se sont éloignées de messieurs qui ne sont pas leur époux légitime pour retrouver leur mari. Tout cela me paraît plutôt insolite. Qu'on m'explique !

Par chance pour les 'frappeurs', personne ne montrait de la peau nue à l'arrivée du prêtre. Personne non plus ne pelotait personne. Pas de gestes vraiment impudiques. Quelques attouchements que le prêtre n'eut même pas le temps d'apercevoir dans le profond clair-obscur et parce que sa vue était chamboulée par les éblouissements que provoquaient en ses yeux inquisiteurs les éclairs puissants de ce moment-là.

Tous demeuraient bouche bée. Romuald Rousseau sut qu'il fallait gagner du temps. Il prit la parole :

–Monsieur le vicaire, c'est un jeu indien sans conséquence. Ça se joue entre couples. Même que vous pourriez jouer vous-même pourvu qu'on vous trouve quelqu'un pour former une paire avec vous. Ça peut se jouer avec les cartes. On va vous inviter à venir jouer avec nous autres dans les jours qui viennent. Hein, vous autres ?

Des approbations fusèrent de partout.

Romuald n'avait aucune idée de ce qu'il lui faudrait inventer comme jeu pour couvrir les 'frappeurs', mais il trouverait. À plusieurs, on trouverait... Certains comprirent qu'il avait sauvé le groupe. Hilaire affirma :

–C'est sûr qu'on va vous inviter...

Mais tout le monde ignorait que le bossu s'était confessé, et que le vicaire savait maintenant ce que 'frapper' voulait dire dans le langage du cinquième rang.

Le vicaire garda le silence pendant un moment. Puis il choisit de se taire, de ne pas confronter ces pauvres pécheurs, du moins pour le moment. Il devait faire semblant d'y croire. Il déclara :

–En ce cas, nous allons redescendre de la montagne pour n'y revenir que dimanche alors que la chapelle recevra sa bénédiction officielle de la sainte Église par les mains de notre bon curé et peut-être même par les mains de notre saint archevêque...

On applaudit.

L'orage s'apaisait en s'éloignant.

Au sortir de la bâtisse, on fut surpris de l'absence de la petite jument.

–Elle aura eu peur du tonnerre pis sera retournée au campe du bossu, assura Hilaire Morin.

–C'est drôle que la traîne soit encore là, dit Sophia.

–C'est moi-même qui l'a dételée, la *Brune*, en arrivant. Ça fait qu'elle est repartie pas de traîne. Mais on va vous aider à redescendre, toé pis Marie-Louise...

Un petit quart d'heure plus tard, on découvrait le bossu et son cheval au pied de la falaise. Il faisait nuit, mais les lanternes éclairèrent la scène qui fut cernée par les personnes revenues de là-haut.

Rousseau examina la bête morte. Il trouva une brûlure au naseau droit et une autre à une patte arrière.

–Calvènusse de calvènusse, on dirait que le tonnerre a tombé su' la p'tite jument.

Assis par terre près de la tête de l'animal mort, Couët ne bougeait pas d'une ligne.

–Ça va, monsieur Couët ? demanda le vicaire qui se pencha vers lui pour offrir de la compassion.

Le malheureux redressa la tête tout doucement, comme s'il refusait d'arracher sa tendresse du corps de la pauvre bête mais en même temps pour interpeller, interroger, demander réponse à sa douleur, explication au drame, à cette autre tragédie d'une vie qui en débordait déjà...

Tous purent apercevoir ses grands yeux de petit garçon meurtri, remplis de larmes...

***

*suite dans **L'Oeuvre de chair***
*(2e tome de la série **Le 5e rang**)*